工业互联网安全架构及关键技术

魏 旻 等 著

科 学 出 版 社

北 京

内 容 简 介

本书系统介绍当前工业互联网面临的安全风险和国内外安全架构，内容涵盖工业互联网的工业设备层安全、边缘侧安全、传输网络安全、平台安全及安全测试等安全技术和安全应用方案的最新研究成果。本书面向工业互联网实际部署中面临的安全威胁及安全需求，融合当前工业互联网热点技术（5G、TSN、IPv6、边缘计算、SDN 等），提出具有创新性的系统级解决方案，为读者从系统层面建立解决工业互联网云、网、边、端的纵深防御难题给出新的思路，对工业互联网的各层级安全机制实现给出具体的阐述与应对方法。

本书可供从事工业互联网安全和应用的管理决策人员及从事工业互联网安全领域设计、开发、应用的研究人员参考，也可作为高等院校物联网工程、信息安全、自动化等专业高年级本科生和研究生的教材。

图书在版编目（CIP）数据

工业互联网安全架构及关键技术 / 魏旻等著. —北京：科学出版社，2022.12

ISBN 978-7-03-071205-9

Ⅰ. ①工… Ⅱ. ①魏… Ⅲ. ①互联网络－应用－工业发展－网络安全－研究 Ⅳ. ①F403-39 ②TP393.08

中国版本图书馆 CIP 数据核字（2022）第 000203 号

责任编辑：叶苏苏 霍明亮 / 责任校对：王 瑞
责任印制：罗 科 / 封面设计：义和文创

科 学 出 版 社 出版

北京东黄城根北街 16 号
邮政编码：100717
http://www.sciencep.com

四川煤田地质制图印务有限责任公司印刷

科学出版社发行 各地新华书店经销

*

2022 年 12 月第 一 版 开本：787×1092 1/16
2022 年 12 月第一次印刷 印张：20
字数：487 000
定价：239.00 元
（如有印装质量问题，我社负责调换）

序

工业互联网已成为新基建的重要领域，是新一轮工业革命的关键动力，其重要性不言而喻。发展工业互联网是推动工业转型升级、提升核心竞争力、实现工业高质量发展的重要路径。工业互联网作为一个全新的工业系统，在狭义上是工业和互联网互补的结合体，广义上是要实现工业生产行业各形态的互联网化，以提高工业生产水平，进而支持工业系统更高水平更高质量的价值创造。

工业互联网安全仍面临巨大风险，工业设备存在大量安全漏洞，工业网络安全漏洞面临大量黑客攻击及工业数据遭受盗取和损坏等方面的安全风险，这些安全风险的存在始终影响着工业互联网的高速发展。解决安全性问题成为推进工业互联网快速健康发展的基础，其首要任务是大幅度地提高工业互联网体系的安全性，全方位地保障工业系统的安全可靠生产及工业互联网的网络和平台安全，从而实现我国工业系统安全高效发展的目标。

本书作者所在的工业物联网国际科技合作基地、智能仪器仪表网络化技术国家地方联合工程实验室、工业物联网与网络化控制教育部重点实验室与重庆市物联网工程技术研究中心牵头承担了国家重点研发计划、工业互联网创新发展工程专项、智能制造标准化专项等项目，紧紧围绕工业互联网的安全体系、基础理论、关键技术、核心产品及典型应用开展研究工作，解决了工业互联网云、网、边、端的纵深防御难题，在物联网安全、传感网安全、工业互联网安全领域拥有国际认可的核心技术，形成了具有国际影响的研究特色与技术优势。

本书作者长期从事工业互联网及其安全方向的研究，有着扎实的实践工作能力，承担了工业互联网领域多项国家级和省部级研发任务。作者熟悉工业互联网在工业行业的发展现状，基于丰富的理论知识和扎实的工程实践经验编写本书，深入浅出地为读者揭示工业互联网的本质和安全关键技术。作者在本书中详细介绍当前最新的国内外工业互联网安全的相关研究及关键技术，涵盖本书作者团队在工业互联网安全领域的理论研究和技术实践，既引入了实验室参加制定国际标准的最新成果，又融入了应用系统研发的相关案例，既体现了前沿技术的研究成果，又与产业需求紧密结合。

可以说，本书的诞生是适时的和具有重要意义的。虽然工业互联网已成为当前学术界和工业行业关注的焦点与热点，但怎样才是工业互联网的真正安全，其确切内涵和实际应用还没有在学术界与产业界达成充分的共识。因此，本书系统性地梳理和介绍工业互联网安全的基本概念、体系架构、关键技术及应用场景，帮助读者全面地认识和理解工业互联网安全技术，指导工业互联网安全方面的研究开发和工程实践，协助从事工业互联网安全的研发人员构建安全可靠的工业互联网架构，推动工业领域及其他领域可持续地高质量发展。

组织撰写这样的一本书也面临着很大挑战。一方面，工业互联网还处在发展的初级阶段，人们对工业互联网及其安全的认识和理解还处在初级认知阶段，对工业互联网安全的理解程度仍需要长时间提升，如何把握和指引正确的方向，是本书作者面临的一个挑战。另一方面，工业互联网安全包含众多学科，涉及工业、互联网、电子信息、经济学和管理学等众多学科领域，超出了单一学科领域的边界，因此如何清晰地梳理内容逻辑，形成学科融合，是另一个挑战。

魏 旻

2022 年 10 月

前　　言

工业互联网是在数字浪潮下，工业体系和互联网体系深度融合的产物，它以网络体系为基础，以数据体系为核心，以安全体系为保障，是新一轮工业革命的重要支撑力，是推动工业转型升级、提升核心竞争力、实现工业高质量发展的重要路径。工业互联网是当前国内外学术界和产业界关注的焦点与前沿技术领域，发展工业互联网已经成为主要国家抢占全球产业竞争新制高点、重塑工业体系的共同选择，其目标是构建高质量、高可靠性、高效率、高安全性和开放共享的工业行业。工业互联网也是支撑我国传统工业革命的核心技术之一。

工业行业是国民经济的核心支柱产业，关乎国家安全和民生，我国已将工业互联网上升到国家战略高度。随着新一轮科技革命和产业变革的蓬勃兴起，工业互联网为实体经济各领域的数字化、网络化、智能化转型提供了具体的实现方式和可行的实施路径，成为第四次工业革命的重要基石和关键。

工业互联网打破了工业控制系统传统的封闭格局，使工业系统从封闭、孤立的系统逐步发展为开放、智能、互动的"人-机-物"深度融合的智能制造网络空间。工业互联网系统体系构架的复杂性和通信协议的多样化，使得工业互联网系统比传统信息系统更难防护。工业互联网面临的攻击在攻击机理、攻击目标、传播途径等方面与传统信息系统有很大的差异性，工业互联网控制层、设备层、网络层、平台层等安全问题逐渐暴露出来，风险日益增加。面向高安全性、高可用性、高可靠性的工业应用需求，需从整体上考虑工业互联网的安全问题，识别和抵御安全威胁、化解各种安全风险，亟须从设备、网络、控制系统、应用、数据等多维度构建工业互联网的防护体系。工业互联网安全的相关理论、技术、产品亟须突破，相关研究是目前学术界和产业界的热点。

工业互联网安全的确切内涵和实际应用还没有在学术界与产业界达成共识。因此，无论学术界还是产业界，都迫切希望有一本系统阐述工业互联网安全体系架构和关键技术的书籍，不少专家也为此提出写作建议，本书就在这样的背景下开始进入酝酿阶段。

近年来，作者及其所在团队依托工业物联网国际科技合作基地、智能仪器仪表网络化技术国家地方联合工程实验室先后承担了工业互联网及其安全领域的多个国家级和省部级项目，包括国家重点研发计划"适配工业自动化的 5G 与 TSN 协同传输理论与关键技术"（2020YFB1708800）、国家重点研发计划"工业控制系统安全保护技术应用示范"（2018YFB0803504）、国家重点研发计划"基于工业物联网和信息物理融合的机器人数字化车间智能制造关键技术研发及其应用示范"（2017YFE0123000）、工业互联网创新发展工程专项"面向典型行业的生产网络 IPv6 互通及融合技术测试验证平台"（TC200A00T）、国家智能制造标准化专项"工业互联网基于 IPv6 的网络互联标准研究与试验验证"（财建［2017］373 号）、2018 年工业转型升级专项"时间敏感网络关键技术标准研究与试验验证"（财建〔2018〕282号）、重庆市重点产业共性关键技术创新专项重点研发项目"面向智慧城市的物联网安全关键技术研发与应用示范"（cstc2018jszx-cyztzxX0012）、重庆市基础与前沿研究计划项目"面向6LoWPAN无线传感网的入侵检测技术研究"（cstc2017jcyjAX0235）等重点重大项目，研究方向涉及工业无线网络安全技术、工业控制系统安全保护技术、基于IPv6的工业互联网安全关键技术、5G工业互联网安全技术、面向工业网络的入侵检测系统等方面，积累了丰富的创新研究成果。

标准方面，以项目技术成果为基础，本书作者魏旻教授担任了国际标准化组织ISO/IEC JCT1 WG10 SRG10安全组网工作组联合召集人，编写团队王浩教授担任国际标准ISO/IEC 29180/ITU-T Rec X.1311《传感器网络安全架构》联合编辑。作者团队成员先后主编和参编了《工业控制网络安全风险评估规范》（GB/T 26333—2010）、《信息技术 传感器网络 第602部分：信息安全：低速率无线传感器网络网络层和应用支持子层安全规范》（GB/T 30269.602—2017）、《工业通信网络 网络和系统安全 建立工业自动化和控制系统安全程序》（GB/T 33007—2016/IEC 62443-2-1：2010）、《工业自动化和控制系统网络安全 可编程序控制器（PLC）第1部分：系统要求》（GB/T 33008.1—2016）、《工业自动化和控制系统网络安全 集散控制系统（DCS）第1部分：防护要求》（GB/T 33009.1—2016）、《工业自动化和控制系统网络安全 集散控制系统（DCS）第2部分：管理要求》（GB/T 33009.2—2016）、《工业自动化和控制系统网络安全 集散控制系统（DCS）第3部分：评估指南》（GB/T 33009.3—2016）、《工业控制系统信息安全 第1部分：评估规范》（GB/T 30976.1—2014）、《工业控制系统信息安全 第2部分：验收规范》（GB/T 30976.2—2014）、《工业通信网络 网络和系统安全 系统安全要求和安全等级》（GB/T 35673—2017/IEC 62443-3-3：2013）等国家标准，积累了宝贵的研究和相关标准化经历。

同时，作者团队分别与中国网络安全市场的领军者奇安信科技集团股份有限公司、启明星辰信息技术集团股份有限公司等企业建立合作关系，联合成立了工业互联网安全创新中心和工业互联网安全实验室，在工业互联网安全产品和系统研制方面开展合作，并开展应用创新，取得了良好的效果。

基于这些最新研究成果，结合作者参与国际国家标准制定中的思考和体会，本书针对工业互联网安全需求，从工业互联网基本概念入手，针对工业互联网安全及其框架，以及工业互联网的设备层安全、边缘侧安全、传输网络安全、平台安全及安全测试进行深入阐述，对工业互联网的安全风险与威胁来源给出具体分析，并对实现工业互联网安全功能和工业互联网的各层级安全给出具体的阐述与应对方法，深入浅出地为读者揭示工业物联网的基本概念与安全机制。全书共分6章，第1章是工业互联网及其安全概论，第2章是工业互联网设备层安全，第3章是工业互联网边缘侧安全，第4章是工业互联网传输网络安全，第5章是工业互联网平台安全，第6章是工业互联网安全测试。

在本书编写过程中，作者参考了近年来国内外出版的多本同类著作及众多与工业互联网相关的文献。在本书结构、内容安排及文字措辞等方面吸取了它们的优点，同时结合作者多年来科研和标准化经验，形成了本书的主要特点。

（1）在本书的结构和内容上，按照提升工业互联网的安全性和如何加强安全架构对有关内容进行整合，加强各部分的联系。

（2）给出国内外对工业互联网安全及工业物联网体系架构的研究成果，对工业物联网体系架构进行研究，目前主要包括美国工业互联网安全架构 IISF 和德国 RAMI 4.0 安全架构等。

（3）阐述工业互联网各层风险分析，从工业互联网云、网、边、端四个层次及相关安全测试五个方面给出具体分析，从主动防御、被动防御和入侵容忍三个层面给出详细的解决方案与可选机制。

（4）注重工业互联网的安全关键技术，给出开发工业互联网安全系统的关键实施步骤，编选工业互联网的安全应用案例，为读者参考学习工业互联网安全方法提供相关资料，为从事工业互联网安全相关的研究提供方便。

（5）本书尽量合理安排每一章的结构体系，分层次阐述每小节的内容，为读者提供容易认识和理解的知识内容，严谨的学科知识逻辑可以使读者对工业互联网安全体系有更深层次和全面的认识。

本书由重庆邮电大学魏旻教授组织撰写，重庆邮电大学自动化学院王平教授、王浩教授、岳昇老师、黄庆卿副教授、黄学达老师参加了第 1 章、第 2 章的编写和资料收集，研究生荣春萌参加了第 3 章的编写和资料收集，肖峰参加了第 4 章的编写和资料收集，在此表示衷心的感谢。特别感谢参考文献中所列的各位作者，包括未能在参考文献中一一列出的作者，正是因为他们在各自领域的独到见解和贡献为作者提供了宝贵资料、研究的视角和丰富的写作源泉，使作者能够在系统总结科研成果的基础上，吸取各家之长。此外，也得到了作者所在的研究团队许多研究生的支持，梁二雄、荣春萌、李小云、庄园、杨涛、庞巧月、王震、张帅东、曹志豪、肖峰等研究生完成了相关仿真试验和系统实现，同时，他们帮助收集并整理了大量的文献资料。没有他们的帮助和支持，本书很难在约定的时间内编写完成。在此，感谢他们对本书所提供的各种帮助及所做出的贡献。

本书成果是在国家重点研发计划（2020YFB1708800）、国家重点研发计划（2017YFE0123000）、重庆市英才计划"包干制"项目（cstc2021ycjh-bgzxm0206）等支持下取得的，由衷感谢重庆邮电大学出版基金等对本书出版提供的鼎力资助！

本书文字多，涵盖知识范围广，难免会出现不足之处，敬请广大读者批评指正。

作　者
2022 年 12 月

目　录

第1章 工业互联网及其安全概论

1.1 工业互联网概述

1.1.1 工业互联网的概念及发展概述

工业互联网作为新基建的重要组成部分，是链接工业全系统、全产业链、全价值链，支撑工业智能化发展的关键基础设施，是新一代信息技术（information technology，IT）与制造业深度融合所形成的新兴业态和应用模式，是互联网从消费领域向生产领域、从虚拟经济向实体经济拓展的核心载体。工业互联网是未来制造业竞争的制高点，正推动企业创新模式、生产方式、组织形式和商业范式的深刻变革，正推动工业链、产业链、价值链的重塑。

工业互联网相比于传统的互联网，并不是简单地将工业和互联网相加，而是互联的工业系统[1]。工业互联网本质内涵是"人-机-物"深度融合的智能网络空间，它能够把设备、工业控制系统和人紧密地连接融合起来[2-5]，形成一套完整的工业生产互联体系。根据中国工业互联网研究院发布的《中国工业互联网产业经济发展白皮书（2020年）》[4]，我国工业互联网产业增加值规模持续扩大。2017~2020年我国工业互联网产业增加值规模逐年递增。2019年我国工业互联网产业增加值规模达到3.41万亿元。2020年，我国工业互联网产业增加值规模达到3.78万亿元，在《工业互联网创新发展行动计划（2021—2023年）》及政府部门政策指引下，2021年我国工业互联网产业增加值增速达到12.45%，成为推动国民经济高质量增长的关键动力。

这样一个完整的工业生产互联体系必将对工业发展产生全方位、深层次、革命性的变革，对社会生产力、人类历史发展产生深远影响。其体系架构、关键技术和核心产品将成为新工业革命的关键支撑与智能制造的重要基石。

工业互联网主要特征包括：四元融合、时空关联、平行演进和智能涌现。

四元融合：即人行为模型、工业过程模型、业务模型和信息系统模型的融合，体现在通过将具有感知、监控能力的各类采集或控制传感器或控制器及泛在技术、移动通信、智能分析、人工智能等技术不断融入工业生产过程的各个环节，从而大幅度地提高制造效率，优化操作者行为，改善产品质量，降低产品成本和资源消耗，最终实现将传统工业提升到智能化的新阶段。

时空关联：工业互联网承载的工业数据具有时空关联性特征，能够实时地反映工业过程的时空变化，90%以上的工业数据以时空基准作为数据管理关键，目前空间数据精度不足，数据挖掘不确定性大，需要融合精确时空信息，只有有效地解决工业大数据中的隐匿性，这样才能推动工业大数据时空信息感知、传输、控制一体化和以时空数据化、信息化推动的生产智能化。

平行演进：中国工程院邬贺铨院士曾提出"工业互联网更加注重软件、网络和大数据，希望促进物理世界和数字世界的融合，实际上最终是希望做到通信、控制和计算的集合，营造一个信息物理系统（cyber-physical systems，CPS）的环境"。工业互联网的出现进一步推动了信息空间与物理空间同步演进，推进工业信息空间中的映射模型、理论及工具更加准确地刻画和应对物理世界信息及其变化的不确定性、不可预测性和模糊性，建立物理空间与信息空间中对时间和空间变化及约束进行有效地抽象描述的方法，并给出了信息空间忠实地映射到物理世界的运行机制，最终实现有价值的"数字孪生"。

智能涌现：工业互联网的核心目标和最终价值是推动工业技术的创新与智能决策。工业互联网构建了一个工业环境下人、机、物全面互联的环境，实现了设计、生产、管理、服务等产业全要素的全面连接。通过工业大数据分析，可以提高研发设计、生产制造和运营管理的资源配置效率，进而将工业技术、经验和知识等模型化、显性化，最终推动工业技术创新和科学决策。特别是对于工业系统感知与控制层面解决复杂工业系统的管控问题，利用工业大数据的知识分析能力，可以推动工业互联网与新一代人工智能技术深度融合，以实现工业过程的知识自动化和海量工业实体的智能化自主协同，将颠覆传统工业制造生产要素配置方式、生产运营模式、企业组织形态和制造服务生态，推动制造走向个性化、柔性化和云"智"造，未来将催生工业发展的新业态、新模式、新应用。

工业互联网中人、机、物所形成的闭环如图 1.1 所示。

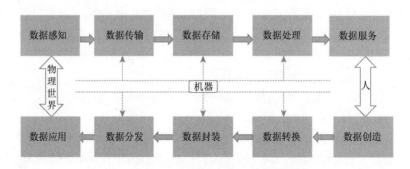

图 1.1　工业互联网中人、机、物所形成的闭环

由于工业互联网涉及 IT 和运营技术（operation technology，OT）两个领域[6]，并且不同背景的人对工业互联网的观察和认识也不相同，因此可以从工业视角和互联网视角来认识工业互联网。

从工业视角看，工业互联网主要表现为从生产系统到商业系统的智能化，特征是由内及外，生产系统自身通过采用信息通信技术，实现机器之间、机器与系统之间、企业上下游之间实时连接与智能交互，并带动商业活动优化。其业务需求包括面向各个层级的优化，如泛在感知，精准执行；实时监测控制；数据集成分析（工厂内）；运营管理优化（工厂内）数据集成分析（工厂外）；运营管理优化（工厂外）等业务。2013 年，德国"工业

4.0 工作组"向德国政府提交《保障德国制造业的未来——关于实施工业 4.0 战略的建议》。2015 年 4 月,德国政府提出《德国工业 4.0 实施战略》,以"物联网(internet of things, IoT)+人联网(internet of people, IoP)+景联网(internet of scenery, IoS)"为核心,都是从工业视角出发,来促进工业互联网的发展。从互联网视角看,工业互联网主要表现为商业模式变革牵引生产系统的智能化,特征是由外及内,从个性化定制需求、服务、设计、制造环节的新模式新业态带动生产组织和制造模式的智能化变革。其业务需求包括基于工业互联网实现精准运营,个性定制;众包众创,智能服务;协同设计;协同制造;C2M 等。

从工业视角来看,工业互联网是生产系统的智能化的载体。本书将侧重于从工业视角讨论工业互联网及其安全问题。

图 1.2 为工业视角和互联网视角对工业互联网的认识。

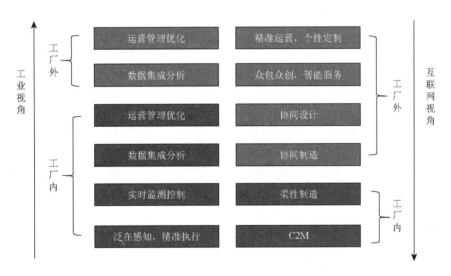

图 1.2　工业视角和互联网视角对工业互联网的认识

C2M 为用户直连制造(customer-to-manufacturer)的英文缩写

1.1.2　工业互联网的发展历程和国内外发展现状

工业互联网网络体系主要包括工厂内网络和工厂外网络,工厂内网络连接工厂内的各种要素,包括人员、机器、材料、环境等[7, 8]。工厂外网络连接智能工厂、分支机构、上下游协作企业、工业云数据中心、智能产品与用户等。

工厂内网络的核心是工业物联网,工业物联网作为一种在实时性与确定性、可靠性与环境适应性、互操作性与安全性、移动性与组网灵活性等方面满足工业自动化应用需求的通信技术,为现场仪表、控制设备和操作人员间的信息交互提供了一种低成本的有效手段。在计算机、通信、网络和嵌入式技术发展的推动下,经过几个阶段的发展,工业物联网技术正在逐渐成熟和得到广泛的应用。

图 1.3 为工业互联网的发展历程。

第一阶段，20 世纪六七十年代模拟仪表控制系统占主导地位，现场仪表之间使用二线制的 4～20mA 电流和 1～5V 电压标准的模拟信号进行通信，初步实现了信息的单向传递，其缺点是布线复杂、抗干扰性差。这些仪表虽然目前仍有应用，但随着技术的进步，最终将被淘汰。

第二阶段，20 世纪八九十年代集散控制系统（distributed control system，DCS）[9]占主导地位，实现分布式控制，各上、下机之间通过控制网络互联实现信息传递。现场控制站间的通信是数字化的，数据通信标准 RS-232、RS-485 等被广泛应用，克服了模拟仪表控制系统中模拟信号精度低的缺陷，提高了系统的抗干扰能力。

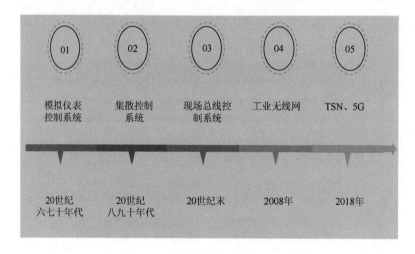

图 1.3　工业互联网的发展历程

第三阶段，21 世纪初现场总线控制系统（fieldbus control system，FCS）[10]占主导地位，FCS 采用全数字、开放式的双向通信网络将现场各控制器及仪表设备互联，将控制功能彻底下放到现场，进一步提高了系统的可靠性和易用性。同时，随着以太网技术的迅速发展和广泛应用，网络技术已从信息层渗透到控制层和设备层，工业以太网成为现场总线控制网络的一员，逐步向现场层延伸[11]。

第四阶段，组网灵活、扩展方便、使用简单的工业无线通信技术的出现，以及智能终端、泛在计算、移动互联等技术在工业生产各个环节的应用，实现了对工业生产实施全流程的泛在感知和优化控制，为提高设备可靠性与产品质量、降低生产成本与能耗、建设资源节约与环境友好型社会、促进产业结构调整与产品优化升级等提供了有效手段，这一阶段出现了 ISA100.11a、WirelessHART、WIA-PA（wireless networks for industrial automation process automation，工业过程自动化的无线网络）等国际标准。

第五阶段，传统工业以太网、工业总线存在标准不一、相互无法对接等弊端，无法满足通信及时性要求。随着时间敏感网络（time sensitive networking，TSN）、5G 等新兴技术的涌现，这一弊端得到了解决。能够实现时间同步低时延流服务，提供等时标准数据的 TSN 进入了人们的视野。TSN 是一组以太网标准，通过精准时间同步、定时调度等核心技术，实现了时间同步的低时延流服务，为系统内各单元提供低时延的等时标准数据，从而为控制、测量、配置、人机交互界面和文件交换基础架构等的融合提供基础。同时，5G 的大部分应用场景也落脚于工业互联网。工业行业借助 5G 高速率、大连接与超可靠低时延这三项能力，有力地推动了其在工业互联网中的应用。

当前，全球大国纷纷布局工业互联网，无论是美国的工业互联网联盟、日本的互联工业、中国的建设网络强国和制造强国还是德国的"工业 4.0"[12]，实际上都在使生产变得更加智能化。

下面分两方面介绍德国的"工业 4.0"。一方面，通过网络协同，消费者与制造业企业共同进行产品设计与研发，满足个性化定制需求；另一方面，通过网络协同，配置原材料、资本、设备等生产资源，组织动态的生产制造，缩短产品研发周期，满足差异化市场需求。"工业 4.0"中的横向集成代表生产系统的结合，这是一个全产业链的集成。在以往的工厂生产中，产品或零部件生产只是一个独立过程，各环节之间没有任何联系，没有进一步的逻辑控制。外部的网络协同制造是指一个工厂根据自己的生产能力和生产档期，仅生产某一个产品的一部分，再通过外部的物流、外部工厂的生产等外部网络，将销售等全产业链联系起来。这样一来，就实现了价值链上的横向产业融合。全球化分工使得各项生产要素加速流动，市场趋势变化和产品个性化需求对工厂的生产响应时间与柔性化生产能力提出了更高的要求。"工业 4.0"时代，生产智能化通过基于信息化的机械、管理和技能等多种要素的有机结合，从着手生产制造之前，就按照交货期、生产数量、优先级、工厂现有资源（人员、设备、物料）的有限生产能力，自动制定出科学的生产计划，提高生产效率，大幅度地降低生产成本，实现产品多样性，缩短新产品开发周期，从而最终实现工厂运营的全面优化变革。

日本政府对于未来制造业的愿景，主要是通过"互联工业"来体现的。"互联工业"[13]强调"通过各种关联，创造新的附加值的产业社会"，包括物与物的连接、人和设备及系统之间的协同、人和技术的相互关联，既有经验和知识的传承，又有生产者和消费者之间的关联。其中值得注意的一点是，熟练的技术员和年轻的技术员相接，实现技术的传承，由此创造更多的价值。而在整个数字化进程中，日本构筑了一个以解决问题为导向、以人为本的新型产业社会。"互联工业"面向各种各样的产业，通过企业、人、数据、机械相互连接，产生出新的价值，同时创造出新的产品和服务，提高生产力。这与日本政府的一个更高目标"Society5.0（社会 5.0）"密切相关。日本正在朝着超智能社会——"社会 5.0"方向发展，以解决一些迫切的社会问题，包括老龄化、人手不足、社会环境能源制约等。日本政府在每年制定政策时，其未来的投资计划和战略都包含"社会 5.0"的内容，包括综合的解决方案和创新。

美国的工业互联网联盟[14]聚焦技术、安全、试验平台市场营销、会员和法律领域，职责是协调减少应用工业互联网的障碍，加快工业互联网技术的应用，通过多种途径鼓励并实现产业创新。具体措施如下：制定互联网和工业系统的国际标准；举办开放式论坛来分享、交流技术理念与实践经验；协调工业互联网的优先事项和实现技术；加速开发、应用和推广使用互联机器与设备的智能分析功能。数字制造与设计创新机构将自身定位为美国制造商的"知识枢纽",主要推动数据在产品全生命周期中的交换及在供应链网络间的流动,实现数字化、智能化制造。

我国出台了一系列有关工业互联网创新体系建设的政策,为工业互联网发展提供良好的创新环境。

2017年,国务院正式发布《关于深化"互联网+先进制造业"发展工业互联网的指导意见》,提出增强工业互联网产业供给能力,持续提升我国工业互联网发展水平,深入推进"互联网+",形成实体经济与网络相互促进、同步提升的良好格局。

2018年6月,工业和信息化部发布《工业互联网发展行动计划(2018—2020年)》和《2018年工业互联网创新发展工程拟支持项目公示》名单。该名单覆盖了"工业互联网网络能力提升工程""工业互联网平台建设及推广工程""工业互联网安全保障能力提升工程"三大领域。国家层面对工业互联网的支持正逐渐落实到具体的平台产品,政策支持的广度和深度得到提升,有利于工业互联网平台推广及品牌认知度的提升。

2018年7月,工业和信息化部发布了《工业互联网平台建设及推广指南》和《工业互联网平台评价方法》。《工业互联网平台建设及推广指南》提出,到2020年,培育10家左右的跨行业跨领域工业互联网平台和一批面向特定行业、特定区域的企业级工业互联网平台。

2019年1月18日,工业和信息化部发布了《工业互联网网络建设及推广指南》,明确提出以构筑支撑工业全要素、全产业链、全价值链互联互通的网络基础设施为目标,着力打造工业互联网标杆网络、创新网络应用,规范发展秩序,加快培育新技术、新产品、新模式、新业态。目标是到2020年,形成相对完善的工业互联网网络顶层设计,初步建成工业互联网基础设施和技术产业体系,包括建设满足试验和商用需求的工业互联网企业外网标杆网络,建设一批工业互联网企业内网标杆网络,建成一批关键技术和重点行业的工业互联网网络实验环境,建设20个以上网络技术创新和行业应用测试床,形成先进、系统的工业互联网网络技术体系和标准体系等。

2019年全国两会上,"工业互联网"成为"热词"并写入《2019年国务院政府工作报告》。该报告提出,围绕推动制造业高质量发展,强化工业基础和技术创新能力,促进先进制造业和现代服务业融合发展,加快建设制造强国,打造工业互联网平台,拓展"智能+",为制造业转型升级赋能。

2020年工业和信息化部发布了《工业互联网专项工作组2020年工作计划》[15],提出鼓励工业企业升级改造工业互联网内网,以及与基础电信企业合作,利用5G改造工业互联网内网,打造10个标杆网络,推动100个重点行业龙头企业、1000个地方骨干企业开展工业互联网内网改造升级。同年,工业和信息化部发布了《工业互联网创新发展行动计划(2021—2023年)》[16],提出到2023年,工业互联网新型基础设施建设量质并进,新模式、新业态大范围推广,产业综合实力显著提升,安全方面要基本建成覆盖全网、多方联动、运行高效的工业互联网安全技术监测服务体系。

一方面是各国都在大力推进工业互联网实施和落地;另一方面一些新的信息通信技术在工业领域应用需要一定时间。工业的基本物理属性决定了它需要渐进,需要稳行。根据统计,IT出现十年后才能在工业现场规模化应用。究其原因,一是技术适应性难题。

IT 应用于工业现场，必须解决环境适应性难题，如高温高湿的气候环境、振动碰撞的机械环境、干扰辐射的电磁环境，还要解决时间确定性难题，如在精确的时间上动作要发生，既不能提前，也不能延后，这些都取决于工业的基本物理属性，否则就会给工业生产带来灾难性事故。安全技术也面临着技术适应性的难题。传统的互联网安全技术很难直接应用于工业领域。二是连接难题。信息与通信技术（information and communication technology，ICT）很多，但并非所有的技术都适用于工业互联，工业互联网要解决连接问题，首先必须解决数据的获取、传输和应用问题，所有生产装备、智能仪器仪表、各种智能终端都在源源不断地产生数据，这些数据将会渗透到企业运营、价值链乃至产品的整个生命周期，如何实现这些数据安全采集、安全传输和安全利用是工业互联网必须解决的首要问题。

1.1.3　工业互联网的基本架构及其功能

我们发现，对工业互联网的基本架构的理解和认识，不同背景和不同角度的组织与个人都会不同，这种差异性导致大家对同一问题和同一系统可能有不同的理解，甚至使用不同的定义、不同的目标，从而有不同的结果。

图 1.4 是国家工业互联网联盟给出的工业互联网体系架构[17,18]，可以看出在物理系统，网络、数据、安全，以及应用和用户中存在三个闭环（也就是图中三个虚线圆圈）。作者认为，这个体系架构更多地体现了互联网视角下对工业互联网的认识。

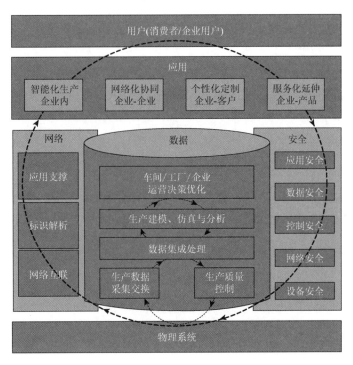

图 1.4　国家工业互联网联盟给出的工业互联网体系架构

图 1.5 为工业控制系统结构图。工业界更熟悉的是以工业控制系统为核心的层次模型。该模型从上到下共分为 5 个层级，依次为企业资源层、生产管理层、过程监控层、现场控制层和现场设备层，不同层级的实时性要求不同。企业资源层主要包括企业资源计划（enterprise resource planning，ERP）系统功能单元、对外服务系统、资产管理系统和财务管理系统，用于为企业决策层员工提供决策运行手段；生产管理层主要包括制造执行系统（manufacturing execution system，MES）功能单元、应用服务器、用于过程控制的对象连接与嵌入（object linking and embedding for process control，OPC）服务器、信息数据库和互联网内容通用协议（internet content common protocol，ICCP）服务器，用于对生产过程进行管理，如制造数据管理、生产调度管理等；过程监控层主要包括人机界面（human machine interface，HMI）系统功能单元、历史数据站、控制台、工作站和实时数据站，用于对生产过程数据进行采集与监控，并利用 HMI 系统实现人机交互；现场控制层主要包括各类控制器单元，如远程终端（remote terminal unit，RTU）、可编程逻辑控制器（programmable logic controller，PLC）、分散控制系统（distributed control system，DCS）等，用于对各执行设备进行控制；现场设备层主要包括传感器和执行器，用于对生产过程进行感知与操作。

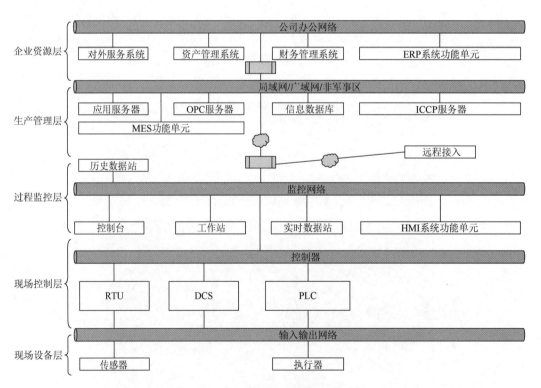

图 1.5　工业控制系统结构图

本书很难兼顾两种视角来分析和讨论工业互联网安全这个难题。所以了为了尽量地将两者统一，我们在基于云、边、网、端的工业互联网架构下讨论工业互联网安全问题。

图 1.6 为基于云、网、边、端的工业互联网架构。

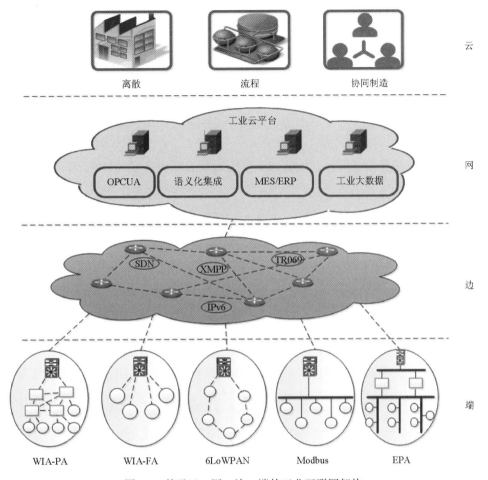

图 1.6　基于云、网、边、端的工业互联网架构

软件定义网络(software defined network,SDN);可扩展消息处理现场协议(extensible messaging and presence protocol,XMPP);面向工业过程自动化的工业无线网络标准技术（wireless networks for industrial automation process automation，WIA-PA）;工业无线网络 WIA 规范(industrial wireless network WIA specification,WIA-FA);OPC 统一体系架构（OPC unified architecture，OPC UA）;以太网工厂自动化（ethernet for plant automation，EPA）

1. 云

云为工业互联网云平台。用户在平台层做微服务和模型，将大量技术原理、基础工艺经验形成算法和模型，解决工业数据处理和知识积累沉淀问题，实现工业知识的封装和复用，能够给企业、设计者和消费者提供应用开发、工业数据建模和在线分析、设备和资源管理及后期的运行维护管理等功能。随着海量设备和系统的接入，互联网平台汇聚了各类生产、机器状态数据，同时应用程序接口（application programming interface，API）的开放进一步加大了工业互联网平台面临的安全风险，因此有必要结合 5G、SDN、TSN 等新兴技术提出安全防护解决方案。

2. 网

网为工业互联网传输层的关键基础设施。该层将连接对象延伸到工业全系统、全产业链、全价值链，可以实现人、物品、机器、车间、企业等全要素与产品设计、研发、生成、管理、服务等各环节的深度互联，以及上一控制级对下一控制级的控制和管理功能。在工业互联网环境下，攻击者一旦通过互联网通道进入工业网，能对工业控制网络实现常见的拒绝服务攻击、中间人攻击等，轻则影响生产数据采集与控制指令的及时性和正确性，重则造成物理设施破坏，需要结合5G、IPv6、TSN等新兴技术提出安全防护解决方案。

3. 边

边为工业互联网边缘层，该层解决数据采集集成问题，包括兼容各类协议、统一数据格式及边缘存储计算，实现设备的数据采集、数据集成及数据预处理，架起数据采集设备和数据中心之间的桥梁，使数据在源头附近就能得到及时有效的处理。在工业互联网场景下攻击者可以篡改通信数据包，注入伪造的数据和计算结果，如果没有适当的安全防范措施，不仅生产过程可能中断，而且工人的生命安全在很大程度上也会受到威胁。

4. 端

端为工业互联网数据采集层，该层主要采集生产车间及生产过程的机器设备数据和产业链相关数据等。工业数据的重要性不言而喻，各行业和企业都希望采集大量的工业数据，大量数据的采集通过传感器和射频识别（radio frequency identification，RFID）技术来收集。采集设备长期运行导致无法及时地更新安全补丁，可能存在大量的安全漏洞，需要采用相应的安全防护技术，保障数据的机密性、完整性和可用性。

综上所述，企业通过工业互联网实现横向集成和纵向集成（图1.7）。工业生产中的各个层级关系是互联互通的，数据信息是相互传递和流通的。横向集成是形成一个完整的任务流规划、信息流规划、资金流规划及物流规划，真正地让生产过程走互联网的模式，让信息传递平台化，此时，平台对信息的传递，并不是上下节点的传递关系，而是全流程的信息打通，任何一个工作节点都能与平台直接做交互。纵向集成主要解决企业内部的集成，即解决信息孤岛的问题。解决信息网络与物理设备之间的联通问题，目标

图 1.7　横向集成和纵向集成

是实现全业务链集成，这也是智能制造的基础。横向集成即全产业链的集成，通过价值链及信息网络的互联，推动企业内部及企业间研产供销、经营管理与生产控制、业务与财务全流程的无缝衔接，从而实现产品开发、生产制造、经营管理等在不同企业间的信息共享和业务协同。

1.2　工业互联网安全顶层设计和风险分析

1.2.1　工业互联网安全现状

1. 国内安全现状

目前网络空间的对抗已演变成大国间对抗的首选战场。工业互联网涉及能源、智能制造、交通、电子与通信等众多重要行业或领域，其安全关乎国计民生、公共利益和国家安全。伊朗核电站"震网"病毒[19]、乌克兰电网遭受病毒攻击事件和委内瑞拉电网大停电事件等说明工业互联网已经成为国家间对抗的重要目标，工业互联网安全形势不容乐观[20]。工业和信息化部等十部委于 2019 年 8 月 28 日印发的《加强工业互联网安全工作的指导意见》[21]（以下简称指导意见）是非常必要、非常及时的，为我国工业互联网安全指明了阶段目标和实施策略。工业互联网安全涉及诸多行业和领域，与数千家工业互联网企业、管理机构、用户单位紧密相关。指导意见的落地是一个大的系统工程，如何结合我国具体情况与国际形势进一步落实，值得工业互联网安全从业者深入思考和探讨。

我国工业互联网的安全态势尤为严峻，工业控制系统和平台安全隐患日趋突出，工业网络安全产品性能和服务保障能力亟待强化。相关调查结果显示，在全国几千个重要的工业控制系统中，95%以上的工业控制系统的操作系统采用的是国外产品，这意味着国内的生产系统极易受到国外黑客的攻击。80%的企业从未对工业控制系统进行升级和漏洞修补，一些存在漏洞的国外工业控制产品依然在国内某些重要装置上使用。

我国的工业技术和安全技术与发达国家存在一定的差距，工业互联网设备及其安全产品的研发能力亟待提高。工业互联网建设与安全保障需要大量的工业互联网安全专业人才，然而我国目前这方面的安全人才缺口很大。工业互联网安全涉及工业控制与自动化、电子信息通信、网络安全等多个学科，这种多学科交叉增加了工业互联网安全人才培养的难度。

如今，网络安全成为我国国家安全的重要标志，国家监管部门高度重视工业控制网络的安全。中华人民共和国第十二届全国人民代表大会常务委员会第二十四次会议于2016 年 11 月 7 日通过了《中华人民共和国网络安全法》；2016 年 12 月 27 日经中共中央网络安全和信息化领导小组批准，国家互联网信息办公室发布了《国家网络空间安全战略》；公安部于 2020 年 7 月 22 日制定了《贯彻落实网络安全等级保护制度和关键信息基础设施安全保护制度的指导意见》；工业和信息化部发布了《工业控制系统信息安全防护指南》等政策文件。

2. 国际安全现状

当前，全球工业信息安全形势十分严峻[22]，主要表现在以下两方面。

一是漏洞数量随着时间积累不断地增长，中高危漏洞数量居高不下，漏洞修复进度迟缓，漏洞利用技术门槛不断降低。此外，大量工业控制系统安全漏洞利用方式、攻击方法可以通过互联网等多种公开渠道扩散，黑客等不法分子极易获取工业控制系统漏洞，并利用系统漏洞进一步降低针对工业控制系统的网络攻击的技术门槛。

二是针对工业企业的定向攻击行为增多、攻击手段多种多样，更多的行业成为重点风险领域，如制造、建筑、交通运输及化工行业[23]。近年来，工业领域遭受大量高持续性威胁（advanced persistent threat，APT）、网络钓鱼、分布式拒绝服务（distributed denial of service，DDoS）等定向攻击，攻击手段花样翻新、技术多变，针对性强。卡巴斯基报告称，制造业领域的工业控制安全风险最为严重，其次是建筑、交通、运输及工程等行业。卡巴斯基还曾检测到一次针对冶金、电力、建筑及工程领域的大规模鱼叉式钓鱼活动，攻击范围覆盖全球 50 多个国家的 500 多家工业企业。

世界各国对国际网络空间安全战略部署加快，但随着网络技术创新，更多的安全风险相应伴生。与此同时网络攻击向复杂精细、APT 攻击、国家大事转变，工业控制行业网络安全事件层出不穷。图 1.8 列举了近年的国内外信息安全事件。

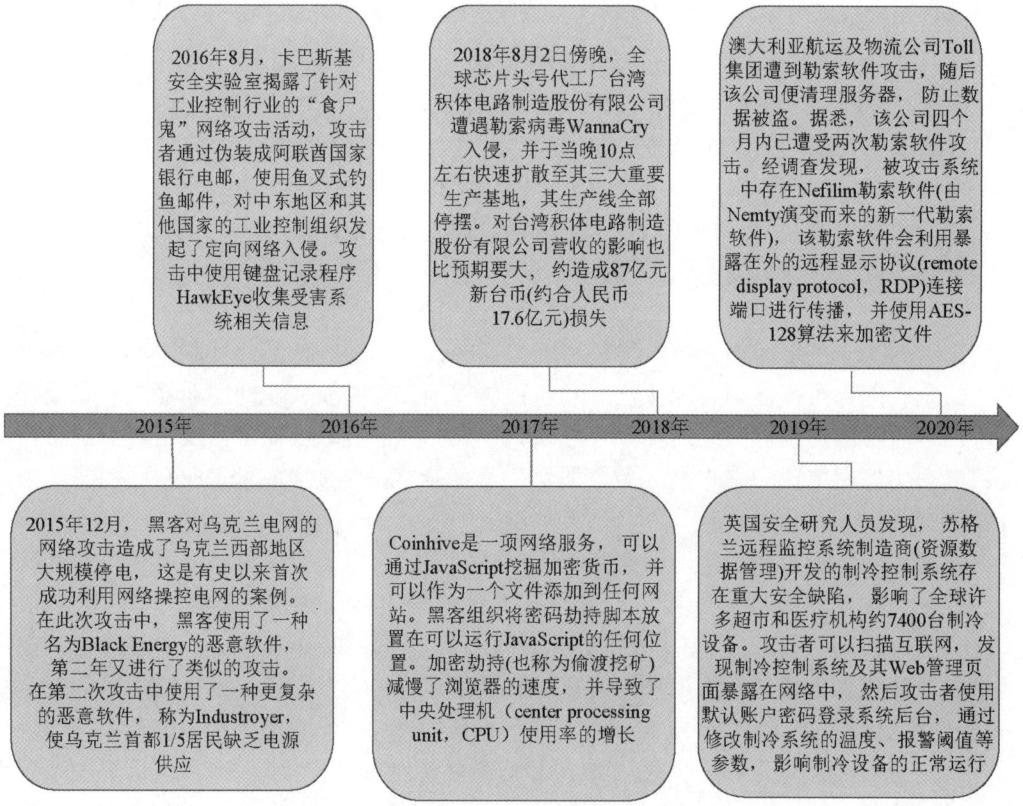

图 1.8　国内外信息安全事件

除了上述安全事故，还有一些国家发生了许多严重的安全漏洞事件。例如，伊朗核电站"震网"病毒事件，这个安全事件影响很大，造成的损失极其严重。

伊朗核电站"震网"病毒事件[24]。在 2010 年，伊朗核电站遭到网络攻击。黑客通过（物理隔离网络）收集核电站工作人员和其家庭成员的信息，针对核电站工作人员的家用计算机发起攻击，成功地控制其家用计算机，并感染所有接入的通用串行总线（universal serial bus，USB）移动介质。利用西门子的 0day 漏洞，通过 U 盘，将病毒传送到核电站的内部网络中，成功控制离心机的控制系统，修改了离心机参数，让其生产不出制造核武器的物质，但在人工检测显示端显示正常的画面。此次网络攻击造成伊朗核电站离心机损坏，推迟发电达两年之久，造成的损失巨大。

面临如此严峻的国际互联网安全形势，国际上很多组织为了更好地解决新型安全漏洞和抵御未知的安全危机，都在完善和重新制定自己的工业互联网安全架构。

1.2.2　工业互联网安全架构

目前的工业互联网安全架构，主要是美国工业互联网参考架构 IIRA（industrial internet reference architecture）、德国工业 4.0 参考架构模型（reference architecture model industrie 4.0，RAMI4.0）和 IEC 62443 安全架构[25, 26]。

2016 年 9 月 19 日，工业互联网联盟（Industrial Internet Consortium，IIC）正式发布工业互联网安全框架（industrial internet security framework，IISF）1.0 版本，拟通过该框架的发布为工业互联网安全研究与实施提供理论指导。IISF 的实现主要从功能视角出发，定义了如图 1.9 所示的六个功能，即端点保护、通信和连接保护、安全监测和分析、安全配置和管理、数据保护及安全模型和策略，并将这六个功能分为三个层次[27]。其中顶层包括端点保护、通信和连接保护、安全监测和分析及安全配置和管理四个功能，为工业互联网中的终端设备及设备之间的通信提供保护，对用于这些设备与通信的安全防护机制进行配置，并监测工业互联网运行过程中出现的安全风险。中层是一个通用的数据保

图 1.9　工业互联网联盟安全框架

护层，对这四个功能中产生的数据提供保护。底层是覆盖整个工业互联网的安全模型和策略，它将上述五个功能紧密结合起来，实现端到端的安全防护。

总体来看，IIFS 聚焦于 IT 安全，侧重于安全实施、明确了具体的安全措施，对于工业互联网安全框架的设计具有很好的借鉴意义。

IISF 安全架构各层次能实现的功能如表 1.1 所示。

表 1.1　IISF 安全架构各层次能实现的功能

层次名称	功能名称	层次功能
顶层	端点保护	实现端点识别、端点信任和终端物理安全功能
	通信和连接保护	实现网络互联、信息传输和物理层设备连接网络功能
	安全监测和分析	实现数据保护和数据检测分析功能
	安全配置和管理	实现终端识别管理、终端配置管理和终端监测分析功能
中层	数据保护	实现信息数据加密、数据监测和数据保护功能
底层	安全模型和策略	实现端到端的安全防护

德国工业 4.0 注重安全实施，由网络安全组牵头出版了《工业 4.0 安全指南》《跨企业安全通信》《安全身份标识》等一系列指导性文件，指导企业加强安全防护。德国虽然从多个角度对安全提出了要求，但是并未形成成熟的安全体系框架。但安全作为新的商业模式的推动者，在工业 4.0 参考架构模型（RAMI 4.0）中起到了承载和连接所有结构元素的骨架作用。德国工业 4.0 参考架构如图 1.10 所示。

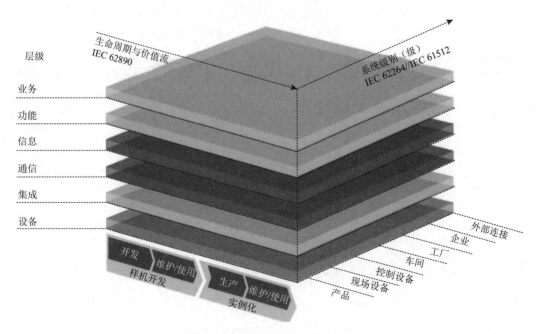

图 1.10　德国工业 4.0 参考架构模型

德国 RAMI 4.0 从 CPS 功能视角、全生命周期价值链视角和全层级工业系统视角三个视角构建了工业 4.0 参考架构[28]。

德国的工业互联网 RAMI 4.0 安全架构采用分层的基本安全管理思路，侧重于防护对象的管理；从 CPS 功能视角出发，安全应用于所有不同层次，安全风险必须做整体考虑；从全生命周期价值链视角出发，对象的所有者必须考虑整个生命周期的安全性；从全层级工业系统视角看，必须考虑所有对象和所有资产的安全性，并对其提供安全保障。IEC 62443 系列标准用于工业控制系统的信息安全技术标准，最初由国际自动化协会（International Society Automation，ISA）中的 ISA 99 委员会提出。2007 年，IEC/TC65/WG10 与 ISA 99 成立联合工作组，共同制定 IEC 62443 系列标准。2011 年 5 月，IEC/TC65 年会决定整合 IEC 62443 标准结构，并从 14 个部分文档调整到 12 个，以优化工业控制系统信息安全标准体系。同时，为与 IEC/TC65 的工作范围相对应，IEC 62443 系列标准名称由《工业通信网络与系统信息安全》改为《工业过程测量、控制和自动化网络与系统信息安全》（这里的"过程"指的是生产过程）。

IEC 62443 系列标准目前分为通用方面、用户业主、系统集成商和部件制造商 4 部分，共包含 12 个文档，每个文档描述了工业控制系统信息安全的不同方面。IEC 62443 标准体系结构如图 1.11 所示。

安全的本质是"没有不可接受的风险"。工业互联网打破了过去人机物之间、工厂与工厂之间、企业上下游之间彼此相对独立、纯物理的隔离状态，构建起开放而全球化的工业网络。互联网为工业带来便利之时，也带来了严峻的风险问题。尤其是网络安全和工业自动化控制系统信息安全问题引发的事故案例正快速增加。传统的工业安全保障措施已经不能适应网络融合趋势下的风险控制要求，转型升级需求迫切。传统互联网安全威胁已经逐渐向工业领域渗透，外部安全与内生安全风险并存，安全形势严峻。

图 1.11　IEC 62443 标准体系结构

1.2.3　工业互联网安全风险

1. 安全风险分类

1）设备安全风险

随着工业互联网参与到传统工业的发展和建设中，工业互联网打破了传统工业相对封闭可信的制造环境，病毒、木马、APT 等安全风险对工业生产的威胁日益加剧。工业控制系统分布于全球，存在巨大的安全脆弱性，通过统计与分析工业控制系统行业漏洞库平台公开披露的工业控制系统漏洞数据，发现截至 2020 年 2 月有 3136 个工业控制漏洞，其中高危漏洞占比为 41.57%，有 1304 个，中危漏洞占比为 51.39%，有 1612 个。工业控制系统漏洞成为网络战的新型武器，使得工业互联网在很多行业被攻击，如智能移动、冶金、军事、电力和水处理等行业。

2）边缘安全风险

传统工业设备上云后只注重云端的安全防护，忽略设备的边缘防护策略。大多数企业没有专门的安全团队来维持其产品在工业互联网领域的安全部署，也不能保障工业互联网设备的基线安全和从传统信息安全时代的边界防护到工业互联网边缘防护的安全。

该层解决数据采集集成问题，通过兼容各类协议、统一数据格式及边缘存储计算等，来完成设备的数据采集、数据集成及数据预处理，搭建起数据采集设备和数据中心之间的桥梁，最终实现数据在源头附近就能得到及时有效的处理。在工业互联网场景下攻击者可以篡改通信数据包，注入伪造的数据。如果没有适当的安全防范措施，不仅生产过程可能中断，工人的生命安全也会受到威胁。

3）网络安全风险

相较于未与外部互联网直接联通的传统工业网络，工业互联网面临着来自工厂内网和外部互联网两方面的安全威胁。

工业互联网实现了全要素、全产业链、全生命周期的互联互通，打破传统工业相对封闭可信的生产环境[29]。越来越多的生产组件和服务直接或间接地与互联网连接，攻击者从研发、生产、管理、服务等各环节都可能实现对工业互联网的网络攻击和病毒传播。特别是，底层工业控制网络的安全考虑不充分，安全认证机制、访问控制手段的安全防护能力不足，攻击者一旦通过互联网通道进入底层工业控制网络，容易实现网络攻击。

4）数据安全风险

国家工业信息安全发展研究中心发布的《2019 年工业信息安全态势展望报告》显示，2019 年针对工业数据的网络攻击呈现明显增势，工业数据已成为网络攻击的重点目标。2019 年 3 月，全球铝业巨头挪威海德鲁公司遭受网络攻击，20 余种重要文件被加密，经济损失高达 4000 余万美元。2019 年 6 月，大型飞机零部件供应商 ASCO 遭遇勒索病毒攻击，位于比利时、德国、加拿大和美国的工厂被迫关闭，企业运营中断。据美国威瑞森公司《2019 数据泄露报告》统计，2019 年制造业数据泄露事件共发生 87 起，较上一年增加 16 起，增幅近 20%。

分析发现，工业数据安全事件具有以经济利益为主要目的、以重要敏感工业数据为攻击目标、攻击大多来源于企业外部等特点。目前，我国暴露于公共互联网的工业控制系统和物联网设备，大多存在弱口令、目录遍历、结构化查询语言（structured query language，SQL）注入、未授权访问等漏洞，易被攻击者利用，实施数据篡改、窃取及删除等恶意操作，工业数据面临的安全形势非常严峻。

5）其他风险（系统漏洞、移动介质等）

除了设备安全、网络安全、边缘安全和数据安全风险，工业互联网还面临系统漏洞和移动介质安全风险。其中系统漏洞安全形势非常严峻。相关调查结果显示，在我国 5000 多个重要的工业控制系统中，95%以上采用国外的操作系统，这意味着国内的生产系统很容易受到国外黑客的攻击。并且，有 80%的企业从未对工业控制系统进行升级和漏洞修补，有 52%的工业控制系统与企业的管理系统、内网甚至互联网连接，一些存在系统漏洞的国外工业控制产品依然在国内某些重要装置上使用。可见，我国在工业控制系统安全方面面临着很大的系统安全风险。

本节对移动存储介质进行安全风险分析。当前，U 盘和移动硬盘能满足人们对信息高效、便捷、安全交换的需求。采用移动存储介质进行信息交换为工作带来了极大的方便，但是现有移动存储介质在设计上缺乏安全防护手段，使用相对比较随意，且缺乏保护，引发了诸多信息安全问题，加剧了信息交换的风险。由于计算机终端对移动存储介质的接入缺乏管控，对敏感信息缺乏安全控制，容易造成敏感信息泄露。此外，移动存储介质内外网交叉混用情况时有发生，不但为外网木马病毒向内网进行传播提供了途径，而且影响内网计算机的正常运行；一些摆渡木马更能通过移动存储介质将搜集的信息传递到外网计算机，造成敏感信息的泄露。

2. 安全攻击来源

一旦发生攻击行为，确定攻击者或者攻击发源地一般是定损止损快速恢复业务之后的第二反应，工业互联网安全事故的责任认定是进一步追查的目标。可是在网络攻击行为中能够查到人或者组织并不容易，其概率仅达 30%。

1）通过攻击方渠道不同区分风险来源

自下而上的攻击渠道是指沿着企业纵向集成通道，首先对最底层的物理设备进行漏洞攻击造成设备损坏；其次向上对边缘层的通信协议或线路发起病毒或者木马攻击，造成路由等边缘层损坏，使其不能连接设备和网络层；然后向上继续对网络层发起攻击，使其失去组网能力和信息传输能力；最后对最上层的应用平台发起攻击，平台对信息的传递，并不是上下节点的传递关系，而是全流程的信息打通。因此，任何一个工作节点都能与平台直接交互，一旦应用平台遭受攻击极易对整个纵向集成通道造成严重损坏。

自左至右的攻击渠道是指沿着企业纵向集成通道，即对全产业链发起的攻击。产品开发需要设计与开发软件的参与，然而绝大多数软件自身存在安全漏洞，攻击发起者可以利用漏洞对设计产品的数据进行修改或者毁坏产品设计书；同时，产品的制造和生产离不开硬件设备，安全漏洞同样存在于其中，漏洞攻击造成设备损坏，破坏产品制造或者破坏设备工作原理造成产品瑕疵；位于生产链末端的产品经营管理，同样也容易受到安全威胁，其管理平台的脆弱性和安全漏洞，极易被安全攻击者所利用，造成工业生产的损失。

2）通过攻击方式不同区分风险来源

（1）木马攻击。攻击者将木马程序伪装成工具信件或游戏来诱惑用户，当用户打开这些邮件和附件，或者执行了这些程序时，攻击者就会在用户的计算机系统中隐藏一个能在 Windows 启动时悄悄执行的程序。当用户连接互联网时，这个程序就会通知攻击者，来报告用户的互联网协议（internet protocol，IP）地址及预先设定的端口。工业互联网中攻击者在收到这些信息后，利用这个潜伏在工业设备或计算机中的程序，就能任意地修改工业设备和计算机的参数、复制文件、窥视工业生产中的各种内容等，从而达到控制工业设备和计算机的目的。

（2）节点攻击。利用工业互联网中的网络节点的安全缺陷对其进行攻击。由于工业互联网中各级设备相互连接，存在很多网络节点。攻击者在突破一台主机后，往往以此主机作为根据地，向与该主机连接在一个节点上的其他主机发起攻击，破坏两台机器间通信链路上的数据，诱使其他机器向攻击者发送数据或允许攻击者修改数据。

（3）病毒攻击。攻击者向目标对象发送带有病毒的邮件或者指令，一旦目标对象接收邮件或指令，病毒就会对目标服务器发起拒绝服务攻击。病毒的繁殖能力很强，会使邮件服务器无法承担如此庞大的数据处理量而瘫痪，也有可能遭到大量数据包的攻击使其无法进行正常的网络操作。工业生产中，病毒会使工业控制系统瘫痪。

（4）安全漏洞攻击。利用计算机系统和工业生产设备的自身的安全漏洞来攻击工业互联网。由于计算机及生产设备间的互联互通需要很多通信协议，但很多协议存在很多漏洞。攻击者利用这些漏洞发动攻击，破坏系统根目录，从而获得终极用户的权限。如互联网控制报文协议（internet control message protocol，ICMP）也经常被用于发动拒绝服务攻击。攻击者向目的服务器发送大量的数据包，几乎占据该服务器所有的网络宽带，从而使其无法对正常的服务请求进行处理，导致网站无法进入、网站响应速度大大降低或服务器瘫痪。

3）通过攻击介质不同区分风险来源

工业产品的生产离不开物理层的工业生产设备，同时也离不开互联网络。安全风险来源可以从物理层和虚拟部分进行分类。来自虚拟网络的攻击会依靠网络层，首先对网络通信节点发起攻击损坏网络层，然后沿着连接整个生产的通信线路，对底层执行机构、仪表仪器物理设备发起安全攻击，破坏物理层。通过虚拟介质发起的安全攻击既会造成虚拟网络、边缘层的损坏，也会造成物理层破坏。还有一种攻击是对物理设备存在的安全漏洞发起攻击，利用设备本身漏洞，通过移动硬盘和光盘等介质对设备输入病毒或者木马等，造成物理设备的损坏或者瘫痪。

图 1.12 为攻击对象示意图。

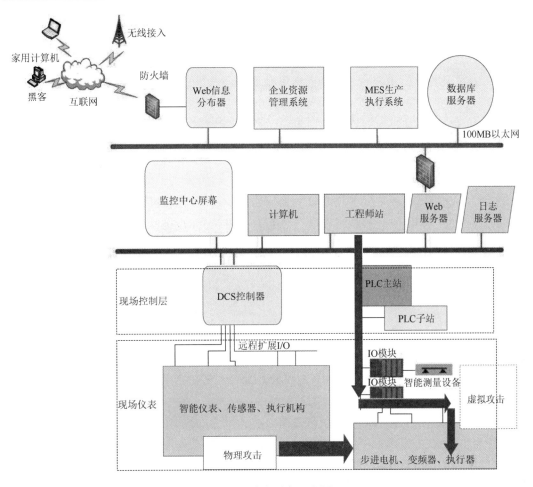

图 1.12　攻击对象示意图

1.2.4　工业互联网的漏洞威胁及其识别

攻击者可以利用工业互联网的漏洞发起攻击。为了对工业互联网提供更好的安全保障，需要了解攻击者的行为和目标。

1. 从攻击对象进行漏洞威胁识别

攻击者利用传统互联网的漏洞，破坏它的安全保障体系，通常造成系统或者文件的损坏。例如，2018 年，美国天然气公司被攻击导致交易系统关闭；2018 年 4 月 2 日，美国能源公司 ESG 的天然气管道客户交易系统受到网络攻击，造成系统关闭数小时；2018 年 4 月 24 日，乌克兰工业部网站遭到黑客攻击，网站瘫痪，主机中文件被加密，主页留下要求支付比特币赎金换取解锁文件的英文信息。

攻击者也可以利用物理层中的生产设备的自身漏洞或网络层安全漏洞对生产设备发起攻击，会造成生产设备的损坏和瘫痪，甚至破坏工业生产。例如，2016 年，美国物联网设备 Dyn DNS 自身存在安全漏洞，致使外部僵尸网络对其发起 DDoS 攻击，安装恶意软件 Marai，导致半个美国陷入断网状态。

2. 从发起攻击行为者的身份对漏洞威胁进行识别

工业互联网每时每刻都在受到黑客的入侵和攻击，入侵和攻击都有可能对工业生产造成损害，但黑客对于发起攻击目标有不同的攻击目的。一些世界性的大黑客组织，如蜻蜓组织（Dragonfly Group）和活力熊（Energetic Bear），其攻击目的旨在窃取知识产权。但是，在工业互联网领域的攻击者，通常受聘于一些特殊组织或者国家机构，大多是以经济侵略、政治挑衅或者军事战略攻击为目的，所造成的攻击后果十分严重。例如，海湾战争发动前，美国政府的网络部队（黑客）对伊拉克的军事雷达进行攻击，造成大部分雷达瘫痪，最终导致伊拉克军队惨败。

1.3　多维度多层次多级别多视角的一体化纵深安全架构

互联网设计之初对安全问题缺乏充分考虑，基于"打补丁"的基本思路使网络安全问题成为其进一步发展的主要瓶颈。互联网的信息安全问题一直就是"先天不足、后天未补"。以倡导开放、自由、分享为理想的互联网，最初并没有把安全性放在优先级上。工业互联网作为未来人类信息社会基础设施的一个重要组成部分，特别是在 IT 和 OT 充分融合以后，需要充分地吸取互联网成功的经验和历史教训，尽可能地克服其体系结构设计中可能存在的缺陷。只有从一体化纵深安全体系结构角度设计工业互联网安全机制，才能防止工业互联网在其发展进程中重蹈互联网覆辙[30]。

通过工业互联网技术，可以将互联网已有的各种技术和成熟应用直接延伸至工业网络；对于工业网络，可以将工业通信之间的信息传输范围扩展至整个人类社会和全球各地。互联网安全机制设计之初并没有考虑工业应用问题，特别是资源受限网络环境下工业互联网安全关键技术有待进一步的研究，而工业网络与各种通信网络之间如何有效地相互安全通信也是一个有待解决的问题。

本书提出一种多维度多层次多级别多视角的工业互联网一体化纵深安全架构（图 1.13）。

1.3.1　工业互联网安全架构的多维度安全

工业互联网应从信息安全、本质安全和功能安全三个维度来保障。传统工业控制系统安全最初多关注功能安全与本质安全，即防止工业安全相关系统或设备的功能失效，当失效或故障发生时，保证工业设备或系统仍能保持安全条件或进入安全状态。近年来，随着工业控制系统信息化程度的不断提高，针对工业控制系统的信息安全问题不断凸显，业界对信息安全的重视程度逐步提高。

与传统的工业控制系统安全和互联网安全相比，工业互联网的安全挑战更为艰巨，工业互联网安全打破了以往相对明晰的责任边界，其范围、复杂度、风险度产生的影响

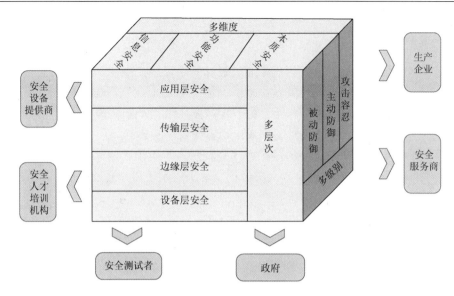

图 1.13　多维度多层次多级别多视角的工业互联网一体化纵深安全架构

要大得多，其中工业互联网平台安全、数据安全、联网智能设备安全等问题越发突出；另外，工业互联网安全工作需要从制度建设、国家能力、产业支持等更全局的视野来统筹安排，目前很多企业还没有意识到安全部署的必要性与紧迫性，安全管理与风险防范控制工作亟须加强。

1. 信息安全

对于工业互联网的数据安全防护，应采取明示用途、数据加密、访问控制、业务隔离、接入认证、数据脱敏等多种防护措施，覆盖包括数据收集、传输、存储、处理等在内的全生命周期的各个环节。

工业互联网平台应遵循合法、正当、必要的原则收集与使用数据及用户信息，公开数据收集和使用的规则，向用户明示收集使用数据的目的、方式和范围，经过用户的明确授权同意并签署相关协议后才能收集相关数据。授权协议必须遵循用户意愿，不得以拒绝提供服务等形式强迫用户同意数据采集协议。另外，工业互联网平台不得收集与其提供的服务无关的数据及用户信息，不得违反法律、行政法规的规定和双方约定收集、使用数据及用户信息，并应当依照法律、行政法规的规定和与用户的约定处理其保存的数据及个人信息。

为防止数据在传输过程中被窃听而泄露，工业互联网服务提供商应根据不同的数据类型及业务部署情况，采用有效手段确保数据传输安全。例如，通过安全套接层（secure sockets layer，SSL）协议保证网络传输数据信息的机密性、完整性与可用性，实现工业现场设备与工业互联网平台之间、工业互联网平台中虚拟机之间、虚拟机与存储资源之间及主机与网络设备之间的数据安全传输，并为平台的维护管理提供数据加密通道，保障维护管理过程的数据传输安全。

2. 本质安全

工业控制系统的本质安全目标是指通过设计等手段使工业生产设备或工业控制系统本身具有安全性，即使在误操作或发生故障的情况下，工业生产也不会造成事故。具体的本质安全包括失误-安全（误操作不会导致事故发生或自动阻止误操作）、故障-安全（设备、工艺发生故障时还能暂时正常工作或自动转变安全状态）等。

对于本质安全，目前最常用的保护方式是利用多个电阻串联来限制流过的电流（假设电阻失效时会开路），或用多个齐纳二极管接地来限制电压，通过采取本质安全措施提高工业互联网本质安全，从而构建工业互联网安全架构。

3. 功能安全

工业互联网的功能安全是依赖于网络系统或工业设备对输入的正确操作，功能安全是全部安全的一部分。当工业互联网中的每一个特定的安全功能获得实现，并且每一个安全功能必需的性能等级达到要求时，就达到了工业互联网的功能安全目标。

例如，盛有易燃液体的容器内液位开关的动作，当容器内液位到达潜在的危险值时，液位开关就关闭闸门阻止更多的液体进入容器，从而阻止液体从容器溢出，正确执行这一过程可看作功能安全。从功能安全角度出发，提高工业互联网功能安全，从而构建工业互联网安全架构。

1.3.2　工业互联网安全架构的多层次安全

1. 设备层安全

设备层安全包括工业设备自身安全、工业现场网络安全及工业控制系统安全。

工业互联网的发展使得现场设备由机械化向高度智能化发生转变，并产生了嵌入式操作系统＋微处理器＋应用软件的新模式，这就使得未来大量智能设备可能会直接暴露在网络攻击之下，面临攻击范围扩大、扩散速度增加、漏洞影响扩大等威胁[31]。

工业设备自身安全指工厂内单点智能器件及成套智能终端等智能设备的安全，具体应分别从操作系统/应用软件安全与硬件安全两方面出发部署安全防护措施，可以采用的安全机制包括固件安全增强、恶意软件防护、设备身份鉴别与访问控制、漏洞修复等。工业设备自身安全还包括工业智能装备和智能产品安全，以及芯片安全、嵌入式操作系统安全、相关应用软件安全及功能安全等。

工业现场网络（工业控制网络）指以具有通信能力的控制器、传感器、执行器、测控仪表作为网络节点，以现场总线或以太网等作为通信介质，连接成为开放式、数字化、多节点通信，从而完成测量控制任务的网络。工业控制网络是工业控制系统中的网络部分，是一种把工厂各个生产流程和自动控制系统通过各种通信设备组织起来的通信网络。工业控制系统包括工业控制网络和所有的工业生产设备，而工业控制网络只侧重于工业控制系统中组成通信网络的元素，包括通信节点（上位机、控制器等）、通信网网络（现场总线、以太网及各类无线通信网络等）、通信协议（Modbus 协议、Profibus 协议、WIA-PA 协议及传感网协议等）。工业控制网络安全涉及协议、网络架构、网络部署等多个方面。特别是工业现场引入无线网络以后，传输网络的无线传输链路具有脆弱性。无线网络固有的脆弱性使系统很容易受到各种形式的攻击，如攻击者可以通过发射干扰信号使读写器无法正常接收电子标签内的数据，或者使基站无法正常工作，造成通信中断。攻击者还可以通过无线网络劫持、窃听甚至篡改用户信息。所以工业现场网络安全极其重要。

工业控制系统安全主要涉及监控与数据采集系统（supervisory control and data acquisition, SCADA）、DCS、PLC 等工业控制系统的安全。工业控制系统是重点攻击目标，目前，我国工业控制系统的防护能力和应急处理能力相对较低，特别是关键部位工业控制系统大量使用国外产品，关键系统的安全性受制于人，重要基础设施的工业控制系统成为外界渗透攻击的目标。

设备供应商需要采取措施对设备固件进行安全增强，阻止恶意代码传播与运行。工业互联网设备供应商可以从操作系统内核、协议栈等方面进行安全增强，并力争实现对于设备固件的自主可控[32]。设备操作系统与应用软件中出现的漏洞对于设备来说是最直接也是最致命的威胁。设备供应商应对工业现场中常见的设备与装置进行漏洞扫描与挖掘，发现操作系统与应用软件中存在的安全漏洞，并及时对其进行修复。工业互联网企业应密切关注重大工业互联网现场设备的安全漏洞及补丁发布，及时采取补丁升级措施，并在补丁安装前对补丁进行严格的安全评估。对于接入工业互联网的现场设备，应支持基于硬件特征的唯一标识符，为包括工业互联网平台在内的上层应用提供基于硬件标识的身份鉴别与访问控制能力，确保只有合法的设备能够接入工业互联网，并根据既定的访问控制规则向其他设备或上层应用发送或读取数据。此外，应支持将硬件级部件（安全芯片或安全固件）作为系统信任根，为现场设备的安全启动及数据传输机密性和完整性保护提供支持。

2. 边缘层安全

工业互联网的边缘计算能够解决工业现场大量异构设备和网络带来的复杂性问题。工业的生产属性体现在两个方面：一是工业现场的复杂性；二是工业系统控制和执行对计算能力的实时性与可靠性都有着更为严格的要求。

边缘层安全一方面需要解决的是面向异构环境的安全接入难题，安全地实现各种制式的网络通信协议相互转换、互联互通，同时又能够应对异构网络部署与配置、网络管理与维护等方面的挑战。同时，设备厂家的多样性使得设备数据的标准不一致，相互之间无法互认，数据无法发挥更大的作用。实际上，工业互联网所要求的智能化生产、网络化协同、个性化定制和服务化延伸，都需要边缘计算改变工业现场"哑设备"的情况，实现数据的开放和统一。目前，一般采用 OPC UA 实现这种开放统一模型，如何保障 OPC UA 的安全也是目前需要解决的第一个难题。

边缘层安全另一方面需要解决保障计算能力的实时性和可靠性的同时兼顾安全性的问题。工业控制的部分场景中计算处理的时延要求在 10ms 以内。如果数据分析和控制逻辑全部在云端实现，难以满足业务的实时性要求。同时，在工业生产中要求计算能力具备不受网络传输带宽和负载影响的"本地存活"能力，避免断网、时延过大等意外因素对实时性生产造成影响。边缘计算在服务实时性和可靠性方面能够满足工业互联网的发展要求。然而，安全处理需要时间。如何在兼顾安全性的同时，满足边缘计算的要求是当前迫切需要解决的第二个难题。

3. 传输层安全

传输层是一个开放和无限的空间，在工业互联网环境下，任何人任何设备期望在任何地方都可以通过网络进入互联网。网络层的开放性导致存在很多漏洞被攻击的风险。传输层安全指的是工厂内有线网络、无线网络及工厂外与用户、协作企业等实现互联的公共网络安全。工厂网络迅速向"三化（IP 化、扁平化、无线化）+ 灵活组网"方向发展，而工业网络灵活组网的需求使网络拓扑的变化更加复杂，导致传统基于静态防护策略和安全域的防护效果下降。工业互联网传输层安全防护应面向工厂内部网络、外部网络及标识解析系统等方面，具体包括网络架构优化、边界防护、接入认证、通信内容防护、通信设备防护、安全监测审计等多种防护措施，构筑全面高效的网络安全防护体系。

在网络规划阶段，需设计合理的网络结构。一方面通过在关键网络节点和标识解析节点采用双机，以及热备和负载均衡等技术，应对业务高峰时期突发的大数据流量和意外故障引发的业务连续性问题，确保网络长期稳定可靠运行。另一方面通过合理的网络结构和设置提高网络的灵活性与可扩展性，为后续网络扩容做好准备。接入网络的设备与标识解析节点应该具有唯一性标识，网络应对接入的设备与标识解析节点进行身份认证，保证合法接入和合法连接，对非法设备与标识解析节点的接入行为进行阻断与告警，形成网络可信接入机制。网络接入认证可以采用基于数字证书的身份认证等机制来实现。

4. 应用层安全

应用层主要面向企业首席技术官（chief technology officer，CTO）、首席信息官（chief information officer，CIO）等信息化主管和核心业务管理人员，帮助其在企业各项生产经营业务中确定工业互联网的作用与应用模式。

应用平台层的安全可以通过安全审计、认证授权、DDoS 防御和安全隔离等措施来守护。安全审计：主要是指对平台中与安全有关的活动的相关信息进行识别、记录、存储和分析。平台建设过程中应考虑具备一定的安全审计功能，将平台与安全有关的信息进行有效识别、充分记录、长时间地存储和自动分析。能对平台的安全状况做到持续、动态、实时的有依据的安全审计，并向用户提供安全审计的标准和结果。认证授权：工业互联网平台用户分属不同企业，需要采取严格的认证授权机制保证不同用户能够访问不同的数据资产。同时，认证授权需要采用更加灵活的方式，确保用户间可以通过多种方式将数据资产分模块分享给不同的合作伙伴。DDoS 防御：部署 DDoS 防御系统，在遭受 DDoS 攻击时，保证平台用户的正常使用。平台抗 DDoS 的能力应在用户协议中作为产品技术参数的一部分明确指出。安全隔离：平台不同用户之间应当采取必要的措施实现充分隔离，防止蠕虫病毒等安全威胁通过平台向不同用户扩散。平台不同应用之间也要采用严格的隔离措施，防止单个应用的漏洞影响其他应用甚至整个平台的安全。

1.3.3 工业互联网安全架构的多级别安全

1. 被动防御

传统的企业网络安全防御都是被动的，一般立足于边界防护，如采用防火墙、查杀病毒等，不能构建自主防御体系，一般是基于已知攻击的防御。当暴露在开放式的网络下的工业设备受到攻击时，防御体系通过设置访问密码和对自身设备信息、数据信息加密及对外来访问者设置身份验证等机制来阻挡外界攻击者。这类防御方法不具有提前感知安全风险和提前自我完善安全漏洞的能力，应对安全风险的能力存在不足。

2. 主动防御

主动防御是利用机器学习、深度学习等人工智能技术分析处理大数据，不断改善安全防御体系的防御方法。主动防御基于大数据处理的工业态势感知技术，通过对暴露在外界监测下的设备进行漏洞检测，对标识态势、攻击源、攻击事件和工业控制资产的态势进行可视化展示，对可视化界面进行数据关联查询，及时对工业控制环境中未来风险进行预测、预防，并及时生成网络安全预警信息，从而提高工业互联网漏洞监测、事件监测及预警响应能力。因此主动防御是一种先于安全攻击发起的自主预防措施，能有效地阻止安全攻击。

3. 攻击容忍

攻击容忍理念改变了传统的以隔离、防御、检测、响应和恢复为主的思想。假定系统中存在一些受攻击点，在系统可容忍的限度内，这些受攻击点并不会对系统的服务造成灾难性的影响，系统本身仍旧能保证最低的服务质量。这种目的的实现，攻击容忍系统必须具备自我诊断能力、故障隔离能力和还原重构能力。攻击容忍系统的主要实现机制有攻击检测机制、攻击遏制机制、安全通信机制、错误处理机制和数据转移机制。攻击检测机制是对网络中潜在的或正在进行的攻击进行实时监测和响应，主要有异常检测、误用检测和协议分析三种检测方法，目前也已经发展到分布式入侵检测阶段；攻击遏制机制是通过结构重构和冗余等方式达到进一步阻止攻击的目的；安全通信机制是指在通信协议中引入加密算法、认证证书、会话机制等信息加密方法来实现对通信信息和数据的保护；错误处理机制主要通过错误屏蔽的方法检测和恢复系统发生失效后的错误；数据转移机制是指在数据面临丢失、毁坏、攻击前，使用数据迁移工具将数据移至安全空间，从而确保数据安全性。

1.3.4 工业互联网安全架构的多视角安全

1. 生产商视角构建安全架构

底层设备的安全直接影响着工业互联网的安全，对于工业产品的生产厂商而言，他们要从安全管理制度和生产技术两个视角构建生产设备的安全性，从而提升工业互联网安全。从安全管理制度出发，企业要落实管理制度，不论是生产员、技术员还是管理员都需要严格按照规定生产、制造设备，避免生产设备存在瑕疵和安全隐患；从生产技术出发，企业要改善和完善产品的生产模式，避免威胁生产设备安全的外部设备接入，从而对生产设备造成损坏。生产商应以严格的安全管理制度和高水平的生产技术能力构建工业互联网安全架构。

2. 设备供应商视角构建安全架构

工业互联网设备供应商需要采取措施对设备固件进行安全增强，阻止恶意代码传播。除此以外，工业互联网设备供应商可以从操作系统内核、协议栈等方面进行安全增强，并力争实现对于设备固件的自主可控。

3. 服务商视角构建安全框架

服务商能对平台的安全状况做到持续、动态、实时的有依据的安全审计，并向用户提供安全审计的标准和结果。如果工业互联网平台用户分属不同企业，需要采取严格的认证授权机制保证不同用户能够访问不同的数据资产。平台抗 DDoS 的能力应在用户协议中作为产品技术参数的一部分明确指出。与此同时，平台不同用户之间应当采取必要的措施实现充分隔离，防止蠕虫病毒等安全威胁通过平台向不同用户扩散。

4. 测试商视角构建安全框架

测试商需要对工业互联网进行数据状态监测与分析和处置恢复。工业互联网较传统信息系统架构更为复杂，处置恢复组织应根据工业互联网系统架构进行风险识别，并对风险按照类别与等级、风险影响程度、风险发生概率和风险时长等因素进行评估，依照风险处置优先级别制定防范措施与解决预案，将实际情况与之进行匹配，并进行适当的调整以满足实施的有效性。工业互联网系统架构包括多个层级与数据接口，针对可能发生的风险所在的层级，应采取相应的措施降低灾难发生的概率。处置恢复日常运行组可以通过对设备层、网络层、控制层、应用层、数据层等部署监测机制，对工业互联网系统运行中的数据状态进行定期监测，感知潜在的安全风险与系统异常，由处置恢复实施组通过恢复策略进行相应处置。测试商以严格的安全管理制度和预估措施来构建工业互联网安全架构。

本书主要讨论工业互联网的信息安全，从多维度多层次多级别多视角的角度，为服务商、供应商、测试商、生产商等呈现目前工业互联网的关键安全技术。

参 考 文 献

[1] 中国工业互联网研究院. 中国工业互联网产业经济发展白皮书（2020）[EB/OL].[2020-10-12]. http://xkzj.mofcom.gov.cn/article/myszh/szhzx/202107/20210703179114.shtml.

[2] 伍杏铃. 互联网超融合来袭[J]. CSDNnews，2020（16）：1-2.

[3] 王蔚. 工业互联网：连接人机物，实现智能＋[J]. 科技日报，2019：10-16.

[4] 《工业互联网创新发展行动计划（2021—2023 年）》解读大全[J]. 产城，2021（4）：28-31.

[5] 邬贺铨. 邬贺铨：认识工业互联网[J]. 网信军民融合，2019（5）：12-13.

[6]　彭瑜. OT 与 IT 融合是长期演进的过程[J]. 中国工业和信息化，2020（8）：12-18.

[7]　李觉林. PLC 在工业集散控制系统中的应用思考[J]. 世界有色金属，2019（23）：201-202.

[8]　李海花. 工业互联网的发展历程及实现路径[J]. 互联网天地，2019（8）：23-27.

[9]　林波. 现场总线控制系统（FCS）的应用技术探析[J]. 石化技术，2020，27（6）：356-357.

[10]　马世平. 现场总线标准的现状和工业以太网技术[J]. 机电一体化，2007（3）：16-18.

[11]　张秋旸，孟峻宇. 德国工业 4.0 战略及其对我国金融发展的启示[J]. 华北金融，2021（4）：83-87，94.

[12]　安筱鹏. 认识工业互联网的四个视角[J]. 上海信息化，2018（3）：2-6.

[13]　教育の情報化に関する手. 2 文部科学省[EB/OL]. https://www.mext.go.jp/content/20191219-mxtjogai01-000003284003. pdf. [2020-08-12].

[14]　李海花，王欣怡. 美国工业互联网联盟（IIC）最新动态[J]. 电信网技术，2016（8）：34-36.

[15]　工业和信息化部印发《工业互联网专项工作组 2020 年工作计划》[J]. 智能制造，2020（9）：16-20.

[16]　闫涛涛.《工业互联网创新发展行动计划（2021—2023 年）》解读[J]. 中国信息化，2021（3）：10-14.

[17]　余晓晖. 工业互联网产业联盟通过《工业互联网体系架构》[N]. 人民邮电报，2016-08-23.

[18]　余晓晖. 工业互联网产业联盟发布《工业互联网体系架构 2.0》[C]. 2019 智博会期间举办的工业互联网高峰论坛，重庆，2019.

[19]　Tian J，Tan R，Guan X，et al. Moving target defense approach to detecting stuxnet-like attacks[J]. IEEE Transactions on Smart Grid，2020，11（1）：291-300.

[20]　田慧蓉. 工业互联网安全框架白皮书[C]. 2018 年工业互联网峰会，北京，2018.

[21]　工业和信息化部等十部门：印发《加强工业互联网安全工作的指导意见》[J]. 自动化博览，2019，36（S2）：7.

[22]　李涛. 对工业互联网安全态势分析及安全防护建议思考[J]. 网络安全技术及应用，2020（4）：126-128.

[23]　闫寒，李端. 工业互联网安全风险分析及对策研究[J]. 网络空间安全，2020，11（2）：81-87.

[24]　姚羽.“震网”病毒奇袭伊朗核电站[N]. 光明日报，2011-02-11.

[25]　Sakurada L，Leitao P. Multi-agent systems to implement industry 4.0 components[C]. 2020 IEEE Conference on Industrial Cyberphysical Systems（ICPS），Tampere，2020.

[26]　陈骞. 美国、德国工业互联网联盟机构解析[J]. 上海信息化，2016.

[27]　刘晓曼，李艺，吴昊. 工业互联网安全架构及未来发展思考[J]. 信息安全与通信保密，2019，（3）：12-19.

[28]　Liu A，Ning P. TinyECC: A configurable library for elliptic curve cryptography in wireless sensor networks[C]. International Conference on Information Processing in Sensor Networks，St. Louis，2008：245-256.

[29]　Liang X N，Xiao Y，Ozdemir S，et al. Cipher feedback mode under go-back-N and selective-reject protocols in error channels[J]. Security and Communication Networks，2013，6（8）：942-954.

[30]　张淙哲，房育良. 工业互联网的现代概念与模型架构剖析[J]. 电信网技术，2017（11）：40-45.

[31]　Cui J，Wang H，Zhao K. Safety traceability application of electrical equipment based on internet of things identification[J]. 2022 IEEE International Conference on Electrical Engineering，Big Data and Algorithms（EEBDA），Changchun，2022：334-337.

[32]　Law L，Menezes A，Qu M H，et al. An efficient protocol for authenticated key agreement[J]. Designs，Codes and Cryptography，2003，28（2）：119-134.

第 2 章　工业互联网设备层安全

2.1　概　　述

数据贯穿工业互联网的各个环节，工业数据的获取与应用是工业互联网成功的关键。要实现数据的有效获取与应用，首先要解决的就是连接问题，这正是工业互联网的核心任务。工业现场网络连接的所有生产装备、智能仪器仪表、各种智能终端都在源源不断地产生数据，这些数据将会渗透到企业运营、价值链乃至产品的整个生命周期，是工业互联网的基础。

工业互联网设备层是工业互联网数据获取的重要来源，其安全包括工业设备自身安全、工业控制网络安全及工业控制系统安全。本章将重点从以上三个方面讨论相关关键技术和防护手段。

工业互联网设备自身安全指工厂内单点智能器件及成套智能终端等智能设备的安全，具体应分别从操作系统/应用软件安全与硬件安全两方面出发部署安全防护措施，可以采用的安全机制包括固件安全增强、恶意软件防护、设备身份鉴别与访问控制、漏洞修复等。

工业控制网络安全涉及的工业现场网络协议、网络架构、网络部署等多个方面的安全，是网络安全在工业的一种拓展。工业控制网络侧重工业控制系统中组成通信网络的元素，包括通信节点（包括上位机、控制器等）、通信网网络（包括现场总线、以太网及各类无线通信网络等）、通信协议（包括 Modbus、Profibus 等）。工业现场网络的发展经历了现场总线、工业以太网、工业无线网络这几个阶段，如今，工业控制网络主要是由无线和有线网络异构共存组成的。相比于传统的工业有线网络，工业无线网络技术提高了网络的灵活性和管理效率，较好地支持了工业现场设备移动性的需求，同时，其无线通信的特点使工业现场的信息连接不需要铺设复杂的线缆，节约了布线成本，以及易于对传统制造业进行信息化改造。特别是工业无线网络组网灵活、易于分布的特点使其适用于多种多样的工业应用。相对于无线传感网，工业无线网络在可靠性、实时性等方面有着更高的需求。随着无线技术的引入，越来越多的工业现场设备通过工业无线协议接入网络，在提高产品质量、降低生产成本、提高能源效率等方面发挥重要作用。与无线传感网一样，工业无线网络同样存在着节点资源受限、无人值守、容易受到噪声干扰与攻击等劣势，并且众多的现场设备（如传感器节点）在无时无刻地收集数据，需确保如此海量的数据采集效率和数据的完整性，为了解决这些问题，在工业无线网络中应该采用一些轻量级安全及可靠性技术。大多工业控制网络都属于专用内部网络，不与互联网相连，即使安装反病毒软件，也不能及时地更新病毒数据库，并且杀毒软件对未知病毒和恶意代码也无能为力。操作系统漏洞无法避免，加之传统防御技术和方式的滞后性，给病毒、恶意代码的传染与扩散留下了空间。

　　工业控制系统安全主要涉及 SCADA、DCS、PLC 等工业控制系统的安全,是传统信息安全问题在工业控制领域的延伸。通过对工业控制系统行业漏洞库平台公开披露的工业控制漏洞数据的统计分析发现,中高危漏洞数量居高不下,截至 2020 年 2 月有 3136 个工业控制漏洞,其中高危漏洞占比为 41.57%,有 1304 个。安全漏洞的涌现为工业控制系统增加了风险,进而影响正常的生产秩序,甚至会危及人员健康和公共财产安全。传统工业控制系统的优化升级为企业发展提供了重要的支撑,同时也带来了网络环境下的信息安全问题,蠕虫病毒、木马、黑客攻击等网络威胁对工业控制系统的冲击呈现出愈演愈烈的发展态势。在 2010 年爆发的"震网"事件中,病毒导致部分用于铀浓缩的离心机无法运行,直击伊朗核工业。由此可见,针对工业控制系统的攻击行为,已经对国家经济和社会发展产生深远的影响。事实上,不仅仅是"震网"病毒,近年来相继涌现出的著名恶意软件如"毒区""火焰"等,也将攻击重心向石油、电力等国家命脉行业领域倾斜,工业控制系统面临的安全形势越来越严峻。

2.1.1　安全目标

　　工业互联网设备层主要负责数据采集,通过对采集设备及现场网络进行安全防护,使得上层应用得到可靠数据,做出正确决策。工业现场网络资源受限的特点使网络中存在着潜在的威胁。根据威胁来源的不同可以分为来自网络内部的威胁、来自外部网络的威胁及来自管理网络的威胁。所以必须采取一定的安全措施,以保证系统内部的资源安全和用户的操作安全。网络的主要安全目标是在网络受到攻击时能够通过相应的措施降低网络的损失,并使得网络通信能够自动恢复重构。

　　1. 工业互联网设备自身安全目标

　　(1)授权。确保只有得到授权的设备才能参与网络中的通信和信息提供。

　　(2)认证。在设备加入网络之前,需要对设备的身份进行安全性的校验,防止非法设备加入网络;接收到数据的设备必须通过数据认证来验证该数据是所要求的发送设备发送的。

　　(3)可用性。保证信息及时且可靠地访问和使用。可用性的缺失是指信息或信息系统的访问或使用被中断。然后,基于针对数据的安全目标,分析可能存在的风险对于组织和个人的潜在影响。

　　2. 工业现场网络中实施的安全机制应实现的安全目标

　　(1)数据机密性。数据机密性是指在现场网络中,所有传感节点传输的重要数据信息都是保密的,不应该泄露给其邻居的节点及其他网络中的节点,哪怕被人窃听或者截获了,攻击者仍然不能获得正确的信息,保证数据只能为合法用户所使用。

　　(2)数据完整性。应保证网络中信息的一致性,现场设备的源发布者和目的接收方的信息完全一致,没有被恶意节点篡改。加密技术能够解决数据的保密问题,但如果一个密文数据被攻击者篡改,接收者不能解密得到正确的结果,便会造成数据发送失败。

（3）数据新鲜性。数据新鲜性是指设备接收到的数据是最新的，确保其不是恶意节点重放的旧数据信息。如果大量失去时效性的数据包流入网络，将会造成网络拥塞。

3. 工业控制系统的安全目标

（1）逻辑访问和网络活动限制。即限制对工业控制系统网络的逻辑访问和网络活动，包括使用防火墙的一个非军事区（demilitarized zone，DMZ）的网络架构，用来防止网络流量在企业网络和工业控制系统（industrial control system，ICS）网络之间直接传递，还包括对企业网络用户和 ICS 网络用户分别提供独立的身份验证机制与凭证。ICS 还应使用多层的网络拓扑结构，使最关键的通信发生在最安全和最可靠的层面。

（2）物理访问限制。限制对工业控制系统网络和设备的物理访问。对组件的非授权的物理访问可能会导致对 ICS 功能的严重扰乱，应采用组合的物理访问控制机制，如锁、智能卡阅读器和/或警卫等，实现物理防护。

（3）防暴露。即保护单个的工业控制系统组件免受暴露，包括一旦工业控制系统组件通过现场条件测试，相关人员尽可能迅速地为它们部署安全补丁；禁用所有未使用的端口和服务；限制 ICS 的用户权限，只开放每个人的角色所需要的权限；跟踪和监测审计踪迹；在技术上可行的地方使用如防病毒软件和文件完整性检查软件等安全控制措施来预防、阻止、检测和减少恶意软件。

（4）容忍。在不利条件下维持正常功能。这涉及设计工业控制系统以使每个关键组件都有冗余。此外，如果一个组件失败，它应该不会在工业控制系统或其他网络上产生不必要的流量，或不会在其他地方引起另一个问题，如级联事件。

（5）恢复系统。事件发生后，恢复系统。事故有时是不可避免的，事件响应计划是必不可少的。一个良好的安全计划的主要特点是一个事件发生后，可以以最快的速度恢复系统。

2.1.2　安全原则

根据工业设备及现场网络的特征，首先考虑节点的能量消耗问题，其次应注意各种安全机制的局限性，并且安全措施应该易于部署和使用；在节约节点能耗的前提下保障网络的安全。所以工业设备及现场网络的安全机制应注意以下几个问题。

（1）设计的安全防护机制应尽量安全和易于实施。

（2）根据节点资源有限的特点，应尽量地使用基于对称密钥的密钥管理机制；因为相比非对称密钥机制，对称密钥所需要的各种资源要少很多，这对于资源缺乏的现场网络来说是非常重要的。

（3）设计冗余机制来提高安全防护的鲁棒性。

（4）任何安全机制都应将降低网络的通信开销作为首要考虑条件。

（5）最大化延长电池寿命，减少包的大小和数目，以及包转发。

（6）利用基于硬件的加密技术，延长设备寿命。

2.1.3　脆弱性分析

1. 策略和程序方面的脆弱性

安全漏洞在工业控制系统中是常见的，主要是由于安全策略及程序文件不完全、不适合或文件的缺失。安全策略程序文档（包括管理支持等）是安全工作的基础，通过正确的引导与实施，企业安全策略的完善能够减少安全漏洞隐患，如通过调制解调器连接到工业控制系统时口令的使用与维护要求。表 2.1 描述了工业控制系统中可能存在的策略与程序方面的安全漏洞。

表 2.1　工业控制系统中可能存在的策略与程序方面的安全漏洞描述

安全漏洞	描述
工业控制系统安全策略不当	对于工业控制系统，由于安全策略不当或策略不具体，安全漏洞常有发生
没有正式的工业控制系统安全培训和安全意识培养	书面的、正式的安全培训及安全意识培养设计的目的是使全体职员了解最新的计算机安全标准和最佳实践，并使组织的安全策略与程序同步更新
安全架构和设计不足	安全管理工程师由于安全培训机会较少，对产品不够熟悉，直到目前为止供应商还没有把一些安全特征移植到产品中
对于工业控制系统，没有开发出明确具体、书面的安全策略或程序文件	应当制定具体、书面的安全策略或程序文件并对全体员工进行培训，这是一个正确的安全建设的根基
工业控制系统设备操作指南缺失或不足	设备操作指南应当及时更新并保持随时可用，这些操作指南是工业控制系统发生故障时安全恢复所必需的组成部分
安全执行中管理机制的缺失	负有安全管理责任的员工应当对安全策略与程序文件的管理、实施负责
工业控制系统中很少或没有安全审计	独立的安全审计人员应当检查和验证系统日志记录并主动判断安全控制措施是否充分，以保证合乎 ICS 安全策略与程序文件的规定。审计人员还应当经常检查 ICS 安全服务，并提出改进建议，这样才能使安全控制措施更有效
没有明确的 ICS 业务连续性计划或灾难恢复计划	组织应当准备业务连续性计划或灾难恢复计划并进行定期演练，以防基础设施重大的软硬件故障发生，如果业务连续性计划或灾难恢复计划缺失，ICS 可能会造成业务中断和生产数据丢失
没有明确具体的配置变更管理程序	ICS 硬件、固件、软件的变更控制程序和相关程序文件应当严格制定，以保证 ICS 得到实时保护，配置变更管理程序的缺失将导致安全脆弱性的发生，增大安全风险

2. 平台方面的脆弱性

ICS 由于程序瑕疵、配置不当或维护较少而出现一些安全的脆弱性，包括 ICS 硬件、操作软件和应用软件，通过各种安全控制措施的实施，可以缓解因安全脆弱性问题导致的安全风险，例如，操作系统和应用程序补丁，物理访问控制，安全防护软件（如病毒防护软件）。表 2.2～表 2.5 是一些潜在的平台方面的脆弱性的描述。

表 2.2   平台配置方面的脆弱性

脆弱性	描述
操作系统安全漏洞被发现后供应商可能没有开发出相应的补丁程序	由于 ICS 软件及操作系统更新的复杂性,补丁程序的更新必须面对广泛的回归测试,从测试到最终发布之间有较长的漏洞暴露周期
操作系统和应用软件补丁程序没有及时安装	老版本的操作系统或应用软件可能存在最新发现的安全漏洞,组织的程序文件中应当明确如何维护补丁程序
操作系统和应用软件补丁程序没有进行广泛测试	操作系统和应用软件补丁程序没有进行广泛测试就安装上线,可能会对 ICS 的正常运转产生影响,组织的程序文件中应当明确对新出现的补丁程序进行广泛测试
使用缺省配置	如使用缺省配置可能会导致不安全或不必要的端口或服务没有关闭
关键配置文件没有存储备份措施	组织应当在程序文件中明确对配置文件进行存储与备份,以防止偶然事故的发生,防止黑客对配置文件进行更改,造成业务中断或业务数据的丢失。组织应当在程序文件中明确如何维护 ICS 的安全配置信息
移动设备数据未保护	如果敏感数据(如密码、电话号码)被明文储存在手提设备(如笔记本电脑、掌上电脑等),这些设备丢失或被盗,系统安全可能存在风险。需要建立政策、程序、机制来保护移动设备上的数据
密码策略不当	在使用密码时需要定义密码策略,包括密码强度、更改周期等,如果没有密码策略,系统可能没有适当的密码控制措施,使未授权用户可能会擅自访问机要信息。考虑到 ICS 及员工处理复杂密码的能力,组织应当把密码策略作为整体 ICS 安全策略的一个组成部分来制定
未设置密码	在 ICS 各组件上应实施密码访问策略,以防止未经授权的访问。密码相关的漏洞: ①使用系统中原本存在的其他用户信息进行登录。 ②没有设置登录系统的密码。 ③在 ICS 组件上没设置系统的屏幕保护程序(在无人值守时,其他人能随意使用 ICS 组件)。 密码认证策略不应妨碍或干扰 ICS 的应急响应活动
密码丢失	密码应保密,以防止未经授权的访问。密码披露的例子包括: ①将密码暴露在公共场合。 ②和其他人共享用户个人账户密码。 ③黑客获取通信密码。 ④通过未受保护的通信链路发送未加密的密码
密码猜解	弱口令很容易被黑客或计算机算法猜解,从而获得未经授权的访问。例子包括: ①很短的密码,简单(如所有的小写字母),或以其他方式不符合典型的强度要求。密码强度也取决于具体 ICS 的能力,ICS 能力强则可以处理更严格的密码。 ②默认的供应商的密码。 ③在指定的时间间隔不更改密码
没有访问控制措施	访问控制措施不当可能会导致给 ICS 用户过多或过少的特权。以下举例说明每一种情况: ①系统默认配置的访问控制策略不妥当,使操作人员具有级别不匹配的访问控制权限。 ②系统默认配置的访问控制策略不妥当,使操作人员不具有一定级别的访问控制权限,导致操作人员无法在紧急情况下制定应急响应措施

表 2.3　平台硬件方面的脆弱性

脆弱性	描述
安全变更时没有充分地进行测试	许多 ICS 的设施，尤其是较小的设施，没有检测设备，业务系统的安全性变更测试必须在现场环境下进行
对关键设备没有设置充分的物理保护措施	访问控制中心、现场设备、便携设备、媒体和其他 ICS 组件需要被控制。许多远程站点往往没有人员和物理监测控制措施
未授权用户能够接触设备	ICS 设备的物理访问，应只限于必要的人员，同时考虑到安全的要求，如紧急关机或重新启动。未授权访问 ICS 设备可能会导致下列情况： ①物理盗窃数据和硬件。 ②数据和硬件的物理损坏或毁坏。 ③擅自变更功能的环境（如数据连接、可移动媒体擅自使用、添加/删除资源）。 ④物理数据链路断开。 ⑤难以检测的数据拦截（击键和其他输入记录）
不安全的远程访问 ICS 组件	调制解调器和其他远程访问措施的开启，使维护工程师和供应商获得远程访问系统的能力，应部署安全控制，以防止未经授权的个人，进入到 ICS
网络接口卡（network interface card，NIC）连接网络	使用网络接口卡连接不同网络的机器可能会允许未经授权的访问数据从一个网络传递到另一个网络
未注册的资产	要维护 ICS 的安全，应该有一个准确的资产清单。一个控制系统及其组成部分的不准确，可能为非授权用户访问 ICS 留下后门
无线电频率和电磁脉冲（electromagnetic pulse，EMP）	用于控制系统的硬件是脆弱的无线电频率和电磁脉冲。可能造成指令暂时中断和控制电路板的永久性损害
无备用电源	对于关键资产如果没有备用电源，电力不足将关闭 ICS，并可能产生不安全的情况。功率损耗也可能导致不安全的默认设置
环境控制缺失	环境控制的缺失可能会导致处理器过热。有些处理器将关闭进行自我保护；有些处理器可能会继续工作。但输出功率较小，容易产生间歇性的错误；如果过热的话甚至造成处理器融化
关键设备没有冗余备份	关键设备没有冗余备份可能导致单点故障的发生

表 2.4　平台软件方面的脆弱性

脆弱性	描述
缓冲区溢出	ICS 软件可能会出现缓冲区溢出，黑客可能会利用这些来发起各种攻击
安装的安全设备没有开启防护功能	随产品安装的安全功能没有启用或被禁用
拒绝服务攻击	ICS 软件可能会受到 DoS 攻击，可能会导致合法用户不能访问，或系统访问响应延迟
因未定义、定义不清，或"非法"定义导致操作错误	一些 ICS 在执行操作指令时对输入的数据包缺乏有效检测，这些数据包的格式不正确或含有非法或其他意外的字段值
过程控制的 OPC，依赖于远程过程调用（remote procedure call，RPC）和分布式组件对象模型（distributed component object model，DCOM）	没有更新的补丁，对于已知的 RPC/DCOM 漏洞来说 OPC 是脆弱的
使用不安全的全行业 ICS 协议	分布式网络协议（distributed network protocol，DNP）3.0，Modbus，Profibus，以及其他协议应用于多个行业，协议信息是公开的。这些协议通常很少或根本没有内置的安全功能
明文传输	许多 ICS 的协议进行消息传输时是以明文传输方式在介质间传输的，使得它们很容易被对手窃听

脆弱性	描述
开启了不必要的服务	许多平台上运行着各种各样的进程和网络服务。不必要的服务很少被禁用，可能会被利用
专有软件的使用已经在会议和期刊上讨论过	在国际 IT、ICS 和"黑帽"会议讨论过，并在技术论文、期刊或目录服务器上已发表过。此外，ICS 维修手册可以从供应商那里获得。这些信息可以帮助黑客成功地对 ICS 发起攻击
软件配置和设计上认证与访问控制措施不足	未经授权的访问、配置和编程软件，可能会损坏设备
没有安装入侵检测/防护设备	安全事件的发生可能会导致系统可用性的损失；入侵检测系统（intrusion detection system，IDS）/IPS 软件能停止或防止各类攻击，如 DoS 攻击；同时 IDS/IPS 软件也能识别和攻击内部主机与蠕虫病毒感染者，如 IDS/IPS 软件必须在部署之前进行测试，以确定它不会影响 ICS 的正常运行
日志未维护	如果没有适当和准确的日志记录，可能无法确定是什么原因造成安全事件
安全事故未及时发现	日志和其他安全设备已安装，它们可能没有建立在实时监测的基础上，因此，安全事故可能不能迅速被发现和处理

表 2.5　恶意软件保护方面的脆弱性

脆弱性	描述
防恶意软件未安装	恶意软件可能会导致性能下降，失去了系统的可用性，并捕捉、修改或删除数据
防恶意软件版本或特征码未更新	未更新的防恶意软件版本和定义可能会使系统恶意软件攻击威胁概率增大
防恶意软件安装前未进行广泛的测试	防恶意软件安装前未进行广泛的测试可能会对 ICS 正常运转产生影响

3. 网络方面的脆弱性

在 ICS 中的漏洞可能会导致缺陷、错误配置，或对 ICS 网络及与其他网络间的连接管理不善的情况。这些漏洞可以通过各种安全控制消除或者弱化，如防御深入的网络设计、网络通信加密、限制网络流量，以及提供网络组件的物理访问控制。

潜在的平台脆弱性包括：网络配置方面的脆弱性（表 2.6）、网络硬件方面的脆弱性（表 2.7）、网络边缘方面的脆弱性（表 2.8）、网络监控和日志方面的脆弱性（表 2.9）、网络通信方面的脆弱性（表 2.10）和无线网络连接方面的脆弱性（表 2.11）。

表 2.6　网络配置方面的脆弱性

脆弱性	描述
网络安全架构	ICS 网络基础架构常常根据业务和运营环境的变化而变化，但很少考虑潜在的安全影响的变化。随着时间的推移，安全漏洞可能会在不经意间在基础设施内的特定组件中产生，如果没有补救措施，这些漏洞可能成为进入 ICS 的后门
未实施数据流控制	数据流的控制，如访问控制列表（access control list，ACL），能够限制某些系统直接访问网络设备。一般来说，只有指定的网络管理员才能够直接访问这些设备。数据流的控制应确保其他系统不能直接访问设备

续表

脆弱性	描述
安全设备配置不当	使用默认配置，往往导致主机上不安全和不必要的开放端口被使用。配置不当的防火墙规则和路由器 ACL，可以允许不必要的流量通行
网络设备配置文件未保存或备份	一旦网络发生偶然的或黑客发起的配置变更事件，需要有可行的操作程序，以维护网络系统的高可用性，并防止业务数据的丢失。应制定文件化的程序来维护网络设备的配置设置
数据传输中口令未加密	密码通过传输介质明文传输，易被黑客嗅探，并获得对网络设备的未授权访问。这样黑客可能破坏 ICS 的操作或监控 ICS 的网络活动
网络设备密码长期未修改	密码应定期更换，这样，如果未授权用户获得密码，也只有很短的时间访问网络设备。未定期更换密码可能使黑客破坏 ICS 的操作或监视 ICS 的网络活动
访问控制措施不充分	黑客未授权访问网络系统可能会破坏 ICS 的操作或监视 ICS 的网络活动

表 2.7　网络硬件方面的脆弱性

脆弱性	描述
网络设备物理防护不足	应该对网络设备的物理访问进行控制，以防止破坏网络设备
不安全的物理接口	不安全的通用串行总线和 PS/2 端口可以允许未经授权的拇指驱动器、键盘记录等外设的连接
物理环境控制缺失	环境控制的缺失可能会导致处理器过热。有些处理器会关闭，以保护自己
非关键人员对设备和网络连接的访问	应只限于必要的人员对网络设备的物理访问。不当访问网络设备可能会导致下列任何一项发生： ①物理盗窃的数据和硬件。 ②数据和硬件的物理损坏或毁坏。 ③未经授权的更改（如改变 ACL 来允许攻击进入网络安全环境）。 ④未经授权的截取和操纵的网络活动。 ⑤物理数据链路断线或未经授权的数据链路连接
关键网络设备没有冗余备份措施	关键网络设备没有冗余备份措施可能导致单点故障

表 2.8　网络边缘方面的脆弱性

脆弱性	描述
未定义网络边界	如果没有一个明确的安全边界，那么要确保必要的安全控制措施的正确部署和配置是不可能的，这可能会导致未经授权的对系统和数据的访问
未安装防火墙或防火墙策略配置不当	防火墙配置不当可能造成不必要的数据传输，这可能会导致几个问题，包括允许攻击数据包和恶意软件在网络之间传播，容易监测/其他网络上的敏感数据，造成未经授权的系统访问
专网中存在非法流量	合法和非法流量有不同的要求，如确定性和可靠性，如果在单一网络中存在两种类型的流量，会使网络配置人员更难以配置网络，并且使这种网络更难符合控制流量的要求。例如，非法流量可能会无意中消耗网络带宽资源，造成业务系统的中断

续表

脆弱性	描述
专网中没有运行专用网络协议	专网中运行一些 IT 服务,如域名服务,且专网中常使用一些 IT 网络中的动态主机配置协议,这些协议常应用在 IT 网络中。专网中运行这些服务会导致 ICS 网络对 IT 网络的依赖较大,而 IT 网络对系统的可靠性和可用性要求没 ICS 网络要求高

表 2.9　网络监控和日志方面的脆弱性

脆弱性	描述
防火墙和路由器日志未开启	如果没有合适、详细的日志信息,将不可能分析出导致安全事件发生的原因
ICS 网络中没有安全监控设备	如果没有定期的安全监控,事故可能被忽视,导致额外的破坏和/或中断。需要定期的安全监测,以确定安全控制的问题,如配置错误和失效

表 2.10　网络通信方面的脆弱性

脆弱性	描述
未识别关键监测点和控制路径	非法连接 ICS 网络可能会在 ICS 网络中留下攻击后门
采用了未加密的标准的网络通信协议	黑客可以使用协议分析仪或其他设备对网络协议进行分析,以监控 ICS 网络活动,一些协议如 Telnet、文件传输协议(file transfer protocol, FTP)、网络文件系统(network file system, NFS)协议等容易被黑客进行解码分析。使用这样的协议更容易为黑客进行攻击 ICS 网络和操纵 ICS 网络提供便利
用户、数据与设备认证手段不足	许多 ICS 协议没有任何级别的身份验证措施。未经身份验证,黑客可能多次攻击并修改或伪造数据、设备,如伪造传感器和用户身份
网络通信数据完整性校验不足	大多数工业控制协议中没有数据完整性校验,黑客可能操纵通信数据。为确保通信数据完整性,ICS 网络可以使用较低层协议(如 IPSec)提供数据完整性保护

表 2.11　无线网络连接方面的脆弱性

脆弱性	描述
无线客户端和接入点的认证措施不足	无线客户端和接入点间需要很强的相互认证,以确保客户端不连接到恶意接入点,也确保黑客无法连接到 ICS 网络
无线客户端和接入点之间的数据传输保护措施不足	无线客户端和接入点间的敏感数据,应使用很强的加密措施,以确保黑客无法获得未加密的数据进行未经授权的访问

2.1.4　主要挑战

　　工业无线网络传输介质存在固有的开放性,移动设备存储资源及计算资源存在局限性。在工业现场恶劣的环境中,无线网络不仅要面对有线网络环境下的所有安全威胁,而且还要针对工业无线环境的安全威胁。因此,在研究工业无线网络通信时,要考虑工业现场环境构建出完整的无线网络通信体系结构，并要重点关注工业无线网络通信的安全性。工业无线网络通过无线介质进行传输，它比有线网络更容易受到攻击，因而传统网络使用的一些安全管理机制不适用于工业无线网络。

很多国家的工业控制系统和现场设备已经运行了 15～30 年，这样的系统与现场设备比较难以维护。这些系统在互联网时代之前就安装了，因此在设计时没有考虑连接性，也没有任何验证接收到的指令是否正确的措施。当然替换这些遗留系统是不可行的，我们需要为新建设和遗留的系统增强安全性。然而，这些遗留系统已经无故障地运行了几十年，因此要说服这些组织花费大笔经费来升级系统也是很困难的事情。

另外，IT 部门和 IT 安全团队很少参与工业控制系统与现场设备的采购、安装和管理。工业控制系统一般是与其控制的设备一起购买的，因此它们的安装、配置和运行都是由工厂工程师现场完成的，不是安全团队部门负责的。这意味着，安全团队对控制系统的情况毫不知情，更无法建立系统的详细目录。

2.2　工业设备自身安全

2008 年 8 月 5 日，里海石油大动脉"巴库-第比利斯-杰伊汉石油管道"30 号闸门站因遭受攻击在土耳其境内发生爆炸。黑客通过监控摄像头进入控制系统，利用监控摄像头存在的通信软件漏洞，用一个恶意程序建立了随时可以进入内部系统的信息通道，在不触动警报的情况下，黑客通过加大石油管道内的压力，当压力大到管道或闸门难以承受时，爆炸就发生了。

2016 年，安保公司 SEC Consult 发现了近 80 款的安防摄像头存在安全漏洞。安防摄像头存在后门漏洞，这对于许多使用安防设备的公司来说非常不利。这些后门漏洞一旦被黑客利用，后患无穷。近年来，韩国某品牌的智能扫地机器人被曝存在安全漏洞，黑客可以利用安全漏洞，通过远程操控的方式来控制机器人在用户家中的行为，窥探个人隐私。原本有助于提升生活质量的"智能家居"沦为生活中的"间谍"或者"内鬼"，这着实是一件令人感到震惊的事情，而"家里的隐私"被"智能家居"设备给泄露，更会令人感到有些毛骨悚然。

2015 年，两名黑客（米勒和瓦拉赛克）就曾演示过如何侵入 Uconnect 车载系统。利用 Uconnect 车载系统的缺陷，很容易从任何接入互联网的地方展开攻击，远程获取汽车的关键功能操作权限，利用汽车 CAN 总线将恶意控制信息发送至电子控制单元，从而控制汽车的物理系统，如启动雨刷、调大冷风、踩下制动踏板、让引擎熄火、令所有电子设备宕机等。幸好这两位是白帽子黑客（指不做坏事的黑客），他们是在通知了原厂商 9 个月后才对外公布 Uconnect 车载系统漏洞的。

人们在享受万物互联带来的便利的同时，工业物联网终端的安全问题却逐渐暴露出来，甚至成为最薄弱环节。工业物联网的设备、路由器，都可能成为被黑客利用的"后门"，借以窃取国家机密、商业机密及企业隐私。

工业物联网设备生产商为了节省成本，使用通用、开源的操作系统，或未经安全检测的第三方组件，这很可能会引入漏洞。同样是基于成本考虑，大多数工业物联网设备不会保护调试接口，这给了攻击者乘虚而入的机会。

这些安全隐患皆源于设备本身的软件缺陷、信息通道及意想不到的疏漏。设备太多，防护太少，防不胜防。目前来看，工业设备自身也存在这样的安全漏洞，这个问题有必要引起监管部门和工业企业的高度重视。一方面是目前工业设备在安全设计上，没有很高级别的防范措施，尤其是缺乏统一的安全标准；另一方面则是监管部门的作为有些滞后，没有针对工业设备存在的安全漏洞等问题及时跟上监管。工业设备是工业互联网的终端，确保工业联网设备的安全性是第一位的。企业在研发生产工业设备时，要提高其安全性设计，国家有关部门也应当尽快出具工业设备的安全标准，达不到安全标准的工业设备应当禁止入市。同时，相关职能部门也应当严厉打击那些利用工业设备进行违法活动的新型犯罪，不能让其形成气候和灰色市场。一旦发现故意留"后门"，应依据法律法规，果断采取严厉惩戒措施，以儆效尤。

2.3　设备层工业现场网络的被动防御技术

工业互联网数据采集层采用的是被动防御技术，根据不同的侧重点，这些技术方案总体可以分为机密性保护和完整性保护，同时，少部分方案也能够同时保证融合数据的机密性和完整性。数据的机密性一般通过密码算法实现，可以分为逐跳加密和端到端加密机制，逐跳加密机制采用传统的加解密算法，经过"加密-解密融合-加密"的方式可以抵抗外部的窃听攻击，但是不能避免中间融合节点获取秘密数据，而端到端加密机制就可以很好地解决这一问题，不会发生数据泄露问题。

本节将详细介绍工业互联网数据采集层采用的加密解密、身份认证、密钥管理、防重放攻击技术、路由安全、安全数据融合等被动防御技术，并给出方案实例。

2.3.1　关键技术

1. 加密解密

加密就是通过密码算术对数据进行转化，使之成为没有正确密钥任何人都无法读懂的报文。在密码编码学中，密码体制主要划分为对称密码体制与非对称密码体制。加密解密以对称密码和非对称密码为基础，通过加密技术可以实现通信和数据保密性。

1）对称加密算法

对称加密算法中，信息的接收者和发送者都使用相同的密钥，加密密钥与解密密钥是相同的，所以双方的密钥都处于保密状态，因为私钥的保密性必须基于密钥的保密性，而非算法上。这在硬件上增加了私钥加密算法的安全性。对称密码类型可以分为分组密码和序列密码。

（1）分组密码。分组密码是将明文消息编码后的数字序列划分成长度为 n 的分组（长度为 n 的矢量），分别在密钥 $k=(k_0,k_1,\cdots,k_{n-1})$ 的控制下变换成等长的输出数字序列（这个序列是长为 m 的向量，即输入和输出分组的长度可以不同）。比较典型的分组密码有数据加密标准（data encryption standard，DES）和高级加密标准（advanced encryption standard，AES）。

（2）序列密码。序列密码与加密固定长度的块分组密码不同，它是可以用于加解密各个明文数字的算法，通常使用对称密钥生成伪随机密钥序列，将其与文本使用异或操作进行加解密。基本的序列密码仅提供机密性而没有完整性保护，为了满足网络的安全需求，通常需要额外的加密操作来保证数据的完整性和真实性。

2）公钥加密算法

公钥加密算法（又称非对称加密算法）是目前密码学中重要的研究点。在公钥密码体制中，加密密钥（公钥）与解密密钥（私钥）是不同的，其中公钥是被公布的，而私钥则是由用户私密保存的。

该密码体制可有效地解决对称密码体制中的弊端，如密钥管理与分配等问题。

（1）RSA[①]公钥密码。RSA 公钥密码体制是当前最普遍的公钥密码，它是一种基于大素数因子分解难题的一种公钥算法。RSA 的数学基础是欧拉函数，其中 n 是两个不同素数 p 和 q 的乘积，则 $\varphi(n)=(p-1)(q-1)$。其中，RSA 公钥密码的产生过程如表 2.12 所示。

表 2.12　RSA 公钥密码的产生过程

RSA 算法核心过程：

1. 随机选取两个大素数 p 和 q，其中 pp 和 qq 是被保密的
2. 计算 $n=pq$，$\varphi(n)=(p-1)(q-1)$，n 为被公开的模
3. 随机选取一个正整数 e，$1<e<\varphi(n)$，同时 $\gcd[e,\varphi(n)]=1$
4. 计算 $d=e^{-1}[\bmod\varphi(n)]$，即 d 为 e 在模 $\varphi(n)$ 下的乘法逆元
5. (e,n) 为公开的密钥，(d,n) 为保密的私钥

已产生的公钥和私钥可以对信息 m 进行加密与解密的操作。当进行加密操作时，首先需要将明文信息 m 进行分组，且每个分组信息 M 对应的十进制数小于 n，也就是说，分组 m 的大小必须小于或等于 $[\log_2 n+1]$。然后对每一个明文信息分组 M 做加密运算，得到对应的密文分组 C，如式（2.1）所示。

$$C\equiv M^e\bmod n \qquad (2.1)$$

对于密文分组 C，其解密运算如式（2.2）所示。

$$M\equiv C^d\bmod n \qquad (2.2)$$

从上述对 RSA 算法的描述来看，随机数的产生很关键，它是保证算法安全性的基础。RSA 算法的缺点如下：

①RSA 算法产生密钥的方式很麻烦，受限于大素数的产生，难以做到一次一密。

②分组长度太大，为了保证 RSA 算法的安全强度，需要保证 n 足够大，目前长度

① RSA 是由 Rivest、Shamir 和 Adleman 提出的。

一般大于或等于 1024 比特。但是，随着模数长度的增加，RSA 算法的计算速度变得缓慢。

（2）椭圆曲线密码学（elliptic curve cryptography，ECC）公钥密码。ECC 虽然为一种较晚出现的密码体制，但却已成为密码学领域研究的热点之一。从实现的方面分析 ECC 密码体制，其总体可以分为几个部分，如图 2.1 所示。

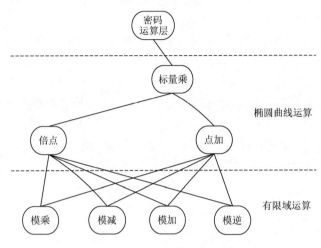

图 2.1　ECC 算法数学理论基础

由图 2.1 可知，有限域运算和椭圆曲线运算是 ECC 密码体制实现的数学基础。

假设有限域上的椭圆曲线 $y^2 + xy = x^3 + ax^2 + b$，其中 x 和 y 及系数 a 和 b 是有限域上的元素，椭圆曲线运算法则如下：

①对于椭圆曲线上任意一点 $P = (x, y)$，$P + \infty = P$，其中 ∞ 为无穷远点。

②若 $P = (x, y)$，$P + (x, x + y) = 0$，则 $(x, x + y)$ 点是 P 的负元，记为 $-P$。

③点加运算：椭圆曲线上两个不相同的点 $P = (x_1, y_1)$ 和 $Q = (x_2, y_2)$，它们的连线与椭圆曲线相交于第三点 $-R = (x_3, y_3)$，则 $P + Q = -R$，如图 2.2 所示。

④倍点运算：点是椭圆曲线上的任何一点，过点 P 画切线与椭圆曲线相交于点 $M = (x_3, y_3)$，则 $2P = -M$，如图 2.3 所示。

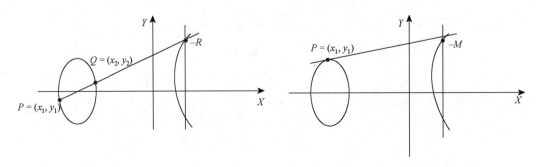

图 2.2　椭圆曲线点加运算　　　　　　　　图 2.3　椭圆曲线倍点运算

在椭圆曲线中，标量乘运算是最费时的运算，若直接计算则需要次点加运算，这样开销很大。在标量乘运算具体的开发实现中，一般采用 Double-and-add 算法或者 Quad-and-add 算法完成标量乘运算。

离散对数的难解性是该密码体制安全性的基础。目前人们只能找到指数级时间复杂度的算法来解决该类型问题。与 RSA 算法相比较，ECC 算法更难被攻破。ECC 算法的主要优势在于：它可以使用比 RSA 算法较短的密钥得到与 RSA 算法相同的安全强度，可以减少算法的处理负担。因此，由于 ECC 算法在安全性、应用效率上较 RSA 算法存在更大的优势，ECC 已经被多家国际标准组织所认可，并已成为行业内公认的密码标准。

2. 身份认证

通过对节点进行身份认证，保证只有已注册的合法节点才能介入网络，并为其分发有效的网络资源与安全资源。工业无线网络目前具有三大国际标准——ISA100.11a、Wireless HART 和 WIA-PA，现阶段很多工业无线网络均采用以上三种标准中的一种进行设计和实现。本节将分别讨论这三种工业无线网络标准所规定的认证机制。

1）ISA100.11a 标准中认证机制

（1）网络模型。ISA100.11a 设备是实现和运行一个网络所需的特性、配置设定和性能的物理载体。ISA100.11a 网络模型根据不同的需求，对设备类型并未进行具体的定义，标准中对逻辑角色、各个协议层和现场介质进行了定义。图 2.4 为 ISA100.11a 的一个网络模型。

ISA100.11a 中包含几种不同的设备：手持设备、工作站、现场路由器、终端设备（传感器和执行设备）。

①手持设备：承担 I/O 角色的设备。

②工作站：工作站可以用作网关、系统管理器和安全管理器。

③现场路由器：也称为路由设备，用作代理设备，并具有时钟传播能力。

④传感器：承担 I/O 角色的设备。

⑤执行设备：承担路由器和 I/O 角色的设备。

（2）先决条件。新设备加入网络需要遵循的配置步骤是加密信息和非加密配置信息需要先提供给新入网设备，从配置设备获取加密信息和非加密配置信息，使用设备中的 DMO 中 Join_Command 属性命令发起加入网络请求。

（3）使用对称密钥认证机制。在 ISA100.11a 标准中，新角色在加入网络时可以选取基于对称密钥消息的方式加入网络，使用对称密钥消息加入网络时，新入网角色需设定如下与安全相关的信息：

①128 位加入密钥。

②加入密钥中存在由安全管理者（security manager，SM）共享的唯一的 64 位 ID。

图 2.5 为新设备基于对称密钥消息加入网络的时序图。

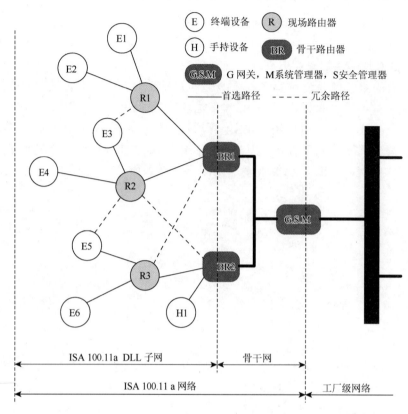

图 2.4　ISA100.11a 的一个网络模型

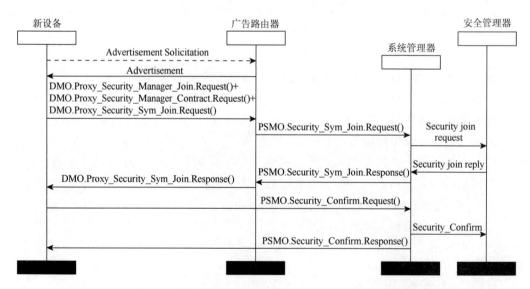

图 2.5　新设备基于对称密钥消息加入网络的时序图

新设备基于对称密钥消息加入网络过程如下：

①设备发起公告获取请求给路由设备。

②路由设备发送公告给新入网设备。

③新设备发送带有安全的加入请求给路由设备。

④路由设备收到该请求后转发给系统管理者。

⑤安全管理者对安全请求进行认证，如果认证成功，则返回一个带有如下安全材料的安全响应。

　　a. 生成一个新的主密钥。

　　b. 给系统管理者和新设备之间生成一个新的会话密钥。

　　c. 检索新设备子网的 DL 密钥和密钥 ID。

　　d. 为新设备生成一个新的、唯一的挑战。

　　e. 为上述密钥和会话提供密码保护。

　　f. 安全管理者返回安全加入响应给系统管理者。

⑥系统管理者发送安全加入响应给路由设备。

⑦路由设备转发安全加入响应给新入网设备。

⑧新入网设备发送安全确认请求给系统管理者，安全管理者进行安全确认。

⑨系统管理者返回安全确认响应给新入网设备。

（4）使用非对称密钥认证机制。在 ISA100.11a 标准中，新设备可以采用基于非对称密钥消息加入网络。非对称密钥认证机制和对称密钥认证机制都采用固定的步骤进行认证。在非对称密钥认证机制和对称密钥认证机制中，密钥资源的分配和资源配置的步骤相同。以下内容为非对称密钥认证机制。

①非对称密钥协商方案。图 2.6 为 ISA100.11a 标准中非对称密钥协商方案。

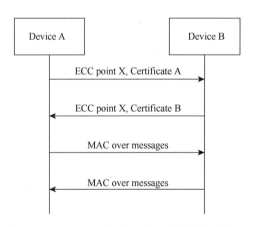

图 2.6　ISA100.11a 标准中非对称密钥协商方案

非对称密钥协商方案包含加入设备和安全管理者之间的信息交互。在图 2.6 中 Device A 代表加入设备，Device B 代表安全管理者。

ISA100.11a 标准包含如下步骤。

a. 密钥准备：每一步骤随机生成一个短期的公钥对并将该公钥对发送给对方。另外，双方将其静态公钥证书发送给对方。

b. 密钥建立：双方根据从对方收到的静态公钥和短的椭圆曲线点计算出共享密钥。因为椭圆曲线的特点，双方将得到一个相同的共享密钥。

c. 密钥认证：双方认证对方的长期静态密钥，通过认证去得到证据，只有通信双方才能计算出共享密钥。

d. 密钥确认：每一方计算并通过由另一方发送的字符串传递消息认证检验值，以向另一方证明拥有共享密钥。该方法能让一方确认另一方的真实身份，并证明另一方成功地计算出了共享密钥。该密钥确认消息可以认证由该方本身传递的附加字符串。

②密钥分配方案。安全管理者分发密钥材料给一个新认证的设备以便于以后的通信和对其他加入网络的设备进行认证。在此，密钥材料包含 DL 密钥和会话密钥。DL 密钥用于证明网络中设备之间的网络成员资格，会话密钥用于认证与保护新认证设备和安全管理者之间的通信。

密钥分发是基于新入网设备和安全管理者之间执行的公钥密钥协商方案产生的共享密钥，如非对称密钥协商方案中所述。

③基于非对称密钥的认证机制。基于非对称密钥的认证机制可以看作非对称密钥协商方案和密钥分配方案的结合，其中不同的部分是帧内消息的实际生成形式。新设备采用基于非对称密钥方式将消息加入网络流程，这不同于采用基于对称密钥方式，在密钥协商过程存在差异，其余部分并无太大差异。密钥协商过程已于非对称密钥协商方案中进行了详细描述。

2）Wireless HART 标准中认证机制

（1）网络模型。Wireless HART 网络模型采用了 Mesh 网络模型，网络中包含网络管理者（network manager，NM）、网络节点和手持设备。图 2.7 为 Wireless HART 网络模型。

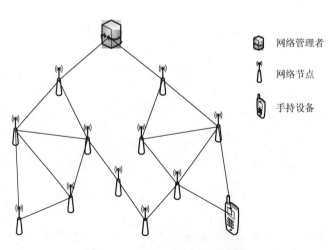

图 2.7　Wireless HART 网络模型

（2）Wireless HART 中认证机制。Wireless HART 中认证机制分为设备认证机制和网络层加入请求。

①设备认证机制。图 2.8 为设备认证流程图。新设备加入网络需要经历：分配网络 ID、网络定位和同步、向网络管理者发起加入请求、获取会话密钥、获取与设备预配置相同的带宽。

设备认证需要经过如下流程：

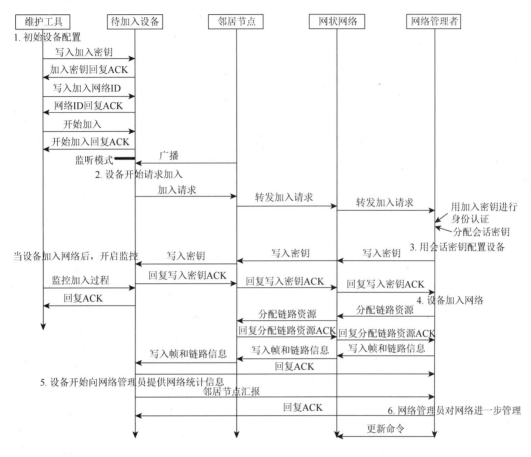

图 2.8　设备认证流程图

设备认证需要经过如下流程：

a. 初始化入网设备配置，获取网络 ID 和加入密钥。

b. 新设备侦听网络流量用于进行时钟同步和识别潜在的父节点。

c. 新设备发送认证信息给网络管理者，网络管理者对该新设备进行认证，若认证成功，则允许该新设备加入网络。

d. 一旦网络管理者对该设备认证成功并视该设备为合法设备，网络管理者将提供网络管理者会话密钥和网络密钥给该新设备。

e. 一旦新设备满足网络管理者的安全需求，则安全管理者允许该新设备集成到网络，这是通过给新设备提供正常的超帧和链路完成的。

f. 网络管理者将新设备进行隔离。在这种情况下，设备属于网络中的一员，只能与网络管理者进行会话但不能发布进程数据，也不具备与网关会话的权利。

g. 一旦该设备得到与网关会话的权利，该设备将变为可操作设备，然后将会获取相应的带宽和通信资源。

②网络层加入请求。网络层认证进程采用双级联状态机。当数据链路层状态机在通信时隙内执行设备的进程时间同步时，如果有新加入的高级别进程，网络层状态机会强制执行该高级别进程。网络层认证进程最主要的用途为接收允许加入网络响应和得到一个允许设备与网络管理者之间进行可靠通信的帧。在网络层认证进程开始时，数据链路被指示进入其加入过程并开始主动搜索网络。网络层认证进程图如图 2.9 所示。

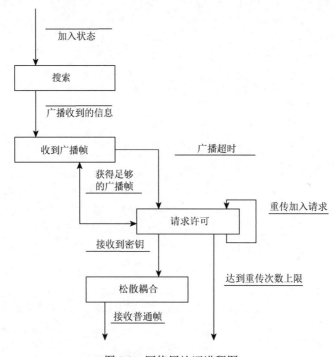

图 2.9　网络层认证进程图

网络层状态机状态跳变流程如下所示。

a. Searching 状态。

网络层等待接收广播包，数据链路搜寻网络进行时间同步并从网络中接收 DLPDU。一旦从数据链路接收到 ADVERTISE.indicate，网络层序列跳转到 Got an Advertising Neighbor 状态。

b. Got an Advertising Neighbor 状态。

当进入 Got an Advertising Neighbor 状态时，AdWaitTimer 初始化为 AdWaitTimeout 并启动时钟。设备继续等待并接收额外的广播包，当接收到不同的广播包的数量满足期望的数量或者 AdWaitTimer 超时，设备状态跳变到 Requesting Admission 状态。

c. Requesting Admission 状态。

当进入 Requesting Admission 状态时，新入网设备将发送加入请求到网络管理者，将 JoinRspTimer 初始化为 JoinRspTimeout 状态，然后打开 JoinRspTimer。当网络管理者返回带有网络密钥、网络管理者会话和设备 Nickname 的响应时，新入网设备状态跳变到 Loosely Coupled 状态。否则，在 JoinRsp 超时后重新发送加入请求且 JoinRetry 计数器递减，加入请求将会一直发送直到设备重试枯竭或者收到网络管理者发送的允许设备加入网络的响应。

d. Loosely Coupled 状态。

一旦新入网设备获得 Nickname 和网络密钥，其将获得与网络管理者通信的权利。但此时，该新设备连接到网络是脆弱的（其只能通过共享加入链路通信）。新入网设备将维持在 Loosely Coupled 状态直到其收到一个正常的帧和链路。当新入网设备收到这个正常的帧时，其网络层认证成功。

3）WIA-PA 标准中认证机制

（1）网络模型。WIA-PA 网络的网络拓扑由 Mesh 网络构成，同时也可以由单独的星型网络构成，通过网络管理者的属性 Network Topology 指示。

WIA-PA Mesh 网络拓扑如图 2.10 所示，网状网络即为 Mesh 网络，由网关设备及路由设备构成；星型网络由路由设备及现场设备或手持设备（若存在）构成。

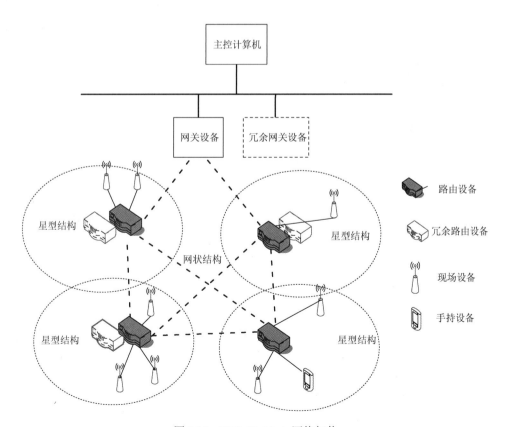

图 2.10　WIA-PA Mesh 网络拓扑

WIA-PA 星型网络拓扑如图 2.11 所示，仅由网关设备和现场设备（或手持设备）构成。

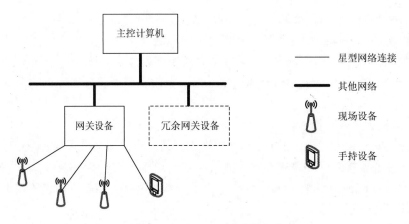

图 2.11 WIA-PA 星型网络拓扑

WIA-PA 工业无线网络中的逻辑设备有网关、NM、SM、簇头和簇成员。

网关：负责 WIA-PA 网络与其他网络之间的协议转换与数据映射。

NM：管理和监测全网。

SM：负责网关设备、路由设备、现场设备和手持设备（如果有）的密钥管理与安全认证。

簇头：管理和监测现场设备与手持设备（如果有）；负责安全地聚合及转发簇成员和其他簇头的数据。

簇成员：负责获取现场数据并发送到簇头。

（2）WIA-PA 标准中认证机制。

①现场设备通过网关设备入网。本节描述了现场设备通过网关设备一跳入网，现场设备通过网关设备加入网络时序图如图 2.12 所示。

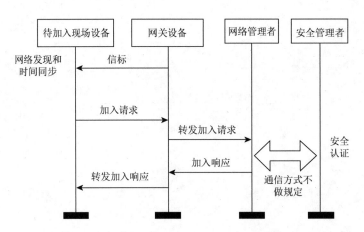

图 2.12 现场设备通过网关设备加入网络时序图

在现场设备开始加入网络前，手持设备为其配置一个加入密钥。现场设备的加入过程如下：

a. 待加入网络的现场设备持续监听网络内的可用信道，获得网关设备发出的信标。

b. 现场设备选择发出信标的网关设备作为簇头完成时间同步。

c. 现场设备向网关设备发送加入请求。

d. 收到加入请求后，安全管理者对现场设备进行安全认证。

e. 网络管理者返回加入响应，如果网络拓扑类型不匹配，则在响应中置 status = FAILURE_TOP_DISMATCH；如果为其他错误类型，则在响应中置 status = FAILURE_ELSE；如果加入成功，则在响应中置 status = SUCCESS。

f. 现场设备收到网关设备发出的响应。如果认证失败，则重复 a. ~f. 的加入过程；如果成功则加入网络。

②现场设备通过路由设备入网。本节描述了现场设备通过路由设备多跳入网，现场设备通过路由设备加入网络时序图如图 2.13 所示。

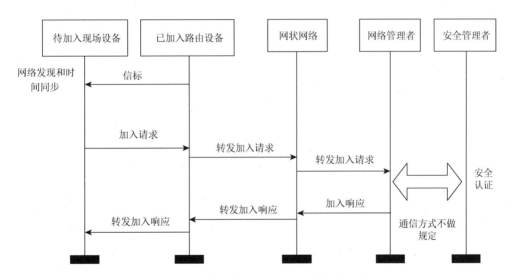

图 2.13　现场设备通过路由设备加入网络时序图

在现场设备开始加入网络前，手持设备为其配置一个加入密钥。现场设备的加入过程如下：

a. 待加入网络的现场设备持续监听网络内的可用信道，获得在网路由设备发出的信标。

b. 现场设备选择一个路由设备作为簇头完成时间同步。

c. 现场设备向选定的簇头发出加入请求。

d. 收到加入请求后，簇头转发该加入请求给网络管理者。

e. 网络管理者返回加入响应后，簇头再根据自身的通信资源情况及网络拓扑类型向待加入网络的现场设备发出响应；如果网络拓扑类型不匹配，则在响应中置 status =

FAILURE_TOP_DISMATCH；如果为其他错误类型，则在响应中置 status = FAILURE_ELSE；如果加入成功，则在响应中置 status = SUCCESS。

f. 现场设备收到簇头发出的响应。如果认证失败，则该现场设备应重复 a. ~f. 的加入过程；如果认证成功则加入网络。

3. 密钥管理

密钥管理是提高网络安全性的重要手段之一，是安全链路建立的基础，可以保证密钥的安全性，包括密钥的建立、密钥的更新、密钥的销毁等过程。在发起会话之前，通过交互密钥信息并结合节点的注册信息，进行密钥协商，建立主密钥，然后利用主密钥派生出各类会话密钥用于保护链路安全。该安全功能实现了信息保密性和完整性。

密钥体制不同，密钥管理方案也不同。按照网络密码体制不同划分，密钥管理方案被分为对称密码密钥管理方案、非对称密码密钥管理方案。

在较长一段时间内，非对称密码密钥管理方案被认为不适合低功耗网络。由于其计算复杂度高，管理难度大，给网络实现低功耗带来了阻碍。相比而言，对称密码密钥管理方案具有密钥长度短、设备开销小、存储空间小、通信开销低的特点，更适合低功耗传感网络。

4. 防重放攻击技术

在工业无线网络中，数据传输利用微波在空气中进行辐射传播，攻击者可以在无线接入点所覆盖的任何位置，侦听、拦截、重放、破坏用户的通信数据。在这些攻击中，重放攻击（replay attacks，RA）是一种最常见的、危害性最大的攻击。在可以受到攻击的认证协议中，90%以上都来自于重放攻击。重放攻击也称为新鲜性攻击（freshness attacks，FA），就是攻击者发送一个目的主机已接收过的包。该攻击一方面通过占用接收系统的资源使系统的可用性受到损害，另一方面攻击者利用网络监听或者其他方式盗取认证凭据，之后再把它重新发给认证服务器，来达到欺骗系统的目的。

目前工业无线网络中比较常用的防重放攻击技术就是加随机数和加时间戳。

（1）加随机数。该方法的优点是认证双方不需要时间同步，双方记住使用过的随机数，如发现报文中有以前使用过的随机数，就认为是重放攻击。缺点是需要额外保存使用过的随机数，若记录的时间段较长，则保存和查询的开销较大。

（2）加时间戳。该方法的优点是不用额外保存其他信息。缺点是认证双方需要做到精确的时间同步，同步越好，受攻击的可能性就越小。但当系统很庞大、跨越的区域较广时，要做到精确的时间同步并不是很容易的。

在实际中，常将加随机数和加时间戳组合使用，这样就只需要保存某个很短时间段内的所有随机数，而且时间戳的同步也不需要太精确。消息附带的时间戳表明该消息发送的系统时间，时间戳能够保证消息在一段时间内的新鲜性，接收方只接收时间戳与当前系统时间的差值在设定范围之内的消息。这种给关键信息加上单个时间戳的机制能保证消息是在最近一段时间内发送的，防止重放攻击。

5. 路由安全

在工业现场网络中，如果路由遭受到一些攻击，可能会导致整个网络的瘫痪。现场网络的安全性在一定程度上将直接由安全的路由机制决定，所以安全路由协议是整个现场网络安全研究的重点。根据网络结构来看，现有的路由协议主要分为平面路由协议、层次路由协议和基于地理位置的路由协议。

1) 平面路由协议

在平面路由协议中，网络中的所有传感节点的地位都一样，不存在功能特殊的节点，共同协作完成对感知区域的监控；传感节点将采集到的数据通过单跳或多跳的方式传输到汇聚节点，因此距离汇聚节点较近的传感节点数据转发量过大，会造成节点过早死亡。典型的平面路由协议主要有定向扩散（directed diffusion，DD）协议、Flooding 和 Grossing 协议、传感器信息协商协议（sensor protocols for information via negotiation，SPIN）等。

2) 层次路由协议

层次路由协议引入了簇的概念，网络周期性地选取簇头节点，普通节点选取合适的簇头节点发送入簇请求，成簇完成后进入稳定的数据传输阶段，簇内节点将采集到的数据传输至簇头节点，簇头节点将接收到的网内的数据进行数据融合处理后再发送至汇聚节点。在层次路由协议中，簇头节点的能耗大于簇内节点，因此一般采用网络周期性地重新选取簇头节点来均衡网内节点的能耗。典型的分簇路由协议主要有 LEACH、PEGASIS、TEEN 等。

3) 基于地理位置的路由协议

在基于地理位置的路由协议中，所有的传感节点都需要知道自己的位置信息。基于地理位置的路由协议经常和基于分簇的路由协议结合使用，如地域自适应保真（geographical adaptive fidelity，GAF）算法，根据节点的地址位置形成大小均匀的簇。基于地理位置的路由协议能缩短节点的数据传输距离，节约节点的能量消耗。典型的基于地理位置的路由协议主要有贪婪周边无状态路由（greedy perimeter stateless routing，GPSR）协议、位置和能量感知的地理路由（geographical and energy aware routing，GEAR）协议和 GAF 协议等。

根据应用场景的不同，各种类型的路由协议各有特点，但是分簇路由协议在节点组织管理和网络的可扩展性等方面都要优于平面路由协议，且尤其适合大规模分布式的带状无线传感器网络（wireless sensor network，WSN），是比较有潜力的组织方式。相比平面路由协议，分簇路由协议具有以下几个优点：

(1) 在分簇路由协议中，节点周期性地进入休眠状态；由于节点在监听状态和发送数据状态的能量消耗相差不多，节点进入休眠状态能大大地节省自身的能量消耗。

(2) 在分簇路由协议中，簇内节点将采集到的数据发送给簇头节点，簇头节点进行数据融合后发送至汇聚节点，这样大大地减少了网络中冗余数据的传输量，延长网络的生存周期。

(3) 在分簇路由协议中，簇内节点将感知区域的采集数据发送给簇头节点，不直接与汇聚节点通信，也不需要建立到汇聚节点的路由，这样大大地减少了网络中路由发现的数据量。

(4) 在分簇路由协议中，各个簇相互独立，当有传感节点新加入网络或有节点突然死亡时，网络的拓扑结构基本不变。

（5）分簇路由协议的网络结构具有良好的扩展性，非常便于管理；能够应对变化的
WSN，比较适用于大规模的网络应用。

平面路由协议不适合应用在大规模的网络中，缺乏一定的可扩展性；而基于分簇的
路由协议可扩展性好，能在一定程度上延长网络的生存周期，所以目前在大规模应用的
网络中大多数都使用基于分簇的路由协议。

6. 安全数据融合

在工业无线网络中，大量廉价的工业传感器节点部署在工厂车间，用于监测生产环
境，这些传感器节点将会产生海量的数据。数据融合就是解决资源受限的工业无线网络
的一种重要手段。主要方法是对数据进行汇聚并通过融合算法（如求和、求最值、平均
数等）减少网络内传输的数据量，减少网络通信开销，降低系统时延，延长生命周期。
融合函数分类如表 2.13 所示。

表 2.13　融合函数分类

对重复的敏感性	计算模式	
	可分布式计算	集中式计算
对重复不敏感的	最大值、最小值	—
对重复敏感的	求和、计数	中位数、众数

其中可分布式计算的函数（如最值、求和、计数）可应用到分层（分簇）网络中，
而统计中位数和众数则需要对所有数据进行统计与比较，所以它们只适用于集中式计算，
在分层网络的融合过程中，需要对各个数据进行级联，网络规模的增大会使通信开销呈
线性增长，对于上述融合函数来说，求和函数的应用范围更加广泛，因为基于数值的和
可以统计出方差、标准差和均值，有利于决策者统计分析。

由于传感器节点的监测范围有交叉，同时为了增强系统的稳定性，同一区域内又可
能布置了多个传感器，造成传感器节点采集的数据就会有一定的冗余。而这些海量的数
据如果全部单独上传到基站，又会造成网络拥塞。

如图 2.14 所示，在无融合操作时，汇聚节点需要接收 12 个数据包，而采用融合操作
后，汇聚节点只需要接收 3 个数据包，由此可见，数据融合能够显著地降低网络内数据
包的传输量，同时减轻了靠近汇聚节点的簇头的通信负担。

1）工业无线网络中数据融合的作用

（1）减少网内数据传输量。在传感器节点采集数据上传过程中，有价值的数据只占
节点发送的数据帧的小部分，所以无须单独上传整个数据帧，通过在中间节点实施数据
融合操作，汇聚节点无须接收每个节点的数据，这样一来，网络内的数据传输总量将会
减少，同时，中间节点无须多次转发数据，节约了能量。

（2）降低网络拥塞。通过数据融合，汇聚节点不再接收每个节点单独的数据，而是
接收邻居节点发送的融合数据，中间节点转发数据的次数将会减少，从而降低了网络拥
塞和传输时延。

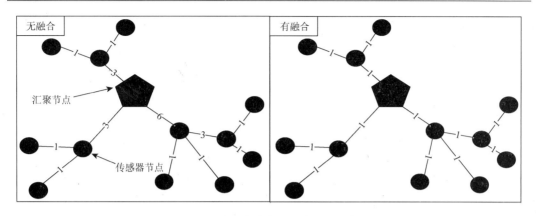

图 2.14　无融合和有融合网络内数据传输量对比

2）资源受限的工业无线网络中数据融合防御的作用

在资源受限的工业无线网络中，采用数据融合机制能够提高数据采集效率，并有效地防御消息篡改、窃听攻击、拒绝服务攻击、重放攻击、女巫攻击等。

（1）消息篡改。攻击者截获网络内传输的数据包，并故意插入或删除部分数据从而导致融合结果出现错误。

（2）窃听攻击。由于无线信道的开放性，攻击者使用无线嗅探工具任意抓取无线数据包，如果数据未进行加密处理，节点传输的数据将会泄露。

（3）拒绝服务攻击。攻击者声称自己是合法节点，向网络中某个节点发送大量无意义的数据，消耗节点能量，造成网络瘫痪从而使合法节点无法正常获取服务。

（4）重放攻击。攻击者获取某个节点的历史数据后，向融合节点发送旧的数据包，由于该数据包已经失去时效性，历史数据的融合将无法反映实时的统计情况，造成决策者的错误判断。

（5）女巫攻击。攻击者利用单个节点来伪造多个身份存在于网络中，女巫节点会广播自己的 ID，使其出现在其他节点的路由表中，当有数据要经过女巫节点转发时，它可能会转发给其他女巫节点或者直接不转发，从而降低了网络的冗余性和健壮性，干扰数据融合的正常操作。

2.3.2　方案实例

1. 工业物联网芯片的安全功能实现方法

1）背景

在工业环境下建立高可靠性、高实时性、高安全性的无线传感网络成为人们迫切的需求。工业无线网络对时间同步的精度要求很高。ISA100.11a 利用广告帧和确认帧携带时间信息完成时间同步，WIA-PA 利用信标帧和时间同步命令帧完成时间同步。这些帧需要进行加密、完整性校验等安全处理，以保证网络的安全。上述帧携带的时间信息需要射频芯片发送时刻的准确时间，以便接收方收到后进行精确时间同步，若在添加时间后再对这些帧进行安全处理，射频芯片的发送时间和携带的同步时间会出现较大偏差，影响时间同步。

工业无线网络对确定性要求很高，对全网的资源进行了调度，设备需要在确定的时隙（一般为 10ms）发送数据给确定的对象，设备的安全处理能力和速度将极大地影响确定性的实现。

传统的安全处理是采用软件方式来实现的，代码移植性较差，并不能适应任何应用场景；采用软件方式实现安全处理速度比较慢，不能严格满足时间精度要求，保证时间同步；复杂的算法还会加大软件的负担，增加网络开销及后期维护成本。

现阶段，大部分的无线传感网芯片基于 IEEE 802.15.4 协议，用硬件只能实现 MAC 层点到点的安全，而 ISA100.11a 和 WIA-PA 均支持在数据链路层的安全，无法用硬件实现数据链路层的安全处理功能。

针对上述问题，本节提出一种利用芯片的硬件进行安全处理的方法。不仅能够满足 IEEE 802.15.4 下 MAC 层的安全，而且安全预处理功能和芯片硬件也实现了数据链路层的安全，保证了 WIA-PA 协议和 ISA100.11a 协议下数据链路层的安全。该方法能够针对不同的应用环境，为工业无线网络中的数据提供高效、可靠的保密性和完整性服务，在满足时间同步精度要求的前提下实现信息的安全传输。

2）技术方案

用户配置芯片的协议选取寄存器 PROTOCAL，同时选取 IEEE 802.15.4、WIA-PA、ISA100.11a 中的一种模式。配置芯片寄存器 SECCR0，选择所需要的安全等级，芯片安全引擎读取寄存器中的密钥和 Nonce 信息后自动实现 AES-CCM* 模式下数据的加密、解密、完整性校验。

（1）IEEE 802.15.4 的安全处理硬件实现的方法。配置芯片 PROTOCAL 寄存器，选择 IEEE 802.15.4 模式。

在 IEEE 802.15.4 模式下，发布者通过软件配置寄存器 SECCR0，选择所需要的安全等级，读取密钥和 Nonce 信息后，用户通过软件在寄存器进行写操作，完成对要发送帧的长度和该帧帧头的长度的设置，通过这些操作，芯片安全引擎就能准确地识别校验和加密校验这两种安全处理模式，自动实现 AES-CCM* 安全处理，并将结果发送至缓存 TX-FIFO 中，发布者通过配置寄存器 TXNTRIG 将数据发送出去。

（2）WIA-PA 模式下的数据安全预处理机制。配置芯片 PROTOCAL 寄存器，选择 WIA-PA 模式。

在 WIA-PA 模式下，发布者通过发送信标帧和时间同步命令帧进行时间同步后，对于要发送的数据帧，利用芯片安全引擎对其进行安全预处理后，在未来确定的时间将其发送出去。按照 WIA-PA 网络管理者的调度要求，发布者路由 R_1 在时隙 n 内可以将安全处理后的帧发送给节点 N_1，该帧需携带发送时刻 T_2 的时间信息。

如图 2.15 所示，根据超帧调度的要求，发布者在当前国际原子时（international atomic time，TAI）的 T_0 时刻配置帧期望发送的准确时间 T_2，芯片安全引擎在 T_1 时刻完成安全处理后将密文放入发送缓存器 TX-FIFO 中，在 T_2 时刻到来时芯片启动发送引擎，自动将该帧发出，这样不会因为在发送时刻进行安全处理而影响时间同步。

（3）ISA100.11a 模式下的安全处理机制。在 ISA100.11a 模式下，该方案提出数据安全预处理并在期望的未来时间将数据发送出去的安全处理机制；同时提出全自动安全处理模式及硬件构造 Nonce 方法、全自动与半自动回复 ACK 帧的方法，用户可以根据实际需求切换不同的模式，增加了芯片应用的灵活性。

配置芯片 PROTOCAL 寄存器，选择 ISA100.11a 模式。

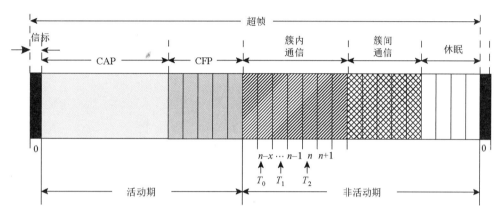

图 2.15　WIA-PA 模式下安全预处理时隙安排示意图

①发布者。发布者在数据链路层进行的安全处理需要用到 Key、Nonce 及明文等安全材料，其中 Nonce 的长度为 13 字节，包括发布者的 8 字节的 EUI 地址、发送时刻的 4 字节 TAI 时间信息和发布者选择的帧发送信道与帧序列号共同构成的 1 字节信息。

其中，发送时刻的 4 字节 TAI 时间信息可以由两种方式获取。

一种方式是通过软件计算出来，芯片读取 TXTAIR2 寄存器中的 6 字节当前时隙的起始时刻信息，该 6 字节时间信息精确到 $2×10^{-15}$s，然后通过一定的算法将其转化为所需要的 4 字节 TAI 时间信息，即精确到 $2×10^{-10}$s。如果选择软件构造 Nonce，在缓存器中读取发布者寄存器中的 8 字节 EUI 地址和信道与帧序列号共同构成的 1 字节信息，同软件计算出来的 4 字节时间信息共同构成 13 字节的 Nonce，用来对发送帧进行完整性校验。

另一种方式是通过硬件计算出来，芯片自动捕获发送时刻的 6 字节 TAI 时间信息，通过芯片硬件逻辑门自动将其转化为所需要的 4 字节 TAI 的时间信息。如果选择硬件构造 Nonce，芯片的安全引擎自动捕获发布者的 8 字节 EUI 地址、信道与帧序列号共同构成的 1 字节信息和 4 字节当前发送时刻的准确 TAI 时间信息，将其组合成 13 字节的 Nonce，用来对发送帧进行完整性校验。由于芯片硬件自动捕获当前发送时刻的准确 TAI 时间，不仅减轻了软件的负担，而且计算出来的 Nonce 值更加准确，使安全处理变得更加简单、高效。

按照 ISA100.11a 网络管理者的调度要求，发布者的路由设备 R_1 在时隙 n 内将用于时间同步的广告帧发给节点设备 N_1，该广告帧需要携带发送时刻 T_2 的时间信息。

可以利用下面两种方式对将要发送的广告帧进行安全处理。

芯片利用硬件实现安全预处理，将帧在未来确定的时间发送。如图 2.16 所示，根据超帧调度的要求，芯片发布者在当前的时间 T_0 将时间信息 T_2 装载在待发送的帧中，芯片安全引擎读取明文、密钥和 Nonce 等信息后在 T_1 时刻对该帧进行安全处理，处理完成后，将密文放入发送缓存器 TX-FIFO 中，在 T_2 时刻到来时芯片启动发送引擎，自动地将该帧发送出去，这样不会因在发送时刻对帧进行安全处理而影响时间同步。

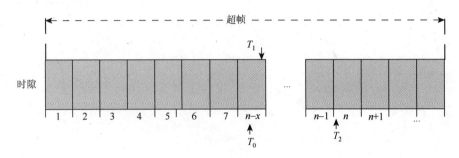

图 2.16　ISA100.11a 模式下安全预处理时隙安排示意图

全自动安全处理模式是芯片在广告帧发送时刻到来时，通过安全引擎对其自动进行安全处理，在一个时隙内，由硬件完成自动构造 Nonce、安全处理和发送等动作。

如图 2.17 所示，根据超帧调度的要求，芯片在发送缓存器 TX-FIFO 中存储需要进行安全处理的明文，等待发送时隙 n 的到来。当时隙 n 到来时，在 T_0 时刻硬件自动构造 Nonce，并读取 FIFO 中的明文和寄存器 RF_NORMAL_KEY 中的密钥，在 T_1 时刻通过安全引擎对明文进行安全处理，处理完成后在 T_2 时刻将其发送出去。

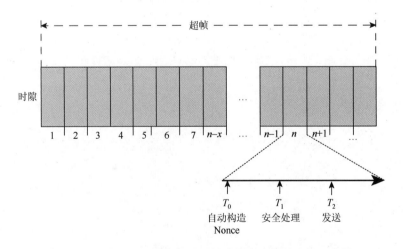

图 2.17　ISA100.11a 模式下全自动安全处理时隙安排示意图

在时间同步完成后，对将要发送的数据帧进行安全处理，其处理过程同广告帧的安全处理过程一样。

②接收方。在 ISA100.11a 模式下，接收方进入安全中断后，接收方在数据链路层进行

安全处理。解密和校验处理需要的安全材料包括密钥 Key、Nonce 及接收到的密文。通过密钥 Key 解密接收到的密文，得出明文后，利用明文和 Nonce 重新构造出接收方的校验码 MIC′，与发布者的校验码 MIC（message integrity check）做比较，如果 MIC′ = MIC，则校验通过，否则，校验失败。

其中接收方的 Nonce 是由发布者的 8 字节的 EUI 地址、接收方 4 字节的时间信息和接收方选择的帧接收信道与接收到的帧序列号共同构成的 1 字节信息构成的。

在安全处理过程中，Nonce 的构造过程可以分为软件构造和硬件构造两种方式，用户可以通过配置芯片寄存器 SlotExtR3 来选择其构造方式。

当发布者采用软件构造 Nonce 模式时，首先通过接收到的帧的 2 字节短地址查找发布者 8 字节 EUI 的长地址，然后读取寄存器存储的收到的帧所在时隙的起始时刻，通过一定的算法将 6 字节的 TAI 时间转化为对应的 4 字节的时间信息，最后读取由信道信息和帧序列号共同构成的 1 字节信息，构造出 13 字节的 Nonce，在数据链路层实现解密、完整性校验。

当选择硬件构造 Nonce 模式时，芯片直接通过接收到的帧的 2 字节短地址查找发布者 8 字节 EUI 的长地址，芯片获取发布者的长地址后，安全引擎捕获接收时刻的准确 TAI 时间信息，自动生成 13 字节的 Nonce，在数据链路层实现解密、完整性校验。

③确认帧的发送。接收方接收数据帧后，回复的安全确认帧方式分为半自动和全自动两种模式。

半自动确认帧的 Buffer 由软件控制构造，当接收方进入安全中断后，芯片准备对确认帧进行安全处理的安全材料，包括接收方的 Key、Nonce 和确认帧载荷。其中 Nonce 可以由上述的两种方式构造，确认帧载荷是利用接收帧的 4 字节校验码 MIC 构成的虚拟载荷。构造完成后，启动芯片安全引擎，对确认帧进行完整性校验，生成 4 字节的完整性校验码 DMIC，添加到确认帧的后面放入 ACK-FIFO 中等待发送。当接收中断到来时，启动发送引擎，将安全处理后的不包含虚拟载荷的确认帧自动发送出去。

全自动确认帧在构造和安全处理的过程中，直接由芯片硬件完成，不需要软件的参与，硬件自动捕获接收帧的 4 字节的校验码 MIC、Key 和安全中断中硬件构造的 Nonce，通过芯片安全引擎生成带有完整性校验码 DMIC（data message integrity check）的确认帧，并在当前时隙将不包含虚拟载荷的确认帧直接发送出去。

④确认帧的接收。发布者收到确认帧，首先进入安全中断，读取发布者寄存器存储的发送帧的 4 字节的完整性校验码 MIC，作为接收到的确认帧的虚拟载荷部分，安全引擎利用密钥 Key 和接收到的添加了虚拟载荷的确认帧构造出发布者的 DMIC′，其中 DMIC′的 Nonce 是根据前面选择的软件构造或者硬件构造来确定的。然后比较发布者计算的 DMIC′和接收方发送的确认帧的 DMIC 是否一致，如果 DMIC′ = DMIC，则校验成功，说明接收方成功接收了前面发送的帧；否则，校验失败，说明接收方没有成功接收前面发送的帧。

2. 基于密钥的工业无线网络安全通信实现方法

1）背景

传统的安全管理机制包括信任中心服务机制和公钥管理机制等。信任中心服务机制是使用信任中心为网络内的无线设备分发数字证书，数字证书可以由公钥进行认证，工业无线网络不采用这种安全管理机制是因为无线网络无法建立可信任的基础设施来保障信任中心的安全，同时通信开销将无法估计。公钥管理机制使用了公钥算法保护无线网络设备间的通信，典型的公钥算法是 Diffie-Hellman 密钥协议算法和 RSA 密钥传输算法。但是由于无线设备有限的存储能力和计算的复杂性，这种机制同样不是工业无线网络最佳的安全管理方案。

基于 IEEE 802.15.4 的无线工业通信网络是一种设备可移动、拓扑结构高度动态变化、没有预设的网络基础设施的无线网络。这样的工业无线网络具有设备能量、计算存储能力、带宽和通信能力非常有限，网络规模较大，拓扑动态变化等特点。因此专门设计一种合理、安全、高效的工业无线网络安全管理机制和密钥管理系统，采取适合的安全措施和安全管理，保证无线工业通信网络系统在开放的环境中能够安全地运行，保护网络内部的系统、资源和正常的通信秩序不被破坏，是提高工业无线网络安全防护能力的关键。

为了解决上述问题，本节提出一种基于密钥的工业无线网络安全通信实现方法，保证工业无线网络的安全通信。

2）技术方案

本方案中，工业无线网络安全体系架构由安全管理者（上位机）、安全管理代理（子网路由设备）、安全管理对象（终端设备）共同构成，采用集中式和分布式共存的方式管理整个网络的安全通信。集中式网络安全管理是由网络的安全管理者负责配置整个网络的安全策略、密钥管理及入网设备认证工作。分布式网络安全管理是由具有安全管理代理的无线网关和无线路由设备负责子网的边界保护，实现报文过滤（包括 IP、端口、工业通信报文标识）、流量通信、转发通信、时间戳通信等功能；安全网关还具备部分安全管理和网络管理功能。通过安全管理代理可以防止子网外的安全威胁，并根据访问无线设备的途径设置无线设备中的安全措施。每个无线终端设备在其管理应用进程中，都具有安全管理对象。

安全管理对象位于应用支持子层之上，可以发起数据加密、设备鉴别、访问控制和数据校验等安全措施。用于对用户数据进行安全处理之后送到应用实体，对工业无线网络应用层的安全措施进行管理。安全管理信息库属于管理信息库的一部分，存放安全管理对象所需的信息，包括介质访问控制（medium access control，MAC）层、数据链路层（data link layer，DLL）、网络层和应用层等各层安全相关信息，以及所要保护的相关信息参数，并且负责管理和存储网络中的密钥信息、加/解密算法、校验算法等，便于密钥的分发、更新和组态。各层提供相应的安全机制和措施保证各层的协议数据单元（packet data unit，PDU）安全。这样，安全管理者、安全管理代理、安全管理对象和安全管理信息库共同工作，支持工业无线网络的安全通信，如图 2.18 所示。

安全密钥管理机制是工业无线网络安全通信技术的核心内容，其目的是通过运行使用更加安全的密钥，并在设备之间建立共享的各层密钥，同时保证任何未授权的设备不能得到关于密钥的任何信息。安全密钥管理机制包括密钥的产生、分配、更新、撤销等安全服务。在无线通信网络中，特别重要的是分发和共享能够产生其他类型密钥的对称主密钥。工业无线网络采用了集中式和分布式共存的方式管理密钥，安全管理者是网

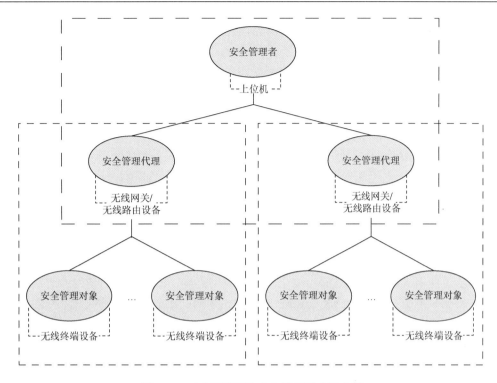

图 2.18　工业无线网络安全管理模式示意图

络内实施集中式安全密钥管理的实体,而安全管理代理(无线路由设备)是网络内实施分布式安全密钥管理的实体。

(1)对称密钥的类型。工业无线网络的安全管理者和安全管理代理共同对网络中的对称密钥进行管理。定义了以下对称加密密钥。

①配置密钥(K_provisioned):建立于设备预配置期间,由工业无线网络安全管理者分配。

②加入密钥(K_join):设备的加入密钥,用于设备安全加入网络。

③密钥加密密钥(K_key):在分发密钥时用于保护密钥安全的密钥。

④对称主密钥(K_master):一般用于派生出其他对称密钥,如数据密钥、会话密钥等。对称主密钥的生存周期一般较长。安全管理者和每个无线路由设备(安全管理代理)都具有用设备的对称主密钥派生相应各层加密密钥的能力,安全管理者将设备的对称主密钥用来产生数据链路层数据密钥、应用层数据密钥、会话密钥、密钥加密密钥等。每个无线路由设备(安全管理代理)将用无线设备的对称主密钥派生出子网内通信时的数据链路层加密密钥、会话密钥等。对称主密钥也可以作为分发密钥时保护密钥的密钥,就是在某些情况下可以替代密钥加密密钥。

⑤数据加密密钥(K_layer):提供传输中的数据保护,这种对称密钥的生存周期一般都比较短。数据链路层数据密钥、应用层数据密钥都属于数据加密密钥。注:layer 表示通信协议栈各层。

⑥会话密钥（K_session）：设备间会话时数据加密密钥，用在两个设备进行交互时，为保证通信的安全而产生。

（2）对称密钥产生。工业无线网络内无线设备密钥都是由安全管理者统一产生分发的，子网内的部分密钥也可以由安全管理代理进行分发。工业无线网络中采用安全密钥预配置机制，无线设备安置现场前，写入相应的初始密钥，即配置密钥（K_provisioned），配置密钥可以通过安全管理者直接安装在新设备中，或者通过可移动的供应设备进行分发。设备在预配置完成后，安全管理者将加入密钥（K_join）传送给设备（过程中使用配置密钥进行加密），当无线设备入网时，加入密钥（K_join）通过某种不可逆的密码算法生成对称主密钥（K_master），无线通信网络最为重要的就是对称主密钥（K_master）的安全管理，所有的数据密钥均可由对称主密钥（K_master）派生获得，它是安全管理者对设备提供鉴别消息等安全措施的基础，并由它确保设备的网络认证。子网间通信使用的密钥加密密钥（K_key）、数据加密密钥（K_layer）、对称主密钥（K_master）及设备间通信的会话密钥（K_session）等由安全管理者产生分发，子网内通信使用的密钥加密密钥（K_key）、数据加密密钥（K_layer）和对称主密钥（K_master）等由该子网的安全管理代理产生分发。

工业无线网络的安全通信模式分别基于链接密钥和网络密钥，这是由安全管理者的安全密钥分发服务提供的一种机制。无线设备可以根据实际需要获得相应的密钥。网络中无线设备之间单播通信的安全是通过在两个设备之间共享的链接密钥实现的，链接密钥包括加入密钥（K_join）、会话密钥（K_session）等数据密钥，获取链接密钥的密钥产生技术基于对称主密钥（K_master）。设备将通过密钥产生、密钥更新或者预配置（如在生产时安装）等方法从安全管理者或安全管理代理获取对称主密钥，以便获取相应链接密钥。而广播是基于在网络中所有设备之间共享的网络密钥来实现的。设备将通过密钥产生或密钥预安装的方式获取网络密钥。

表 2.14～表 2.16 分别描述了入网后子网 A 中无线路由设备 a1、子网 A 中的无线路由设备 A 和网络中安全管理者中具备的相关密钥的用途、产生方式、产生时间等信息。所有密钥信息都存储在各自的安全管理信息库中。

表 2.14　子网 A 中无线路由设备 a1 的密钥信息

密钥名称	用途	产生方式	产生时间
配置密钥 K_provisioned	初始化设备的主密钥，通常为短期共享秘密的对称密钥	设备的初始密钥，由设备自身的一串随机序列产生	设备预配置期间产生
加入密钥 K_join	设备加入网络时使用的密钥，短期共享秘密的对称密钥	由该配置密钥、入网设备 ID 及其单调随机序列、密钥的生存周期共同生成	设备安置于现场时产生
对称主密钥 K_master	用于派生设备的数据密钥，在网络通信时使用，通常为长期的对称密钥	由加入密钥、入网设备 ID 和网络的安全管理者 ID 及其单调随机序列、密钥的生存周期共同生成	设备加入网络时由安全管理者产生
密钥加密密钥 K_key	用于在分发密钥时保护密钥安全的传输密钥	由设备的对称主密钥派生	设备请求分发和传输密钥时由安全管理者产生

续表

密钥名称	用途	产生方式	产生时间
数据加密密钥 K_layer	子网内通信时提供各层的数据保护的密钥	子网内与路由设备通信时数据链路层的数据加密密钥是由设备的对称主密钥、设备 ID、子网链路层 ID 及其单调随机序列、密钥的生存周期共同生成的	设备加入网络后由安全管理者产生并分发给设备
会话密钥 K_session	用于设备与安全管理者之间或设备之间进行会话的数据密钥	由对称主密钥、会话通信双方的设备 ID、相应安全管理者 ID 及单调随机序列、密钥的生存周期共同生成	第一把会话密钥是入网时设备与安全管理者进行会话时产生的；当设备间需要会话时安全管理者将产生双方的会话密钥
入网后无线设备 a1 拥有的通信密钥	设备的 K_master_D_a1、K_DLL_data_D_a1、K_APL_data_D_a1、K_session_D_a1		

表 2.15　子网 A 中无线路由设备 A 中的密钥信息

密钥名称	用途	产生方式	产生时间
加入密钥 K_join	设备加入网络时使用的密钥，短期共享秘密的对称密钥	由该配置密钥、入网设备 ID 及其单调随机序列、密钥的生存周期共同生成	设备安置于现场时产生
对称主密钥 K_master	用于派生设备的数据密钥，在网络通信时使用，通常为长期的对称密钥	由加入密钥、入网设备 ID 和相应的安全管理者 ID 及其单调随机序列、密钥的生存周期共同生成	设备加入网络时由安全管理者产生
数据加密密钥 K_layer	子网内与设备通信或在网间与其他路由设备/安全管理者通信时提供各层的传输数据保护	数据链路层的数据加密密钥由设备的对称主密钥、设备 ID、子网链路层 ID 及其单调随机序列、密钥的生存周期共同生成	设备加入网络后由安全管理者产生并分发给设备
会话密钥 K_session	用于与安全管理者之间或与其他无线设备进行会话的数据密钥	由对称主密钥、会话通信双方的设备 ID、相应安全管理者 ID 及单调随机序列、密钥的生存周期共同生成	第一把会话密钥是入网时设备与安全管理者进行会话时产生的；当设备间需要会话时安全管理者将产生双方的会话密钥
子网 A 中路由设备 a1 拥有的密钥(子网A中有设备a1、…、an，邻居子网 B、…、N)	子网 A 内：设备 K_master_D_a1、…、K_master_D_an、K_DLL_data_D_a1、…、K_DLL_data_D_an、K_APL_data_D_a1、…、K_APL_data_D_an、K_master_R_A、K_DLL_data_R_A、K_APL_data_R_A、K_session_R_A；子网间：邻居路由设备 K_master_R_B、…、K_master_R_N；K_DLL_data_R_B、…、K_DLL_data_R_N、K_APL_data_R_a1、…、K_APL_data_R_an		

表 2.16　安全管理者的密钥信息

密钥名称	用途	产生方式	产生时间
配置密钥 K_provisioned	初始化的设备主密钥，通常为短期共享秘密的对称密钥	设备的初始密钥，由设备自身的一串随机序列产生	设备预配置期间产生
加入密钥 K_join	设备加入网络时使用的密钥，短期共享秘密的对称密钥	由该配置密钥、入网设备 ID 及其单调随机序列、密钥的生存周期共同生成	设备安置于现场时产生

密钥名称	用途	产生方式	产生时间
对称主密钥 K_master	用于派生网络内所有设备的数据密钥，在安全管理网络时使用的密钥，通常为长期的对称密钥	由加入密钥、入网设备 ID 和相应的安全管理者 ID 及其单调随机序列、密钥的生存周期共同生成	设备加入网络时由安全管理者产生
密钥加密密钥 K_key	用于在分发密钥时保护密钥安全的传输密钥	由设备的主密钥派生	设备请求分发、传输密钥时由安全管理者产生
数据加密密钥 K_layer	提供全网内安全管理者与各设备、各路由设备之间通信时各层的传输数据保护	数据链路层的数据加密密钥是由设备的对称主密钥、设备 ID、子网链路层 ID 及其单调随机序列、密钥的生存周期共同生成的	设备加入网络后由安全管理者产生并分发给设备
会话密钥 K_session	用于无线设备之间进行会话的数据密钥	由对称主密钥、会话通信双方的设备 ID、相应安全管理者 ID 及单调随机序列、密钥的生存周期共同生成	与各无线设备会话时产生
拥有的密钥（全网络有子网 A、…、N 个，各子网中有设备 1、…、n 个）	子网 A 内设备的 K_master_D_a1、…、K_master_D_an、K_DLL_data_D_a1、…、K_DLL_data_D_an、K_APL_data_D_a1、…、K_APL_data_D_an、K_session_D_a1、…、K_session_D_an；子网 N 内设备的 K_master_D_n1、…、K_master_D_nn、K_DLL_data_D_n1、…、K_DLL_data_D_nn、K_APL_data_D_a1、…、K_APL_data_D_nn、K_session_D_n1、…、K_session_D_nn；路由设备 K_master_R_A、…、K_master_R_N；K_DLL_data_R_A、…、K_DLL_data_R_N；K_APL_data_R_A、…、K_APL_data_R_N；K_session_R_A、…、K_session_R_N		

注：设备 Device 简写为 D；路由设备 Router 简写为 R。

不同密钥的生存期是由设备的不同状态属性决定的，无线设备安置在现场前就分配了加入密钥，一般情况下加入密钥的生存期可以维持在无线设备整个网络通信的过程中。入网后，安全管理者为无线设备分配主密钥和链接密钥（如（层）密钥、会话密钥等），并设置相应密钥信息。安全对称主密钥是一把长期密钥，可以结合算法派生相关的链接密钥，只有当其生存期结束或特殊情况（如被窃取等）时，才会进行更新。当一次会话结束后，相关链接密钥的生存期也随即结束，当无线设备之间需要下一次会话时，安全管理者将产生分发新链接密钥。工业无线网络中使用的安全对称密钥类型及其密钥生存期示意图如图 2.19 所示。

（3）入网设备的安全密钥使用状态。在设备入网过程中的任意时刻，都可能发生数据消息丢失的情况，此时安全的网络系统应该能够及时地进行恢复和处理，下面定义了入网设备的状态和安全密钥的使用情况，入网设备的安全密钥使用状态图如图 2.20 所示。

①已配置：设备安装在现场，由移动设备或安全管理者写入配置密钥（K_provisioned）。

②正加入：无线设备请求加入网络，此时设备使用由配置密钥（K_provisioned）通过某种算法生成的加入密钥（K_join），向网络中的安全管理者申请入网。

③已加入：无线设备成功地加入网络，并接收到安全管理者传送的对称主密钥（K_master），以及由对称主密钥（K_master）派生出需要的链接密钥，这些密钥为设备当前使用的密钥。

④密钥更新：当前密钥生存期到达时，无线设备对当前密钥进行更新。

⑤密钥解封：设备收到由当前用密钥加密传送的新密钥，解封后设备将同时拥有之前使用的密钥和新密钥。

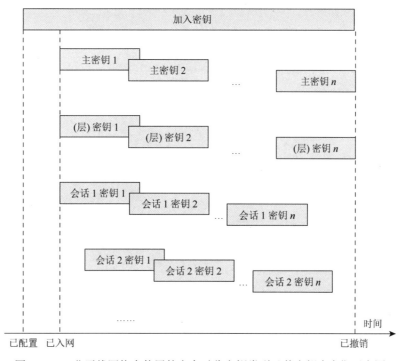

图 2.19　工业无线网络中使用的安全对称密钥类型及其密钥生存期示意图

参见图 2.21，设备入网时，与安全管理者互相认证的过程包括如下步骤。

①设备-安全管理者：$E_{K\_join}[M_1 \| Device\_EUI\_64 \| N_1]$。设备加入网络时，使用加入密钥（K_join）加密请求认证信息 M_1、设备标识符（Device_EUI_64）、随机数 N_1（可以是时间戳、Nonce 等），将密文发送给安全管理者。注：E 表示加密操作；"$\|$"符号表示连接前后两个信息，组成一组数据信息。

②安全管理者收到密文后，用该设备的加入密钥（K_join）解密密文，获得设备的请求认证信息 M_1、设备标识符（Device_EUI_64）、随机数 N_1。之后用加入密钥（K_join）、设备标识符（Device_EUI_64）、安全管理者标识符（SecManager_ID）及其单调随机序列、密钥的生存周期共同生成该设备的对称主密钥（K_master），同时产生随机数 N_2（可以是时间戳、Nonce 等）。

③安全管理者-设备：$E_{K\_join}[K\_master \| E_{K\_master}(M_2 \| N_1) \| N_2]$。安全管理者使用设备的加入密钥（K_join）加密新产生的对称主密钥（K_master）、用对称主密钥（K_master）加密设备的认证回复信息 M_2 和随机数 N_1 及新产生的随机数 N_2（可以是时间戳、Nonce 等）。

④设备：收到密文后用加入密钥（K_join）解密密文，获得设备的对称主密钥（K_master）、用对称主密钥（K_master）加密的密文及随机数 N_2，用对称主密钥（K_master）解密得到认证回复信息 M_2 和随机数 N_1，比较之前发送的随机数 N_1，完全相同则表示安全管

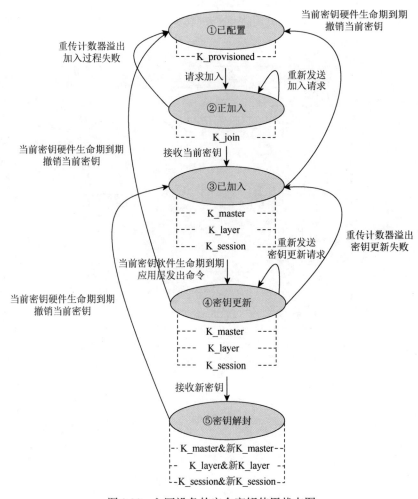

图 2.20 入网设备的安全密钥使用状态图

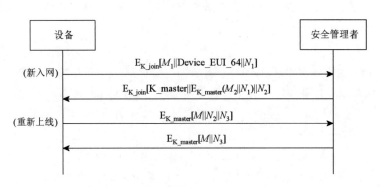

图 2.21 无线设备入网认证过程示意图

理者为网络的合法源,对称主密钥(K_master)可以作为该设备在网络中安全通信的基础,认证回复信息 M_2 中包含了安全密钥材料信息。同时产生随机数 N_3(可以是时间戳、Nonce 等)。

⑤设备-安全管理者：$E_{K\_master}[M\|N_2\|N_3]$。设备用对称主密钥 K_master 加密通信信息 M 和随机数 N_2、N_3，将密文发送给安全管理者，以此完成该设备在网络中的第一次安全通信。注：M 表示的通信信息包括了命令帧、数据帧等。

⑥安全管理者：收到的密文可以用设备的对称主密钥 K_master 解密，并得到通信信息 M 和随机数 N_2、N_3，与之前收到的随机数 N_2 进行比较，完全一样则表示该设备为网络中的合法成员，认证通过。

⑦安全管理者-设备：$E_{K\_master}[M\|N_3]$。安全管理者用对称主密钥 K_master 加密通信信息 M 和随机数 N_3，将密文发送给设备。注：M 表示的通信信息包括了命令帧、数据帧等。

⑧设备：解密得到安全管理者回发的通信信息 M 和随机数 N_3，比较与之前设备产生的随机数 N_3 是否一致，若相同则表示设备已经完成第一次安全通信，即为网络合法设备。

特别是当设备重新上线时，认证过程类似从上述第⑤步开始，即设备只需向安全管理者发送由对称主密钥加密的认证信息和随机数，安全管理者根据收到的加密信息和随机数，查询信息库以确认设备的身份信息，如果为合法设备，安全管理者将重新启动网络中设备使用的密钥材料，并回复消息给设备，这样简化了重新认证的烦琐过程。

参见图 2.22，以终端设备通过子网路由设备 A、子网路由设备 B 和网关，向上位机发送报文为例，来说明本实施例通信过程中数据报文加密传送的步骤。

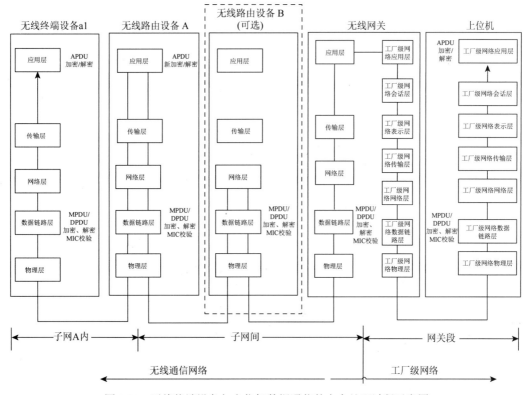

图 2.22　无线终端设备与上位机数据通信的安全处理过程示意图

在无线通信网的子网内终端设备（安全管理对象）发送报文时，终端设备将应用层 APDU

用应用层密钥 K_APL_D_a1 进行加密后传递到 MAC 层，在数据链路层用设备的数据链路密钥 K_DLL_data_D_a1 进行加密和 MIC 校验后，将安全报文发送给子网路由设备 A。

子网路由设备 A（安全管理代理）收到安全报文后，在数据链路层用数据链路密钥 K_DLL_data_R_a1 进行解包，传送至应用层对报文数据用子网路由设备 A 的应用层密钥 K_APL_D_a1 进行解密操作，将子网 A 内各终端设备的报文数据汇聚成新的 PDU，依次用子网路由设备 A 的应用层密钥 K_APL_R_A 和数据链路层密钥 K_DLL_data_R_A 进行新的加密操作。如果在子网间传送数据需要使用下一跳路由设备，则根据路由优先级选择下一跳路由设备 B（安全管理代理），再将新加密的数据报文转发给下一跳路由设备 B，经过下一跳路由设备 B 在数据链路层的解密/加密操作后，安全报文在 Mesh 网络中被传递给网关。

网关将汇聚后的数据通过外部网络发送给目标上位机，上位机对新数据报文依次用下一跳路由设备 B 的数据链路层密钥 K_DLL_data_R_B 和子网路由设备 A 的应用层密钥 K_APL_R_A 进行解密操作，从而获得安全数据报文。若子网内需要通过多级路由设备转发报文，那么将经过多次的数据链路层加密/解密操作传递报文。

在此过程中各种设备还可以选择如下的安全相关操作。

无线终端设备：对数据包在应用层用无线终端设备的应用层密钥 K_APL_D 进行加密/解密，数据链路层用无线终端设备的 K_DLL_data_D 进行加密/解密，生成数据链路层时间戳，并利用时间戳、数据密钥和设备 ID 生成链路层 MIC。

无线路由设备：可以作为安全管理代理，对数据包进行无线终端设备链路层认证、数据链路层完整性校验，以及数据链路层用无线终端设备或无线路由设备的 K_DLL_data_D 或 K_DLL_data_R 进行加密/解密操作，利用数据链路层时间戳抵御重播攻击。

下一跳无线路由设备和无线网关：对数据包在数据链路层用无线路由设备的 K_DLL_data_R 进行加密/解密、认证，以及数据完整性校验，并利用数据链路层时间戳抵御重播攻击。

上位机：对数据包进行数据链路层认证，以及在上位机的应用层分别用相关无线路由设备的 K_DLL_data_R、K_APL_R 和设备的 K_APL_D 进行解密操作。

3. 工业物联网中 OPC UA 的安全框架和密钥协议机制

1）背景

OPC 统一体系结构（OPC UA）作为一种面向设备可互换性问题的框架标准，为工业数据交互规范，OPC UA 技术实现了工业物联网的垂直数据集成，已在制造业中得到广泛应用。OPC UA 提供了一致的、完整的地址空间和服务模型，其中包含一系列服务。OPC UA 可以映射到一个通信协议，数据可以编码成不同的格式，以促进传输效率。考虑到工业物联网的脆弱性和开放环境，安全问题已成为工业物联网发展的主要障碍。为了保证客户端和服务器之间的保密性、完整性和可用性，规范提供了一个安全框架，用于从制造级别到生产计划或企业管理级别的安全可靠传输[1]。但是，工业物联网系统组件可在各种平台上运行，从小型资源受限型到企业级机器，开发轻安全机制以支持计算能力和存储能力有限的设备是一个挑战[2]。为了确保工业设备及现场网络的安全，基于 OPC UA 的资源约束设备的认证和密钥协议机制的设计与实现迫在眉睫。

在 OPC UA 提供的安全模型的基础上，本节设计基于隐式证书的安全框架和密钥协商方案，以满足 OPC UA 客户端与服务器之间的认证需求。

2）技术方案

（1）OPC UA 框架和安全模型。OPC UA 技术不仅能够采集到现场设备状态数据、实现设备间横向信息集成，而且能够完成现场设备到 SCADA 系统、SCADA 系统到制造执行系统、现场设备到云端的垂直信息集成[3]。OPC UA 的通信网络架构如图 2.23 所示。

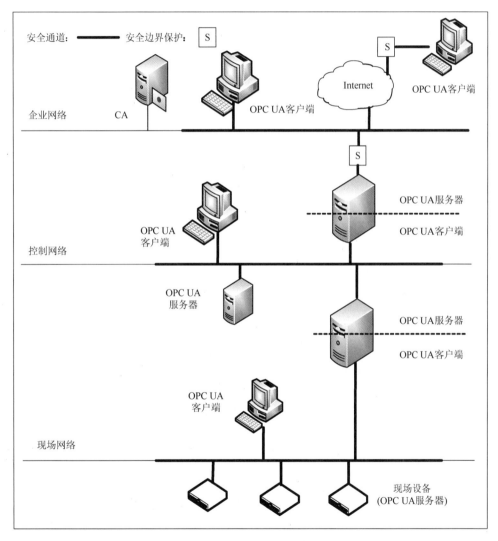

图 2.23 OPC UA 的通信网络架构

OPC UA 的通信网络架构主要由企业网络、控制网络和现场网络三部分组成。其中，在企业网络层，OPC UA 客户端可以整合到 ERP 系统中，实现对生产制造的实时控制、精准管理和科学决策；在控制网络中，OPC UA 主要采用链式 C/S 模式，OPC UA 服务器向上层客户端展现设备信息，在链式 C/S 架构中，处于上层的 OPC UA 服务器也可作为下层 OPC UA 服务器的客户端；在现场网络中，OPC UA 服务器主要为客户端提供两种服务模式，一种是接收来自客户端的连接和通知订阅请求，另一种是发布事件响应到客户端，如报警、程序执行结果等。

OPC UA 安全模型在 OPC UA 规范第 2 部分中提出，由应用层、通信层和传输层三个层次构成，每一个层次所处理的安全职责各不相同，如图 2.24 所示。

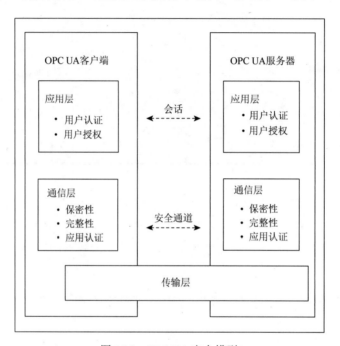

图 2.24　OPC UA 安全模型

在 OPC UA 安全模型中，应用层位于顶层，其完成的主要功能是从底层设备中获取设备信息、设置、指令和实时数据，通过会话的方式在服务器和客户端之间进行传递。会话功能还负责对使用客户端的用户进行身份鉴别与授权请求，认证和授权功能主要包含在 OPC UA 的 session（会话）服务中。

通信层位于 OPC UA 安全模型的第二层，其完成的主要功能是实现安全通道的建立。OPC UA 中的每一个 session 服务都需要建立在安全通道之上，其确保了 OPC UA 客户端和服务器之间通信的安全。首先，安全通道主要通过使用双向认证完成对客户端和服务器之间的身份认证，保证了 OPC UA 客户端和服务器身份的合法性；其次，利用加密和签名的方式完成密钥的协商；最后，为会话服务提供必需的密钥材料。

传输层位于安全架构的底层，其主要通过 Socket 进行数据的收发，在系统中还存在容错和纠错机制，增强了系统的可用性和数据的恢复能力，使得现场设备到上层管理系统的数据传输变得安全可靠。

安全通道建立的目的是 OPC UA 客户端和服务器之间进行私密信息交换，以派生出一个对称密钥。建立安全通道的具体过程如图 2.25 所示。

图 2.25　建立安全通道的具体过程

（2）密钥协议和认证机制。根据以上对 OPC UA 安全的研究，为了应对 OPC UA 在资源受限环境下实现的局限性问题，提出一种解决思路，即基于隐式证书的认证及密钥协商方案。

该方案主要包含隐式证书的颁发和安全通道的建立两大部分，如图 2.26 所示。

其中，隐式证书的颁发是安全通道建立的前提和基础，安全通道建立过程中所涉及的认证及密钥协商是整个方案的核心。

从图 2.26 中可知，隐式证书的颁发过程类似于数字证书的颁发过程，但隐式证书并不包含公钥信息和 CA 签名信息，改变了公钥提取方式，有效地降低了证书管理复杂度。虽然本方案中安全通道建立的方式类似于 OPC UA 规范，但安全通道建立采用的机制却有别于 OPC UA 规范。本方案中采用的全部符号说明，如表 2.17 所示。

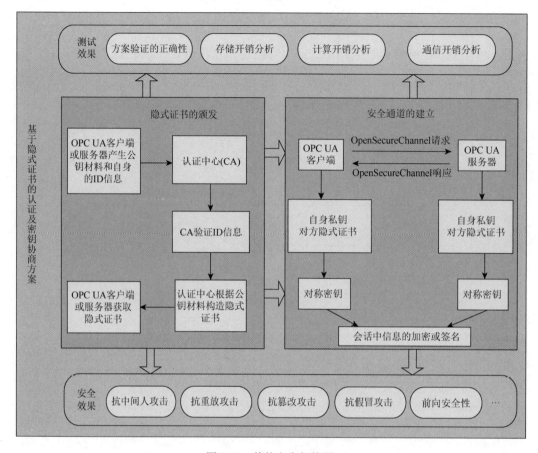

图 2.26　整体方案架构图

表 2.17　符号说明

符号	符号说明
ID	证书请求者的身份信息
K_{CA}	CA 的公钥
k_{CA}	CA 的私钥
K	证书请求者产生的随机数
N_{CA}	CA 产生的随机数
G	椭圆曲线的基点
MIC	基于哈希函数的完整性校验码
Encode（c）	证书中的编码方式，c 为要编码的内容
Text	证书中包含的基本信息
Cert	隐式证书
y	证书请求者的私钥，仅证书请求者自身知道
Y	证书请求者的公钥，所有实体均可获得
Hash（）	哈希函数，用于将可变长度的数据块映射为固定长度的值

符号	符号说明
D	隐式证书因子
$Cert_A$	OPC UA 客户端 A 的隐式证书
$Cert_B$	OPC UA 服务器端 B 的隐式证书
R_1	OPC UA 客户端 A 产生的随机数
R_2	OPC UA 服务器端 B 产生的随机数
R_3	OPC UA 客户端 A 产生的随机数
R_4	OPC UA 服务器端 B 产生的随机数
(Q, q)	OPC UA 客户端 A 的公私钥对
(M, m)	OPC UA 服务器端 B 的公私钥对
L	OPC UA 客户端 A 产生的临时公钥
L_1	OPC UA 服务器端 B 产生的临时公钥
$\parallel$	字符串连接符

隐式证书是数字证书的一种变体，它是所提方案的前提和基础，具体的隐式证书颁发过程及正确性验证内容如下所示。

a. 初始化。为完成隐式证书的颁发，其需要完成初始化的工作，具体内容包含以下几方面。

CA 需先建立一套合适的椭圆曲线域参数 $[q, a, b, G, n, h]$，其中，q 为域尺寸，a 和 b 为椭圆曲线系数，G 为基点，n 为基点 G 的阶数，h 为余因子。

CA 确定使用哈希函数的类型。

CA、OPC UA 客户端和 OPC UA 服务器端需要选定大素数生成函数，其生成的大素数取值范围是 $[1, 2, \cdots, n-1]$，其中 n 为基点 G 的阶数。

CA 根据椭圆曲线域参数生成自身的公私钥对 (k_{CA}, K_{CA})，其中，k_{CA} 是 CA 的私钥，K_{CA} 是 CA 的公钥。

b. 隐式证书的颁发。隐式证书的颁发过程与数字证书相似，但隐式证书实现的基础为 ECC 算法，可以有效地降低 RSA 算法对的计算开销。隐式证书颁发过程如图 2.27 所示。

根据图 2.27 可知，具体的颁发过程可以分为以下几个步骤。

步骤 1：首先证书请求者需要产生一个随机数 K，然后计算自身的临时公钥信息 $R = KG$，其次利用不带密钥的哈希函数生成消息完整性码 $MIC = Hash(ID \parallel R)$。最后利用临时公钥信息、自身身份信息和完整性校验码构造成隐式证书请求命令，即 $R \parallel ID \parallel MIC$，发送至 CA。

步骤 2：CA 收到请求命令消息 $R \parallel ID \parallel MIC$ 后，首先利用相同的方式计算消息完整性码 $RMIC = Hash(ID \parallel R)$，如果 RMIC 和 MIC 不相等，则终止通信；然后，CA 核实请求者身份是否可信，如果通过身份核实，CA 将执行必要的操作：首先 CA 产生

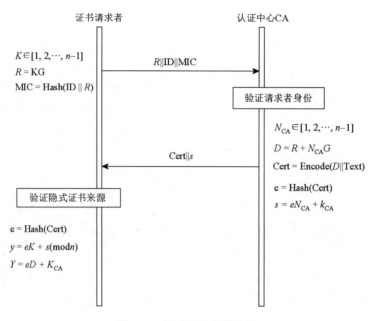

图 2.27　隐式证书颁发过程

一个随机数 N_{CA} ；其次计算隐式证书因子 $D = R + N_{CA}G$ ，并利用 D 构造隐式证书 $Cert = Encode(D \| Text)$ ，其中，Text 为证书的一些基本信息，如证书请求者的 ID、证书的序列号等；再次计算隐式证书信息摘要值 $e = Hash(Cert)$ 和签名 $s = eN_{CA} + k_{CA}(\bmod n)$ 。最后，构造响应信息 $Cert \| s$ 发送至证书请求者。

步骤 3：当证书请求者收到来自 CA 的响应信息 $Cert \| s$ 后，首先需要验证证书的来源是否可信，通过计算 $Hash(Cert)R + sG$ 和 $Hash(Cert)D + K_{CA}$ 是否相等即可；如果证书验证不通过，则终止通信。反之，证书请求者可以根据收到的隐式证书 Cert 和签名信息 s 计算出自己的公私钥对：

私钥： $y = eK + s(\bmod n)$ 。

公钥： $Y = eD + K_{CA}$ 。

c. 正确性验证。

为了证明隐式证书颁发方案的正确性，从证书来源是否可信、公私钥对是否正确两个方面进行验证。

隐式证书来源验证过程如下：

$$Hash(Cert)R + sG$$

$$= eKG + (eN_{CA} + k_{CA})G$$

$$= eKG + eN_{CA}G + k_{CA}G$$

$$= e(R + N_{CA}G) + k_{CA}G$$

$$= eD + K_{CA}$$

$$= Hash(Cert)D + K_{CA}$$

由于 S 为认证中心 CA 的签名信息，而且参数 D 中也包含 CA 的私密信息，通过上面的推导可以证明隐式证书来源于可信的 CA。

为了验证该方案产生的公私钥对是正确的，使用公钥 Y 加密信息 M，并利用对应的私钥进行解密，具体的过程如下。

加密：$C_1 = M + rY$，$C_2 = rG$，其中 r 为加密者产生的一个随机数。

解密：

$$C_1 - yC_2$$
$$= M + rY - yrG$$
$$= M + r(eD + K_{CA}) - r(eK + s(\bmod n))G$$
$$= M + r(eD + K_{CA}) - r(eKG + eN_{CA}G + k_{CA}G)$$
$$= M + r(eD + K_{CA}) - r(eD + K_{CA}) = M$$

综上所述，利用产生的公私钥对可完成加密和解密功能，由此可得隐式证书的颁发方案是正确的。

（3）安全通道的建立。安全通道的建立是保障工业物联网安全的核心，认证及密钥协商方案可以确保安全通道的建立能够顺利完成。安全通道的建立过程如图 2.28 所示。

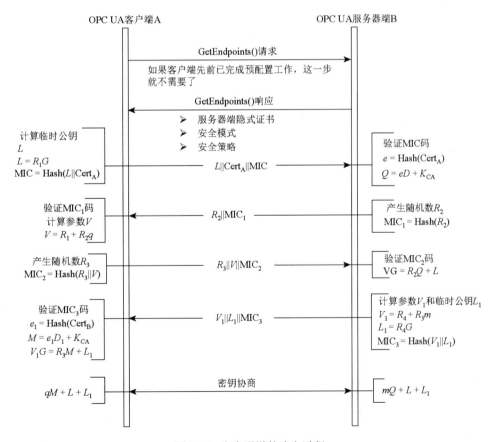

图 2.28　安全通道的建立过程

步骤 1：OPC UA 客户端 A 需要通过 GetEndpoints（）请求服务来读取 OPC UA 服务器端 B 的端点信息。如果 OPC UA 客户端 A 先前已完成预配置工作，这一步骤即可省略。

步骤 2：当 OPC UA 服务器端 B 收到 GetEndpoints（）请求时，OPC UA 服务器通过 GetEndpoints（）响应信息把安全配置信息发送至 OPC UA 客户端 A。其中，这些安全配置信息主要包括 OPC UA 服务器端 B 的隐式证书、安全模式和安全策略等。

步骤 3：OPC UA 客户端 A 收到 GetEndpoints（）响应信息后，产生一个随机数 R_1，并计算 OPC UA 客户端 A 的临时公钥 L，$L = R_1G$；然后利用哈希函数生成消息完整性校验码，即 $\text{MIC} = \text{Hash}(L \| \text{Cert}_A)$；最后，利用已计算好的参数构造出认证消息 $L \| \text{Cert}_A \| \text{MIC}$ 发送到 OPC UA 服务器端 B。

步骤 4：OPC UA 服务器端 B 收到消息 $L \| \text{Cert}_A \| \text{MIC}$ 后，首先按照既定的方式计算 $\text{RMIC} = \text{Hash}(L \| \text{Cert}_A)$，如果 RMIC 和 MIC 不相等，则认为该消息被篡改过，丢弃该消息；反之，进行下一步计算，根据隐式证书 Cert_A 提取客户端的公钥，即 $Q = eD + K_{\text{CA}}$，其中 $e = \text{Hash}(\text{Cert}_A)$；随后产生一个随机数 R_2，并利用哈希函数生成消息完整性校验码，即 $\text{MIC}_1 = \text{Hash}(R_2)$，把消息 $R_2 \| \text{MIC}_1$ 发送到 OPC UA 客户端 A。

步骤 5：当 OPC UA 客户端 A 收到消息 $R_2 \| \text{MIC}_1$ 时，首先按照既定的方式计算 $\text{RMIC}_1 = \text{Hash}(R_2)$，如果 RMIC_1 和 MIC_1 不相等，则认为该消息被篡改过，丢弃该消息；其次开始计算参数 $V = R_1 + R_2q$，其中 q 是 OPC UA 客户端 A 的私钥；最后产生一个随机数 R_3，并利用哈希函数生成消息完整性校验码，即 $\text{MIC}_2 = \text{Hash}(R_3 \| V)$，把消息 $R_3 \| V \| \text{MIC}_2$ 发送到 OPC UA 服务器端 B。

步骤 6：当 OPC UA 服务器端 B 收到消息 $R_3 \| V \| \text{MIC}_2$ 时，首先按照既定的方式计算 $\text{RMIC}_2 = \text{Hash}(R_3 \| V)$，如果 RMIC_2 和 MIC_2 不相等，则认为该消息被篡改过，丢弃该消息；其次开始计算 VG 和 $R_2Q + L$，并判断两者是否相等，如果不相等，则 OPC UA 服务器端 B 对 OPC UA 客户端 A 的身份认证不通过，直接终止通信。反之，OPC UA 服务器端 B 产生一个新的随机数 R_4，并计算 OPC UA 服务器端 B 的临时公钥 L_1 和参数 V_1，即 $L_1 = R_4G$，$V_1 = R_4 + R_3m$，其中 m 为自身的私钥，并利用哈希函数生成消息完整性校验码，即 $\text{MIC}_3 = \text{Hash}(V_1 \| L_1)$，最后把消息 $V_1 \| L_1 \| \text{MIC}_3$ 发送到 OPC UA 客户端 A。

步骤 7：当 OPC UA 客户端 A 收到消息 $V_1 \| L_1 \| \text{MIC}_3$ 时，首先按照既定的方式计算 $\text{RMIC}_3 = \text{Hash}(V_1 \| L_1)$，如果 RMIC_3 和 MIC_3 不相等，则认为该消息被篡改过，丢弃该消息；其次根据隐式证书 Cert_B 提取服务器端的公钥，即 $M = e_1D_1 + K_{\text{CA}}$，其中 $e_1 = \text{Hash}(\text{Cert}_B)$，随后开始计算 V_1G 和 $R_3M + L_1$，并判断两者是否相等，如果不相等，则 OPC UA 客户端 A 对服务器端 B 的身份认证不通过，直接终止通信。反之，OPC UA 客户端 A 和 OPC UA 服务器端 B 之间完成了双向的身份认证。

步骤 8：在完成双向认证后，OPC UA 客户端 A 和 OPC UA 服务器端 B 双方可以利用之前提取到的对方公钥，在 ECDH 密钥交换算法的基础上，可以衍生出一个对称密钥，即 $qM + L + L_1 = mQ + L + L_1$，该对称密钥为会话服务提供必要的密钥材料，可以用于会话服务中的消息加密或者签名。

为了证明本方案的正确性，本节主要从双方认证的核心算法 VG 的计算和对称密钥协商两个方面进行论证。

核心算法计算：

$$VG = (R_1 + R_2 q)G = R_1 G + R_2 qG = L + R_2 Q$$

对称密钥协商：

$$qM + L + L_1 = qmG + L + L_1 = mqG + L + L_1 = mQ + L + L_1$$

综上所述，该方案通过核心算法可以实现 OPC UA 的客户端和服务器端的双向认证，又能在认证阶段交互信息的基础上，通过简单计算完成密钥协商的工作。因此，本方案是正确的。

4. 无线传感器网络的互认证方案

1）背景

具有低功耗节点的无线传感器网络已成为核心技术，以实现无处不在的传感器网络环境。由于增加的灵活性和移动性，无线传感器网络的各种迅速增长的应用将渗透到生态、军事、居住环境、健康和人员相关领域。它是专为高可靠性、低能耗及不同应用的其他特殊需求而设计的。然而，由于网络的脆弱性，安全性对于无线传感器网络的应用起着特别重要的作用。

如果没有足够的安全机制来保护数据的私密性和完整性，则网络将变得无用或无法正常工作。由于无线传感器网络部署在开放且不受保护的环境中，因此容易受到某些类型的攻击。与传统计算机相比，低成本、电池供电的无线传感器网络节点具有能量有限、计算和通信能力低、内存容量有限等缺点。当前的大多数安全认证方案都是基于哈希函数或公钥密码学的，然而，由于提出了有效的冲突算法，现有的哈希函数（MD5[4]、SHA[5]）不再像以前那样是绝对安全的，因此，基于公钥的方法密钥加密需要更多的计算和存储资源，这不适用于无线传感器网络中的节点。此外，部署在环境中的新节点可能会受到威胁；尤其是节点损坏，节点故障和捕获的节点将降低整个无线网络通信的等级。同时，当通过一个或多个节点到达目标节点和一个节点的数据危及全局共享密钥时，整个网络的安全性也会受到损害。因此，应设计用于无线传感器网络的安全机制。

为了防止对无线传感器网络的威胁和攻击，作者提出并实现一种基于密钥协议的相互认证方案，该相互认证方案包括密钥协商方案和安全加入过程以保护网络，不需要传感器节点的公共密钥，从而可以减少证书的额外成本。将该方案用于无线传感器网络，对资源受限的无线传感器网络的安全配置具有重要意义。

2）技术方案

（1）网络模型和体系结构。在图 2.29 无线传感器网络的架构中，边界网关和边界路由器为访问无线传感器网络的外部网络提供防火墙接口。安全服务器（security server，

SS）为系统提供安全策略的配置及为无线传感器网络提供安全功能。安全服务器负责新加入的节点和密钥管理。

网络的第一层是网状子网，其中部署了路由节点和网关设备。网络服务器和安全服务器可以部署在无线传感器骨干网络上。这里的骨干网络基于 IPv6。网络的第二层位于树形子网中，其中部署了路由节点和传感器节点。路由节点充当簇头，而传感器节点充当簇成员。在簇中，现场传感器节点通过其簇头与主机进行通信。

由于无线传感器网络的合法用户必须正确访问有限的网络资源，因此安全认证方案已受到广泛关注。在所提方案中，网络中的每个传感器节点都有一个唯一的 ID 和一个特殊的密钥 KJ，如下所示：

128 位 KJ（Key_Join）、EUI-64（64 位扩展唯一标识符）。

假设无线网络可以同步，并且 MAC 层包含一定程度的冗余，以检测随机损坏的数据包。但是，此机制并非旨在代替加密身份验证机制。我们假设现场传感器节点可能受到资源限制，而路由节点可能具有更多的资源。

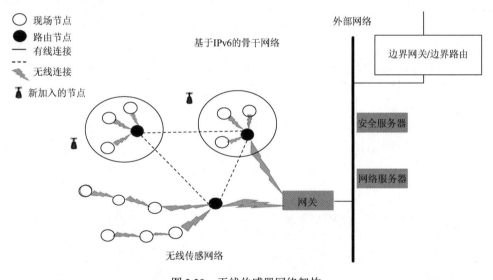

图 2.29　无线传感器网络架构

（2）安全密钥管理机制。相互认证方案为无线传感器网络的安全密钥管理机制定义以下密钥。

KJ（Key_Join）：在节点预先设置的时间内建立的初始密钥，长度为 128 位。

KM（Key_Master）：用于派生新的对称密钥和认证节点的密钥，长度为 128 位。

KEK（Key_Encrypt_Key）：节点加入无线传感器网络后由安全服务器分配的密钥，该密钥用于加密其他密钥。

KED（Key_Encryption_Data）：在节点加入无线传感器网络后由 SS 分配的密钥，用于保护数据并在数据传输期间检查完整性。KED 包括 DLSL 加密密钥和 AL 加密密钥。它用于簇内通信与节点加入网络后的簇间通信。

KS（Key_session）：两个节点之间的服务会话的密钥，长度为 128 位。在节点加入网络后使用。

在应用领域中安装节点之前，应根据应用需求将 KJ 分发到该节点中。在密钥配置期间，节点从供应设备获取 KJ。KJ 应该由手持设备或其他供应设备直接分发。当新节点启动加入过程时，KJ 提供身份验证信息以确保 SM 和节点之间的节点有效性。

KM 由 KJ 生成，含节点加入过程中的信息。节点加入无线传感器网络后，SS 将分配 KEK 和 KED。SS 将 KEK 和 KED 分发到加入的路由节点；路由节点将 KEK 和 KED 分配给连接的现场传感器节点。密钥分发可以通过 MIB 的相关网络属性设置服务来实现。

表 2.18 描述了现场传感器节点 N_1、路由节点 R_1 和安全服务器 SS 中密钥的用途、生产方式及在传感器网络中生成的时间。

表 2.18　MIB 中的密钥信息

密钥名称	用途	产生方式	生产时间
KJ	初始密钥，它是用于标识节点的临时密钥	由已注册的 ID 生成	设备预配置期间产生
KM	用于生成新的对称密钥并对节点进行身份验证	由 KJ、节点 ID、管理者 ID 和 Nonce 共同生成	设备加入网络时由安全服务器产生
KEK	用于加密其他密钥	由 KM 派生	安全加入进程后由安全服务器分配
KED_DL	用于 DL 层的数据保护和完整性检查，实现点对点安全	由 KM、节点 ID 共同生成	设备加入网络后由安全服务器产生并分发给设备
KED_AL	用于 AL 层数据保护和完整性检查，实现端到端安全	由 KM、节点 ID 共同生成	设备加入网络后由安全服务器产生并分发给设备
KS	它是两个设备之间的服务会话的密钥	由 KM、相关节点 ID 和 Nonce 共同生成	设备加入网络后由安全服务器产生并分发给设备
入网后节点 N_1 拥有的密钥	KM_N_1, KEK_N_1, KED_DL_N_1, KED_AL_N_1, KS_N_1		
入网后路由 R_1 拥有的密钥	KM_R_1, KEK_R_1, KED_R_1, KS_R_1; 集群间：KM_N_1, KM_N_2, ⋯, KM_N_n, KED_N_1, KED_N_2, ⋯, KED_N_n; 集群内：KM_R_1, KM_R_2, ⋯, KM_R_k, KED_R_1, KED_R_2, ⋯, KED_R_k; KS_R_1, KS_R_2, ⋯, KS_R_k		
入网后 SS 拥有的密钥	KM_N_1, KM_N_2, ⋯, KM_N_m, KED_N_1, KED_N_2, ⋯, KED_N_m; KEK_N_1, KEK_N_2, ⋯, KEK_N_m; KM_R_1, KM_R_2, ⋯, KM_R_h; KED_R_1, KED_R_2, ⋯, KED_R_h; KEK_R_1, KEK_R_2, ⋯, KEK_R_h; KS_R_1, KS_R_2, ⋯, KS_R_h		

从表 2.18 可以看到，每个现场节点在其 MIB 中至少应维护 5 个密钥以进行安全通信，路由节点维护其邻居路由节点的密钥及簇间节点的密钥，SS 维护整个网络的密钥。

（3）安全认证机制。

①安全入网过程。在方案中，为新节点设计了安全入网过程。如图 2.30 所示，新的节点应遵循以下步骤来完成安全入网的过程。

步骤 1：供应设备读取新节点的 EUI-64 并向 SS 报告。然后，SS 为新节点生成 KJ,

供应设备将 KJ 中继到新节点。该步骤可以由其他安全配置过程代替。例如，某些代理可以在新节点加入网络之前配置 KJ。

步骤 2：具有 KJ 的新节点将继续扫描可用信道，直到它成功地从在线路由节点或已通过身份验证的网关设备接收到信标。新节点选择一个在线身份验证节点作为时间簇头，并根据接收到的信标与网络同步。

步骤 3：新节点准备加入请求 $EP_{KJ}[M1\|Device\_EUI\_64\|N_1]$，该加入请求由认证信息 M1、Device_EUI_64 和定义为 N_1 的随机数 Nonce1 组成。它受到 KJ 的密码保护，并将其传输到路由器。路由器接收它并将其转发到 NM。NM 收到加入请求后，应将安全信息转发给 SS。

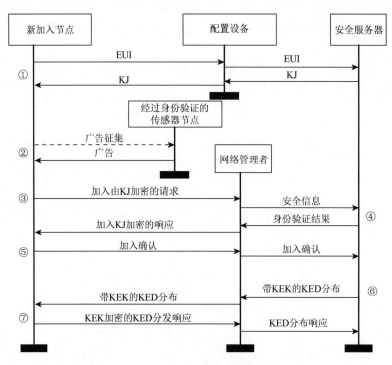

图 2.30 安全入网过程

步骤 4：SS 在得到加入请求后，通过节点的 KJ 解密加入请求的密码信息。然后，SS 建立加入响应，即 $EPKJ[KM\|EPKM(M_2\|N_1)\|N_2]$，该响应由 Nonce1（$N_1$）和随机数 Nonce2（$N_2$）组成，它由 KJ 进行密码保护，并传输到加入节点。

步骤 5：节点在得到响应后，通过节点的 KJ 解密加入响应的密码信息。节点获取 KM 和 N_2。然后，它解密密码信息以获得 M_2 和 N_1。节点将通过比较之前发送的 N_1 来检查 N_1。如果无效，则加入过程将停止并重新加入。如果有效，则表示加入响应来自合法的源安全服务器。然后，节点建立一个由 Message1、N_2 和一个随机数 Nonce3（定义为 N_3）组成的加入确认，即 $EP_{KM}[Message\|N_2\|N_3]$。它受到 KJ 的如下密码保护，并被传输到 SS。

步骤 6：安全服务器收到此确认并将其解密，获取 N_2 和 N_3。然后，安全服务器将通过比较之前发送的 N_2 来检查 N_2。如果无效，则加入过程将停止并发送失败响应。如果有效，则将加入节点认证为合法来源。

步骤 7：节点完成加入过程后，安全服务器将为新节点生成 KEK 和 KED。NM 将分发 KEK 和 KED。

②加入流程故障恢复。在加入过程中的任何时候，都有可能丢弃请求或响应。在这种情况下，系统将能够恢复并重新启动加入过程。

情况 1：新节点在允许的最大时间 T_1 内没有收到有效的安全加入响应数据包，将再次向安全服务器发送加入请求数据包。

情况 2：安全服务器在允许的最大时间 T_2 内从第二服务器接收到第二有效安全加入请求数据包，该第二有效安全加入请求数据包将不会向新节点回复另一个安全加入响应数据包，以宣告失败。

情况 3：新节点在允许的最大时间 T_3 内再次接收到第二有效安全加入响应报文，将保存的加入确认报文再次发送给安全服务器。

情况 4：安全性服务器未在允许的最大时间 T_4 内从新节点接收到有效安全加入确认数据包，这会将保留的安全加入响应数据包重新发送到新节点。

在这里，可以在安全服务器中设置相关的时间参数；对于节点，可以使用供应设备对其进行配置。

5. 一种 WIA-PA 工业无线网络中移动设备入网认证机制

1）背景

工业无线网络（industrial wireless network，WIA）技术是我国具有自主知识产权的高可靠、超低功耗的智能多跳无线传感器网络技术，该技术提供一种自组织、自治愈的智能路由机制，能够针对应用条件和环境的动态变化，保持网络性能的高可靠性和强稳定性。WIA-PA 标准是 WIA 子标准，用于工业过程测量、监视与控制的无线网络系统，目前 WIA-PA 标准已形成国家标准。

近年来，在工业物联网逐步应用的背景下，传统的固定节点已经不能满足工业应用的需求，工业物联网对移动性的支持迫在眉睫。大量移动设备如手持抄表设备、现场可移动冷风机、手持巡检设备、移动加湿器等进入面向智能制造领域的工业无线网络。

基于 WIA-PA 工业无线网络的应用场景不断增加[6]，如基于 WIA-PA 的智能抄表系统[7, 8]。在该智能抄表系统中需要使用移动设备进行抄表，同时伴随着移动设备的多次重复入网问题。

移动设备具有移动性，在网络中移动和运行时，会根据所处的位置，从不同的接入点反复入网。传统的工业无线网络对待移动设备的重复入网，没有特别的方法。如 WIA-PA 工业无线网络中，移动设备一旦离开一个子网，再次加入一个新的子网时，需要执行相同的入网过程。

目前，WIA-PA 工业无线网络中安全认证机制主要存在以下不足：一是移动设备在每次入网时，需要执行相同的入网认证过程，该过程需要移动设备与工业无线网络的安全管理者进行多次交互，特别是移动设备在网络中移动频繁时，网络资源开销大。二是移动设备在第一次加入网络时，一般通过预配置的密钥生成用于认证的安全认证码；传统方法中，移动设备在离开网络后，对预配置密钥并不进行更新，之后每次入网一般都采用相同的预配置密钥生成相同的认证码，容易受到攻击。

有鉴于此，作者提出一种 WIA-PA 工业无线网络中移动设备入网认证机制，该机制能够解决 WIA-PA 标准中移动设备重复入网认证机制存在的问题。

2）技术方案

WIA-PA 工业无线移动设备认证机制采用图 2.31 所示的网络架构。本网络模型中涉及的网络设备有网关设备、路由设备、现场设备和移动设备。

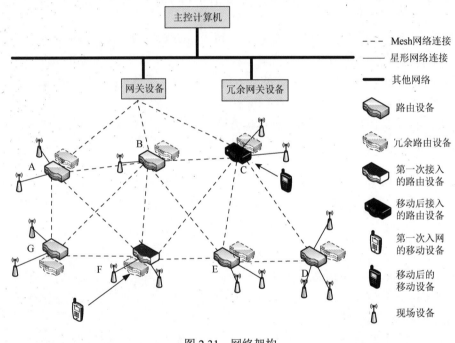

图 2.31　网络架构

网关设备：负责与其他网络的协议转换与数据映射，同时在网关设备内开发网络管理者和安全管理者，其中网络管理者用于管理和监测全网，安全管理者用于网络中设备的密钥管理与安全认证。

路由设备（簇头）：管理和监测现场设备与移动设备；负责聚合和转发网络中的数据。

现场设备（簇成员）：负责获取现场数据并发送到簇头。

移动设备（簇成员）：负责移动采集工业现场数据，将采集的获取的数据经过网状网络发送到网关设备；负责现场采集数据并进行数据分析，做出适合当前需求的响应并将执行结果反馈到主控计算机；负责为操作人员提供直接的数据信息。

WIA-PA 工业无线网络中移动设备入网认证机制包含移动设备第一次入网认证和移

动设备第 k（$k \geqslant 2$）次重复入网认证；移动设备第一次入网认证包含 $Ticket_{net}$ 和 $Ticket_{mobile}$ 的处理与入网认证，移动设备第 k（$k \geqslant 2$）次重复入网认证包含移动设备第 k（$k \geqslant 2$）次重复入网认证流程和入网认证。

（1）移动设备第一次入网认证。移动设备第一次加入 WIA-PA 网络的过程图如图 2.32 所示。移动设备第一次加入 WIA-PA 工业无线网络时需要经历如下步骤。

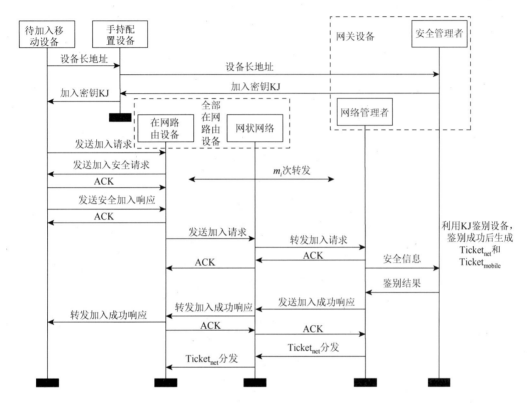

图 2.32　移动设备第一次加入 WIA-PA 网络的过程图

①在新移动设备加入 WIA-PA 网络之前，手持配置设备读取新移动设备的 64 位长地址，并将该地址传给安全管理者。安全管理者为该新移动设备生成加入密钥 KJ（JoinKey）。手持配置设备将该 KJ 传给该新移动设备。

②具有 KJ 的新移动设备持续监听网络内的可用信道以获得在网的路由设备发出的信标。

③新移动设备选择一个发出信标的路由设备或网关设备作为簇头，根据信标内的时间信息完成时间同步。

④新移动设备利用设备的长地址和 KJ 生成安全信息，并将安全信息发送给簇头。簇头发送加入安全请求给该移动设备，移动设备收到请求后，发送安全加入响应给簇头。然后，簇头为该新移动设备发出一个带其安全信息的加入请求给 NM。

⑤网络管理者接收到加入请求后，将新移动设备的安全信息传送给安全管理者。安全管理者认证该新移动设备的安全信息。如果认证失败，则网络管理者返回加入失败响

应，断开连接。如果认证成功，网络管理者保存该移动设备的认证 ID，安全管理者生成 $Ticket_{net}$ 和 $Ticket_{mobile}$，网络管理者返回加入成功响应。

安全管理者对 $Ticket_{net}$ 和 $Ticket_{mobile}$ 进行管理，管理包含 $Ticket_{net}$ 和 $Ticket_{mobile}$ 的生成、$Ticket_{net}$ 和 $Ticket_{mobile}$ 的分发、$Ticket_{net}$ 和 $Ticket_{mobile}$ 的存储与 $Ticket_{net}$ 和 $Ticket_{mobile}$ 的更新。

（2）$Ticket_{net}$ 和 $Ticket_{mobile}$ 的生成。$Ticket_{net}$ 和 $Ticket_{mobile}$ 由安全管理者生成，$Ticket_{net}$ 和 $Ticket_{mobile}$ 格式如图 2.33 所示。认证 ID 为移动设备长地址，WIA-PA 工业无线网络中移动设备有一个全球唯一的 64 位长地址，长地址由厂商按照 EUI-64 分配并设置。

$Ticket_{net}$ 中，加密密文是指对认证 ID 进行加密后的密文，其长度为 8 字节。$Ticket_{mobile}$ 中，加密密钥 Key 为 $Ticket_{net}$ 中对认证 ID 加密的加密密钥，长度为 16 字节。

8字节
加密密文

$Ticket_{net}$

8字节	16字节
认证ID	加密密钥Key

$Ticket_{mobile}$

图 2.33　$Ticket_{net}$ 和 $Ticket_{mobile}$ 格式

（3）$Ticket_{net}$ 和 $Ticket_{mobile}$ 的分发。$Ticket_{net}$ 和 $Ticket_{mobile}$ 的分发模型如图 2.34 所示。

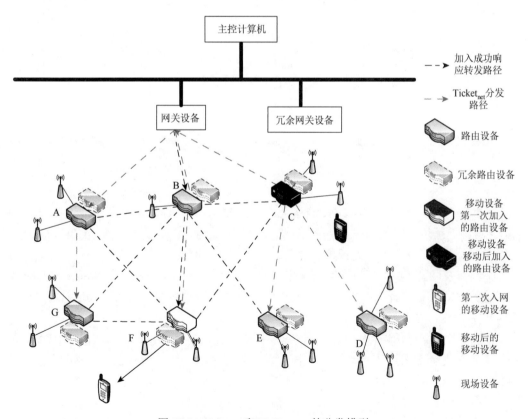

图 2.34　$Ticket_{net}$ 和 $Ticket_{mobile}$ 的分发模型

Ticket$_{net}$ 和 Ticket$_{mobile}$ 的分发过程如下所示。

步骤 1：移动设备被认证成功后，网络管理者返回加入成功响应，加入成功响应命令包格式如表 2.19 所示。

表 2.19　加入成功响应命令包格式

14 字节	1 字节	1 字节	2 字节	24 字节
网络层包头	命令标识符 = 35	执行结果	待加入设备短地址	Ticket$_{mobile}$

其中加入成功响应命令包的命令标识符为 35。如果加入成功，则执行结果返回 SUCCESS，待加入移动设备短地址子域值、Ticket$_{mobile}$ 有效；如果加入失败，则执行结果返回 FAILURE，待加入移动设备短地址子域值、Ticket$_{mobile}$ 无效。本命令包为非分段包，网络层包头字节数为 14 字节。

步骤 2：加入成功响应经过 B、F 路由设备到移动设备，移动设备收到加入成功响应后成功加入网络并获取 Ticket$_{mobile}$。

步骤 3：WIA-PA 工业无线网络中，路由设备在网关设备处入网时，网关设备作为父节点在其父子节点关系信息表中记录待入网路由设备为其子节点；路由设备在在网路由设备处入网时，在网路由设备作为父节点在父子节点关系信息表中记录待入网的路由设备为其子节点。网络管理者查询网关设备中的父子节点关系信息表，并依据查询信息发送 Ticket$_{net}$ 分发命令包给父子节点关系信息表中所有的路由设备，Ticket$_{net}$ 分发命令包用于路由设备/网关设备分发 Ticket$_{net}$，Ticket$_{net}$ 分发命令包格式如表 2.20 所示。

表 2.20　Ticket$_{net}$ 分发命令包格式

14 字节	1 字节	8 字节
网络层包头	命令标识符 = 33	Ticket$_{net}$

其中 Ticket$_{net}$ 分发命令包命令标识符为 33。本命令包为非分段包，网络层包头字节数为 14 字节。

相应路由设备收到 Ticket$_{net}$ 分发命令包并保存 Ticket$_{net}$ 后，继续查询自身存储的父子节点关系信息表，并依据查询信息将 Ticket$_{net}$ 发送给父子节点关系信息表中所有的路由设备，以此进行 Ticket$_{net}$ 的分发。Ticket$_{net}$ 以上述分发方式在网络中的分发次数为 n 次。

Ticket$_{net}$ 分发的具体方法如下：该网络组网时，路由设备 A、B 和 C 在网关设备处入网，路由设备 G 在路由设备 A 处入网，路由设备 F 在路由设备 B 处入网，路由设备 E 和 D 在路由设备 C 处入网。网关设备在父子节点关系信息表中查询在网关设备处入网的路由设备，查询得到路由设备 A、B 和 C，发送 Ticket$_{net}$ 分发命令包给路由设备 A、B 和 C，路由设备 A、B 和 C 收到 Ticket$_{net}$ 分发命令包并保存 Ticket$_{net}$。路由设备 A 查询自身父子节点关系信息表得到路由设备 G，发送 Ticket$_{net}$ 分发命令包给路由设备 G，路由设备 G 收到 Ticket$_{net}$ 分发命令包并保存 Ticket$_{net}$；路由设备 B 查询自身父子节点关系信息表得到路由设备 F，发送 Ticket$_{net}$ 分发命令包给路由设备 F，路由设备 F 收到 Ticket$_{net}$ 分发命令包并保存 Ticket$_{net}$；路由设备 C 查询自身父子节点关系信息表得到路由设备 D 和 E，发送 Ticket$_{net}$ 分发命令包给路由设备 D 和 E，路由设备 D 和 E 收到 Ticket$_{net}$ 分发命令包并保存 Ticket$_{net}$，分发路径如图 2.34 所示。

若有新的路由设备加入网络，则在新路由设备加入网络过程中，其选定的簇头为其分发 Ticket$_{net}$。

（4）Ticket$_{net}$ 和 Ticket$_{mobile}$ 的存储。Ticket$_{net}$ 缓存于在网路由设备和网关设备，Ticket$_{mobile}$ 固定存储于移动设备。

（5）Ticket$_{net}$ 和 Ticket$_{mobile}$ 的更新。本技术方案提供四种 Ticket$_{net}$ 和 Ticket$_{mobile}$ 的更新模式，用户根据实际情况自选更新模式。

更新模式 1：记移动设备在第一次离开网络的时间为 t_1，经过一段时间 t 后，Ticket$_{net}$ 自动更新到 Ticket$_{net1}$，同时 Ticket$_{mobile}$ 自动更新到对应的 Ticket$_{mobile1}$。后续更新重复该过程。

更新模式 2：在移动设备重复入网 g 次以后，其中 g 的取值依据网络规模而选定，在第 $g+1$ 次入网时，安全管理者生成新的 Ticket$_{net}$ 和 Ticket$_{mobile}$，再次执行 Ticket$_{net}$ 和 Ticket$_{mobile}$ 的分发过程。

更新模式 3：设定 Ticket$_{net}$ 和 Ticket$_{mobile}$ 最大存活时间 T，超过最大存活时间 T 后，WIA-PA 网络中的路由设备和网关设备自动清除 Ticket$_{net}$，移动设备同时清除 Ticket$_{mobile}$。移动设备在下一次入网时，采用移动设备第一次入网过程入网。

更新模式 4：对 Ticket$_{net}$ 和 Ticket$_{mobile}$ 不更新。

本技术方案中报文分析中采用了更新模式 4。

①移动设备收到加入成功响应后成功地加入网络并获取 Ticket$_{mobile}$。

②采用 Ticket$_{net}$ 的分发过程将 Ticket$_{net}$ 发送到所有在网路由设备，在网路由设备缓存 Ticket$_{net}$。

（6）移动设备第 k（$k \geq 2$）次重复入网过程。移动设备第 k（$k \geq 2$）次重复入网过程如图 2.35 所示，移动设备第 k（$k \geq 2$）次重复入网需要经历如下步骤：

①移动设备持续监听网络内的可用信道，获得在网路由设备或者网关设备发出的信标。

②移动设备选择发出信标的其中一个路由设备或者网关设备作为簇头，根据信标内的时间信息完成时间同步。

③移动设备向选定的簇头发出移动设备再次加入请求，移动设备再次加入请求命令包用于移动设备重复入网时发送加入请求，移动设备再次加入请求命令包格式如表 2.21 所示。

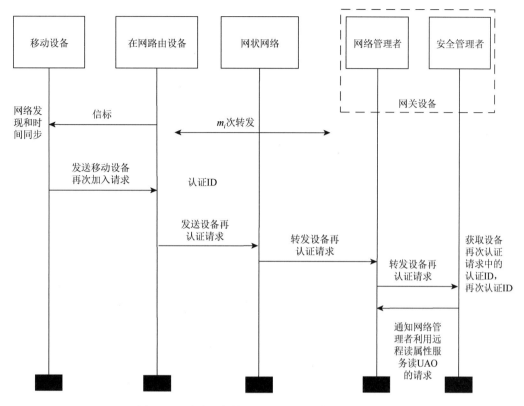

图 2.35　移动设备第 k（$k \geqslant 2$）次重复入网过程图

表 2.21　移动设备再次加入请求命令包格式

14 字节	1 字节	24 字节
网络层包头	命令标识符 = 34	Ticket$_{mobile}$

其中，移动设备再次加入请求的命令标识符为 34。本命令包为非分段包，网络层包头字节数为 14 字节。

④收到移动设备再次加入请求后，簇头根据 Ticket$_{mobile}$ 中的 Key 解密 Ticket$_{net}$ 得到认证 ID 并与 Ticket$_{mobile}$ 中的认证 ID 进行比对，若不相同，拒绝入网，若相同，则预先分配链路资源，接入网络，并发送设备再认证请求给网络管理者，设备再认证请求命令包用于路由设备转发设备再认证请求，设备再认证请求命令包格式如表 2.22 所示。

表 2.22　设备再认证请求命令包格式

14 字节	1 字节	8 字节
网络层包头	命令标识符 = 32	解密后的认证 ID

其中，设备再认证请求命令包的命令标识符为 32。解密后的认证 ID 用于安全管理者的认证。本命令包为非分段包，网络层包头字节数为 14 字节。

⑤网络管理者收到设备再认证请求后转发给安全管理者。

⑥安全管理者收到设备再认证请求后获取认证 ID，将此认证 ID 与网络管理者存储的认证 ID 进行比对，若相同，则通知网络管理者利用远程读属性服务读用户应用对象（user application object，UAO）的请求，若不同，则不做任何响应。

⑦簇头等待网络管理者利用远程读属性服务读 UAO 的请求，若在一段时间后未收到该请求，则主动断开该移动设备；若在一段时间后收到该请求，则安全管理者分配相应的权限给该移动设备。

6. 基于传感器网络的 XMPP 协议安全接入方法

1）背景

XMPP 是一种以可扩展标记语言为基础的开放式实时通信协定，是经由互联网工程工作小组（Internet Engineering Task Force，IETF）通过的互联网标准。XMPP 协议具有开放性和扩展性等特性，在无线传感器网络中有着更广泛的应用前景。

XMPP 协议采用了开放式的协议，更有助于无线传感器网络实现物到物、人到物的标准化的信息传输目标；作为一个应用层协议，XMPP 协议的使用还能满足无线传感器网络应用多样化的需求，同时也更利于服务的扩展；此外，XMPP 采用统一的可扩展标记语言和分布式的网络构架，能够解决无线传感器网络中各类不同应用数据交互时格式不统一的问题，实现异构无线传感网的互操作。

传统的 XMPP 协议安全机制中，XMPP 节点试图登录网络时，首先需与服务器建立 TCP 链接，在建立链接后，使用传输层安全协议（transport layer security，TLS）握手机制用于实现传输层的认证，以及密钥协商和可靠协商，并使用协商的密钥对传输层进行安全保护。同时 XMPP 协议定义了应用层认证机制——SASL 握手机制，使服务器能够对节点进行身份认证。其中 TLS 作为一个可选机制，服务器需要先对节点身份进行认证，采用的认证机制基于 X.509 证书，服务器需要向节点出示公钥证书。同时密钥协商的方式大致分为两种：RSA 公钥加密方法和 Diffie-Hellman 密钥协商方式，由于无线传感器节点能量和存储空间限制，RSA、ECC 等加密算法很难在节点中实现，TLS 的使用受限，SASL 握手机制中所使用的认证方法，如 PLAIN（RFC4616）、EXTERNAL（RFC2222）的安全性也无法得到保证。此外，TLS 握手机制需要多达十几次的消息交互，再加上 SASL 机制的，通信开销太大，适用于能量受限的无线传感器网络。

为解决上述问题，作者提出了一种基于无线传感器网络的 XMPP 协议安全机制，即 DIGEST-AES 安全机制。

2）技术方案

鉴于传统 XMPP 安全机制在无线传感器网络中应用时算法的限制及消息交互次数过多等问题，DIGEST-AES 安全机制在保证 XMPP 原有协议框架和通信模式的同时，引入以 AES 算法为基础的低开销安全算法，同时在保证基本安全功能和安全强度的基础上，精简 XMPP 节点与服务器的消息交互过程，使得传感器网络 XMPP 节点与 XMPP 服务器之间能够安全有效地建立 XML 流，实现 XMPP 节点初始化、节点与服务器的密钥协商、

XMPP 节点入网认证和节点授权等安全功能，如图 2.36 所示，用以保证 XMPP 节点的安全登录和数据交互。

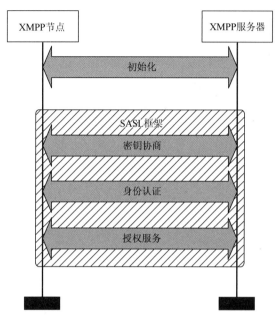

图 2.36 整体实施示意图

其具体安全功能如下所示。

节点初始化：XMPP 节点向 XMPP 服务器提交注册信息，XMPP 服务器接收并存储节点的相关信息，该信息可以用于协助完成 XMPP 服务器与 XMPP 节点的密钥协商和身份认证。

密钥协商：该部分是安全链路建立的基础，在发起会话之前，通过交互密钥信息并结合 XMPP 节点的注册信息，进行密钥协商，建立主密钥，然后利用主密钥派生出各类会话密钥用于保护链路安全。该安全功能是实现信息保密性与完整性的安全需求的基础，并且对 TLS 协议进行了改进，替换掉了原有 TLS 协议中通过交互证书并使用 Diffie-Hellman 的高开销的密钥协商方法，密钥协商效率和能耗开销得到明显优化。该部分为可选安全功能，在密钥协商完成过后，所有的通信数据都必须在 TCP 层使用相应的安全密钥加密。

节点身份认证：通过 XMPP 服务器对 XMPP 节点的身份认证，保证只有已注册的合法节点才能介入网络，并为其分发有效的网络资源与安全资源。该方案是保障网络安全的基础。该部分在 XMPP 协议的框架下，对原有的 SASL 协议进行了改进，使得 XMPP 服务器能够有效地验证用户身份的同时认证效率和能耗开销明显优化，更适用于传感网。

授权：当一个 XMPP 节点需要替代其他节点完成操作时，可以通过使用授权标识符执行授权操作，如当温度采集节点 A 失效时，A 附近的节点 B 可以代替 A 完成数据采集工作。授权功能为可选功能，且与身份认证同步完成，当不需要使用授权时，授权标识符为缺省。

基于无线传感器网络的 XMPP 安全接入方法包括以下步骤。

步骤 1：XMPP 传感网节点初始化，即带内注册，即节点使用带内注册的方式实现 XMPP 节点初始化，注册时提交的信息为节点纯 JID、提交的 password、节点的标识符 email。

步骤 2：使用 DIGEST-AES 算法，XMPP 传感网节点与 XMPP 服务器进行密钥协商，密钥协商算法使用带密钥的哈希算法 HMAC_MMO（）生成共享主密钥，即

$$premaster\ secret = HMAC\_MMO_{password}[Nounce_{server} \parallel Nounce_{node} \parallel EUI_{server} \parallel EUI_{node}]$$

步骤 3：XMPP 服务器对 XMPP 节点进行身份认证，即身份认证使用带密钥的哈希算法 HAMC_MMO（），输入服务器生成 $Nounce_{server}$ 及节点的 EUI 地址，生成认证码，即

$$MAC = HMAC\_MMO_{password}[EUI_{node} \parallel Nounce_{server}]$$

步骤 4：使用以 AES 算法为基础的开销通信协议，XMPP 节点执行授权操作，即节点授权采用授权表的方式，服务器通过身份认证，通过授权表比对授权实体，完成节点的授权操作。

各步骤的具体过程如下所示。

（1）初始化过程。XMPP 节点向服务器发送注册请求，为了确定服务器需要的注册字段，XMPP 节点需要首先发送一个 iq 消息进行询问。

XMPP 服务器返回节点注册需要提交的字段，包括节点需提交的用户名、密码信息和用户信息标识（如电子邮箱地址）。

XMPP 节点向服务器发送注册字段对应的值，XMPP 节点输入相关信息后，确认发送给服务器。

XMPP 服务器接收到提交的注册信息后，判断所提交的注册信息是否完整或服务器中已有，如果都不符合，则服务器返回注册成功消息，并将用户信息标识作为节点的纯 JID；否则，返回注册失败响应，并注明失败原因。初始化实施示意图如图 2.37 所示。

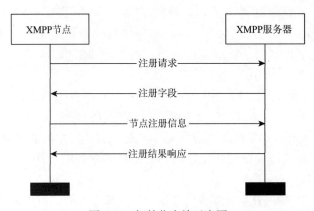

图 2.37　初始化实施示意图

（2）密钥协商方法。当 XMPP 节点登录时，将不再使用传输层安全协议 TLS 握手机制，而是在建立 TCP 链接后，初始化一个流，直接在 SASL 的框架内实现密钥协商的功能，并在协商完成以后，使用协商的密钥在应用层对实体间发送的 XML 流进行加密和完整性校验。在 XMPP 节点与服务器完成密钥协商以后，服务器对节点进行身份认证。

XMPP 节点向服务器发送一个初始化流，用以打开一个 XML 流。XMPP 服务器回复一个流标签作为应答，其中包含一个用于无线传感器网络的 DIGEST-AES 安全机制。XMPP 节点选择 DIGEST-AES 安全机制。

XMPP 服务器向 XMPP 节点发送经 password 加密的密钥交换信息，加密算法的输入包括服务器的纯 JID、服务器的 EUI 地址和服务器生成的随机数 $Nounce_{server}$，其中，password 为初始化过程中节点提交的密钥，密钥协商消息采用常见的[BASE64]编码。

XMPP 服务器向 XMPP 节点发送一个 Sever_Hello_done 空消息，表示密钥交换信息发送完毕。

XMPP 节点向 XMPP 服务器发送经 password 加密的密钥交换消息，包括节点的纯 JID、64 位 EUI 地址及节点生成的随机 $Nounce_{Node}$，未与资源绑定的 XMPP 设备的地址通常称为纯 JID，密钥协商消息采用常见的[BASE64]编码。

XMPP 节点得到服务器的密钥消息后进行解密，并使用带密钥的哈希算法 HMAC_MMO（），计算得到共享主密钥，输入为服务器和节点分别生成的随机数、服务器和节点的 64 位 EUI 地址，生成密钥为注册时节点提交的 password，使用 premaster 加密自己的纯 JID 并发送至服务器。

XMPP 服务器使用同样的方法计算得到 premaster secret，使用 premaster secret 加密自己的纯 JID 并发送至 XMPP 节点。

节点各自使用 premaster 解密收到的消息，如果解密后的消息与实体的纯 JID 对应，则密钥协商成功，并且对此后应用层的流都使用密钥进行加密，否则密钥协商失败。密钥协商过程示意图如图 2.38 所示。

（3）身份认证方法。在 XMPP 节点与 XMPP 服务器完成密钥协商以后，服务器对节点进行身份认证。

XMPP 服务器发送一个[BASE64]编码的挑战给 XMPP 节点，挑战包括域 realm、服务器新生产的随机数 $Nounce_{server}$、XML 流所采用的编码方式 charset 及认证算法 algorithm。

XMPP 节点在接收到挑战后，使用在注册过程中提交的 password 对挑战中的 $Nounce_{Node}$、节点的 EUI 地址通过 HMAC_MMO 算法进行处理，得到 MAC，并构造认证消息，消息包含用户名 username、域 realm、生产的 MAC、采用的编码方式和认证算法，将认证消息进行[BASE64]编码并发送到服务器。

XMPP 服务器接收到认证消息后，采用同样的算法对消息进行认证，如果认证通过，则回复消息；否则，回复入网失败的响应。身份认证过程示意图如图 2.39 所示。

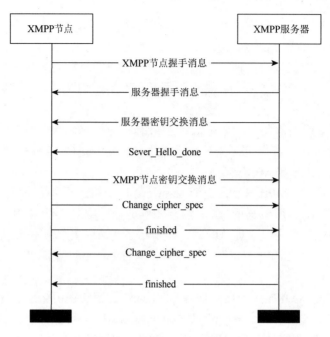

图 2.38　密钥协商过程示意图

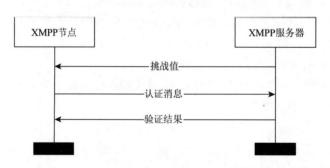

图 2.39　身份认证过程示意图

（4）授权服务方法。当一个 XMPP 节点需要代替另一个节点执行操作时，该节点需要在回复的认证消息中加入所授权节点的纯 JID，服务器在完成对节点身份的认证以后将与服务器中的授权表进行比对，确定该节点是否允许授权操作。

注册与密钥协商机制同样采用未进行授权服务的步骤，当节点需要进行授权操作时，授权操作主体将在构造的认证报文中加入被授权节点的纯 JID。

XMPP 节点在接收到挑战后，使用在注册过程中提交的 password 对挑战中的 $Nounce_{Node}$、节点的 EUI 地址通过 HMAC_MMO 算法对节点的 64 位 EUI 地址和服务器生成的随机数 $Nounce_{server}$ 进行处理，得到 MAC，并构造认证消息，认证消息由被授权节点纯 JID、授权主体的 username、域 realm、生成的 MAC、编码方式 charset 及认证算法 algorithm 组成，再将认证消息进行[BASE64]编码并发送到服务器。

XMPP 服务器接收到认证消息后，采用同样的算法进行认证，如果认证通过，则在授权表中查找 authzid 是否允许该节点对被授权节点进行授权，如果允许则返回认证和授权成功的结果；否则，返回失败的结果。

7. 一种安全的分层无线传感器网络数据聚合方法

1）背景

无线传感器网络在很多领域都有应用，因此必须保证网络的安全性。考虑到无线传感器网络中节点资源的有限性，这是一个严峻的挑战。同时，部署的节点是分开的，需要协同向基站传输感知数据。为了减少发送数据的数量，可以在传感器节点到接收器的路径上应用聚合方法。然而，通常携带的信息包含机密数据。因此，需要一种安全聚合方法。

分层无线传感器网络在许多领域得到了广泛的应用。网络被划分为几个簇，其中一个簇头节点作为管理代理。传感器节点的资源限制使数据传输量最小化，以提高传感器的平均寿命和总体带宽利用率[9-12]。因此，有效的数据聚合方法对于降低数据传输阶段的通信开销具有重要作用。

数据聚合是对传感器数据进行汇总和组合，以减少网络中的数据传输量的过程[13, 14]。由于分层无线传感器网络通常部署在敌对环境中传输敏感信息，因此安全性非常重要。数据聚合协议在设计时必须考虑到安全性。在原始数据采集阶段，攻击者可以向聚合节点发送重放和伪造消息。在数据聚合阶段，簇头节点的能量可能会被 DoS 攻击快速消耗。此外，聚合数据很容易受到攻击，而在聚合数据传输阶段，数据机密性和完整性等安全问题非常重要。

鉴于安全数据融合机制的应用在传感器网络中的重要意义，国际电信联盟远程通信标准化组织（International Telecommunications Union Telecommunication Standardization Sector，ITU-T）在 2012 年制定的 ISO/IEC FDIS 29180 标准中明确提出：建议传感器网络提供端到端加密的数据融合机制。传感器网络标准工作组在 2012 年提交的国家标准报批稿《传感器网络　信息安全通用技术规范》也对传感器网络中安全数据融合机制的采用提出了需求，并对采用该机制后的效果做出了具体要求：安全数据融合机制应在任何条件下保障融合数据的真实性和准确性及融合数据的传输安全[15]。

目前，提高原始数据的安全性和采用安全融合方法是实现无线传感器网络安全数据融合的两个主要途径，而提高原始数据安全性需要引入高强度认证机制，涉及大量的时间和能量开销，不适用于资源受限的传感器网络[16-20]。因此，在高强度认证机制的引入势必带来高开销的情况下，研究与设计适用于无线传感器网络的安全数据融合机制，采用安全的低开销数据认证方法和安全数据融合方法相结合的方式，降低恶意节点对融合结果产生的影响，实现融合数据的安全生成与传输安全，可在保障数据安全的同时降低网络计算开销与通信开销，不仅具有重大的理论意义，也具有较高的应用价值[21-23]。

有鉴于此，作者提出了一种基于可再生散列链的分层无线传感器网络安全数据聚合方案，该安全数据聚合方案包括一种可再生散列链生成方法和一种考虑机密性及完整性的数据认证方法。

2）技术方案

安全数据融合机制应用于由基站、簇头节点和普通传感器节点所组成的低功耗无线传感器网络，融合模型结构如图 2.40 所示。节点安全入网后根据预先约定的规则形成多个簇，簇内普通节点负责数据采集，簇头节点负责数据融合，融合信息直接或通过中间簇头转发至基站。

基站：基站具有无限的存储容量和能量。基站管理网络中的所有节点。

簇头节点：簇头节点在网络中充当管理代理，响应数据聚合，将聚合数据直接或通过中间节点（其他簇头节点）传输到基站。每个簇由一个簇头节点和几个公共节点组成。

公共节点：公共节点响应数据采集，并将采集到的原始数据发送给集群中的簇头节点。在预准备阶段，节点可以安全组网、加入网络、形成多个集群。

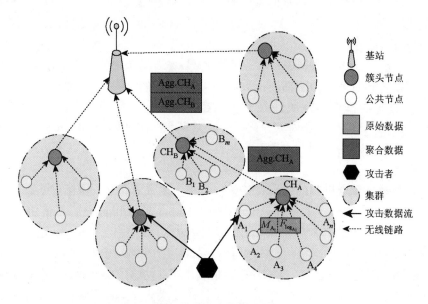

图 2.40　融合模型结构

攻击者：攻击者可以直接向簇头节点发送伪造数据，也可以通过被攻击节点发送伪造数据。

本方案中的密钥种类及生成方法如表 2.23 所示。

表 2.23　密钥种类及生成方法

密钥类型	符号	描述
个体密钥	$k_{SN_i, BS}$	预先存储在节点上，网内节点与基站单独共享
加入密钥	k_j	预先存储在节点上，节点入网过程使用

续表

密钥类型	符号	描述
主密钥	k_m	预先存储在节点上，全网共享的密钥
对密钥	$k_{A,B}$	两个节点之间通过协商后生成的共享密钥
簇密钥	k_{CH}	簇形成之后由簇头节点取自身生成的单向散列链中某一对应元素作为当前簇密钥

安全的分层无线传感器网络数据聚合方法中的安全数据融合机制包括可再生散列链方法、密钥生成和建立方法及身份认证方法。

（1）可再生散列链方法。散列链具有计算效率高的特点，适用于无线传感器网络，同时，为数据完整性认证和数据原始认证提供轻量级安全服务。散列链目前已广泛地应用于各种加密服务，如密钥分发、数字签名和广播认证。

作者提出一种新的可再生散列链的构造方法，用于密钥更新、数据原始认证和数据聚合保护。假设节点 A 是发布者，它在发送消息时准备身份验证数据。节点 B 作为验证者，通过验证码的比较，对数据认证做出响应。

①发布者节点构造身份验证数据。

步骤 1：网络初始化时将哈希函数 h[24]同时部署在发布者 A 和验证者 B 上，发布者 A 选取 n 字节随机种子 S_v 和 S_{v+1}，利用函数 h 计算 2 条长度为 m 的散列链（图 2.41），链尾元素分别为 $h^m(s_v)$ 和 $h^m(s_{v+1})$。其中 $h^m(s_v)=h(h(h(h(\cdots h(s_v)\cdots))))$、$h^m(s_{v+1})=h(h(h(h(\cdots h(s_{v+1})\cdots))))$，散列链上各元素的长度均为 y 字节（其中 y/m 为整数）。

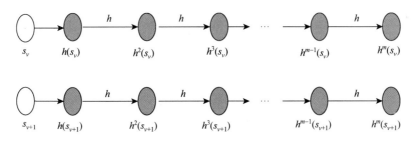

图 2.41　发布者生成的散列链示意图

步骤 2：发布者 A 利用散列链信息，通过式（2.3）计算完整性校验码。

$$\text{MAC}_{A,B}=(h)(N_{A,B},(h)^{m-i}(s_v),((h)^m(s_{v+1}))_k) \tag{2.3}$$

式中，$N_{A,B}$ 为 A 和 B 之间的序列号，用于防重放攻击；i 表示散列链的已释放次数（首次释放时 $i=0$）；$(h^m(s_{v+1}))_k$ 为 $h^m(s_{v+1})$ 的第 $(y\times(k-1)/m)+1$ 至 $y\times k/m$（包括 $y\times k/m$）共 y/m 字节的数据，其中，$k=i+1$。

步骤 3：发布者 A 通过式（2.4）构造消息 MM 并发送至验证者 B。

$$M=\text{ID}_A\,\|\,\text{ID}_B\,\|\,E_{h^{m-i+1}(s_v)}(N_{A,B}\,\|\,h^{m-i}(s_v)\,\|\,(h^m(s_{v+1}))_k\,\|\,k\,\|\,\text{MAC}_{A,B}) \tag{2.4}$$

式中，ID_A、ID_B 分别为发布者与验证者地址信息；k 为截取位置标记；E 为加密函数，首次发送时，消息加密密钥为 A、B 之间的个体密钥或主密钥（后续设计将依据不同的条件进行区别）。

步骤 4：当第 m 次释放时（$i = m-1$），释放 $h(s_v)$，该传统哈希链（conventional Hash chain，CHC）被耗尽，同时 y 字节的 $h^m(s_{v+1})$ 也已经分 m 次发送给验证者。此时，发布者选取随机种子 S_{v+2} 计算新的散列链，然后构造式（2.5）所示更新命令 M_{Update}，并通知验证者开始启用新的散列链。

$$M_{\text{Update}} = \text{ID}_A \| \text{ID}_B \| E_{h(s_v)}(\text{Update\_ID} \| N_{A,B} \| (h^m(s_{v+2}))_k \| \text{MAC}_{A,B}) \qquad (2.5)$$

式中，Update_ID 为更新标识符；$\text{MAC}_{A,B} = h(\text{Update\_ID}, N_{A,B}, (h^m(s_{v+2}))_k)$，$(h^m(s_{v+2}))_k$ 中 k 的值为 1。

步骤 5：下一轮发布阶段从再生链的倒数第二个元素 $h^{m-1}(s_{v+1})$ 开始逆序发布。

②接收节点分析和验证数据。

步骤 1：设发布者从散列链链尾元素开始逆序发布，验证者接收过程中没有遗漏。当验证者第 j 次接收到消息 MM 时，采用对应解密函数 D 对 $h^{m-j+2}(s_v)$ 解密得到 $N'_{A,B}$、$h^{m-j+1}(s_v)'$、k' 和 $\text{MAC}'_{A,B}$。

步骤 2：验证 $N'_{A,B}$，判断是否为重放数据，若为重放数据则丢弃，此消息验证结束，否则继续进行下一步。

步骤 3：计算 $\text{MAC}'_{A,B} = h(N'_{A,B}, h^{m-j+1}(s_v)', (h^m(s_{v+1}))'_k)$，判断是否等于 $\text{MAC}'_{A,B}$，若两者相等，则数据未被篡改，为有效数据，继续进行下一步，否则丢弃并向发布者发起重新发送该数据的请求。

步骤 4：计算 $h(h^{m-j+1}(s_v)')$ 是否等于 $h^{m-j+2}(s_v)$，若相等，则验证通过。

步骤 5：步骤 2～4 皆验证通过后，存储 $(h^m(s_{v+1}))'_k$，并记录对应的 k'。

③散列链的更新。

验证者收到发布者的更新命令 M_{Update} 时，已经与发布者完成 m 次发布-验证过程。当验证 M_{Update} 为有效消息后，验证者通过每次获取的 y/m 字节的 $h^m(s_{v+1})$ 和截取位置标记 k 进行重组，合成长度为 y 字节的 $h^m(s_{v+1})$，即第二条散列链的链尾元素，同时存储更新命令中的 $(h^m(s_{v+2}))'_k$，并记录对应的 k'，用于后续的更新过程。

在下一轮发布-验证阶段，当验证者收到发布内容并解析获得 $h^{m-1}(s_{v+1})'$ 后，计算 $h(h^{m-1}(s_{v+1})')$ 是否等于采用签名数据重组的 $h^m(s_{v+1})$，若相等，则发布者身份可信，即更新的散列链有效。上述过程可无限持续地进行，实现散列链的安全再生。

（2）密钥生成和建立方法。在节点部署到无线传感器网络之前，要准备好连接密钥和单个密钥。在网络阶段，节点通过使用连接密钥安全地加入网络。然后，生成散列链并用于密钥建立。基站和簇头节点随机地选择种子，生成长度为 m 字节的散列链。

基站为每个簇头节点计算和存储 2 个可再生哈希链。散列链元素用于密钥更新。

在第一次发布过程，基站发送最后链 $h^m(s_v)$ 的散列链为两两对应的簇头节点建立的关键。

在随后的发布阶段，簇头节点使用了散列链元素 $h^{m-i+1}(s_v)$ 作为哈希函数的输入。然后，将结果与之前的值进行比较。

如果基站链元素有效，则密钥更新过程将启用。

每个簇头节点生成并存储若干个可更新的基站链，用于簇间和簇内的密钥更新。

（3）身份验证方案。在该方案中，利用（2）中生成的密钥，提出一个具有保密性和完整性的认证方案。

①簇内身份验证。数据收集阶段，源节点将自身采样数据 M 及标签 Flag 采用簇密钥加密发送至对应簇头节点，消息构造方式如式（2.6）所示。其中节点 i 的标签 Flag_i 及 $\text{MAC}_{\text{SN}_i,\text{CH}}$ 的计算方式分别如式（2.7）和式（2.8）所示。

$$\text{SN}_i \to \text{CH} : \text{ID}_i \parallel N_i \parallel E_{k_{\text{CH}}}(\text{Flag}_i \parallel M_i \parallel \text{MAC}_{\text{SN}_i,\text{CH}}) \qquad (2.6)$$

$$\text{Flag}_i = h(k_{\text{SN}_i,\text{BS}}, \text{ID}_i, N_i) \qquad (2.7)$$

$$\text{MAC}_{\text{SN}_i,\text{CH}} = F(k_{\text{CH}}, \text{ID}_i \parallel N_i \parallel \text{Flag}_i \parallel M_i) \qquad (2.8)$$

式中，$k_{\text{SN}_i,\text{BS}}$ 为节点 i 与基站之间的个体密钥；k_{CH} 为当前簇密钥；ID_i 为节点的地址信息；N_i 为节点 i 当前发送的数据包的序列号；F 为校验函数。

簇头节点在收到簇内节点的原始数据信息后，将消息解密并提取得到 ID_i'、N_i'、Flag_i'、M_i' 及 $\text{MAC}_{\text{SN}_i,\text{CH}}'$。首先验证 N_i'，判断是否为重放数据，若为重放数据则丢弃该消息，若为非重放数据则计算 $\text{MAC}_{\text{SN}_i,\text{CH}}'' = F(k_{\text{CH}}, \text{ID}_i' \parallel N_i' \parallel \text{Flag}_i' \parallel M_i')$，判断是否等于 $\text{MAC}_{\text{SN}_i,\text{CH}}'$，若两者相等则数据有效，簇内认证通过。

②簇间身份验证。簇头节点 A 完成簇内数据的融合后，将根据式（2.9）构造的融合消息采用 A、B 之间的密钥加密后发送给 B，认证码构造方式如式（2.10）所示。

$$\text{CH}_\text{A} \to \text{CH}_\text{B} :$$

$$\text{ID}_\text{A} \parallel N_{\text{A},\text{B}} \parallel E_{k_{\text{A},\text{B}}}(E_{k_{\text{BS},\text{CH}_\text{A}}}(\text{Agg.CH}_\text{A} \parallel \text{ID}_i \parallel N_i \parallel \text{Flag}_i) \parallel h^x(s_u)_\text{A} \parallel \text{MAC}_{\text{CH}_\text{A},\text{CH}_\text{B}}) \quad (2.9)$$

$$\text{MAC}_{\text{CH}_\text{A},\text{CH}_\text{B}} = F(k_{\text{A},\text{B}}, \text{ID}_\text{A} \parallel N_{\text{A},\text{B}} \parallel E_{k_{\text{BS},\text{CH}_\text{A}}}(\text{Agg.CH}_\text{A} \parallel \text{ID}_i \parallel N_i \parallel \text{Flag}_i)) \quad (2.10)$$

式中，ID_A 为簇头节点 A 的地址信息；$N_{\text{A},\text{B}}$ 为序列号；Agg.CH_A 为簇头节点 A 生成的融合消息；ID_i 为簇头节点 A 的某个参与了本次融合过程的叶子节点地址信息；N_i 为其参与融合的数据包序列号；Flag_i 为该节点标签，$h^x(s_u)_\text{A}$ 为簇头节点 A 当前用于向簇头节点 B 证实自身身份的某个散列值，$E_{k_{\text{BS},\text{CH}_\text{A}}}$ 为簇头节点 A 与基站之间的密钥，$E_{k_{\text{A},\text{B}}}$ 为簇头节点 A 与 B 之间的密钥。

簇头节点 B 在收到簇内节点的原始数据信息后，将消息解密得到 $N_{\text{A},\text{B}}'$、$h^x(s_u)_\text{A}'$ 及 $\text{MAC}_{\text{CH}_\text{A},\text{CH}_\text{B}}'$ 后，首先验证 $N_{\text{A},\text{B}}'$，若为重放数据则丢弃该消息，若为非重放数据，计算 MAC 码，验证通过则数据有效，继续比较当前存储的 A 的散列值与 $h^x(s_u)_\text{A}'$ 是否一致，若不一致，继续计算 $h(h^x(s_u)_\text{A}')$ 并进行比较，两次比较结果有一次成功则簇间认证通过。

③簇头节点与基站之间的身份验证。中间簇头节点 B 完成簇间数据融合后，将融合信息采用基站与簇头节点 B 之间的对密钥加密并发送至基站，消息构造方式与簇间传递的构造方式类似，其中 $R_{A_i} = (\mathrm{ID}_i \| N_i \| \mathrm{Flag}_i)$。基站收到融合数据包，首先对其进行新鲜性验证，验证通过后，解密融合数据包并提取载荷信息，同时对融合数据包进行 MAC 码验证，验证通过则提取融合信息，然后通过簇头地址信息，查询并选取对应的密钥进行解密，获取 $(\mathrm{Agg.CH_A} \| \mathrm{ID}_i \| N_i \| \mathrm{Flag}_i)'$、$(\mathrm{Agg.CH_B} \| \mathrm{ID}_j \| N_j \| \mathrm{Flag}_j)'$，然后计算比较 $\mathrm{Flag}_i'' = h(k_{\mathrm{SN}_i,\mathrm{BS}}, \mathrm{ID}_i, N_i)$ 是否与 Flag_i' 一致，若一致则对应的融合消息 $\mathrm{Agg.CH_A'}$ 有效，同理可得 $\mathrm{Agg.CH_B'}$ 的认证方式。

该方案在消息传递过程中采用逐步认证的分布式认证方法实现对融合数据的完整性保护，同时利用散列链的单向性与节点标签信息实现数据源认证，利用单调递增计数器生成序列号与密钥相结合的方式进行数据新鲜性的验证，对篡改、重放及伪造等网络攻击具有抵抗效果。

8. 用于工业无线网络的防重放攻击系统

1）背景

在无线网络中，数据传输利用微波在空气中进行辐射传播，攻击者可以在无线接入点所覆盖的任何位置侦听、拦截、重放、破坏用户的通信数据。在这些攻击中重放攻击是一种最常见的、危害性最大的攻击。在可以受到攻击的认证协议中，90%以上都来自于重放攻击。重放攻击也称为新鲜性攻击，就是攻击者发送一个目的主机已接收的包。

目前对于重放攻击的研究主要是针对协议本身，而对重放攻击造成系统资源的消耗等方面很少涉及。比较常用的新鲜性检查机制就是时间戳和挑战-应答机制。消息附带的时间戳标明该消息发送的系统时间，时间戳能够保证消息在一段时间内的新鲜性，接收方只接收时间戳与当前系统时间的差值在设定范围之内的消息。这种给关键信息加上单个时间戳的机制只能保证消息是在最近一段时间内发送的，但不能保证消息的确定性和唯一性。另一种常用的 Needham-Schroeder 对称密钥协议也容易遭受重放攻击，假设攻击者能够截获旧会话密钥，则冒充发送设备向接收设备重放消息后，欺骗接收设备，进而敌手就可以假冒发送设备使用经过认证的旧会话密钥向接收设备发送假消息，所以该协议不能保证数据的新鲜性，因此也不能应用于工业现场。

现有的一些方法虽然在防重放攻击方面取得了一些成果，但是大都以简化边界条件为前提，没有考虑到工业场合及复杂应用环境下，通过重放攻击耗尽系统的可用资源，最终破坏系统可用性，使得网络中的重放攻击的可能性高，潜藏着巨大的安全风险和安全隐患。工业无线网络的防重放攻击能力将直接影响整个网络总体上的信息安全、能量高效、容侵容错和高可用性等目标的实现。在现有的防重放攻击技术中，没有引入第三方检测机制，对系统资源消耗较大；未将重放攻击所消耗的系统资源与采用防重放攻击手段所带来的资源消耗进行比较，从而可能造成采用防重放攻击手段所带来的资源消耗比重放攻击所消耗的系统资源更大；此外，仅仅靠单一的时间戳机制不能保证消息的确定性和唯一性，不能有效地判断出重放攻击的数据包。

为了解决上述问题，本书提出一种用于工业无线网络的防重放攻击系统，引入第三方检测机制，以减少系统资源消耗。

2）技术方案

所述工业无线网络包括网关、路由设备、现场设备和网络安全管理器，所述用于工业无线网络的防重放攻击系统包括第三方检测模块，第三方检测模块用于检测工业无线网络中是否存在入侵数据包和重放攻击数据包，并将检测结果发送给网络安全管理器，网络安全管理器将重放攻击造成的系统资源消耗与采用防重放攻击手段所带来的资源消耗进行比较，以决定是否启用防重放攻击手段，可以有效地避免防重放攻击手段带来比重放攻击更大的系统资源消耗；发布者在数据包中加入创建时间和发送时间两个时间戳，能保证消息的确定性和唯一性，采用接收方检测机制，由接收方判断并丢弃重放攻击的数据包，可以解决身份认证等问题。

安全的网络应该具备深度防御功能，防重放攻击系统作为一种积极主动的深度防护技术，可以通过检测网络流量或主机运行状态，构建防重放攻击模块，监测防控工业无线网络中重放攻击，并做出响应，及时地给网络提供安全防护措施。防重放攻击技术是工业无线网络安全的关键组成部分。

基于此，在详细研究攻击实例的基础上，本书设计一种防重放攻击的工业无线网络架构，并在此结构上构建一种防重放攻击系统，从本地检测与全网监测的角度设计本地防重放攻击模块和第三方检测重放攻击模块，提出一种防重放攻击检测方法，采取合适的安全措施和安全管理，保证无线工业通信网络系统在开放的环境中能够安全地运行，保护网络内部的系统、资源和正常的通信秩序，是提高工业无线网络安全的关键。

工业无线网络通常由网络安全管理器、网关、路由设备、现场设备组成，本书的防重放攻击系统由第三方检测模块和加载于网关、路由设备和现场设备上的本地防重放攻击模块组成，如图 2.42 所示，第三方检测模块用于检测工业无线网络中是否存在入侵数据包和重放攻击数据包，并将检测结果发送给网络安全管理器，网络安全管理器根据第三方检测模块的检测结果决定是否启用防重放攻击策略，如提高安全等级或跳信道，通过启用本地防重放攻击模块来提高安全等级，丢弃重放攻击数据包。

第三方检测模块由全信道分析仪和防重放攻击检测分析系统组成，全信道分析仪针对工业无线网络全信道通信的特点，在 2.4G 收频段对网络中可能存在入侵的 16 个通信信道进行全信道监测，捕获各信道的数据包，发送给防重放攻击检测分析系统；防重放攻击检测分析系统与工业无线网络的系统管理系统、安全管理系统构成统一的系统，防重放攻击检测分析系统以第三方的身份监测网络流量和全网的数据包，对全网的数据包的相似度、捕获时间及相关时间戳信息进行分析，系统设置数据包相似度参数 Reseblence，作为评价数据包是否为重放数据包的依据，相似度参数可以由用户根据整个工业网络的安全等级和安全需求进行设定，防重放攻击检测分析系统接收到全信道分析器发送过来的数据包，将新接收到的数据包与之前一定时间内接收到的所有数据包进行比较和分析，该时间可以根据网络数据包平均发送速率和系统的安全级别由用户配置，当新接收到的数据包与原先接收到的数据包相似度参数超过 Reseblence 时，将这一新数据包锁定在重放攻击范围内，将这一情况记录并报告给网络安全管理器。

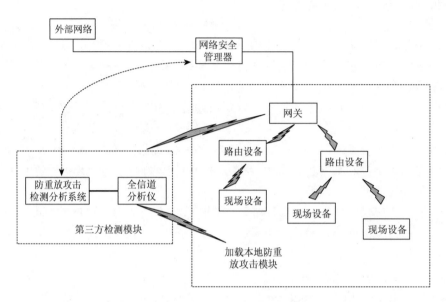

图 2.42　工业无线网络的防重放攻击系统的结构示意图

防重放攻击检测分析系统将所监测到的网络数据包情况报告给网络安全管理器，网络安全管理器计算出系统单位时间中所受到的重放攻击次数 N_X，假定系统处理一次重放攻击所引起资源的消耗为 W_X，计算单位时间内重放攻击所引起的资源的消耗 $P_T = N_X \times W_X$，同时系统获得单位时间内加载本地防重放攻击模块所引起系统额外资源的消耗 Q_T，将 P_T 与 Q_T 进行比较，如果 $P_T > Q_T$，则通过加载本地防重放攻击模块提高系统安全性所引起系统资源的消耗要小于系统处理这些重放攻击所引起的资源的消耗，系统将提高安全等级，启动本地防重放攻击模块，将相应的防重放攻击模块的使能位置 1。如果 $P_T \leqslant Q_T$，则通过加载本地防重放攻击模块提高系统安全性的同时，其资源的消耗大于或等于处理重放攻击所引起的资源的消耗，则根据重放攻击的本质，没有必要启动本地防重放攻击模块，将相应的防重放攻击模块的使能位置 0。

本地防重放攻击模块由发送端模块和接收端模块组成。本地防重放攻击模块采用时间戳检查机制，在发布者添加时间信息，在接收方构建重放检测机制，实现对重放攻击的防控。本书的防重放攻击机制必须要保证时间同步，是在工业无线网络全网时钟同步的基础上实施的。

只有在时间同步的基础上，数据在协议栈每一层处理才可以获得精确的时间信息。为了保证通信方式的可靠性，工业无线网络中的设备一定要进行时间同步，通常设置一个基准时间源，这个基准时间源一般由网关充当。网络内的设备仅与网关进行相对时间同步，以确保设备可以区分事件发生的先后次序。至于网关时间是否与 TAI（国际原子时）同步，作为可选功能。

根据图 2.42 工业无线网络的拓扑结构，网络时间同步分为两层：在网状网络中，网关为主时钟源，各个路由设备与网关进行时间同步；在星型网络中，每个路由设备为时间源，所有现场设备与之完成时间同步。

如图 2.43 所示，本地防重放攻击模块启动后，在时间同步的基础上，发送端与接收端的时间保持一致，发送端数据包在应用层获取数据包被创造时的时间 CreateTime，在 MAC 层获取消息发送的时间 SendTAITime。

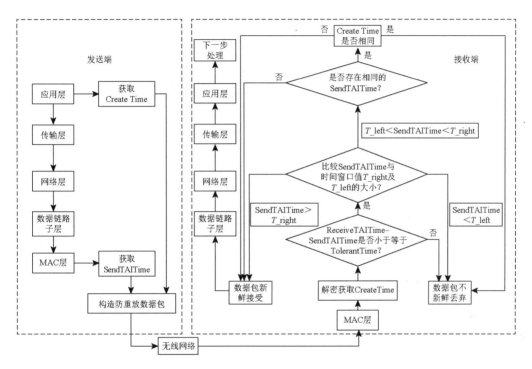

图 2.43 工业无线网络的防重放攻击系统中的数据发送接收流程图

在应用层获得消息的创造时间 CreateTime 用于标识包的唯一性，采用 CreateTime 的格式。在 MAC 层获取消息的发送时间 SendTAITime，用于保证数据包的新鲜性。CreateTime 时间戳和 SendTAITime 时间戳的格式如表 2.24 所示。

表 2.24 CreateTime 时间戳和 SendTAITime 时间戳的格式

位/8 位字节	0	1	2	3	4	5	6	7
1				截短的 TAI 时间/秒（bits 0～7）				
2				截短的 TAI 时间/秒（bits 8～15）				
3				截短的 TAI 时间/秒（bits 16～23）				

发送端模块构造防重放攻击的数据包，其帧格式如表 2.25 所示。

表 2.25　防重放攻击的数据包帧格式

IEEE 802.15.4MAC 帧头（MHR）	DPDU				FCS
	DLSL 帧控制	DLSL 载荷	防重放控 制字段	防重放校 验码	

其中 MAC 层协议数据单元 MPDU 构造的防重放数据包基于 IEEE802.15.4 数据帧，由 IEEE 802.15.4MAC 帧头（MHR）、DPDU 和 FCS（帧校验序列）组成。DPDU 由 DLSL 帧控制、DLSL 载荷、防重放控制字段和防重放校验码组成。

防重放攻击的数据包中的 DLSL 帧控制字段结构如表 2.26 所示。

表 2.26　防重放攻击的数据包中的 DLSL 帧控制字段结构

位：0	位：1	位：2	位：3	位：4～7
帧类型	时钟接收者	安全使能	防重放使能位	保留

第 0 位代表帧类型，用来指定传输帧的类型，0 表示数据帧，1 表示命令帧。第 1 位代表时钟接收者，用来指定设备是否为时钟接收者，0 表示是时钟接收者，1 表示不是时钟接收者。第 2 位安全使能位用来指定 DLSL 是否使用安全机制，0 表示不使用安全机制，1 表示使用安全机制。第 3 位防重放使能位用来指定 DLSL 是否使用防重放机制，0 表示启动本地防重放攻击服务，1 表示不启动本地防重放攻击服务。

防重放攻击的数据包中防重放控制字段结构如表 2.27 所示。

表 2.27　防重放攻击的数据包中防重放控制字段结构

字节数/比特位数	0	1	2	3～7
1	加密模式	系统容忍时间模式		保留

防重放控制字段包括加密模式和系统容忍时间模式。其中加密模式用于表示时间戳的加密方式，共有 4 种模式，其字段结构如表 2.28 所示。

表 2.28　加密模式字段结构

加密模式字段	描述
00	不加密 CreateTime，不加密 SendTAITime
01	仅加密 SendTAITime
10	仅加密 CreateTime
11	加密 CreateTime，加密 SendTAITime

当加密模式字段为 00 时，不加密 CreateTime，不加密 SendTAITime。当加密模式字

段为 01 时，仅加密 SendTAITime。当加密模式字段为 10 时，仅加密 CreateTime。当加密模式字段为 11 时，加密 CreateTime，加密 SendTAITime。

发送端根据加密模式字段中的标志位可以对所获取的时间戳进行加密，CreateTime 用于网关共享的应用层数据加密密钥加密，SendTAITime 可用于 DLL 密钥加密。从而防止攻击者截取数据包后对其中时间戳信息进行篡改，并利用这些时间戳信息构造防重放攻击的数据包。

本书推荐选用第三种方式，仅加密 CreateTime。

系统容忍时间模式字段用于保证发布者只接收发送时间和接收时间差值在容忍的时间范围内的数据包。系统容忍时间模式字段结构如表 2.29 所示，可以根据网络数据包平均发送速率和网络时延确定系统的容忍时间 TolerantTime。

表 2.29　系统容忍时间模式字段结构

系统容忍时间模式字段	描述
0	使用系统默认的容忍时间 TolerantTime
1	自定义

防重放校验码字段结构如表 2.30 所示。防重放校验码有六个字节，用于描述防重放校验码，包括容忍时间 TolerantTime、消息的创造时间 CreateTime、消息的发送时间 SendTAITime 和完整性校验码。防重放校验码字段结构主要用于构造防重放攻击的数据包。

表 2.30　防重放校验码字段结构

防重放校验码			
TolerantTime	CreateTime	SendTAITime	完整性校验码

首先通过校验完整性校验码 MIC 判断接收到的 DPDU 的完整性，然后在 MAC 层通过相应的密钥解密时间戳信息，获取消息的接收时间 ReceiveTAITime 和消息的发送时间 SendTAITime。

通过判断 ReceiveTAITime−SendTAITime≤TolerantTime 是否成立，来初步确定消息的新鲜性。若数据包初步新鲜，则进一步检查当前接收的数据包与之前已经接收过的数据包的发送时间和创造时间，如果当前接收的数据包的发送时间和创造时间与之前接收的某一数据包相同，则丢弃该数据包；本书采用滑动窗口检测协议进行检查，具体步骤如下所示。

步骤 1：接收方构建时间窗口结构示意图（图 2.44），以数据包的 SendTAITime 为滑动窗口的标识，假定滑动窗口大小设为时间 T，右窗口值为 T_right，则左窗口值 $T\_left = T\_right−T$。参见图 2.45，存储数据包时间信息的二维数组 a_time[N][2] 用于存储已经接收过的数据包的 SendTAITime 和 CreateTime。数组 a_time[N][2] 的大小根据网络在窗口时间内平均发包率来确定。TSn、TCn 分别为与当前时间滑动窗口右边缘 T_right 所代表的时间值最接近的时间值。

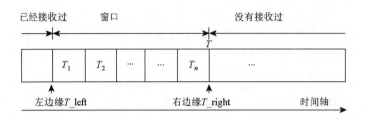

图 2.44　时间窗口结构示意图

SendTAITime	CreateTime
TS0	TC0
TS1	TC1
TS2	TC2
...	...
TSm	TCm
TSm+1	TCm+1
...	...
TSn	TCn

图 2.45　数组 a_time[N][2]结构示意图

步骤 2：接收方判断数据包的发送时间和接受时间的差值是否在容忍时间 TolerantTime 范围内（ReceiveTAITime–SendTAITime≤TolerantTime），若在容忍时间范围内，则进行下一步处理，若不在，则丢弃该数据包。

若该数据包在容忍时间范围内，则利用滑动窗口协议对数据包的新鲜性做第二次判断，根据接收方的路由设备和网关设备的存储与计算能力的不同，分为以下两种情况进行讨论。

（1）接收方是路由设备。由于路由设备存储能力有限，将时间窗口大小设为固定值 $T = T$_fixed。下面分两种情况来判断是不是重放数据包。

①若接收数据包的 SendTAITime 小于窗口左边缘所代表的时间值 T_left，则该数据包是重放的，接收方丢弃它。滑动窗口不移动。

②接收数据包的 SendTAITime 在时间窗口内，如图 2.46 所示，则分为以下四种情况进行讨论。

a. 若在窗口内未找到与当前数据包的 SendTAITime 相同的数据包，则将当前数据包的时间值按时间值顺序插入二维数组 a_time[N][2]中，如图 2.47 所示。

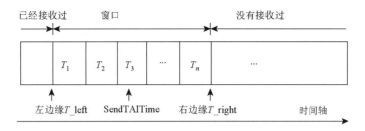

图 2.46　当前接收的数据包的发送时间在时间窗口内的示意图

	初始状态			插入后状态	
	SendTAITime	CreateTime		SendTAITime	CreateTime
	TS0	TC0		TS0	TC0
	TS1	TC1		TS1	TC1
新收到的数据包	TS2	TC2		TS2	TC2
NewTS NewTC	…	…		…	…
	TSm	TCm		NewTS	NewTC
	TSm+1	TCm+1		TSm	TCm
				…	…
				TSm+1	TCm+1

图 2.47　二维数组插入新数据包流程的示意图

b. 若在窗口内找到与当前数据包的 SendTAITime 相同的数据包，但在二维数组中查询发现数据包中的 CreateTime 不相同，则判定为新鲜数据包并接收它，同时将它的时间信息值插入二维数组中。

c. 若在窗口内找到与当前数据包的 SendTAItime 相同的数据包，在二维数组中查询发现数据包中的 CreateTime 也相同，则判定该数据包为重放数据包并将它丢弃掉。

d. 若接收的数据包的 SendTAITime 大于时间窗右侧边缘所代表的时间值 T_right，则认为是新鲜的，并将这个 SendTAITime 作为新的窗口的右边缘，左边缘也相对移动。同时将相应的时间值存入二维数组中，如图 2.48～图 2.50 所示。

（2）接收方是网关。由于网关存储量大，这里我们可以使用自适应滑动窗口，窗口大小可以根据单位时间内网络接收数据包的数量调整。如果单位时间内接收的数据包过多，则减小滑动窗口。如果单位时间内接收的数据包很少，则加大滑动窗口。

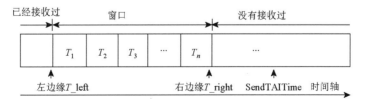

图 2.48　原时间滑动窗口示意图

已经接收过
窗口
没有接收过
T
T_1
T_2
…
…
T_n
…
新的左边缘T_left
SendTAITime作为新的右边缘
时间轴

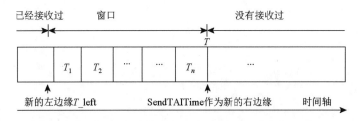

图 2.49　窗口滑动后的时间滑动窗口示意图

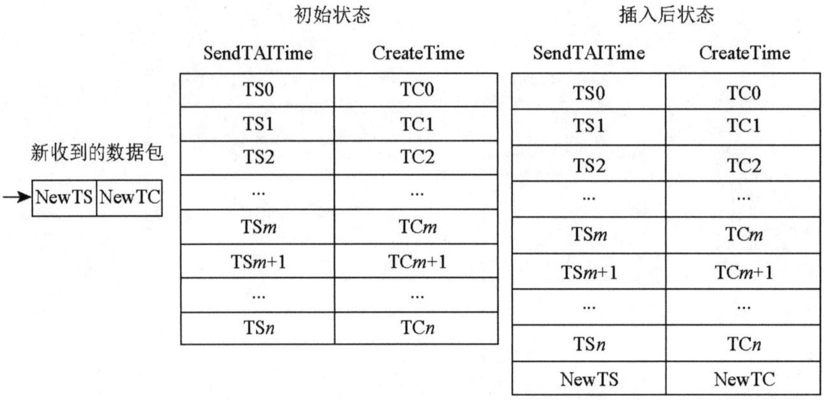

初始状态
SendTAITime
CreateTime
TS0　TC0
TS1　TC1
TS2　TC2
…　…
TSm　TCm
TSm+1　TCm+1
…　…
TSn　TCn
新收到的数据包
NewTS　NewTC
插入后状态
SendTAITime
CreateTime
TS0　TC0
TS1　TC1
TS2　TC2
…　…
TSm　TCm
TSm+1　TCm+1
…　…
TSn　TCn
NewTS　NewTC

图 2.50　窗口滑动后的二维数组

参见图 2.51，以下举例说明一个工业无线网络受到重放攻击后数据包被截取的过程。

设备 A 在 10 点 20 分发送数据包“abcdef”，如果我们只加这一个时间戳，无法保证数据包的唯一性。同样的数据包可能被重复发过多次，攻击者可以在 10 点 21 分与 10 点 22 分持续发送该数据包，由于没有合理的鉴别机制，接收方会一直接收这个包，从而占用系统资源。

A发送数据包
A
路由
设备
B截取A发送
的数据包
B发送数据包
B

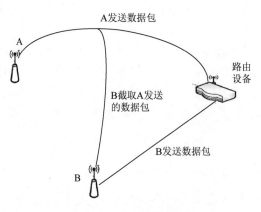

图 2.51　举例分析示意图

如果加上两个时间戳，假定 A 设备发送数据包的创造时间 CreateTime 是 10 点 19 分，发送时间 SendTAITime 是 10 点 20 分。接收方接收到该数据包的时间 ReceiveTAITime 是

10 点 20 分 15 毫秒。这里假定 TolerantTime 为 0.02s，首先通过数据包初步新鲜性判断公式 ReceiveTAITime−SendTAITime≤TolerantTime，发现该数据包都是新鲜的，然后通过接收方缓存机制中的滑动窗口协议将该数据包的时间信息与存储在二维数组 a_time[N][2] 中的时间信息进行比较，如果当前数据包的 CreateTime 和 SendTAITime 与 a_time[N][2] 存储的时间信息完全不同或至少有一个不同，就将该数据包的时间信息存储到该二维数组中。这里我们假定 A 设备发送的数据包不是重放数据包，则 A 设备当前发送的数据包的时间信息被存储在二维数组中。同时 B 设备在 10 点 20 分时截取 A 设备发送的数据包，立即进行重放攻击，10 点 20 分 20 毫秒接收方收到重放数据包，由于它也满足 ReceiveTAITime−SendTAITime≤TolerantTime 的条件，因此也通过了第一次新鲜判断。然而在进行第二次判断时，通过接收方缓存机制中的滑动窗口协议，将当前接收数据包的 CreateTime 与 SendTAITime 和存储这些数据包时间信息的数组 a_time[N][2] 进行比较，很快发现设备 B 目前发送的数据包与 A 设备在 10 点 20 分发送的数据包完全一样。因此可以马上判断 B 设备为重放的数据包，则将该数据包丢弃。

2.4　设备层工业现场网络的主动防御关键技术

2.4.1　概述

作为新兴的网络安全防御技术，为克服传统防御方式一贯的被动防御，主动防御技术采用了完全不同的理念和技术。

主动防御技术的关键在于"主动"二字，它分析以往的网络攻击方式和攻击途径，找出其中的规律与特点，对于未来可能发生的网络攻击形式做出预判，缩短部署时间，扭转了一直以来在网络攻防过程中都处于被动防御的不利局面；主动防御技术的完善还在于它的不断自我学习过程。在防御网络攻击的同时，通过自我学习过程，可以发现计算机系统本身存在的漏洞及缺陷，通过修复这些漏洞，实现系统的动态加固；还能够对计算机网络进行全面监控，对于网络攻击做出实时响应，包括转移攻击目标、对攻击方式做出检测及对攻击者进行追踪和反制等手段，以减小网络攻击造成的破坏程度。

2.4.2　入侵检测关键技术

1. 入侵检测技术的基本概念及原理

入侵检测系统相当于防火墙的第二道安全闸门。入侵检测是对入侵行为的发觉，这种入侵行为包括系统外部的入侵行为和系统内部用户的非授权访问行为等。入侵检测主要通过查看网络的各种日志或者网络数据流量来识别该网络或系统中是否有违反安全策略的行为和被攻击迹象，进行入侵检测的软件和硬件的组合便是入侵检测系统。

入侵检测系统的基本原理如图 2.52 所示，主要分为 4 个阶段：数据收集、数据处理、数据分析和响应处理。

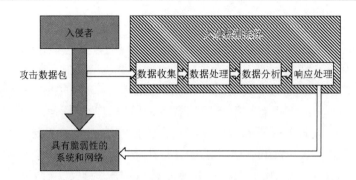

图 2.52　入侵检测系统的基本原理

数据收集。数据收集是入侵检测的基础，通过不同途径采集的数据需要采用不同的方法进行分析。

数据处理。在数据收集阶段，采集到的原始数据量非常大，而且夹带着噪声。为了进行全面的、进一步的分析，需要从原始数据中去除冗余、噪声，并进行格式化及标准化处理。

数据分析。经过数据处理阶段所得到的数据，需要对其进行分析，通过采集统计、智能算法等方法分析经过处理的数据，检查数据是否存在异常现象。

响应处理。当发现或者怀疑存在入侵者时，系统需要采取相应的保护措施进行防御。常用的防御措施包括切断网络连接、记录日志、通过电子邮件或者电话通知管理员。

2. 入侵检测系统的分类

按照不同的角度，入侵检测系统有下面几种分类方法。

1）根据入侵检测体系结构分类

按照入侵检测体系结构分类，入侵检测系统可以分为集中式入侵检测系统和分布式入侵检测系统。

一是集中式入侵检测系统：分析部件位于固定数量的场地，包括基于主机的集中式入侵检测系统和基于网络的集中式入侵检测系统。集中式入侵检测系统的优点是不会降低目标机的性能，其缺点是不能进行实时检测、不能实时响应并且影响网络通信量。

二是分布式入侵检测系统：通过分布在不同主机或网络上的监测实体来协同完成检测任务。分布式入侵检测系统的优点是实时告警和实时响应，其缺点是降低了目标机的性能、没有统计行为信息、没有多主机标志、没有用于起诉的原始数据、降低了系统离线时无法分析数据的能力。

2）用检测和异常检测入侵检测系统

误用检测：通过收集非正常操作的行为特征，建立相关的攻击特征库，当监测的用户或系统行为与特征库中的记录相匹配时，系统就认为这种行为是入侵。这种检测方法根据已知的入侵特征来检测攻击或威胁，因此该方法的前提是所有的入侵行为都具有被检测到的特征。如果一种正常行为特征与攻击特征库发送匹配，这个时候系统会发生误报；如果系统中有某种新的攻击出现，此时攻击特征库里面没有想要与之匹配的特征，则系统就会发生漏报。误用检测的特点是采用特征匹配，误用检测可以降低错报率，但无法检测到新的攻击，漏报率相对较大，缺乏灵活性。攻击特征的细微变化都会使得误用检测无能为力。因此它逐渐被异常检测所取代。误用检测常用的分析方法有以下几种。

第一种是基于状态迁移分析的误用检测方法：攻击者的一系列入侵行为可能导致系统从一个初始状态（没有入侵时系统的初始状态）转入某些危险状态（攻击者成功入侵系统后的系统状态），这种危险状态可能危及系统安全。这里所指的状态代表系统此刻的特征，包括网络流量、系统用户数量、传输时延、网络拥塞程度、带宽利用率等。在系统初始状态和系统危险状态之间，可能存在一个或者多个状态。基于状态迁移分析的误用检测技术主要是考虑攻击行为的每一个步骤对系统状态迁移的影响，针对每一种入侵确定系统不同的初始状态和入侵状态及导致状态转换的特征事件，通过观察系统状态的变化可以检测到一些相关攻击，如协同攻击等。基于状态迁移分析的误用检测技术是用状态转换图来表示每一个状态和特征事件，该方法的缺点在于：不善于分析复杂的事件，也不能检测与系统状态无关的入侵。

第二种是基于专家系统的误用检测方法：基于专家系统的误用检测方法也称为基于规则的检测方法，专家系统是以专家的经验知识为基础建立的，以知识库和推理机为中心的智能软件系统。通过将入侵行为编码成专家系统定义的规则，安全专家将经验知识表示成 if-then 结构的规则，其中 if 部分是构成入侵所要求的条件；then 部分是发现入侵后采取的相应措施。在对入侵行为进行规则描述之后，对系统状态运用推理算法检测入侵，基于专家系统的误用检测方法需要解决数据和知识库的维护问题，该方法灵活性比较高，检测能力比较强。

第三种是基于模式匹配的误用检测方法：模式匹配就是将从网络中收集到的信息与系统的误用模式数据库进行匹配，从中发现是否存在攻击行为和违背安全策略的行为。通过将攻击信息编写成可以与系统匹配的模式，如进攻过程可用过程指令表示，再对系统自身产生的文本和系统之间传输的文本进行模式匹配。此方法灵活性不强，但是原理简单，可扩展性好，是目前最为常用的一种入侵检测方法，但需要不断升级已有的模式数据库以便检测新的攻击。

3. 典型的入侵检测模型与算法

1）分布式数据审计入侵检测模型

无论是基于主机数据还是网络数据都存在不同程度的劣势，所以分布式数据审计入侵检测模型成为现代入侵检测研究的主要发展方向之一。分布式入侵检测系统主要解决的问题如下所示。

模型组建灵活性强：入侵检测的核心在于审计数据收集和数据审计。在分布式入侵检测系统中，审计数据包含网络数据和主机数据，其灵活性主要体现在数据审计分布方式和响应结果分布方式两个方面。

数据审计是指将收集到有关网络安全的特征数据进行分析的过程，这些数据包括报文信息、流量信息、节点各个时刻发送的有效数据等。数据特征的相关因素繁多，在分布式入侵检测系统中，可以将不同的特征数据植入不同阶层的 IDS 代理中，实现审计的分布化。

响应是入侵检测系统的重要环节，在恶意行为识别得出结果后，产生应对措施也是 IDS 的重要设计指标。分布式入侵检测系统应像电网系统的短路保护一样，根据在不同网络阶层中发生的不同程度的入侵与破坏，采取不同的响应办法，实现联动保护。

最大限度地发挥资源优势：物联网节点的最大限制在于能量有限性。在网络中，我们总是期望数据通信开销占能量总开销尽可能多的部分。而数据安全相关计算开销、入侵检测开销都不属于数据通信开销。从这个方面来说，分布式入侵检测系统由于具有审计数据处理办法的灵活性，它能将数据审计任务的能量开销尽可能合理地分摊到各个节点上，而不会集中在某一个能量充沛的节点上或者完全均分到携带能量不一致的不同节点上。

2）匹配模式与统计分析入侵检测模型

入侵检测数据审计技术主要包括误用检测与异常检测。两种检测技术各有优势，所以人们通常将两种技术结合使用，然后通过数据融合技术综合分析，输出入侵检测响应。匹配模式与统计分析入侵检测系统（match patterns with statistical analysis of intrusion detection system，MAIDS）模型与匹配模式与统计分析入侵检测模型相呼应，减少了仅使用单个入侵检测技术时的漏报率与误报率，其结构如图 2.53 所示。模式匹配 IDS 将所有入侵行为、手段及其变种的特征组合成模式匹配数据库。检测时，将判别网络中搜集到的当前数据特征与数据库进行匹配分析，并输出匹配结果。这种数据处理方式有误报率低的特点，但是若入侵行为的数据特征没有出现在入侵模式匹配数据库中，则会产生漏报现象。

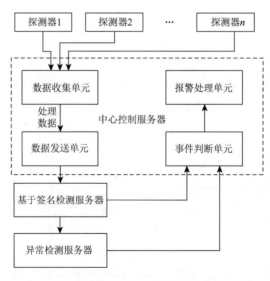

图 2.53　MAIDS 结构图

通过统计分析方法将流量统计分析后，建立系统正常行为的轨迹，把所有与正常轨迹不同的系统状态视为异常活动，从而检测异常活动。

　　匹配模式与统计分析入侵检测模型包括 4 个功能部分：探测器、中心控制服务器、基于签名检测服务器和异常检测服务器。探测器负责收集系统的审计数据，将数据处理成适当的格式并提交给中心控制服务器；中心控制服务器是系统的控制台，可以配置整个系统信息，接受审计数据，控制系统行为，处理后传送给基于签名检测服务器，接收基于签名检测服务器与异常检测服务器的分析结果，对审计数据做出判断，若发现异常则报警；基于签名检测服务器包含模式匹配器、攻击特征库与正常特征库，模式匹配器将审计数据与两个特征库通过匹配算法匹配，判断审计数据是否与其中一个特征库符合，从而判断该行为是否异常；异常检测服务器包括轮廓引擎与异常检测器，对审计数据进行分析，判断该行为与正常行为轮廓是否匹配，若不匹配则报警。

3）非合作博弈论入侵检测模型

　　博弈论是根据信息分析及能力判断，研究多个决策主体之间行为的相互作用及其相互平衡，使得收益或效用最大化的一种对策理论，是运筹学的一个重要学科。博弈主要包括合作博弈与非合作博弈，它们的区别主要是：人们的行为相互作用时，当事人之间是否可以达成一个具有约束力的协议，如果可以，就称为合作博弈，反之则是非合作博弈。合作博弈论比非合作博弈论复杂，理论上不如非合作博弈论成熟，目前的博弈论一般是指非合作博弈论。非合作博弈强调的是个人理性，即个人最优决策，它的结果可能是有效率的，也可能是无效率的。

4）基于贝叶斯推理的入侵检测算法

　　贝叶斯推理是由英国牧师贝叶斯发现的一种归纳推理方法。作为一种推理方法，贝叶斯推理是从概率论中的贝叶斯定理扩充而来的。贝叶斯定理断定：已知一个事件集 B_i（$i = 1, 2, \cdots, k$）中每一事件 B_i 的概率 $P(B_i)$，又知在 B_i 已发生的条件下事件 A 的条件概率 $P(A|B_i)$，就可以得出在给定 A 已发生的条件下任何 B_i 的条件概率（逆概率）$P(B_i|A)$，即

$$P(B_i | A) = \frac{P(B_i)P(A|B_i)}{P(B_1)P(A|B_1) + P(B_2)(A|B_2) + \cdots + P(B_n)P(A|B_n)} \tag{2.11}$$

我们可以选取网络系统中不同方面的特征值（如网络中的异常请求数量或者系统中出错的数量），用 B_i 表示。测量网络系统中不同时刻的 B_i 变量值，将 B_i 变量设为 0 和 1 两个值，1 表示异常，0 表示正常。事件 A 用来表示系统正在受到攻击入侵。每个变量 B_i 的可靠性和敏感性表示为 $P(B_i = 1/A)$ 和 $P(B_i = 1/\overline{A})$，那么在测定了每个 B_i 值的情况下，由贝叶斯定理可以得出 A 的可信度为

$$P(A | B_1, B_2, B_3, \cdots, B_n) = P(B_1, B_2, B_3, \cdots, B_n | A) \frac{P(A)}{P(B_1, B_2, B_3, \cdots, B_n)} \tag{2.12}$$

式中要求给出 A 和 $\overline{A}$ 的联合概率分布，然后设定每个测量值 B_i 仅与 A 相关，并且与其他的测量值 B_j 无关，其中 $i \neq j$，则有

$$P(B_1, B_2, B_3, \cdots, B_n | A) = \prod_{i=1}^{n} P(B_i | A) \tag{2.13}$$

$$P(B_1, B_2, B_3, \cdots, B_n \mid \overline{A}) = \prod_{i=1}^{n} P(B_i \mid \overline{A}) \qquad (2.14)$$

从而得到

$$\frac{P(A \mid B_1, B_2, B_3, \cdots, B_n)}{P(\overline{A} \mid B_1, B_2, B_3, \cdots, B_n)} = \frac{P(A) \prod\limits_{i=1}^{n} P(B_i \mid A)}{P(\overline{A}) \prod\limits_{i=1}^{n} P(B_i \mid \overline{A})} \qquad (2.15)$$

依据各种异常检测的值、入侵的先验概率，以及入侵时每种测量值的异常概率，能够判断出入侵攻击的概率。为了检测结果的准确性，还需要考虑各个异常测量值 B_i 之间的独立性，此时可以通过网络层中不同特征值的相关性分析，确定各个异常变量与入侵攻击的关系。

2.4.3　方案实例

1. 一种适用于 WIA-PA 网络的分层入侵检测方法

1）背景

随着无线技术的飞速发展，无线网络技术进入工业自动化领域，并渗透到自动控制的各个领域。与现场总线等有线技术相比，无线网络技术具有显著的优势。工业无线网络在设计上能够满足企业建立高可靠性和高实时性的网络的特殊需求，还能保证工业生产高可靠性和低能耗性。目前，一些国际组织正积极推进工业无线网络技术的标准化进程，其中主要有 WIA-PA（IEC/PAS62601）和 Wireless HART（IEC/PAS62591）。

WIA-PA 是我国自主研发的用于工业过程自动化的国际标准化文件。WIA-PA 面向过程自动化应用，针对抗干扰和低功耗等方面的需求，提供无线网络技术解决方案，并且与传统网络相比，WIA-PA 网络灵活方便，易于用户使用和维护。

然而，由于无线网络的数据通过无线介质进行传输，比有线网络更容易受到攻击，一些网络入侵行为可能导致非常严重后果。因此，为了加强无线网络技术的自身安全性，本书提出了一种基于全信道分析仪的分层 WIA-PA 网络入侵检测方法，该方法不仅能够显著地减少工业互联网网络布线的成本和安装维护的费用，并且能提高安全性能，将工业无线网络技术迅速推广并最终实现产业化。

2）技术方案

（1）适用于 WIA-PA 网络的分层入侵检测结构。假设入侵检测系统内部通信是安全的，针对安全管理器和入侵检测系统本身的攻击不在本书讨论范围之内。假设异常的入侵行为会使网络状态明显变化。

基于 WIA-PA 网络的基本体系和其安全体系，本书提出一种 WIA-PA 网络入侵检测架构（图 2.54）。

本书设计的 WIA-PA 网络入侵检测架构由基于全信道分析仪的入侵检测系统组成。

基于全信道分析仪的入侵检测系统处于现场设备层和过程监控层，从整个网络的角度，部署全信道分析仪。系统采用异常分析和协议分析相结合的规则，针对 WIA-PA 工业无线网络全信道通信的特点，在 2.4GHz 频段，使用全信道分析仪第三方监控，对网络中可能存在入侵的 16 个通信信道进行全信道监测。本地检测模块处于现场设备层，负责现场设备对入侵攻击的处理。

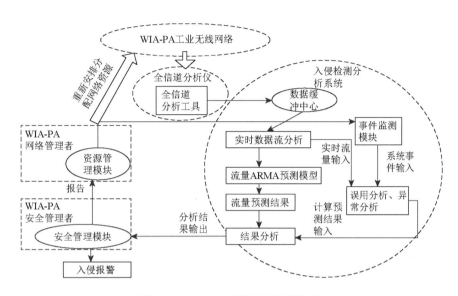

图 2.54　WIA-PA 网络入侵检测架构

　　基于安全管理者的入侵保护系统是 WIA-PA 网络的内部防入侵体系。如图 2.54 所示，安全管理者负责整个网络安全策略的配置、密钥的管理和设备的认证工作。网关设备或路由设备的安全管理模块作为安全管理者代理，负责簇内安全通信。

　　（2）基于全信道分析仪的分层入侵检测方法。本书设计的 WIA-PA 网络入侵检测系统包括 3 个部分：本地入侵检测模块、基于全信道分析仪的入侵检测系统、入侵检测分析系统，3 个部分协同工作，完成对网络入侵的检测。

　　①本地入侵检测模块。考虑到 WIA-PA 网络设备的不均匀性及设备安全功能的可选择性，本书选择在网络中的部分设备添加本地入侵检测模块。如图 2.54 所示，本地入侵检测模块能够对网络中的入侵攻击进行自愈性的防范和报告。根据 WIA-PA 网络的超帧特性，设网络的平均数据包错误率是 e。设本地设备检测到入侵的可能性为 p，其中 $1 \leqslant j \leqslant i$；$i$ 表示从带有入侵检测模块的设备跳 i 跳到达网络边缘，j 代表从簇头起 j 跳位置的设备被恶意入侵。

　　带有侵检测模块的路由设备在本簇内部能够检测到入侵的可能性为

$$P11 = 1-e \tag{2.16}$$

入侵来自于路由设备所在簇外的设备，这里有两种情况。

　　第一种：若被入侵设备是路由设备，由于 WIA-PA 的路由层通信基于网状结构，所以，该设备能够检测到入侵的可能性为

$$P21 = 1-e \qquad (2.17)$$

第二种：若被入侵设备是现场设备，且该设备的簇头 a 未部署本地入侵检测模块，设备 a 休眠的可能性为 S，则该本地入侵检测模块能够检测到簇外节点入侵的可能性为

$$P22 = (1-e)(1-Sa) \qquad (2.18)$$

可以得到本地的检测率与网络中设备的休眠周期有关，设备的休眠周期越长，则入侵检测成功率越低。由于工业无线网络的能源受限，设备需周期性休眠才能满足工业无线网络长时间运行的需要。所以若仅靠本地入侵检测模块，无法从根本上解决工业无线网络的入侵检测问题。因此，本书设计并实现了基于全信道分析仪的第三方入侵检测系统。

②基于全信道分析仪的入侵检测系统。本书设计并实现的基于全信道分析仪的入侵检测系统由入侵检测分析系统和数千个布置在工业无线网络内的全信道分析仪组成。全信道分析仪能够捕获无线网络中在 2.4GHz 频段的数据，发送给入侵检测分析系统。在入侵检测系统中采用数据流量预测机制和协议一致性分析机制，对网络入侵进行检测。基于第三方全信道分析仪的入侵检测分析系统的示意图如图 2.55 所示。

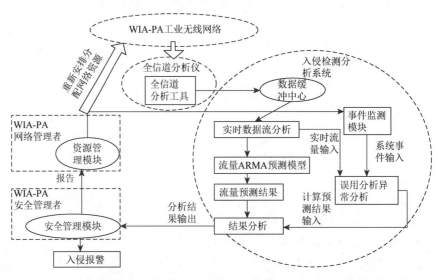

图 2.55　基于第三方全信道分析仪的入侵检测分析系统的示意图

自回归移动平均（auto-regressive moving average，ARMA）

多个全信道分析仪布置在 WIA-PA 网络中，负责采集一定区域内的数据包。根据工业无线网络在 2.4GHz 频段通信的特征，所研发的全信道分析仪能够捕获来自 WIA-PA 工业无线网络全网 16 个信道的数据包以提供给入侵检测分析系统进行分析和检测。第三方检测独立在 WIA-PA 网络外部，因此不会消耗网络资源，这对于资源有限的工业无线网络来说无疑是巨大的优势，而且它可以在不影响入侵检测系统运行的情况下扩展系统功能，提高了入侵检测系统的可扩展性。

③入侵检测分析系统。当全信道分析仪捕获数据包后，发送给入侵检测分析系统，入侵检测分析系统的实时数据分析模块负责分析数据，提取相应数据特征。这些特征包

括当前网络流量及数据包特征,将其作为输入发送给流量预测模块与误用异常检测模块。在流量预测模块对网络中的数据流量进行预测,并将预测结果发送到结果分析模块。在误用分析与异常分析模块通过规则匹配来实时检测网络中可能存在的攻击,并将两者的检测结果发送到结果分析模块。结果分析模块通过分析并综合这两方面的检测结果,确定最终的检测结果,并将结果报告给安全管理者。安全管理者将结合本地检测结果和第三方检测结果做出正确的决策,并对攻击信息发出警告。

2. 一种基于改进 KNN 的 6LoWPAN 网络入侵检测方法

1）背景

基于 6LoWPAN 的无线传感网带来自由的同时,安全性问题已经成为制约其应用普及的一个主要障碍及瓶颈问题。6LoWPAN 较传统无线传感网有本质区别,因加入了 IP 协议,使得攻击者对 6LoWPAN 进行的潜在攻击更多。同时,6LoWPAN 本身存在的安全隐患没有得到妥善的解决。

6LoWPAN 提供的安全保护机制不足以保护在邻居发现、路径 MTU 发现、地址配置等过程中由于异质性和分布性引起的大规模网络下多播造成的 ICMP 滥用、Smurf 攻击。另外,UDP 不需要提供验证请求分组中给定的源地址,就可以访问受限网络中 IP 地址所引起的 Spoofing 攻击。CoAP 中响应请求引入的放大风险会产生 DoS 攻击,也会带来使网络缓冲过载导致协议崩溃的 ping of death。这些上层的层间协议的协作状况带来的漏洞、应用层协议本身的安全事项及应用场景的限制等情况需要在基于架构和理论基础上进行具体分析,解决 6LoWPAN 的安全问题是其大规模应用的前提条件。

入侵检测作为自动安全防护技术,可对入侵进行识别、评估和报告,并采取主动反应措施。目前,对于 IPv6 互联网入侵检测系统的研究已初步具备规模,但是对于 IPv6 协议的无线传感器网络入侵检测的研究还比较少,基于 6LoWPAN 的入侵检测机制的研究存在一些针对某一种攻击的解决方案,这类研究没有涉及对未知攻击的检测。

在 IPv6 网络入侵检测中,由于流量数据的频繁改变,如何通过对正常数据轮廓的在线更新实现对节点行为的有效判断是目前亟须解决的问题。为了实现基于 6LoWPAN 无线传感网络的入侵检测,需要一种新型机制能够实现在线检测,同时具有可靠性、可扩展性、自主学习性,并且易于管理,具有较低的维护成本等优点。

目前的一些研究集中于采用 KNN 算法进行异常评估。KNN 算法的优势在于可以用于非线性分类,可以生成任意形状的决策边界;另外 KNN 算法的训练时间复杂度较低,准确度较高,参数 k 对噪声不敏感。然而,KNN 很难直接在 6LoWPAN 无线传感网使用。懒惰学习的本质使得基于 KNN 的异常检测方案很难应用于在线检测方式,尤其是当通信成本受到约束时。懒惰学习是由测试数据驱动的,每一个即将到来的测试数据需要在线独立学习正常轮廓,会产生较大的计算复杂度(体现在距离计算上),因为需要逐个计算测试样例和训练样例之间的相似度,这消耗了大量资源;同时样本也存在不平衡问题(即有些类别的样本数量很多,而其他样本的数量很少);所以需要选择参数并对数据进行预处理,否则最近邻分类器可能做出错误的预测。

综上所述:6LoWPAN 网络由于其特征与传统 IPv6 网络不同,入侵检测困难;

6LoWPAN 网络的节点行为和网络中数据流变化频繁且随机,很难定义正常数据轮廓,使得在线检测困难。

本书针对 6LoWPAN 网络的入侵检测问题,综合考虑 RFC 4944、RFC 7252、RFC 6550 给出的 6LoWPAN 网络特征和运行方式,提出一种面向 6LoWPAN 网络的入侵检测架构,同时提出一种基于 KNN 改进算法的入侵检测机制,利用改进后轻量 KNN 算法对正常行为建立轮廓模型,并能够实时调整 KNN 参数对轮廓模型进行更新升级。该方法可以实现对于 DoS、地址欺骗、中间人攻击等典型入侵攻击的有效检测,能够在一定程度上对未知攻击提供冗余检测。

2) 技术方案

本书提供的一种基于改进 KNN 的 6LoWPAN 网络入侵检测方法,对于未知攻击类型具有较好的泛化能力,对网络环境变化具有一定的鲁棒性。

本书提出的 6LoWPAN 网络的入侵检测架构如图 2.56 所示。

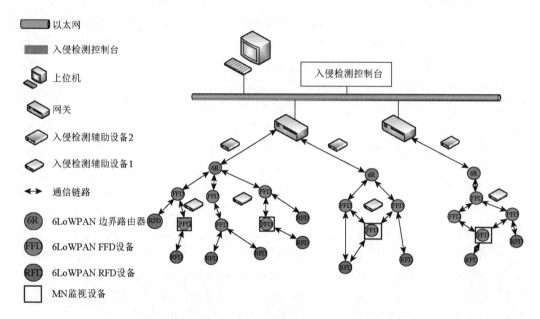

图 2.56　本书提出的 6LoWPAN 网络的入侵检测架构

上述网络建立以后,6LoWPAN 子网内采用混合网络拓扑结构,以及多跳的路由方式,根据 RPL 路由协议(RFC 6550)和具体应用创建 DODAG。监视网元(monitor network-element,MN)将监听来自其邻居(包括其父网元和子网元)的通信。MN 将为其每个邻居创建一个监控表以存储该网元的监控数据。

入侵检测的判断过程分为基于某一个网元特征进行直接判断和基于某几个网元特征建立网元状态数据表综合判断。整个判断过程包含学习过程、检测过程和在线更新过程,具体过程如下所示。

(1) 学习过程。在学习过程中,控制台将建立网元状态数据表对数据进行缓存,并对表内的数据进行处理。本书将详细阐述网元状态数据表构建方法、网元特征选择的方法、网元特征数据捕获方式及捕获特征数据的实施对象。

下面首先介绍本书定义的网元状态数据表架构。如图 2.54 所示，节点完成组网，网络中网元有 m 个。本书设表中缓存若干网元状态数据集合为 $\{y_1, \cdots, y_i\}$。选取 6LoWPAN 网络网元的 q 个特征，所构建的网元特征集合记为 $\{Feature1, Feature2, \cdots, Featureq\}$。其中某个网元 x 的状态数据由 q 个网元特征反映出来，记为 $y_x = \{y_{x1}, \cdots, y_{xq}\}$。不同的网元的特征数量均为 q 个。网络开始运行后，控制台开始对所有网元特征数据进行记录。

表 2.31 的具体构建方法主要分为以下 4 个步骤。第一步：网元状态数据量选择，从而决定网元状态数据表中的样本数（行数）。第二步：网元特征集合构建，从而决定网元状态数据表中与 6LoWPAN 入侵检测相关的特征，从而决定数据的维度（列数）。第三步：网元状态数据表填充完成。第四步：数据预处理，完成正交归一处理。

表 2.31　网元状态数据表

state	action					
	Feature1	Feature2	Feature3	Featurei	$\cdots$	Featureq
y_1	y_{11}	y_{12}	y_{13}	y_{1i}	$\cdots$	y_{1q}
y_2	y_{21}	y_{22}	y_{23}	y_{2i}	$\cdots$	y_{2q}
y_3	y_{31}	y_{32}	y_{33}	y_{3i}	$\cdots$	y_{3q}
$\vdots$	$\vdots$	$\vdots$	$\vdots$	$\vdots$	$\cdots$	$\vdots$
y_m	y_{m1}	y_{m2}	y_{m3}	y_{m4}	$\cdots$	y_{mq}
$\vdots$	$\vdots$	$\vdots$	$\vdots$	$\vdots$	$\cdots$	$\vdots$
y_i	y_{i1}	y_{i2}	y_{i3}	y_{i4}	$\cdots$	y_{iq}

网元状态数据表具体由网元状态数据量选择、网元特征集合构建、网元状态数据表填充完成后数据预处理组成。

①网元状态数据量选择。网元状态数据表中的样本状态数据个数不得少于网络中网元的个数，也不能超过网元总数的 2 倍，即能够找出离群点的样本数为最佳。设表中缓存若干网元状态集合为 $\{y_1, \cdots, y_i\}$。本书中 $m < i < 2m$，设定 $T_0 \rightarrow T_1$、$T_1 \rightarrow T_2$、$T_2 \rightarrow T_3$ 三个时段。T_0 之前，网络已启动，节点加入过程完成，如图 2.57 所示。

T_0 之前网络启动，节点加入过程完成。$T_0 \rightarrow T_1$ 内完成对 $\{y_1, \cdots, y_m\}$ 网元状态数据集合的获取；$T_1 \rightarrow T_2$ 内完成对 $\{y_{m+1}, \cdots, y_i\}$ 网元状态数据集合的获取；$T_2 \rightarrow T_3$ 内完成对网元状态数据表的更新（即清除之前缓存的数据，重新加载新的数据），具体更新方法见本书下面的更新过程。这里需要说明的是只有首次形成网元状态数据表时会经过 $T_0 \rightarrow T_1$、

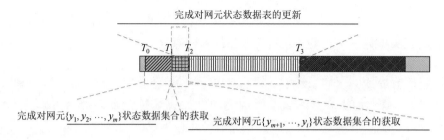

图 2.57　数据捕获时序图

$T_1 \to T_2$ 这两个时段，之后该表内数据的形成过程都遵循 $T_2 \to T_3$ 时段的方式。在首次形成的网元状态数据表中，状态 y_{m+x} 与 y_x 是同一网元不同时间段内的状态。随着该表的更新，$T_2 \sim T_3$ 时段内会捕获 $\dfrac{i}{p}$ 个网元状态数据，p 为分数概率；这时表中缓存若干网元状态集合为 $\left\{ y_1, y_1, \cdots, y_{\frac{i}{p}} \right\}$，$m < i < 2m$；参数 p 在更新过程中使用，是更新算法中的参数，p 的值由控制台指定。这时状态 $y_{(m-1)+x}, y_{2(m-1)+x}, \cdots, y_{\left(\frac{2}{p}-1\right)(m-1)+x}$ 与 y_x 是同一网元不同时间段内的状态。这些状态数据按照 p 的概率筛选后更新表内数据。由于在该表中网元的状态已经转化为数据，所以控制台在构建该表时不需要体现时间，网元先前的状态也无须被替换。

由上述说明可知，网元状态数据量如表 2.32 所示。

表 2.32　网元状态数据量

网元状态
y_1
y_2
y_3
$\vdots$
y_m
$\vdots$
y_i

②网元特征集合构建。这里需要进一步说明的是有些特征为基于时间的网络流量统计特征，即 $\dfrac{\text{特征报文数}}{\text{时段}}$。为了避免时间段对统计的特征数据带来的影响，这些特征统一利用"报文出现频率"来表示；特征共有 9 种：Feature1、Feature2、Feature3、Feature4、Feature5、Feature6、Feature7、Feature8、Feature9，每个特征对应的权值不同。

根据每个特征的影响因子控制台对权值进行分配，满足 $\sum \text{weight} = 1$ 即可。分配权值能够降低明显的特征引起的偏见。

由于在首次形成网元状态数据表的过程中，表中的网元状态数据的捕获时间不同，所以表中网元一系列特征构建为特征集合的过程十分复杂。因此在下述特征集合构建过程中将根据不同时段（$T_0 \to T_1$、$T_1 \to T_2$）捕获数据的情况进行说明。按照时间顺序对构造网元状态数据表的过程进行详述。

首先叙述网元状态数据表首次形成过程：在 $T_0 \to T_1$ 时段内，构造过程如图 2.58 所示。

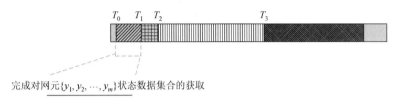

图 2.58　$T_0 \to T_1$ 动作图

网元特征 Feature1 是入侵检测辅助设备 2 在 $T_0 \to T_1$ 内捕获返回给网元的地址不可达报文，对 $T_0 \to T_1$ 报文进行统计检测，可以检测其出现频率，将这一特征记为 v_{iemp1}。将网元特征 v_{iemp1} 记录在表 2.33 内。

表 2.33　网元特征集合构建过程 1

mote action	v_{icmp1}
y_1	y_{10}
y_2	y_{20}
y_3	y_{30}
$\vdots$	$\vdots$
y_m	y_{m0}

网元特征 Feature2、Feature3 是 MN 在 $T_0 \to T_1$ 内检测网络中网元 DIO 消息中与首选父网元相关的任何更改（该网元的 DODAG ID 的更改或等级变为不定式）。将这一特征记为 Num_{topo}。MN 在 $T_0 \to T_1$ 时段内检测父网元统计的子网元数增加量，将这一特征记为 Num_{sub}。将网元特征 Num_{topo} 和 Num_{sub} 记录在表 2.34 内。

表 2.34　网元特征集合构建过程 2

mote action	v_{icmp1}	Num_{topo}	Num_{sub}
y_1	y_{10}	y_{11}	y_{12}
y_2	y_{20}	y_{21}	y_{22}

mote action	v_{icmp1}	Num_{topo}	Num_{sub}
y_3	y_{30}	y_{31}	y_{32}
$\vdots$	$\vdots$	$\vdots$	$\vdots$
y_m	y_{m0}	y_{m1}	y_{m2}

　　网元特征 Feature4 是入侵检测设备和代理网元在 $T_0 \rightarrow T_1$ 内统计的网元通知报文。比较两者获取的通知报文差值并检测其报文差值，将这一特征记为 ΔCON，并将 ΔCON 特征记录在表 2.35 内。

表 2.35　网元特征集合构建过程 3

mote action	v_{icmp1}	Num_{topo}	Num_{sub}	ΔCON
y_1	y_{10}	y_{11}	y_{12}	y_{13}
y_2	y_{20}	y_{21}	y_{22}	y_{23}
y_3	y_{30}	y_{31}	y_{32}	y_{33}
$\vdots$	$\vdots$	$\vdots$	$\vdots$	$\vdots$
y_m	y_{m0}	y_{m1}	y_{m2}	y_{m3}

　　网元特征 Feature5 是入侵检测设备 1 在 $T_0 \rightarrow T_1$ 时段内统计的网关返回 ACK 消息的速率及代理网元 6R 在 $T_0 \rightarrow T_1$ 时段内统计的 ACK 报文速率。比较两者获取的 ACK 报文差值，并检测其报文差值，将这一特征记为 Δack，并将 Δack 特征记录在表 2.36 内。

表 2.36　网元特征集合构建过程 4

mote action	v_{icmp1}	Num_{topo}	Num_{sub}	ΔCON	Δack
y_1	y_{10}	y_{11}	y_{12}	y_{13}	y_{14}
y_2	y_{20}	y_{21}	y_{22}	y_{23}	y_{24}
y_3	y_{30}	y_{31}	y_{32}	y_{33}	y_{34}
$\vdots$	$\vdots$	$\vdots$	$\vdots$	$\vdots$	$\vdots$
y_m	y_{m0}	y_{m1}	y_{m2}	y_{m3}	y_{m4}

　　网元特征 Feature6 是入侵检测辅助设备 2 在 $T_0 \rightarrow T_1$ 时段内被捕获并返回给网元差错报告的报文，并对报文进行统计检测。检测其出现频率，将这一特征记为 v_{icmp2}，并将 v_{icmp2} 特征记录在表 2.37 内。

表 2.37　网元特征集合构建过程 5

mote action	v_{icmp1}	Num_{topo}	Num_{sub}	$\Delta\mathrm{CON}$	$\Delta\mathrm{ack}$	v_{icmp2}
y_1	y_{10}	y_{11}	y_{12}	y_{13}	y_{14}	y_{15}
y_2	y_{20}	y_{21}	y_{22}	y_{23}	y_{24}	y_{25}
y_3	y_{30}	y_{31}	y_{32}	y_{33}	y_{34}	y_{35}
$\vdots$	$\vdots$	$\vdots$	$\vdots$	$\vdots$	$\vdots$	$\vdots$
y_m	y_{m0}	y_{m1}	y_{m2}	y_{m3}	y_{m4}	y_{m5}

FFD 和 6R 在 $T_0 \to T_1$ 时段内对自身能量进行统计，并对统计得到的报文进行处理，得到能量特征。表 2.38 为 $T_0 \to T_1$ 网元状态数据。

表 2.38　$T_0 \to T_1$ 网元状态数据

state	action								
	v_{icmp1}	Num_{topo}	Num_{sub}	$\Delta\mathrm{CON}$	$\Delta\mathrm{ack}$	v_{icmp2}	Rcv_{ik}	EnergyRcv	$\mathrm{Rate}_{forward}$
y_1	y_{10}	y_{11}	y_{12}	y_{13}	y_{14}	y_{15}	y_{16}	y_{17}	y_{18}
y_2	y_{20}	y_{21}	y_{22}	y_{23}	y_{24}	y_{25}	y_{26}	y_{27}	y_{28}
y_3	y_{30}	y_{31}	y_{32}	y_{33}	y_{34}	y_{35}	y_{36}	y_{37}	y_{38}
$\vdots$	$\vdots$	$\vdots$	$\vdots$	$\vdots$	$\vdots$	$\vdots$	$\vdots$	$\vdots$	$\vdots$
y_m	y_{m0}	y_{m1}	y_{m2}	y_{m3}	y_{m4}	y_{m5}	y_{m6}	y_{m7}	y_{m8}

在 $T_1 \to T_2$ 时段内，网元状态数据如表 2.39 所示。在 $T_1 \to T_2$ 时段内，对网元特征数据进行捕获，捕获方式和具体实施对象相同。

表 2.39　$T_1 \to T_2$ 网元状态数据

state	action								
	v_{icmp1}	Num_{topo}	Num_{sub}	$\Delta\mathrm{CON}$	$\Delta\mathrm{ack}$	v_{icmp2}	Rcv_{ik}	EnergyRcv	$\mathrm{Rate}_{forward}$
y_m	y_{m0}	y_{m1}	y_{m2}	y_{m3}	y_{m4}	y_{m5}	y_{m6}	y_{m7}	y_{m8}
$\vdots$	$\vdots$	$\vdots$	$\vdots$	$\vdots$	$\vdots$	$\vdots$	$\vdots$	$\vdots$	$\vdots$
y_i	y_{i0}	y_{i1}	y_{i2}	y_{i3}	y_{i4}	y_{i5}	y_{i6}	y_{i7}	y_{i8}

在 $T_0 \to T_2$ 时段内，分两个时段对网元特征数据进行捕获，如表 2.40 所示，得到的数据是网络启动后首次构成的网元状态数据表。

表 2.40　首次网元状态数据表

state	action								
	v_{icmp1}	Num_{topo}	Num_{sub}	ΔCON	Δack	v_{icmp2}	Rcv_{ik}	EnergyRcv	$Rate_{forward}$
y_1	y_{10}	y_{11}	y_{12}	y_{13}	y_{14}	y_{15}	y_{16}	y_{17}	y_{18}
y_2	y_{20}	y_{21}	y_{22}	y_{23}	y_{24}	y_{25}	y_{26}	y_{27}	y_{28}
y_3	y_{30}	y_{31}	y_{32}	y_{33}	y_{34}	y_{35}	y_{36}	y_{37}	y_{38}
$\vdots$	$\vdots$	$\vdots$	$\vdots$	$\vdots$	$\vdots$	$\vdots$	$\vdots$	$\vdots$	$\vdots$
y_m	y_{m0}	y_{m1}	y_{m2}	y_{m3}	y_{m4}	y_{m5}	y_{m6}	y_{m7}	y_{m8}
$\vdots$	$\vdots$	$\vdots$	$\vdots$	$\vdots$	$\vdots$	$\vdots$	$\vdots$	$\vdots$	$\vdots$
y_i	y_{i0}	y_{i1}	y_{i2}	y_{i3}	y_{i4}	y_{i5}	y_{i6}	y_{i7}	y_{i8}

在 $T_2 \rightarrow T_3$ 时段内，网元特征数据的捕获方式和具体实施对象相同，构造过程如图 2.55 所示。时段内会捕获 $\dfrac{i}{p}$（p 为分数概率）个网元状态数据，需要在 $T_2 \rightarrow T_3$ 时段内分 $\left[\dfrac{i}{p \times m}\right]$ 个时段对网络内的网元状态进行捕获。$[x]$ 为取小数的整数部分的函数表达式。最终构建的网元状态数据表如表 2.41 所示。

表 2.41　$T_2 \rightarrow T_3$ 网元状态数据表

state	action								
	v_{icmp1}	Num_{topo}	Num_{sub}	ΔCON	Δack	v_{icmp2}	Rcv_{ik}	EnergyRcv	$Rate_{forward}$
y_1	y_{10}	y_{11}	y_{12}	y_{13}	y_{14}	y_{15}	y_{16}	y_{17}	y_{18}
y_2	y_{20}	y_{21}	y_{22}	y_{23}	y_{24}	y_{25}	y_{26}	y_{27}	y_{28}
y_3	y_{30}	y_{31}	y_{32}	y_{33}	y_{34}	y_{35}	y_{36}	y_{37}	y_{38}
$\vdots$	$\vdots$	$\vdots$	$\vdots$	$\vdots$	$\vdots$	$\vdots$	$\vdots$	$\vdots$	$\vdots$
y_m	y_{m0}	y_{m1}	y_{m2}	y_{m3}	y_{m4}	y_{m5}	y_{m6}	y_{m7}	y_{m8}
$\vdots$	$\vdots$	$\vdots$	$\vdots$	$\vdots$	$\vdots$	$\vdots$	$\vdots$	$\vdots$	$\vdots$
y_i	y_{i0}	y_{i1}	y_{i2}	y_{i3}	y_{i4}	y_{i5}	y_{i6}	y_{i7}	y_{i8}
y_{i+1}	$y_{1'0}$	$y_{1'1}$	$y_{1'2}$	$y_{1'3}$	$y_{1'4}$	$y_{1'5}$	$y_{1'6}$	$y_{1'7}$	$y_{1'8}$
$\vdots$	$\vdots$	$\vdots$	$\vdots$	$\vdots$	$\vdots$	$\vdots$	$\vdots$	$\vdots$	$\vdots$
y_{2i}	$y_{i'0}$	$y_{i'1}$	$y_{i'2}$	$y_{i'3}$	$y_{i'4}$	$y_{i'5}$	$y_{i'6}$	$y_{i'7}$	$y_{i'8}$
$\vdots$	$\vdots$	$\vdots$	$\vdots$	$\vdots$	$\vdots$	$\vdots$	$\vdots$	$\vdots$	$\vdots$
$y_{\frac{i}{p}}$	y_{i^p0}	y_{i^p1}	y_{i^p2}	y_{i^p3}	y_{i^p4}	y_{i^p5}	y_{i^p6}	y_{i^p7}	y_{i^p8}

在网元状态数据表构建完成后，下面将具体说明控制台对网元状态数据表内网元特征数据的处理方式。

③网元状态数据表填充完成后数据预处理。网元状态数据表填充完成后数据预处理过程分为三个步骤。

步骤 1：去噪过程是控制台检查网元状态数据表中是否存在一些非数值变量和明显不合理的数据，这种网元特征数据作废；去噪过程结束后，设表中第 n 个特征的网元特征数据集合为 $y_n = \{y_{1n}, y_{2n}, \cdots, y_{in}\}$，即网元状态数据表的第 n 列，y_n 集合的阈值为 $\min_n$ 和 $\max_n$，其中 $\min_n$ 为集合中的最小值，$\max_n$ 为最大值。

步骤 2：去噪过程完成后，这时控制台需要将每个特征的阈值范围进行预处理，控制台通过归一化函数处理使得每个特征的 $(\min_n, \max_n)$ 阈值范围转化到（0，1），即特征值化为 $\dfrac{y_{in}}{|\max_n| - |\min_n|}$；另外控制台还需要根据特征的影响因子对每个特征的权重进行重新匹配。

步骤 3：在控制台构建 q 维坐标空间（$q = 10$），网元状态数据表中的网元特征数据需要在坐标空间中定位；控制台在此时引入附和系数 c 转移零点，使得整个特征空间被移动到正坐标空间，这里的系数 c 设置为 $c > |\min|$，$\min = \{\min_i, i = 1, 2, \cdots, q\}$。

下面所分析的部分网元特征未被列入网元状态数据表中，原因有三点。

第一，网元的部分特征变化是判断异常的决定性特征，不需要经过入侵检测机制的分析，可直接判断为异常；第二，网元的部分特征只负责协同其他特征，无须在网元状态数据表中记录；第三，部分特征只属于特定功能网元，其无法代表整个网络中网元的特征，不具有普适性。

（2）检测过程。本书已将入侵检测需要的数据全部收集完成，网元状态数据表在控制台形成，控制台进行入侵检测。其关键假设是正常数据点出现在稠密的邻域内，异常数据点远离近邻。

下面将具体说明特征空间改进和算法参数选择、正常轮廓判断原理及检测依据。本书提出构建连续固定大小的超立方体特征空间。

全局轮廓形成过程：当网元状态数据表中的网元特征数据填充满后，控制台计算超立方体 $C_{u_1, \cdots, u_q}$ 的位置，通过计算每个超立方体位置的频率，即在该超立方体中存在的数据数量，由此形成全局的正常轮廓。

形成全局正常轮廓后，控制台执行在线检测，如果网元状态数据所在的超立方体中的网元状态数据大于 k，则该网元状态正常；否则检测被替代的检测区域内的网元状态数据，若大于 k，则该网元状态正常。

控制台在超立方体特征空间中定位网元状态数据并计算网元状态数据是否落入正常轮廓。该方法的原理在于控制台将数据点稠密的超立方体定义为正常轮廓。虽然这种固定边界的方式在一定程度上牺牲了精度，但是换来了计算复杂度的降低。

检测原理如下：假设超立方体为 $C_{u_1, \cdots, u_q}$，其对角线为 $\dfrac{d}{2}$，坐标单元为 h。超立方体由 $[u_i]$ 表示，$u_i = \dfrac{y_i + c}{h}$，训练数据备好后超立方体的结构是固定的。设 $L_1(C_{u_1, \cdots, u_q})$ 为超立方体 $C_{u_1, \cdots, u_q}$ 的邻居，它能够覆盖落入超立方体 $C_{u_1, \cdots, u_q}$ 的任何网元状态数据的检测区域，满足 $d = \sqrt{qh}$。

判断异常的检验方法为若超立方体 $C_{u_1,\cdots,u_q}$ 至少存在 k 个网元状态数据，则落入超立方体内的网元状态数据正常；若 $C_{u_1,\cdots,u_q} \bigcup L_1(C_{u_1,\cdots,u_q})$ 中的网元状态数量少于 k 个，则落入超立方体内的网元状态数据异常。当不符合这两种情况中的任何一种时，找出可以替代的 DR，计算网元状态数据进行判断。

基于移动后的超网格结构，不可能精确地检查出任何网元状态数据的检测区域。但是可以找到替代检查区域的几何 DR。对于网元状态数据 $y \in C_{u_1,\cdots,u_q}$，可替代的 DR 有如下定义：$J(y) = \{ C_{v_1,\cdots,v_q} \mid v_i = u_i, u_i + e_i \}$，其中 $e_i = \begin{cases} +1, & u_i - |u_i| > \dfrac{1}{2} \\ -1, & u_i - |u_i| \leqslant \dfrac{1}{2} \end{cases}$；网元状态数据为 $y = \{ y_1,\cdots,y_q \}$ 映射在超立方体上。

在入侵检测机制中存在两个参数 d 和 k，因为没有先验知识，参数不能准确地选择，因此可以用已知的信息估计参数 k。参数 k 通常由用户指定，直观地说，如果 $p = \int\limits_{J(y)} f(x)\mathrm{d}x$ 小于一个小概率，如 0.01，k 应该确定 y 的异常。这时，k 应该被设置为 0.01m。我们可以通过对网络观察和统计，进而对已经建立好的超立方体结构进行修改，找出最合适的 d 值。

（3）在线更新过程。首先网元状态数据表在控制台部分形成。当网元状态数据在控制台端填满网元状态数据表后，在控制台构造特征空间中形成正常轮廓。网元状态数据表在 $T_0 \to T_1$、$T_1 \to T_2$ 时段第一次被填满后，进行第一轮检测，如图 2.59 所示。

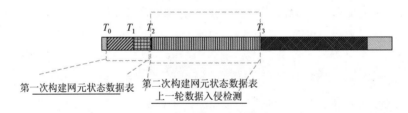

图 2.59　第一次检测发生时间图

第一轮检测进行的同时，继续填写下一轮的网元状态数据表。在 $T_2 \to T_3$ 过程中控制台保存的网元状态数据量达到 $\dfrac{i}{p}$ 时，控制台以概率 p 对 $T_2 \to T_3$ 时段内保存的网元状态数据进行随机选取，选取到的网元状态数据填入网元状态数据表中，丢弃其余数据。当网元状态数据表中完全被新的数据取代后，网元发送更新网元状态数据表的请求，正常轮廓被重新学习并更新。本书规定 $T_2 \to T_3$ 为更新网元状态数据表的周期。之后网元状态数据表的更新方式如上面所示，且周期固定。

如图 2.60 所示，在无线传感网络中，通信能力相对计算能力更加受到约束。所以集中的数据收集是不现实的，因此本书采用分布式计算。在此基础上 6LoWPAN 网络采用实时操作分布式模式，这样能够有效地延长网络生存期，提高网络性能。

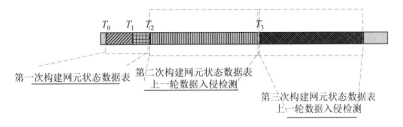

图 2.60　入侵检测过程时序图

分布式模式的操作要求所有传感器节点参加网络内部计算，这些网络特征的收集需要网络内每个网元自身的配合，而不是由入侵检测辅助设备捕获。

由此说明 IPv6 无线传感网络特征数据除辅助设备捕获外，也有子网内网元本身的配合。因此，对于网络资源的调度需要考虑以下几点：一是监视网元并监听来自其邻居（包括其父网元和子网元）的通信；二是网元主动进行检测即反向发送 NS 报文（通过临时申请 GTS 时隙）；三是网元 i 最后只需把 $\text{Rate}_{\text{forward}}$、EnergySent、$\text{Rcv}_{ik}$、$\text{EnergyRcv}_{ik}$ 和 EnergyRcv 的信息发送给网关；四是每一个网元的检测模块都执行本地的正常轮廓检测，最终把摘要上传给簇头网元；五是簇头网元还需把全局的正常轮廓发送给各个网元；六是每个代理网元 RFD 对 CON/GET/ACK 报文的速率检测。

另外，上述 6 点是并行发生的，部分网元的任务是多重的，因此时隙分配上需要结合以上 6 点同时进行考虑，使得通信资源能够合理地进行配置。

2.5　设备层工业现场网络的入侵容忍关键技术

入侵容忍技术是第三代网络安全技术，隶属于信息生存技术的范畴，是当前信息安全领域的热点之一。信息生存技术所做的主要工作是研究网络信息的可生存性评估和增强技术，达到能够分析和定位信息系统可生存性的弱点，并在给出量化分析结果基础上，提出可改进生存性状况的增强方法。而入侵容忍技术是指在入侵行为已产生的情况下，系统某些部件已遭受破坏，仍可通过入侵容忍手段阻止对系统的安全威胁，系统可为合法用户继续提供有效、可靠的服务，实现服务的最大化，以确保信息系统的保密性、完整性、真实性、可用性和不可否认性。

2.5.1　关键技术

基于网络安全的入侵容忍技术就是要求网络中任何单点的故障不会影响整个网络系统的运转。入侵容忍可通过对权力扩散和技术上单点失效的方式来预防与保证任何少数设备、任何局部网络和任何单一场点都不会产生泄密或破坏系统的行为，任何设备、任何个人都不会拥有特权。如果一个系统想要具有较高的入侵容忍能力，就需要某种技术来避免在短时间内所有组件同时受到攻击。这就需要所有组件不应有相同的漏洞，而解决这个问题的方式就是满足组件多样性。

冗余组件在设计结构或者实现方法等方面可存在一处或者多处不同，但在实现功能上来说是相同的。这样能够有效地防止入侵者找到冗余组件中相同的弱点，加大了攻击者完全破坏系统的难度，从而为系统恢复处理提供时间。实际上，我们可以使用从不同卖方那里得到的防护软件，可以降低因一个普通的小错误或配置错误而危及整个系统安全的可能性，也可以在内部与外部数据包过滤系统中使用不同商家的路由器；同时还要防止不同系统被同一个人（或一组人）配置，这样可能会使错误具有普遍性。例如，如果问题出自于特殊工作的误解，那么各种系统可能按照这种误解错误地配置。

2.5.2　方案实例：无线传感器网络中冗余节点的入侵容忍机制

1. 背景

近年来，入侵容忍技术得到了广泛的研究。作为一种主动的安全机制，入侵容忍技术可以在一定程度上延长网络的寿命。从攻击引起的部分故障中恢复涉及自适应响应。但是，在分多个阶段进行复杂攻击的情况下，能够预测自适应响应的对手可以轻松地规避自适应提供的任何弹性。

作为主动保护的一种形式，入侵检测和流量管理可以有效地改善任何可以确保检测数据流量的方案，并可以将信道资源重新分配给无线网络中的设备。但是，无线传感器网络中的入侵检测系统仍然存在以下问题[25-29]：它们可能会丢失检测，根据现有研究的讨论，丢失检测的可能性平均为 15%，入侵检测系统会产生假阳性（根据现有研究的讨论，平均为 5%～15%）。这些系统在处理攻击时存在时延，但存在有效的机制来处理这些时延。最后，入侵检测系统仍然很难阻止入侵造成的破坏[30]。

本书针对这些问题，设计一种无线传感器网络中冗余节点的入侵容忍机制，可以确保即使系统受到攻击并且系统的某些部分或组件已损坏或被操纵，系统仍可以启动一种机制，使其能够继续维持正常运行，确保系统的基本功能并高效运行。

2. 技术方案

本书通过讲解入侵容忍架构和机制来详细阐明无线传感器网络中冗余节点的入侵容忍机制是如何搭建和工作的。

1）入侵容忍架构

本节定义一个包含建议的入侵容忍机制的系统。考虑到无线传感器网络在能量、带宽、处理能力和存储容量方面的限制，我们将入侵检测系统设计为无线传感器网络的第三方入侵检测和分析系统，如图 2.61 所示。

无线传感器网络中的入侵容忍机制的基本思想是每当主节点或主路由节点受到攻击或以其他方式受到损害时，它们的任务将在这些节点受到损害之前移交给冗余节点。流量、能级和其他信息可以用于判断骨干节点的状态并延长网络寿命。

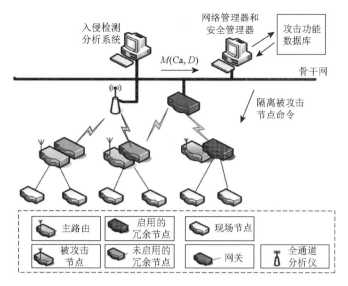

图 2.61　入侵容忍系统的体系结构

如图 2.61 所示，传感器网络中引入的全通道分析仪使用网络中的轻量级移动代理来实现数据的实时采集、处理和集成。将收集并分析来自全通道分析仪的数据，然后将结果返回给安全管理器。全通道分析仪不会增加整个网络的能量，并节省带宽。

网络管理器负责构建和维护网络拓扑，将通信资源分配给无线网络设备。网络管理器还监视无线自动化网络的性能，包括设备状态、路径故障和通道状态。网络管理器接收 16 个信息通道，并通过使用集中式通道分配算法来做出重新分配资源的决策。

安全管理器可处理关于网络、密钥管理和设备身份验证的安全策略。在建议中，安全管理器将使用攻击功能数据库进行匹配，然后启动安全机制以确保整个网络的可用性。

骨干网基于 Internet 协议为无线传感器网络提供连接。在提出的系统中，有线网络具有与无线网络互联的能力。安全管理器和网络管理器为网络提供管理与资源安排。

第三方入侵检测模块由专家入侵检测分析系统和全通道分析仪组成。全通道分析仪从 2.4GHz 的 16 个通道捕获网络数据，并将其发送到专业的入侵检测分析系统，以便 IDS 分析结果。此外，由于此独立的第三方入侵检测模块位于无线传感器网络外部，因此它无法消耗网络资源，这提供了令人振奋的优势，尤其是在此类资源受限的网络中。此外，由于其独立性，我们可以扩展安全功能而不会干扰其他正在运行的 IDS。

通过诊断受损节点，可以将阈值内的所有受损节点从无线传感器网络中删除。如当冗余集群没有足够的能量，或者由于入侵攻击而失败时，冗余集群可以接管数据传输任务，随后，记录来自受感染节点的信息。

2）入侵容忍机制过程

（1）主节点切换过程。如图 2.61 所示，网络中部署了一些冗余节点。冗余节点具有与主节点相同的资源。

全通道工具监视整个网络的流量，将数据发送到入侵检测系统。只要流量超过给定阈值，就会认为相应的节点受到攻击。节点向安全管理器报告其自身状态。当主节点能量不足或由于入侵而失败时，主节点还将向安全管理器报告其状态。

冗余节点接管有两种情况：一种情况是当主节点主动切换到冗余节点时；另一种发生在安全管理器激活冗余节点时。在前一种情况下，每当主节点转发数据时，它将定期监视其能量状态。当能量水平降至某个阈值以下或主节点不安全时，冗余节点将接管主节点的任务。或者，安全管理器和网络管理器将根据来自全通道工具与入侵检测系统的数据来分析流量异常和节点状态异常的原因。安全管理器和网络管理器将根据当时的不同攻击类型来决定是否选择要接管的冗余节点。然后，安全管理器将发送一条消息，以隔离主节点并将任务移交给冗余节点。安全管理器基于减少任务丢失和扩展网络可用性的最大可能性做出此决定。

（2）安全经理安全程序。入侵检测和系统分析可连续监视网络状态。只要有入侵，消息（Ca，D）就会发送到安全管理器，其中 Ca 代表特征信息攻击，D 代表被攻击节点的信息。D 记录当前能量 E_n、位置信息、丢包率等。

当节点的能量不足或受到攻击时，安全管理器将启动冗余节点来接管骨干节点并继续工作。此时，如果检测到入侵，安全管理器将使用信息 Ca 来匹配攻击类型。然后，安全经理将采取适当的措施以最大限度地减少攻击损失并延长网络的使用寿命。

2.6　设备层工业控制系统安全关键技术

工业控制系统面临的未知威胁呈现出持续性、组合性（利用代码、功能、流程、逻辑等漏洞）、跨域性（信息空间渗透到物理空间）、定点性（针对确定目标、确定工艺）等特点，传统工业控制防护缺乏与工业控制软硬件、协议、生产装置和工艺等物理空间的深度融合，难以在工程应用中发挥最大效用。

如本书前面所述，SCADA、DCS、PLC 等工业控制系统面临持续性攻击，需针对电力、冶金、石化等行业工业控制系统存在的安全风险，结合行业业务工艺流程、实时性、可靠性要求，分析 SCADA、DCS、PLC 等工业控制系统的工程特性，以及 DNP3.0、IEC104、Modbus TCP 等各类工业控制协议特点，在不影响正常生产和业务运作的情况下，实现深度安全主动防御整体解决方案和适配规范，有效地提升工业控制安全防护水平，为工业控制系统深度安全防护技术在大规模工程下的应用奠定了基础。

SCADA 系统是以计算机为基础的 DCS 与电力自动化监控系统，可以应用于电力、冶金、石油、化工、燃气、铁路等领域的数据采集、监视控制及过程控制等诸多领域。在电力系统中，SCADA 系统应用最为广泛。

DCS 是一个由过程控制级和过程监控级组成的以通信网络为纽带的多级计算机系统，综合了计算机（computer）、通信（communication）、阴极射线管（cathode ray tube，CRT）和控制（control）等 4C 技术，其基本思想是分散控制、集中操作、分级管理、配置灵活、组态方便。

PLC 是专为工业生产设计的一种数字运算操作的电子装置，采用一类可编程的存储器，用于其内部存储程序、执行逻辑运算、顺序控制、定时、计数与算术操作等面向用户的指令，并通过数字或模拟式输入/输出控制各种类型的机械或生产过程。

《工业控制系统安全指南》（NIST SP800-82）给出建立安全的 ICS 的指导，这些 ICS 包括 SCADA 系统、DCS 和 PLC。《工业通信网络　网络和系统安全　建立工业自动化和控制系统安全程序》（GB/T 33007—2016）、《工业自动化和控制系统网络安全　可编程序控制器（PLC）第 1 部分：系统要求》（GB/T 33008.1—2016）、《工业自动化和控制系统网络安全　集散控制系统（DCS）第 1 部分：防护要求》（GB/T 33009.1—2016）、《工业自动化和控制系统网络安全　集散控制系统（DCS）第 2 部分：管理要求》（GB/T 33009.2—2016）、《工业自动化与控制系统网络安全　集散控制系统（DCS）第 4 部分：风险与脆弱性检测要求》（GB/T 33009.4—2016）等系列标准从工业自动化与控制系统的不同网络层次和组成部分规定了网络安全的检测、评估、防护和管理等要求，为工业控制系统的设计方、设备生产商、系统集成商、工程公司、用户、资产所有人及评估认证机构等提供了可操作的工业控制安全标准。

2.6.1　脆弱性分析

最初工业控制系统 SCADA、DCS、PLC 主要面对的是本地威胁，因为它们的许多组件都连接在被物理保护的区域中，并没有连接到 IT 网络或系统。然而，将工业控制系统集成到 IT 网络中的趋势显著地减少了 ICS 与外界的隔离，从而产生了更多的保护这些系统对抗远程、外部威胁的需求。此外，越来越多的无线网络应用使工业控制系统实现要面临更多的来自某些敌人的风险，这类人与设备在物理上比较接近，但又没有直接的物理连接。控制系统面临的威胁可以来自多个方面，包括敌对政府、恐怖组织、心怀不满的员工、恶意入侵者、复杂性事故、自然灾害及内部的恶意或意外行为。工业控制系统安全目标通常按照可用性、完整性和保密性的优先顺序排列。

工业控制系统可能面临的事故包括：

（1）阻止或延迟通过 ICS 网络的信息流，这可能会破坏 ICS 的运作。

（2）对命令、指示或报警阈值非授权的更改，可能损坏、禁用或关闭设备，产生对环境的影响和/或危及人类生命。

（3）不准确的信息被发送到系统操作员，或者是掩饰非授权的更改，或导致操作者发起不适当的行动，均可能产生不同的负面影响。

（4）工业控制系统软件或配置参数被修改，或 ICS 软件感染恶意软件，都会产生不同的负面影响。

（5）干扰安全系统的运行，可能危及人类生命。

在公共和私人网络、桌面计算或互联网成为业务运营的通用组件之前的很长时间，现在使用的很多 ICS 就已经被开发出来。这些系统被设计为满足性能、可靠性、安全性和灵活性的要求。在大多数情况下，它们是与外部网络物理隔离的，基于专有硬件、软件和通信协议，它们包括基本的错误检测和纠错能力，但缺乏在今天的互联系统中所需的安全通信能力。虽然有人关注可靠性、可维护性和可用性，但在解决统计性能和故障时，对这些系统内的网络安全措施的需求是没有预料到的。当时，ICS 的安全仅意味着在物理上对网络和控制系统的控制台访问权提供保护。

最初，ICS 与 IT 系统没有一点相似之处，ICS 是运行专有控制协议、使用专门硬件和软件孤立的系统。现在用广泛使用的、低成本的互联网协议设备取代专有的解决方案，从而增加了网络安全漏洞和事故的可能性。随着 ICS 采用这种解决方案，以提高企业连接和远程访问能力，并在使用行业标准的计算机、操作系统和网络协议中设计与实施该解决方案，它们已经开始类似于 IT 系统了。这种集成支持新的 IT 能力，但相比原先的系统，它提供给 ICS 与外界隔离的能力大大降低，产生了保护这些系统的更大需求。虽然安全解决方案已经被设计来处理这些典型的 IT 系统安全问题，但是在引进这些相同的解决方案到 ICS 环境中时，必须采取特殊的防护措施。在某些情况下，需要为 ICS 环境量身定制新的安全解决方案。

ICS 有许多区别于传统 IT 系统的特点，包括不同的风险和优先级别。其中包括对人类健康和生命安全的重大风险，对环境的严重破坏，以及金融问题如生产损失和对国家经济的负面影响。ICS 有不同的性能和可靠性要求，其使用的操作系统和应用程序对典型的 IT 支持人员而言可能被认为是不方便的。此外，安全和效率的目标有时会与控制系统的设计与操作的安全性发生冲突（如需要密码验证和授权不应妨碍或干扰 ICS 的紧急行动）。下面列出了一些 ICS 的特殊安全考虑。

性能要求：ICS 通常是时间要求紧迫的，关注由单个安装所指示的时延和抖动的可接受水平标准。有些系统要求确定性的响应。高吞吐量对 ICS 通常是没有必要的。相比之下，IT 系统通常需要高吞吐量，但通常可以承受某种程度的时延和抖动。

可用性要求：许多 ICS 过程在本质上是连续的。控制工业生产过程系统的意外停电是不能接受的。停电往往必须有计划。全面的部署前测试是必不可少的，以确保 ICS 的高可用性。除意外停电外，许多控制系统也不能做到在不影响生产的情况下轻易地停止和启动。在某些情况下，正在生产的产品或正在使用的设备比被转达的信息更重要。因此，采用典型的 IT 战略，如重新启动一个组件，通常在 ICS 中是不能接受的，会对系统的可用性、可靠性和可维护性要求产生不利影响。一些 ICS 会采用冗余组件，且常常并行运行，当主要组件不可用时保证连续性。

风险管理要求：在一个典型的 IT 系统中，数据保密性和完整性通常是被关心的首要问题。对于 ICS 而言，人身安全和容错（以防止损害生命或危害公众健康或信心）、合规性、设备的损失、知识产权损失，以及产品的丢失或损坏等，才是主要的关注点。负责操作、保护和维护 ICS 的人员必须了解安全与保护措施之间的重要联系。

体系架构安全焦点：在一个典型的 IT 系统中，安全的首要重点是保护 IT 资产的运行，无论是集中的或分散的，同时要保护存储在这些资产中或在这些资产中相互间传输的信息。在某些体系架构中，集中存储和处理的信息是更为关键的，要给予更多的保护。而对于 ICS，边缘客户端（如 PLC、操作员工作站、DCS 控制器）更需要仔细保护，因为它们是对结束过程的控制直接负责的。ICS 中央服务器的保护仍然是非常重要的，因为中央服务器可能对每一个边缘设备产生不利的影响。

物理相互作用：在一个典型的 IT 系统中，没有物理与环境之间的互动。在 ICS 领域，

ICS 与物理过程和后果有着非常复杂的相互作用,这可以通过物理事件体现出来。必须测试所有被集成到 ICS 中的安全功能(如在一个可参照的 ICS 上的离线),以证明它们不损害 ICS 的正常功能。

时间要求紧迫的响应:在一个典型的 IT 系统中,不需要太考虑数据流就可以实现访问控制。对于一些 ICS 而言,自动响应时间或对人机交互的系统响应是非常关键的。例如,在 HMI 上要求提供密码认证和授权时必须不能妨碍或干扰 ICS 的紧急行动。信息流必须不被中断或受到影响。对这些系统的访问,必须有严格的物理安全控制。

系统操作:ICS 的操作系统和应用程序可能无法容忍典型的 IT 安全实践。老系统特别容易受到资源不可用和计时中断的危害。控制网络往往比较复杂,需要不同层次的专业知识(如控制网络通常由控制工程师管理,而不是 IT 人员)。软件和硬件都更难以在操作控制系统网络中升级。许多系统可能没有所需的功能,包括加密功能、错误记录和密码保护。

资源的限制:ICS 和它们的实时操作系统往往是资源受限的系统,通常不包括典型的 IT 安全功能。在 ICS 组件上可能没有计算资源用来在这些系统上加装流行的安全功能。此外,在某些情况下,不允许用第三方安全解决方案,是因为根据 ICS 供应商许可和服务协议,一旦在没有供应商的确认或批准下就安装了第三方的应用程序,可能会丢失服务支持。

通信:在 ICS 环境中用于现场设备控制和内部处理器通信的通信协议和媒体通常与通用的 IT 环境不同,可能是专有的。

变更管理:变更管理对维持 IT 和控制系统的完整性都是至关重要的。未打补丁的软件代表了系统的最大漏洞之一。IT 系统的软件更新,包括安全补丁,根据适当的安全策略和程序,通常都是实时应用的。此外,这些程序往往是使用基于服务器的工具自动实现的。ICS 的软件更新往往就无法及时实施,因为这些更新需要由工业控制应用程序的供应商和应用程序的最终用户充分测试后才能实施,而且 ICS 的中断往往必须是事先规划和预定好时间(天/周)的。作为更新过程的一部分,ICS 可能还需要重新验证。另一个问题是,许多 IC 采用了旧版本的操作系统,而供应商不再提供支持。因此,可用的修补程序可能不适用。变更管理也适用于硬件和固件。当变更管理过程应用于 ICS 时,需要由 ICS 专家(如控制工程师)与安全和 IT 人员一起进行仔细评估。

管理的支持:典型的 IT 系统允许多元化的支持模式,也支持不同的但相互关联的技术架构。对于 ICS,服务支持通常是由一个单一的供应商提供,可能就无法获取从其他供应商处提供的具有互操作性的支持解决方案,也就没有多元化的支持模式。

组件寿命:典型的 IT 组件的寿命一般为 3~5 年,主要是技术的快速演变。对于 ICS 而言,在许多情况下,技术是为非常特殊的用户和实现而开发的,所部署的技术的生命周期通常在 15~20 年,有时甚至时间更长。

组件访问:典型的 IT 组件通常是本地的和容易访问的,而 ICS 组件可以分离、远程部署,并需要大量的物力以获得对它们的访问。

ICS 可用的计算资源(包括 CPU 时间和内存)往往是非常有限的,因为这些系统旨在最大限度地控制系统资源,很少甚至没有额外容量给第三方的网络安全解决方案。此外,在某些情况下,由于供应商的许可和服务协议的限制,第三方安全解决方案根本不被允许，因为供应商的许可和服务协议，而且如果安装了第三方应用程序，可能发生服务支持的损失。另一个重要的考虑因素是 IT 网络安全和控制系统的专业知识通常不是属于同一组人员的。

综上所述，ICS 和 IT 系统之间的业务与风险的差异产生了在应用网络安全和业务战略时增长的复杂性需求。一个由控制工程师、控制系统运营商和 IT 安全专业人员构成的跨职能团队，应当紧密合作，理解控制系统相关的安全解决方案在安装、维护等操作时可能产生的影响。工作于 ICS 的 IT 专业人员在部署之前需要了解信息安全技术的可靠性影响。在 ICS 上运行的一些操作系统和应用可能无法正常运行商业现行（commercial off-the-shelf，COTS）的 IT 网络安全解决方案。

2.6.2　威胁

控制系统面临的威胁可以来自多种来源，包括对抗性来源如敌对政府、恐怖组织、工业间谍、心怀不满的员工、恶意入侵者，自然来源如系统的复杂性、人为错误和意外事故、设备故障和自然灾害。为了防止对抗性的威胁（已知的自然威胁），需要为 ICS 创建一个纵深的防御策略。表 2.42 列出了针对 ICS 的对抗性威胁。

表 2.42　针对 ICS 的对抗性威胁

威胁代理	描述
攻击者	攻击者入侵网络，只为获得挑战的快感或在攻击社团中吹牛的资本。虽然远程攻击曾经需要一定的技能或计算机知识，但是攻击者现在却可以从互联网上下载攻击脚本和协议，并向受害网站发动攻击。因此，攻击工具变得越来越高级，也更容易使用。许多攻击者并不具备必要的专业知识来威胁攻击难度更大的目标，如美国的关键网络。然而，攻击者遍布全球，构成了一个比较高的威胁，其造成的孤立的或短暂的中断可引起严重损害
僵尸网络操纵者	僵尸网络操纵者即攻击者，他们侵入系统不是为了挑战或炫耀，而是将多个系统联合起来发动攻击、散布钓鱼，以及发送垃圾邮件和发起恶意软件攻击。有时，在地下市场可以获得被攻破的系统，例如，攻击者可通过购买一次拒绝服务攻击或使用发送垃圾邮件或钓鱼式攻击的服务器
犯罪集团	犯罪集团试图攻击系统以获取钱财。具体来说，有组织的犯罪集团利用垃圾邮件、网络钓鱼、间谍软件/恶意软件进行身份盗窃和在线欺诈。国际企业间谍和有组织的犯罪集团也可以通过自己的能力进行工业间谍活动和大规模的货币盗窃，并聘请或发展攻击人才，从而构成对美国国家的威胁。一些犯罪团伙可能用网络攻击威胁某个组织从而试图勒索钱财
外国情报服务	外国情报部门使用网络工具作为信息收集和间谍活动的一部分。此外，某些国家正在积极开展信息战学说和相关程序的研究，从而提高发动信息战的能力。通过扰乱供电、破坏与通信、军事相关的基础设施来对单一经济实体发动信息战，这样会给单一经济实体造成显著和严重的影响，其后果可能会影响公民的日常生活
内部人员	心怀不满的内部人员是计算机犯罪的主要来源。内部人员可能并不需要大量的计算机入侵相关知识，因为他们对目标系统很了解，往往使他们能够不受限制地访问系统从而对系统造成损害或窃取系统数据。内部威胁还包括外包供应商及员工意外地引入恶意软件到系统中。内部人员可能包括员工、承包商或商业合作伙伴。不适当的策略、程序和测试也会对 ICS 造成影响。对 ICS 和现场设备造成的影响程度是不同的，其程度可能是从琐碎到重大的。来自内部的意外影响是发生概率最高的事件之一
钓鱼者	钓鱼者是执行钓鱼计划的个人或小团体，企图窃取身份或信息以获取钱财。钓鱼者也可以使用垃圾邮件和间谍软件/恶意软件来实现其目标

威胁代理	描述
垃圾邮件发送者	垃圾邮件发送者包括个人或组织，他们散布垃圾邮件，包含隐藏的或虚假的产品销售信息，进行网络钓鱼计划，散布间谍软件/恶意软件，或发动有组织的攻击（如 DoS）
间谍/恶意软件作者	具有恶意企图的个人或组织通过制作和散布间谍软件及恶意软件对用户进行攻击。已经有一些破坏性的计算机病毒对文件与硬盘驱动器造成了损害，包括 Melissa 宏病毒、Explore.Zip 蠕虫病毒、CIH（切尔诺贝利）病毒、尼姆达病毒、红色代码病毒、Slammer 病毒和 Blaster 病毒
恐怖分子	恐怖分子试图破坏、中断或利用关键基础设施来威胁国家安全，同时造成大量人员伤亡，削弱美国经济，并损害公众的士气和信心。恐怖分子可能使用网络钓鱼或间谍软件/恶意软件来筹集资金或收集敏感信息。恐怖分子可能袭击一个目标，以从其他目标上转移视线或资源
工业间谍	工业间谍活动旨在通过秘密的方法获得知识产权和技术诀窍

2.6.3　风险因素

目前有几个因素导致 ICS 的风险日益增加。

（1）标准化的协议和技术。

（2）网络连接扩大。

（3）不安全和恶意的连接。

（4）公开的信息。

1. 标准化的协议和技术

ICS 的厂商已经开始开放其专有协议和发布他们的协议规范，使第三方厂商建立兼容的配件。组织也从专有系统迁移到更便宜的系统，如 Microsoft Windows 和 UNIX-like 的操作系统及常见的网络协议，如 TCP/IP 的标准化技术，以降低成本和提高性能。这种开放式系统的演变还由于另一种标准的 OPC 协议的使用，它使控制系统和基于 PC 的应用程序之间建立交互。使用这些开放的协议标准具有经济性和技术优势，但也增加了 ICS 的网络事件的脆弱性。这些开放的标准化协议和技术很容易被黑客挖掘出漏洞并被其利用。

2. 网络连接扩大

随着组织的信息系统管理模式的发展、业务及操作需求的变化，ICS 和企业的 IT 系统常出现互联现象。远程访问的需求促使许多组织建立连接到 ICS，进而实现了 ICS 维护工程师和技术支持人员能远程监视与操控 ICS。同时，许多组织也增加了企业网络和 ICS 网络间的连接，以此帮助组织的决策者获得有关其业务系统状态的关键数据，并为决策者发送产品生产指令或分发指令提供渠道。在早期的实践中，决策者发送产品生产指令或分发指令是通过客户应用程序软件服务器/网关实现的。然而，在最近十年里，已通过传输控制协议/Internet 协议（TCP/IP）网络和标准化 IP 的应用 [如 FTP 或可扩展标记语言的数据交换] 来实现。通常情况下，这些连接是在没有相应的安全风险的充分认识情况下实施的。此外，企业的网络往往与其合作伙伴网络及互联网实现互联。控制系统也通过广域网和互联网将更多的数据传输到远程或本地站和单个设备。ICS 与企业网络的连接增加了访问控制上的脆弱性。除非采用部署了适当的安全措施的设备，否则这些漏洞可能把 ICS 网络架构的各个方面暴露给黑客组织，并可能面临来自互联网的各种安全威胁，包括蠕虫病毒、恶意软件等。

随着业务环境复杂性的增加，IT 系统的目标和过程控制系统的目标有根本性的区别，IT 系统通常将性能、保密性和数据完整性作为首要需求，而 ICS 则将人类和设备安全作为其首要责任，因此，系统的可用性和数据完整性具有较高的核心级。其他的区别还包括可靠性要求的差异，事件的影响程度差异，性能预期结果差异，操作系统差异，通信协议差异，以及系统架构差异。由于这些区别的存在，可能意味着 ICS 与 IT 系统在安全建设实践存在显著差异。

3. 不安全和恶意的连接

许多 ICS 供应商已经推出拨号调制解调器系统来提供远程访问，以减轻技术支持人员远程维护的负担。有时远程访问提供了系统管理员级别的访问权限，如使用一个电话号码，或访问控制凭据（如有效身份标识）。黑客可能使用战争拨号器进行暴力破解，寻找破解密码的手段以获得远程访问系统。用于远程访问的密码往往设置比较简单，且用户可能长时间没有更改。这些类型的连接可能使系统变得非常脆弱，因为远程用户可以通过供应商安装的调制解调器以较高级别的身份访问 ICS。

组织往往在不经意间留下的访问链接，如拨号调制解调器进行远程诊断、维护和监测，都将可能被攻击者所利用。此外，控制系统越来越多地利用无线通信系统，无线媒介也是非常脆弱的。没有采取认证和/或加密保护的访问链接可能给远程访问控制系统增加安全风险。这会导致用户在数据的完整性及系统的可用性之间做平衡和折中，这两者都可能对公众及 ICS 设施的安全性产生影响。在部署加密之前，首先要确定加密是否是一种适用于 IC 应用的解决方案。

企业网络和 ICS 之间互连需要许多不同的通信标准的集成，其结果往往是在两个独立的系统中设计了可以进行数据传输的基础设施通道。由于集成不同系统的复杂性，控制工程师往往很难承受因评估安全风险而增加的工作量。许多控制工程师几乎没有接受任何安全培训，ICS 组织中也常常缺乏 IT 安全人员的参与。因此，保护企业网络免受未经授权的访问的安全访问控制措施是比较少的。此外，控制工程师难以理解底层协议的机制，这将导致 ICS 系统存在漏洞，也就可能会抵消安全措施的防护效果。如工程师没有对 TCP/IP 协议及其他协议进行分析，这可能导致在网络层或应用层发生安全事件。

4. 公开的信息

公开的信息是指在 ICS 设计、维护与通信等阶段很容易通过网络获得的信息，如产品选择和开放标准的使用。同时供应商也会售卖工具包，以帮助第三方开发软件，实现各种开放标准在 ICS 环境中的使用。也有许多前雇员、供应商、承包商和其他最终用户使用过相同的 ICS 设备，他们了解 ICS 内部运作机制。例如，有人利用自己对 ICS 的深层了解制造了 Maroochy Shire 污水外溢事件。

当信息与资源被潜在的对手和来自世界各地的入侵者获得，他们可能用很少的控制系统的知识，并采用自动攻击和数据挖掘工具，使用出厂设置的默认密码，就可以获得未经授权的访问控制系统的控制权。

2.6.4　安全事件举例

针对 ICS，可能存在一些安全隐患，例如：

（1）通过时延或阻塞通过企业或控制网络的信息流以控制系统的运转，从而对控制系统网络的可用性进行影响，对控制系统网络的可用性进行影响，或者通过对一些本地服务发起拒绝服务攻击以中断数据流和 IT 本地服务（如 DNS）。

（2）未经授权变更 PLC 的编程指令及远程终端装置（RTU）、DCS 系统或 SCADA 控制器的设置等，可能导致设备损坏（如超出容错极限）；未经授权的变更（如过早关闭进程），会造成环境安全事件，甚至造成设备被禁用。

（3）当虚假信息发送到控制系统的操作者处，可能会导致未经授权更改的发生，或可能误导操作者采取不合适的操作。

（4）控制系统软件和配置信息被篡改，产生不可预知的结果。

（5）安全系统运转受到干扰。

（6）恶意软件（如病毒、木马等）传播到 ICS。

（7）关键信息（如生产产品的原料和指南）或工作指令被更改后对产品、设备或人员带来损害。生产产品的原料和指南或工作指令被更改后对产品、设备或人员带来损害。

此外，ICS 覆盖了广泛的地理区域，该区域往往没有工作人员值守，没有监控手段。如果这种远程系统在物理上暴露，黑客就可能利用漏洞建立一个连接，连接到 ICS 控制网络。

2.6.5　安全策略

为了在工业控制系统中妥善地解决安全问题，必须有一个跨部门的网络安全团队，分享他们在不同领域的知识和经验，评估与减轻 ICS 的风险。网络安全团队成员至少应包括组织的 IT 人员、控制工程师、控制系统操作员、网络和系统安全专家、管理层成员和物理安全部门。为了保持连续性和完整性，网络安全团队应向控制系统供应商和/或系统集成商进行咨询。网络安全团队应直接向场站管理者（如工厂主管）或公司的 CIO/CSO 报告，后者应对 ICS 网络安全承担全部的责任。一个有效的 ICS 网络安全方案应使用纵深防御战略，即分层的安全机制，如任何一个机制失败的影响被最小化。

在典型的工业控制系统中的纵深防御战略包括以下几种。

（1）制定专门适用于 ICS 的安全策略、程序、培训和教育材料。

（2）基于国土安全咨询系统威胁级别来考虑 ICS 的安全策略和程序的级别，威胁程度越高，部署的安全机制级别就越高。

（3）解决从架构设计、采购、安装到维护退役的 ICS 整个生命周期中存在的安全问题。

（4）为 ICS 搭建多层网络拓扑结构，在最安全和最可靠的层进行最重要的通信。

（5）提供企业网络和 ICS 网络之间的逻辑分离（如在网络之间架设状态检测防火墙）。

（6）采用 DMZ 网络体系结构（即防止企业和 ICS 网络之间的直接通信）。

（7）确保关键部件和网络冗余。

（8）为关键系统设计优雅降级（容错），以防止灾难性的级联事件。

（9）禁用 ICS 设备未使用的端口和服务，并确保不影响 ICS 运作。

（10）限制对 ICS 网络和设备的物理访问。

（11）限制 ICS 的用户权限，只开放为执行每个人的工作所必需的权限（即建立基于角色的访问控制和基于最小特权原则配置每个角色）。

考虑为 ICS 网络和企业网络的用户分别使用独立的身份验证机制与凭据（即 ICS 网络账户不使用企业网络的用户账户）。利用现代技术，如智能卡的个人身份验证（personal identification verification，PIV）。

在技术上可行的情况下实施安全控制，如安装入侵检测软件、杀毒软件和文件完整性检查软件，预防、阻止、检测和减少恶意软件的侵入、暴露和传播，无论恶意软件来自外部还是在 ICS 内部。

在适当的地方对 ICS 的数据存储和通信应用安全技术，如加密和/或哈希加密。

在现场条件下进行了所有安全补丁包测试后，如果可能的话，在安装到 ICS 之前先迅速地部署到测试系统上。

在 ICS 的关键领域实施网络行为跟踪和监测审计。

参 考 文 献

[1] Wu K H，Li Y，Chen L，et al. Research of integrity and authentication in OPC UA communication using whirlpool Hash function[J]. Applied Sciences，2015，5（3）：446-448.

[2] Verma D，Jain R，Srivastava A. Performance analysis of cryptographic algorithms RSA and ECC in wireless sensor networks[J]. IUP Journal of Telecommunications，2015，7（3）：51-65.

[3] Schwarz H，Borcsok J. A survey on OPC and OPC UA：About the standard，developments and investigations[C]. 2013 XXIV International Symposium，Sarajevo，2013：1-6.

[4] Singhal V，Suri S. Comparative study of hierarchical routing protocols in wireless sensor networks[J]. International Journal of Computer Science and Engineering，2014，2（5）：142-147.

[5] Rong H H，Xiao M D，Da L W. Mutual defense scheme for secure data aggregation in wireless sensor networks[J]. International Journal of Distributed Sensor Networks，2014：275-288.

[6] Elbasi E，Ozdemir S. Secure data aggregation in wireless multimedia sensor networks via watermarking[C]. Proceedings of Application of Information and Communication Technologies，Tbilisi，2012：1-6.

[7] Zhou Q，Yang G，He L. An efficient secure data aggregation based on homomorphic primitives in wireless sensor networks[J].

International Journal of Distributed Sensor Networks，2014（7）：11.

[8] Jha M K，Sharma T P. A new approach to secure data aggregation protocol for wireless sensor network[J]. International Journal on Computer Science and Engineering，2010，2（5）：1539-1543.

[9] ITU-T. Information technology-Security framework for ubiquitous sensor networks：ISO/IEC 29180[S/OL]. [2021-12-26]. http://www.itu.int/rec/T-REC-X.1311/en.

[10] Yang Y，Wang X，Zhu S. SDAP：A secure hop-by-hop data aggregation protocol for sensor networks[J]. ACM Transactions on Information and System Security，2008，11（4）：18.

[11] Di P R，Michiardi P，Molva R. Confidentiality and integrity for data aggregation in WSN using peer monitoring[J]. Security and Communication Networks，2009，2（2）：181-194.

[12] Ozdemir S，Xiao Y. Integrity protecting hierarchical concealed data aggregation for wireless sensor networks[J]. Computer Networks，2011，55（8）：1735-1746.

[13] Chen C M，Lin Y H，Lin Y C. RCDA：Recoverable concealed data aggregation for data integrity in wireless sensor networks[J]. Parallel and Distributed Systems，2012，23（4）：727-734.

[14] Papadopoulos S，Kiayias A，Papadias D. Exact in-network aggregation with integrity and confidentiality[J]. Knowledge and Data Engineering，2012，24（10）：1760-1773.

[15] Katagi M，Moriai S. Lightweight cryptography for the Internet of Things[R]. Sony Corporation，2008：7-10.

[16] Hyncica O，Kucera P，Honzik P. Performance evaluation of symmetric cryptography in embedded systems[C]. Proceedings of the 6th IEEE International Conference on Intelligent Data Acquisition and Advanced Computing System，Prague，2011：277-282.

[17] Zhao Y C，Li D B. An elegant construction of re-initializable Hash chains[J]. Journal of Electronics and Information Technology，2006，28（9）：1717-1720.

[18] Zhang H，Zhu Y. Self-Updating Hash Chains and Their Implementations[M]. Berlin：Springer，2006：387-397.

[19] Zhang H，Li X，Ren R. A novel self-renewal Hash chain and its implementation[C]. Proceedings of IEEE/IFIP International Conference on Embedded and Ubiquitous Computing，Shanghai，2008：144-149.

[20] Yang W W，Ma C G，Huang Y L. Integration-preservation data aggregation scheme based on distributed authentication[J]. Journal of Computer Application，2014，34（3）：714-719.

[21] Yuan T，Cui S，Zhao Q，et al. Research on the application of WIA industrial wireless technology in the substation auxiliary control system[C]. 33rd Chinese Control Conference，Nanjing，2014：8188-8193.

[22] 金萍，田正其，彭宇菲. 一种基于 ZigBee 无线传感网络的智能抄表系统[J]. 江苏电机工程，2016（4）：36-39.

[23] 侯志辉. 智能抄表系统的研究与应用[D]. 北京：华北电力大学，2015.

[24] Dasgupta K，Kalpakis K，Namjoshi P. An efficient clustering-based heuristic for data gathering and aggregation in sensor networks[C]. Wireless Communications and Networking，New Orleans，2003：1948-1953.

[25] 全国工业过程测量控制和自动化标准化技术委员会. 工业无线网络 WIA 规范第一部分：用于过程自动化的 WIA 系统结构与通信规范：GB/T 26790.1-2011[S/OL]. [2021-12-26]. https://max.book118.com/html/2018/0228/155107555.shtm.

[26] HART Communication Foundation. Wireless Devices Specification：HCF_SPEC-290 FCG TS20290[S/OL]. [2021-12-26]. https://www.fieldcommgroup.org/hart-specifications#230548828-1400562834.

[27] ISA. Wireless systems for industrial automation：Process control and related applications：ANSI/ISA-100.11a-2011. [S/OL]. [2021-12-26]. https://www.isa.org/products/ansi-isa-100-11a-2011-wireless-systems-for-industr.

[28] Chaki N，Chaki R. Intrusion detection in wireless adhoc networks[J]. IEEE Wireless Communications，2004，11（1）：48-60.

[29] 田俊峰，张酷，赵卫东. 基于误用和异常技术相结合的入侵检测系统的设计与研究[J]. 电子与信息学报，2006，28（11）：2162-2166.

[30] Wei M，Wang P，Wang Q. Research and implementation of the security strategy for the wireless industry control network[J]. Chinese Journal of Scientific Instrument，2009，30：679-681.

第3章 工业互联网边缘侧安全

3.1 概　　述

　　边缘计算是工业互联网的重要研究方向，已受到学术界、产业界及政府部门的极大关注，正在从产业共识走向了产业实践，在电力、交通、制造、智慧城市等多个价值行业有了规模应用，产业界在实践中逐步认识到边缘计算的本质与核心能力。边缘计算是在靠近物或数据源头的网络边缘侧，融合网络、计算、存储、应用核心能力的开放平台，就近提供边缘智能服务，满足行业数字化在敏捷连接、实时业务、数据优化、应用智能、安全与隐私保护等方面的关键需求。

　　边缘计算产业联盟（edge computing consortium，ECC）发布的《边缘计算参考架构2.0》中给出了边缘计算的定义。边缘计算2.0主要包括云边缘、边缘云和边缘网关三类落地形态，如图3.1所示；以"边云协同"和"边缘智能"为核心能力发展方向；软件平台需要考虑导入云理念、云架构、云技术，提供端到端实时、协同式智能、可信赖、可动态重置等能力；硬件平台需要考虑异构计算能力，如ARM、X86、图形处理单元（graphic processing unit，GPU）、网络处理单元（neural processor unit，NPU）、现场可编程逻辑门阵列（field programmable gate array，FPGA）等。

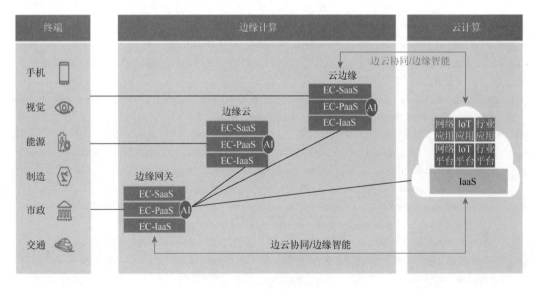

图3.1　边缘计算架构2.0

　　（1）云边缘形态的边缘计算是云服务在边缘侧的延伸，逻辑上仍是云服务，主要的能力提供依赖于云服务或需要与云服务紧密协同。如华为云提供的智能边缘平台（intelligent edge fabric，IEF）解决方案、阿里云提供的 Link Edge 解决方案、AWS（amazon web services）提供的 Greengrass 解决方案等均属于此类。

（2）边缘云形态的边缘计算是在边缘侧构建中小规模云服务能力；集中式 DC 侧的云服务主要提供边缘云的管理调度能力。如多接入边缘计算（multi-access edge，MEC）、内容分发网络（content delivery network，CDN）、华为云提供的智能边缘云（intelligent edge cloud，IEC）解决方案等均属于此类。

（3）云化网关形态的边缘计算以云化技术与能力重构原有嵌入式网关系统，云化网关在边缘侧提供协议/接口转换、边缘计算等能力，部署在云侧的控制器提供边缘节点的资源调度、应用管理与业务编排等能力。

（4）基于模型驱动的工程（model-driven engineering，MDE）方法，ECC 2018 年提出了边缘计算参考架构 3.0。参考架构 3.0 在每层提供了模型化的开放接口，实现了架构的全层次开放。通过纵向管理服务、数据全生命周期服务、安全服务实现业务的全流程、全生命周期的智能服务。

如图 3.2 所示，边缘计算参考架构 3.0 包括以下几方面。

（1）整个系统分为云、边缘和现场设备三层，边缘计算位于云和现场设备之间，边缘层向下支持各种现场设备的接入，向上可以与云进行对接。

（2）边缘层包括边缘节点和边缘管理器两个主要部分。边缘节点是硬件实体，是承载边缘计算业务的核心。边缘管理器的核心是软件，主要功能是对边缘节点进行统一的管理。

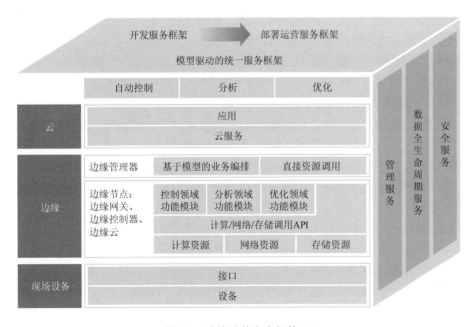

图 3.2　边缘计算参考架构 3.0

（3）边缘节点一般具有计算资源、网络资源和存储资源，边缘计算系统对资源的使用有两种方式：第一，直接将计算资源、网络资源和存储资源进行封装，提供调用接口，边缘管理器以代码下载、网络策略配置和数据库操作等方式使用边缘节点资源；第二，进一步将边缘节点的资源按功能领域封装成功能模块，边缘管理器通过模型驱动的业务编排的方式组合和调用功能模块，实现边缘计算业务的一体化开发和敏捷部署。

边缘计算的 CROSS（connectivity、realtime、data optimization、smart、security）价值推动计算模型从集中式的云计算走向更加分布式的边缘计算，为传统的网络架构带来了极大的改变，这些改变促进了技术和业务的发展，同时也将网络攻击威胁引入网络边缘。以工业场景为例，根据《中国工业互联网安全态势报告》，截至 2018 年 11 月，全球范围内暴露在互联网上的工业控制系统及设备数量已超 10 万台。

边缘安全是边缘计算的重要保障，可通过增强边缘基础设施、网络、应用、数据识别和抵抗各种安全威胁的能力，为边缘计算的发展构建安全可信环境。

边缘安全的价值体现在下述几方面。

（1）基础设施是包含路径、数据交互和处理模型的平台面，是可为平台面提供包括计算、网络、存储类的可靠物理资源和虚拟资源。从而应对镜像篡改、DDoS 攻击、非授权通信访问、端口入侵等安全威胁。

（2）为边缘应用提供可信赖的安全服务：从运行维护角度，提供应用监控、应用审计、访问控制等安全服务；从数据安全角度，提供轻量级数据加密、数据安全存储、敏感数据处理与监测的安全服务，进一步保证应用业务的数据安全。

（3）提供安全可信的网络及覆盖：除了提供可靠的传统的运营商网络安全保障，还应为面向特定行业的 TSN、工业专网提供定制化的网络安全防护措施。

（4）提供端到端全覆盖的包括威胁监测、态势感知、安全管理编排、安全事件应急响应、柔性防护在内的全网安全运营防护体系。

海量的工业数据在工业互联网传输过程中消耗了大量的带宽、能量和时间，从而严重影响了网络的高效性[1-4]。特别是工业领域中的生产控制对数据处理的实时性要求较高[5,6]。如果企业都将生产现场数据上传到工业云平台，通过其分析处理后再将反馈控制结果作用于现场设备，难以满足现场设备控制的实时性要求。因此，边缘计算被提出并被引入工业界。通过在工业互联网络架构中引入边缘计算，通过在靠近工业现场部署边缘节点的方式，将工业云平台的部分计算能力下移到工业现场，边缘节点就近提供智能服务，并对实时性要求高的业务优先本地化处理，从而能够满足工业数据对传输实时性和可靠性的需求。

由于边缘节点向外直接接入了互联网络，进而将工业现场设备直接暴露于互联网络中，这存在非常大的安全隐患。边缘安全是边缘计算的重要保障。边缘安全涉及跨越云计算和边缘计算纵深的安全防护体系，增强边缘基础设施、网络、应用、数据识别和抵抗各种安全威胁的能力，为边缘计算的发展构建安全可信环境。如何在边缘侧保证通信安全、数据安全及设备安全，已成为工业互联网领域研究的热点。解决安全问题已经成为工业互联网是否能够大规模应用的基础。

3.1.1　安全目标

工业边缘计算具有较强的行业特点，通过与工业设备及工业应用紧密结合，将工业领域的不同层级整合起来，贯穿工业生产单元的全工作流程，能够将传感器和控制设备产生的数据在本地进行处理与存储，能使工业系统实现数字化，促进设备、工艺过程及工厂全价值链优化，加速 IT 和 OT 的融合。

随着工业边缘计算价值场景中边缘节点数量的激增，当前封闭的工业网络将会逐渐走向开放，使工业控制安全、工业数据安全、平台安全（云端）问题凸显。工业边缘计算安全的核心部分涉及工业控制、智能制造，它对安全的要求更高、波及面更广，工业边缘计算需要满足工业企业应用的高安全性、超可靠、低时延、大连接、个性化等要求，同时防范非法入侵和数据泄露。尤其原有的工业协议基本是专用的，未考虑信息安全威胁，工业设备多种多样、业务链长、模型复杂、需求繁多，IT 与工业技术相互融合，采用优化 ICT，性能和各项技术要求更高更复杂。

工业边缘计算安全将覆盖工业系统设计、开发、实施、运维、结束等横向全生命周期，以及控制层、网络层、系统层、管理层等纵向运维，通过多维度安全技术的深度融合集成设计，以保证工业边缘计算系统可用性为目标，综合运用信息安全、功能安全等技术手段和管理措施，确保工业边缘计算系统的安全稳定运行。

3.1.2　安全原则

为了支撑边缘计算环境下的安全防护能力，边缘安全需要满足如下的需求特征。

1. 海量特征

海量的边缘节点设备拥有海量的连接，产生海量的数据。围绕边缘网络的海量特征，边缘安全需要考虑下述特性与能力构建。

（1）高吞吐量。由于边缘网络中连接的设备数量大、物理连接条件和连接方式多样，并且有些设备具有移动性，同时设备接入和交互频繁，因此边缘网络要求相关的安全服务在接入时延和交互次数方面能突破限制，即边缘节点的安全接入服务应具有高吞吐量。可采用的解决方案包括支持轻量级加密的安全接入协议，支持无缝切换接入的动态高效认证方案。

（2）可扩展性。随着边缘网络中接入设备数量的剧增，设备上运行着多样的应用程序并生成大量的数据，要求相关安全服务能够突破可支持的最大接入规模限制，即边缘节点的资源管理服务应具有可扩展性。可采用的解决方案包括物理资源虚拟化、跨平台资源整合、支持不同用户请求的资源之间安全协作和互操作等。

（3）自动化。由于边缘网络中海量的设备上运行着多样化的系统软件与应用程序，安全需求也多样化，要求相关安全服务能够突破管理人员限制，即边缘侧的设备安全管理应具有自动化。可采用的解决方案包括边缘节点对连接的设备实现自动化的安全配置、自动化的远程软件升级和更新、自动化的入侵检测等。

（4）智能化。由于边缘网络中接入设备数量大，生成和存储了大量的数据，可以弥补云中心大数据分析时延性高、周期性长、网络耗能严重等缺陷，边缘网络要求相关安全服务能够突破数据处理能力限制，即边缘节点的安全服务应具有智能。可采用的解决措施包括云边协同的安全存储/安全多方计算、差分隐私保护等。

2. 异构特征

异构特征包括计算的异构性、平台的异构性、网络的异构性及数据的异构性，围绕异构特征，边缘安全需要考虑下述特性与能力构建。

（1）无缝对接。边缘网络中存在大量异构的网络连接和平台，边缘应用中也存在大量的异构数据，边缘安全要求相关安全服务能够突破无缝对接限制，提供统一的安全接口，包括网络接入、资源调用和数据访问接口。可采用的解决方案为基于软件定义思想实现硬件资源的虚拟化和管理功能的可编程，即将硬件资源抽象为虚拟资源，提供标准化接口对虚拟资源进行统一安全管理和调度，实施统一的接入认证和 API 访问控制。

（2）互操作。边缘设备具有多样性和异构性，在无线信号、传感器、计算能耗、存储等方面具有不同的能力，通常会产生不可忽略的开销，同时也会增加实现/操作的复杂性。边缘安全要求相关安全服务能够突破互操作性限制，提供设备的注册和标识，可采用的解决方案包括设备的统一安全标识、资源的发现、注册和安全管理等。

（3）透明。由于边缘设备的硬件能力和软件类型呈多样化，安全需求也呈多样化，边缘安全要求相关安全服务能够突破对复杂设备类型管理能力的限制，即边缘节点对不同设备安全机制的配置应具有透明性。可采用的解决方案包括边缘节点可对不同设备安全威胁实现自动识别、安全机制的自动部署、安全策略的自动更新等。

3. 资源约束特征

资源约束特征包括计算资源约束、存储资源约束及网络资源约束，这些资源约束给安全功能和性能带来了约束。围绕资源约束特征，边缘安全需要考虑下述特性与能力构建。

（1）轻量化。由于边缘节点通常采用低端设备，存在计算、存储和网络资源受限及不支持额外的硬件安全特性［如全面生产维护（total productive maintenance，TPM）、硬件安全模块（hardware security module，HSM）、SGX enclave、硬件虚拟化等］限制，现有云安全防护技术并不能完全适用，需要提供轻量级的认证协议、系统安全加固、数据加密和隐私保护，以及硬件安全特性软件模拟方法等技术。

（2）云边协同。由于边缘节点的计算和存储资源受限，存在可管理的边缘设备规模和数据规模限制，且许多终端设备具有移动性（如车联网等），脱离云中心将无法为这些设备提供全方位的安全防护，需要提供云边协同的身份认证、数据备份和恢复、联合机器学习隐私保护、入侵检测等技术。

4. 分布式特征

边缘计算更靠近用户侧，天然具备分布式特征。围绕分布式特征，边缘安全需要考虑下述特性与能力构建。

（1）自治。与传统云中心化管理不同，边缘计算具有多中心、分布式特点，因而在脱离云中心的离线情况下，可以损失部分安全能力，进行安全自治，或者具有本地存活的能力。需要提供设备的安全识别、设备资源的安全调度与隔离、本地敏感数据的隐私保护、本地数据的安全存储等功能。

（2）边边协同。边缘计算的分布式特性，加上现场设备的移动性（经过多个边缘计算节点，甚至跨域/多边缘中心）及现场环境/事件的变化，使得服务的需求（如智能交通）也发生变化，因此在安全方面也需要提供边边协同的安全策略管理。

（3）可信硬件支持。边缘节点连接的设备（如移动终端、IoT 设备）主要采用无线连接，具有移动性，会出现频繁的、跨边缘节点的接入或退出情况，导致出现不断变化的拓扑和通信条件，以及松耦合和不稳定的架构，易受账号劫持、不安全系统与组件的威胁，需要提供轻量级可信硬件支持的强身份认证、完整性验证与恢复等。

（4）自适应。边缘节点动态地无线连接大量、不同类型的设备，每个设备上嵌入或安装了不同的系统、组件和应用程序，它们具有不同的生命周期和服务质量要求，使得对边缘节点资源的需求和安全的需求也发生动态变化。需要提供灵活的安全资源调度、多策略的访问控制、多条件加密的身份认证方案等。

5. 实时性特征

边缘计算更靠近用户侧，能够更好地满足实时性应用和服务的需求。围绕实时性特征，边缘安全需要考虑下述特性与能力构建。

（1）低时延。边缘计算能够降低服务时延，但是许多边缘计算场景（如工业现场、物联网等）仅能提供时间敏感服务，专有的网络协议或规约在设计时通常只强调通信的实时性及可用性，对安全性普遍考虑不足，安全机制的增加必将对工业实时性造成影响。需要提供轻量级、低时延的安全通信协议。

（2）容错。边缘节点可以收集、存储与其连接现场设备的数据，但是缺乏数据备份机制，数据的不可用将直接影响服务的实时性。需要提供轻量级、低时延的数据完整性验证和恢复机制，以及高效的冗余备份机制，确保设备故障或数据损坏、丢失时，能够在限定的时间内快速地恢复受影响/被损毁数据的可用性。

（3）弹性。边缘计算节点和现场设备均容易受到各种攻击，需要经常对系统、组件和应用程序进行升级与维护，但这将直接影响服务的实时性。因此，需要提供支持业务连续性的软件并实现在线升级和维护及提供系统受到攻击或破坏后的动态可信恢复机制。

3.1.3　主要挑战

当前产业界及学术界已经开始认识到边缘安全的重要性和价值，并开展了积极有益的探索，但是目前关于边缘安全的探索仍处于产业发展的初期，缺乏系统性的研究。边缘计算环境中潜在的攻击窗口，包括边缘接入（云-边接入、边-端接入），边缘服务器（硬件、软件、数据），边缘管理（账号、管理/服务接口、管理人员）等层面的攻击，如图 3.3 和表 3.1 所示，边缘计算面临着 12 个最重要的安全挑战，它们的具体描述如下所示。

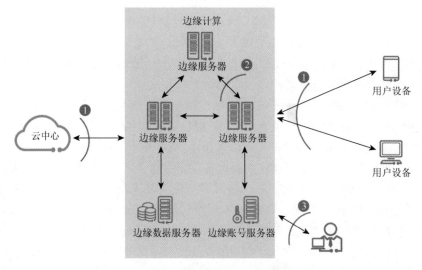

图 3.3 边缘计算环境中潜在的攻击窗口

表 3.1 边缘计算环境中的挑战

攻击面	挑战
边缘接入	不安全的通信协议；恶意的边缘节点
边缘服务器	边缘节点数据易被损毁；隐私数据保护不足；不安全的系统与组件；易发起分布式拒绝服务；易蔓延 APT 攻击；硬件安全支持不足
边缘管理	身份、凭证和访问管理不足；账号信息易被劫持；不安全接口和 API；难监管的恶意管理员

1）不安全的通信协议

由于边缘节点与海量、异构、资源受限的现场/移动设备大多采用短距离的无线通信技术，边缘节点与云服务器采用的多是消息中间件或网络虚拟化技术，这些技术的安全性考虑不足。例如，在工业边缘计算场景下，传感器与边缘节点之间存在着众多不安全的通信协议（如 Zigbee、蓝牙等），缺少加密、认证等措施，易于被窃听和篡改。

2）边缘节点数据易被损毁

边缘计算的基础设施位于网络边缘，缺少有效的数据备份、恢复及审计措施，导致攻击者可能修改或删除用户在边缘节点上的数据来销毁某些证据。一旦发生用户数据在边缘节点上丢失或损坏，而云端又没有对应用户数据的备份，边缘节点端也没有提供有效机制恢复数据，这将直接影响批量的工业生产和决策过程。

3）隐私数据保护不足

边缘计算将计算从云迁移到邻近用户的一端，直接对数据进行本地处理和决策，在一定程度上避免了数据在网络中长距离的传播，降低了隐私泄露的风险。然而，由于边缘设备获取的是用户第一手数据，能够获得大量的敏感隐私数据。在工业边缘计算场景下，边缘节点相对于传统的云中心，缺少有效的加密或脱敏措施，一旦受到黑客攻击、嗅探和腐蚀，其存储的家庭人员消费信息、电子医疗系统中人员健康信息、道路事件车辆信息等将被泄露。

4) 不安全的系统与组件

边缘节点可以分布式承担云的计算任务。然而，边缘节点的计算结果是否正确对用户和云来说都存在信任问题。在工业边缘计算场景下，一旦攻击者利用边缘节点上的漏洞攻击，通过权限升级或者恶意软件入侵边缘数据中心，获得系统的控制权限，则恶意用户可能会终止、篡改边缘节点提供的业务或返回错误的计算结果。如果不能提供有效机制验证计算结果的正确性，云可能不会将计算任务转移到边缘节点。

5) 身份、凭证和访问管理不足

身份认证是验证或确定用户提供的访问凭证是否有效的过程。在工业边缘计算场景下，许多现场设备没有足够的存储和计算资源来执行认证协议所需的加密操作，需要外包给边缘节点，但这将带来一些问题：终端用户和边缘计算服务器之间必须相互认证，安全凭证如何产生和管理？在大规模、异构、动态的边缘网络中，如何在大量分布式边缘节点和云中心之间实现统一的身份认证与高效的密钥管理。

6) 账号信息易被劫持

账号劫持是一种身份窃取，主要目标一般为现场设备用户，攻击者以不诚实的方式获取设备或服务所绑定的用户特有的唯一身份标识。账号劫持通常通过钓鱼邮件、恶意弹窗等方式完成。通过这种方式，用户往往在无意中泄露自己的身份验证信息。攻击者以此来执行修改用户账号、创建新账号等恶意操作。在工业边缘计算场景下，用户的现场设备往往与固定的边缘节点直接相连，设备的账户通常采用的是弱密码、易猜测密码和硬编码密码，攻击者更容易伪装成合法的边缘节点对用户进行钓鱼、欺骗等操作。

7) 恶意的边缘节点

在边缘计算场景下，参与实体类型多、数量大，信任情况非常复杂。攻击者可能将恶意边缘节点伪装成合法的边缘节点，诱使终端用户连接到恶意边缘节点，隐秘地收集用户数据。此外，边缘节点通常被放置在用户附近，如在基站或路由器等位置，甚至在 WiFi 接入点的极端网络边缘，这使得为其提供安全防护变得非常困难，物理攻击更有可能发生。在工业边缘计算场景下，边缘计算节点系统大多以物理隔离为主，软件安全防护能力更弱，外部的恶意用户更容易通过入侵系统漏洞和控制部分边缘节点来发起非法监听流量的行为；边缘计算设备结构、协议、服务提供商的不同，导致现有入侵检测技术难以检测上述攻击。

8) 不安全的接口和 API

在云环境下，为了方便用户与云服务交互，要开放一系列用户接口或 API，这些接口需防止意外或恶意接入。此外，第三方通常会基于这些接口或 API 来开发更多有附加价值的服务，这就会引入新一层的更复杂的 API，同时风险也会相应增加。因此，在工业边缘计算场景下，边缘节点既要向海量的现场设备提供接口和 API，又要与云中心进行交互，这种复杂的边缘计算环境、分布式的架构引入了大量的接口和 API 管理，但目前的相关设计并没有都考虑安全特性。

9) 易发起分布式拒绝服务

在工业边缘计算场景下，由于参与边缘计算的现场设备通常使用简单的处理器和操作系统，对网络安全不重视，或者因设备本身的计算资源和带宽资源有限，无法支持复杂的安全防御方案，导致黑客可以轻松地对这些设备实现入侵，然后利用这些海量的设备发起超大流量的 DDoS 攻击。因此，对如此大量的现场设备安全的协调管理是边缘计算的一个巨大挑战。

10）易蔓延 APT 攻击

APT 攻击是一种寄生形式的攻击，通常在目标基础设施中建立立足点，从中秘密地窃取数据，并能适应防备 APT 攻击的安全措施。在边缘计算场景下，APT 攻击者首先寻找易受攻击的边缘节点，并试图攻击边缘节点和隐藏自己。更糟糕的是，边缘节点往往存在许多已知和未知的漏洞，且存在与中心云端同步不及时的问题。一旦被攻破，加上现在的边缘计算环境对 APT 攻击的检测能力不足，连接上该边缘节点的用户数据和程序无安全性可言。比传统网络 APT 威胁更大的是，在工业边缘计算场景下，由于现场设备和网络的默认设置大多不安全，边缘中心又不能提供有效机制及时地修改这些配置，使得 APT 攻击易感染面更大、传播性也更强，很容易蔓延到大量的现场设备和其他边缘节点。

11）难监管的恶意管理员

同云计算场景类似，在工业边缘计算场景下，信任情况更加复杂，而且管理如此大量的 IoT 设备/现场设备，对管理员来说是一个巨大的挑战，很可能存在不可信/恶意的管理员。出现这种情况的一种可能是管理员账户被黑客入侵，另一种可能是管理员自身出于其他的目的盗取或破坏系统与用户数据。如果攻击者拥有超级用户访问系统和物理硬件的权限，攻击者将可以控制边缘节点的整个软件栈，包括特权代码、容器引擎、操作系统内核和其他系统软件，从而能够重放、记录、修改和删除任何网络数据包或文件系统等。此外，加上现场设备的存储资源有限，对恶意管理员的审计不足，因此工业边缘计算很有可能遭受外部安全攻击的威胁。

12）硬件安全支持不足

相比于云计算场景，在工业边缘计算场景下，边缘节点远离云中心的管理，被恶意入侵的可能性大大增加，而且边缘节点更倾向于使用轻量级容器技术，但容器共享底层操作系统，隔离性更差，安全威胁更加严重。因此，仅靠软件来实现安全隔离，很容易出现内存泄露或篡改等问题。基于硬件的可信执行环境 TEEs（如 Intel SGX、ARMTrustZone、AMD 内存加密技术等）目前在云计算环境已成为趋势，但是 TEEs 技术在工业边缘计算、企业和 IoT 边缘计算、电信运营商边缘计算等复杂信任场景下的应用目前还存在性能问题，在侧信道攻击等安全性上的不足仍有待探索。

3.2　工业互联网边缘侧被动防御

3.2.1　概述

由于边缘节点向外直接接入了互联网，进而将工业现场设备直接暴露于互联网中，存在非常大的安全隐患，特别是数据的隐私安全问题。而边缘节点的信息安全非常重要。边缘节点是整个工业互联网架构中的数据传输枢纽，南向直接与现场设备相连，北向直接与工业云平台相连，边缘节点的数据安全直接关系到现场设备与工业云平台的数据安全。

本节将采用加密算法等被动防御技术来解决工业互联网边缘侧安全问题。

3.2.2　关键技术

1. 轻量级分组加密

1）基本原理

分组加密是用于加密或者解密具有固定长度分组数据的对称加密算法。分组加密的具体实现过程如图 3.4 所示，具有固定长度的明文序列使用密钥生成机制生成的密钥对其进行 n 轮运算操作，输出与输入明文等长度的密文序列。其中，在每轮运算操作中，密钥生成算法会生成不同的密钥，运算操作包括移位、置换、异或等多种运算操作。

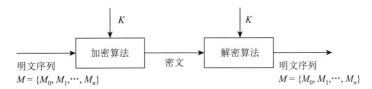

图 3.4　分组加密的具体实现过程

2）构造结构

现代分组的主流结构有替换-置换网络（substitution permutation networks，SPN）结构和 Feistel 结构。

（1）SPN 结构。分组加密最常见的结构是由 AES 使用的 SPN 结构，如图 3.5 所

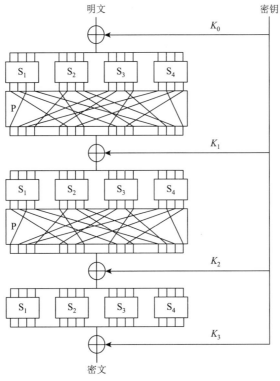

图 3.5　SPN 结构图

示，图中 S 为替换操作，P 为置换操作，K_i 为每轮与置换输出结果进行异或运算的密钥。

　　SPN 结构不仅在加密和解密明文与密文分组时的循环次数小于其他类型结构（如 Feistel 网络），而且易于在软件中设计。

　　（2）Feistel 结构。Feistel 是另一种常见的由 DES 使用的分组加密结构。Feistel 结构是一种加解密可逆的迭代结构，每次迭代只改变一半的数据，其结构如图 3.6 所示。

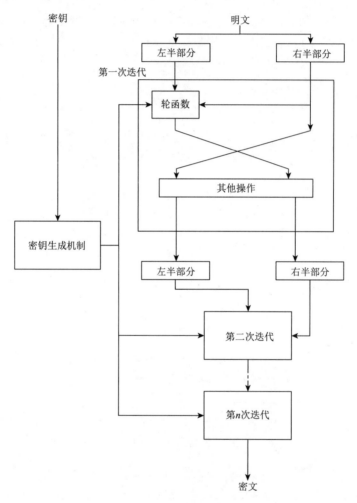

图 3.6　Feistel 结构

　　Feistel 结构将明文分组分为等长的两部分，分别为左半部分和右半部分。在每轮的迭代过程中，上一轮的右半部分分组将其数据赋值给下轮迭代的左半部分分组；而上一轮的左半部分分组则使用密钥，执行轮函数运算后得到的数据赋值给下一轮的右半部分分组。其中，每轮迭代的轮函数都相同，而密钥生成机制每次生成的密钥互不相同，轮数可以执行任意次。

　　基于 SPN 结构的加密算法结构简明，易于理解，在对分组进行运算的过程中，执行速度快，并通过密钥扩展技术进一步提高其密钥的安全性；基于 Feistel 结构的加密算法，解密过程是加密过程的一个逆运算，在整体实现上复杂度低，占用软硬件资源少，并通过复杂的密钥生成算法增加了密钥被分析的困难性。因此，基于 SPN 结构和 Feistel 结构的加密算法受到了轻量级分组加密学者的青睐。现有的大多数轻量级分组加密都采用上述两种结构。KLEIN 加密算法与 ITUbee 加密算法分别是基于 SPN 结构和 Feistel 结构的轻量级加密的代表性算法，两者安全性也分别得到证明。针对资源受限环境（RFID 标签、传感器节点、非接触智能卡、卫生保健设备等），轻量级加密算法可以有效地解决资源受限设备所面临的安全威胁与安全技术加载能力有限的矛盾[7]。

2. 同态加密

同态加密技术是一种可对密文执行数学计算，并在密文解密后得到的计算结果与直接对明文执行该数学计算得到的结果一致的技术，其具有隐私同态性，已被广泛地应用于云计算领域，用于解决云计算环境下用户希望使用第三方云平台资源和服务与第三方云平台不完全可信的矛盾问题。通过同态加密技术，用户将密文数据上传到云平台，不仅可以使用第三方的云平台资源和服务对数据进行分析、处理，而且能够避免不完全可信第三方对数据的非法盗用与篡改。

采用全同态加密保证数据的机密性，其基本概念如下：

（1）同态是指对明文数据的加密过程中，对加密后的密文数据做特定的数学计算，计算的结果解密后同明文执行同种特定的数学计算所得到的结果一致。

（2）有点同态能够支持有限次数的乘法与加法同态，当密文噪声达到一定阈值时，则不能再进行同态计算。

（3）全同态方案在有点同态方案的基础上，引入了压缩解密电路对密文噪声进行控制，从而实现任意次数乘法与加法同态计算。

（4）时间复杂度：通常算法中基本操作重复执行的次数就是问题规模 n 的某个函数，记为 $T(n)$，如果存在一个辅助函数 $f(n)$，使得极限值 $C = \lim_{n \to \infty}(T(n)/f(n))$，其中，$C$ 是不为零的常数，那么 $f(n)$ 就是 $T(n)$ 的同数量级函数，记为 $T(n) = O(f(n))$，称 $O(f(n))$ 为算法的渐近时间复杂度，简称时间复杂度。

3.2.3　方案实例

1. 工业互联网边缘节点的安全框架和安全机制

1）背景

工业互联网提供了一种方法来集成机器传感器、中间件、软件、云计算和存储系统，可以提高运行效率并加速生产力[8]。在工业互联网中，大量的工业数据影响着传输过程中的带宽、能量和时间[9-12]。边缘计算是在靠近工业领域的边缘进行的，集网络、计算、存储和应用等核心能力于一体，提供边缘智能服务。通过将边缘计算引入工业互联网，在工业领域附近部署边缘节点，将工业云平台的部分计算功能从一个或多个中心节点转移到工业互联网的另一个逻辑边缘。新的边缘到云的架构为客户提供了实时做出更精确决策的能力。

　　边缘应用服务显著地减少了必须移动的数据量、必须移动的数据的距离和随之而来的流量，从而降低了传输成本、减少了时延，并提高了服务质量[13]。实时性要求高的应用服务可以在本地和边缘端实现，保证了数据传输的实时性和可靠性。边缘计算的引入给工业互联网带来了许多好处。但工业互联网在满足高实时性要求的同时，如何保证现场节点和边缘节点之间的数据机密性是一个挑战。

　　考虑到边缘节点在现场网络与工厂互联网及云的互联中起着关键作用，工业互联网边缘侧[14]的安全问题变得迫在眉睫，为此，本节提出一种工业互联网的安全框架，并设计一种工业互联网边缘节点的安全机制，该机制有效地提高了边缘边工业互联网中的数据保密性。

　　2）技术方案

　　基于边缘计算的工业互联网安全框架如图 3.7 所示。现场节点和边缘节点之间的互连可以使用工业以太网或工业无线网络，如 EPA[14]、EtherCAT[15]、WIA-PA[16]、WirelessHART[17]。边缘云连接使用回程网络。框架中的主要实体包括工业云平台、安全管理器、边缘节点。

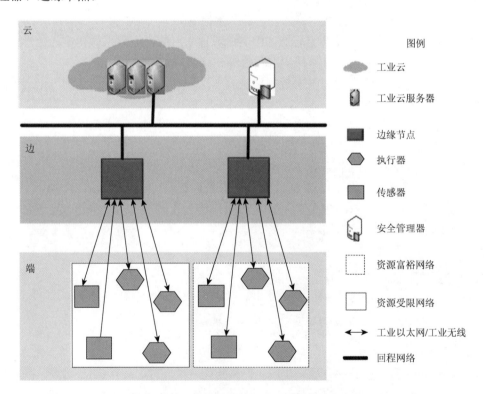

图 3.7　基于边缘计算的工业互联网安全框架

　　工业云平台是海量数据被分析和处理的场所。边缘计算接近执行单元，可以收集云所需的高价值数据，支持云应用程序的数据分析。

安全管理器作为分发密钥、设备身份验证和管理安全机制的角色，能够启动安全机制，以确保工业互联网中网络的可用性。

边缘节点提供数据处理能力，包括数据分析、处理、聚合，具有隐私性、安全性、有限的时延性、适应性和灵活性。边缘节点管理数据，决定数据的生命周期，并从数据中创造价值。边缘节点可以与多个云协同工作。边缘节点可以执行大量的计算，如策略执行、数据加密和解密。

根据节点的资源容量，可以将现场节点分为资源受限节点和资源富裕节点。现场节点包括传感器和执行器，它们可以与边缘节点进行安全通信。为了保证边缘南侧和边缘北侧的数据安全，应根据网络资源的不同，采取相应的安全机制。

在资源受限的网络中，边缘节点使用轻量级加密算法[18]对数据进行保护。边缘节点对数据进行解密和加密，并实时做出更精确的决策，然后这些决策可以反馈给边缘节点。

在资源富裕的网络，现场节点使用完全同态加密算法[19]保护数据，使用同态加密的目的是让边缘边实时进行计算，并对加密的数据做出更精确的决策。对于边缘节点与工业云平台之间的安全通道，采用完全同态加密。

基于边缘计算的工业互联网安全框架的优点是可以根据网络的分类设计不同的安全机制。资源受限网络和资源富裕网络分别与边节点连接，使框架更高效。

下面详细介绍边缘节点的南北安全机制，包括两部分：边缘节点南向安全机制和边缘节点北向安全机制。

（1）边缘节点南向安全机制。

①密钥管理机制。密钥管理机制是针对设备从加入网络开始到密钥更新完成整个阶段，安全管理者会设计设备密钥管理的整个过程。其中，设备包括现场设备与边缘节点，本密钥管理机制涉及如下三种密钥。

加入密钥（Key_Join，KJ）：KJ 在设备加入网络时使用。在配置阶段建立，由安全管理者对设备进行分发。KJ 与设备 ID 一起生成认证信息，用于对设备身份进行鉴别。

密钥加密密钥（Key_Encryption_Key，KEK）：安全管理者会对加入网络的设备分发 KEK，作为加密密钥的密钥。安全管理者分发的第一个 KEK，是用 KJ 加密 KEK。

数据加密密钥（Key_Encryption_Data，KED）：设备加入网络以后，由安全管理者分发。安全管理者在发送 KED 时会使用 KEK 加密。

密钥管理机制具体流程如图 3.8 所示，其流程如下：

安全管理者配置 KJ，并分发给设备。

设备向安全管理者申请 KEK 及 KED。其中，KED 用于现场设备与边缘节点数据通信的加密，保护数据的机密性。KEK 用于对 KED 加密，保护 KED 的机密性。

安全管理者对设备的身份提出鉴别要求，设备使用 KJ 结合自身 ID 信息生成认证信息，并采用 KJ 加密发送到安全管理者，安全管理者使用 KJ 解密后对其身份合法性进行确认。

当设备被确认合法后，安全管理者会使用 KJ 加密 KED 及 KEK 并发送到设备。设备对其解密后便成功获取了 KED 及 KEK。

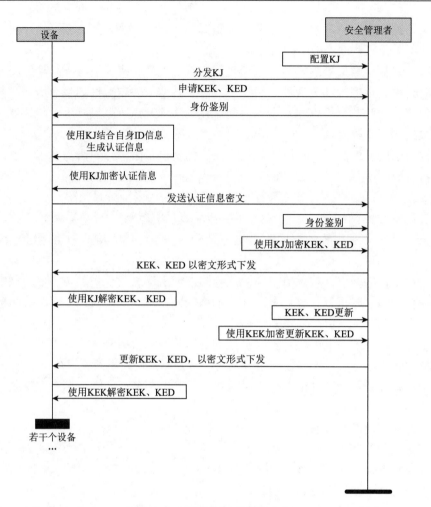

图 3.8　密钥管理机制具体流程

　　安全管理者对密钥进行更新时，会对更新后的密钥使用 KEK 加密并下发到设备，设备使用 KEK 进行解密后便能获得更新后的密钥。其中，密钥的更新包括 KEK 的更新和 KED 的更新。

　　②面向资源受限型设备与边缘节点通信的数据加解密机制。

　　针对资源受限型设备，采用轻量级分组加密算法对其数据进行保护。现场设备为资源受限型时边缘节点南向数据安全通信流程如图 3.9 所示。

　　资源受限型传感器采用轻量级分组加密算法对数据加密并上传到边缘节点，边缘节点对加密数据解密，解密后的数据转交到其数据预处理单元并进行预处理，预处理后的数据递交给数据分析单元，数据分析单元按设定的数学模型进行分析，数据分析完成后，策略执行单元对数据按已定的策略处理，执行结果轻量级加密并反馈到执行器。

　　a. 面向资源受限型现场设备的轻量级分组加密算法选择。

　　从工业领域现场设备对实效性要求高及是否易于软件实现两个方面考虑适用于资源受限型现场设备的加密算法。

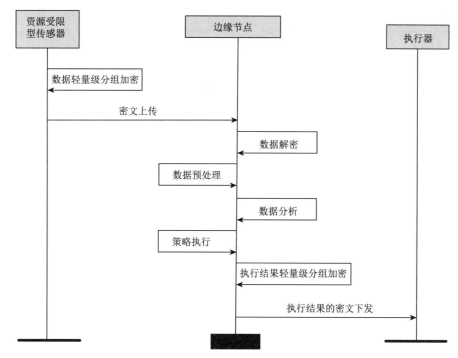

图 3.9　现场设备为资源受限型时边缘节点南向数据安全通信流程

KLEIN 加密算法和 ITUbee 加密算法都是面向软件实现而提出的, 分别都易于软件实施。KLEIN 加密算法实现轻量化过程中, 其中一部分优化是将 AES 使用的 8bit 输入的 S 盒替换为 4bit 的 S 盒, 在实现过程中将存储空间由 256 字节压缩到 16 字节, 但是在软件实现上, 大多数处理器都是以字节为单位的运算。因此, 处理器处理 1 字节数据时, 需查表两次才能完成 S 盒替换。ITUbee 加密算法依然采用 AES 中 8bit 输入的 S 盒, 在软件实现时, 处理 1 字节数据只需要查表一次便可完成, 与 KLEIN 加密算法相比执行时间更短, 占用的存储空间更大。由于 256 字节的存储占用空间较小, 对一般的现场设备的存储空间影响较小。

因此, 本节选择 ITUbee 加密算法作为单边缘节点南向数据安全机制的轻量级分组加密算法。

b. ITUbee 加密算法。

在表 3.2 中对 ITUbee 加密算法使用的符号进行了统一说明。

表 3.2　ITUbee 算法符号说明

符号	符号说明
||	表示连接字符
K	80bits 的主密钥
K_L	主密钥的左半部分
K_R	主密钥的右半部分
P	80bits 的明文

续表

符号	符号说明
P_L	明文的左半部分
P_R	明文的右半部分
C	80bits 的密文
C_L	密文的左半部分
C_R	密文的右半部分
RC_i	用于第 i 轮变换的轮常量

ITUbee 加密算法的具体加密流程如图 3.10 所示。

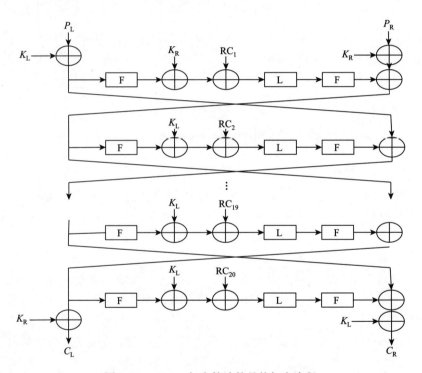

图 3.10　ITUbee 加密算法的具体加密流程

F 是轮函数，轮函数是一个将 40bit 输入进行非线性变换的函数，由非线性替换函数 S、线性代换函数 L 复合而成

加密操作的过程用伪代码表示如下：

1. $X_1 \leftarrow P_L \oplus K_L$ and $X_0 \leftarrow P_R \oplus K_R$
2. for $i = 1, \cdots, 20$ do

   (a) if $i \in \{1, 3, \cdots, 19\}$

   　i. RK $\leftarrow K_R$

   (b) else

   　i. RK $\leftarrow K_L$

$$(c)X_{i+1} \leftarrow X_{i-1} \oplus F(L(\mathrm{RK} \oplus \mathrm{RC}_i \oplus \mathrm{F}(X_i)))$$

$$3. \, C_{\mathrm{L}} \leftarrow X_{20} \oplus K_{\mathrm{R}} \text{ and } C_{\mathrm{R}} \leftarrow X_{21} \oplus K_{\mathrm{L}}$$

上述伪代码中使用的函数为

$$F(X) = S(L(S(X))) \tag{3.1}$$

$$S(a\|b\|c\|d\|e) = S[a]\|S[b]\|S[c]\|S[d]\|S[e] \tag{3.2}$$

式中，a、b、c、d、e 是 8bits 的值，S 是在 AES 中用到的 S 盒。

③面向资源富裕型设备与边缘节点通信的数据加解密机制。

针对资源富裕型设备，采用全同态加密技术，现场设备为资源富裕型时边缘节点南向数据安全通信流程如图 3.11 所示。

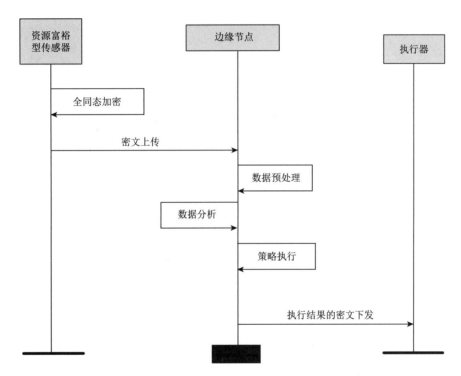

图 3.11　现场设备为资源富裕型时边缘节点南向数据安全通信流程

资源富裕型传感器采用全同态加密算法对数据加密后上传到边缘节点，边缘节点数据预处理单元直接对数据进行预处理，预处理后的数据递交给数据分析单元，数据分析单元按设定的数学模型进行分析，策略执行单元对分析过的数据按已定的策略处理执行，执行后的结果直接下发到执行器。

a. 面向资源富裕型现场设备的全同态加密算法选择。

资源富裕型的现场设备在保护数据安全时，无须在通过牺牲安全强度的情况下，来平衡设备性能。现场设备通过全同态加密算法将其数据加密后上传到边缘节点处，边缘节点在无须解密的情况下，便可以对密文数据进行分析、计算，并将执行的结果直接反馈给现场设备，从而节省了数据在边缘节点处的加解密时间。

目前，全同态加密算法包括：基于理想格的全同态加密算法[20]、基于整数环的全同态加密算法[21]和基于整数的全同态加密算法[22]。由于上述三种算法在设计时，已对同态性和安全性做了充分的证明。因此，本节主要考虑现场设备对实时性要求高的因素，选择一种时间复杂度最低的算法。

文献[23]对这几种算法的时间复杂度进行了分析比较，基于理想格的全同态加密算法的计算复杂度为 $O(n^6)$，基于整数环的全同态加密算法的计算复杂度为 $O(n^5)$，基于整数的全同态加密算法的计算复杂度为 $O(n^3)$。

因此，本节选择基于整数的全同态加密算法作为单边缘节点北向数据安全机制的加密算法。

b. 同态加密算法。

KeyGen(λ)：随机选择 η 比特的奇数 p 作为私钥，$p \in [2^{\eta-1}, 2^{\eta})$。随机选择 τ 对整数 r_i 和 q_i，计算得到 $\tau+1$ 个公钥 $x_i = pq_i + 2r_i$，其中 $0 \leqslant i \leqslant \tau$，$q_i \in \left(Z \cap 0, \dfrac{2^\gamma}{p}\right)$，$r_i \in (Z \cap (-2^\rho, 2^\rho))$。对 x_i 重新排序，使得 x_0 最大且为奇数，$r_p(x_0)$ 是偶数，$r_p(x_0)$ 表示 r 除 x_0 的余数，最终得到公钥 pk $= \{x_0, x_1, \cdots, x_\tau\}$，公钥尺寸为 $\tau+1$。

$E(\text{pk}, m' \in \{0,1\})$：选择一个随机子集 $S \subseteq \{1, 2, \cdots, \tau\}$，对于任意 1 比特明文 m'，对应的密文 $c = \left[m' + 2r + \sum\limits_{i \in S} x_i\right]_{x_0}$，表示 $m' + 2r + \sum\limits_{i \in S} x_i$ 对 x_0 整除取余。

Evaluate($\text{pk}, C, c_1, c_2, \cdots, c_t$)：对于一个有 t 个输入的二进制电路及 t 个密文 c_i，将密文进行电路 C 中的加法和乘法运算，最后，返回一个整数值 c^*，且返回值满足 Decrypt(sk, c^*) $= C(m'_1, m'_2, \cdots, m'_t)$；Decrypt(sk, c)：$m' = (c \bmod p) \bmod 2$。

（2）边缘节点北向安全机制。

针对不同资源类型现场设备采用不同的加密算法加密的数据，边缘节点会有不同的数据处理方式，其数据安全通信流程不同。因此，单边缘节点北向数据安全通信流程分为资源受限型现场设备采用轻量级分组加密算法加密时，单边缘节点北向的数据安全通信流程；资源富裕型现场设备采用全同态加密算法加密时，单边缘节点北向的数据安全通信流程。

①资源受限型现场设备的数据安全通信流程。

资源受限型现场设备采用轻量级分组加密算法加密时，具体数据安全通信流程如图 3.12 所示。

首先，边缘节点对采用轻量级分组加密算法的加密数据进行解密；其次，边缘节点采用全同态加密算法对解密后的数据进行加密，并将密文上传到工业云平台；再次，工业云平台对密文数据进行同态运算，最后，工业云平台将计算后的密文数据直接下发到边缘节点。

②资源富裕型现场设备的数据安全通信流程。

资源富裕型现场设备采用全同态加密算法加密时，其具体数据安全通信流程如图 3.13 所示。

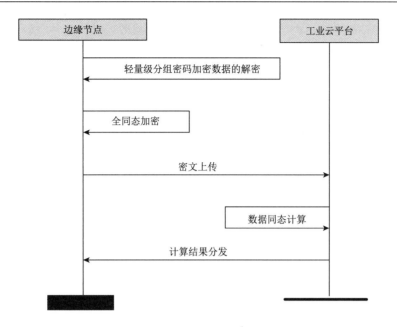

图 3.12　现场设备为资源受限型时边缘节点北向数据安全通信流程

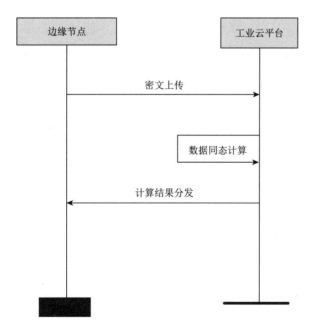

图 3.13　现场设备为资源富裕型时边缘节点北向数据安全通信流程

边缘节点将资源富裕型现场设备采用全同态加密算法加密的数据直接上传到工业云平台，工业云平台进行同态计算后将密文结果下发到边缘节点。

③单边缘节点北向数据安全机制的加密算法选择。

边缘节点上传到工业云平台的数据不仅希望对工业云平台保密，还希望利用工业云平台资源和服务对数据进行处理。全同态加密算法可有效地解决这种数据机密性与可操作性兼顾的问题。

全同态加密算法的效率是本节算法选择时的一个主要参考因素。因此，接下来将只对上面所述几种主要的全同态加密算法的效率进行分析对比，选择一种效率最高的算法。

算法的效率包括时间效率和空间效率两方面，但随着计算机技术不断发展，现有计算机的内存已经足够大，能满足绝大多数应用。所以进行算法效率分析时，对空间效率不会过多考虑，而只针对算法的时间效率进行分析。而算法的时间效率由时间复杂度决定。因此，接下来将分别对上述全同态加密算法的时间复杂度进行比较。

基于整数的全同态加密算法的计算复杂度最低，为 $O(n^3)$。因此，本节选择基于整数的全同态加密算法作为边缘节点与工业云平台间的加密算法，解决边缘节点与工业云平台间机密性与操作性兼顾的问题。

2. 工业云环境下多边缘节点协作模式下数据安全共享方法

1）背景

边缘计算是指在靠近物或数据源头的一侧，采用网络、计算、存储、应用核心能力为一体的开放平台，就近提供最近端服务。其应用程序在边缘侧发起，产生更快的网络服务响应，满足行业在实时业务、应用智能、安全与隐私保护等方面的基本需求。

边缘节点更多聚焦实时、短周期的大数据分析，能更好地支撑本地业务的实时智能化处理与执行；也可以对数据进行初步筛选处理，将有价值的数据传递到工业云平台或者转发给其他边缘节点。

边缘节点在将数据上传到云平台的情况下，如果云平台的数据保护措施不够完善，那么就意味着边缘节点上传的敏感数据和隐私数据都有可能被窃取，边缘节点失去对数据的控制权。一旦某工厂边缘节点的隐私数据或者敏感数据被竞争对手或者恶意攻击者窃取，对该工厂来说这种危害是致命的。为了保障边缘节点的数据在云平台的机密性和完整性，边缘节点一般将数据加密上传到云平台，但云平台若没有端到端的密钥，则无法为边缘节点的密文提供计算服务。

目前，数据的全同态加密方法可以有效地解决边缘节点与工业云平台之间数据传输的机密性和可操作性兼顾的问题。工业云平台直接对密文进行操作，输出的结果为密文，直接返回给边缘节点。这样工业云平台不需要对数据进行解密，也可以对数据进行分析和计算，而边缘节点因为没有与工业云端共享密钥，所以也保障了数据传递到云端后的机密性。

当多个边缘节点需要进行协同工作时，协作的各边缘节点会将数据以密文的形式发送给工业云平台，工业云平台将来自各个边缘节点的密文数据进行分析和计算后，返回给各边缘节点。如果上述边缘节点采用同态加密算法，各自采用各自的密钥对数据进行加密，虽然保障了边缘节点与工业云之间数据传输的机密性，但是由于各边缘节点使用的密钥不同，会造成各边缘节点发送到工业云平台的数据在工业云平台处无法进行同态计算，即在多边缘节点协作情况下，云平台无法融合并处理这些密文，也无法反馈给边缘节点。

鉴于此，针对多边缘节点协同工作的情况，本书提供了一种在云平台进行协作计算的方法。该方法既保障了单个边缘节点的数据安全性又兼顾了多边缘节点之间的数据互操作。

2）技术方案

工业云环境下多边缘节点协作模式下数据安全共享方法涉及的对象包括：边缘节点、权威中心。

首先，需要协作计算的边缘节点分别向权威中心申请用于协作计算的共享密钥；其次，权威中心通过密钥生成机制生成共享密钥并下发到申请参与协作计算的各边缘节点，本密钥生成机制可防止非法边缘节点的伪造攻击；再次，边缘节点结合工业特性生成干扰因子集 X，并为不同类型数据添加不同的干扰因子 δ，实现多边缘节点协作计算过程中数据更细腻度的共享；然后，如图 3.14 所示，参与协作的各边缘节点在基于整数全同态

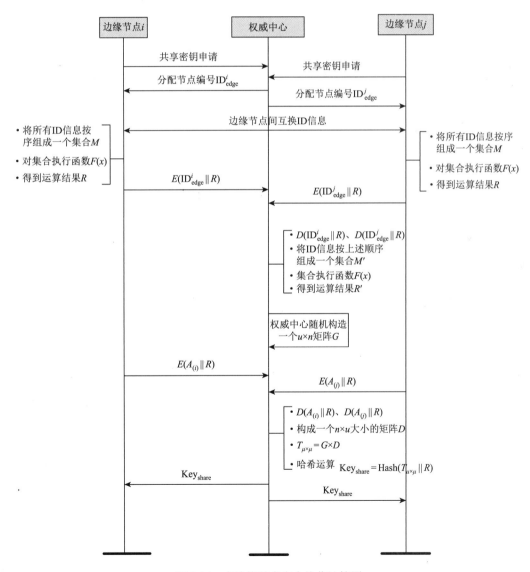

图 3.14　多边缘节点安全协作计算图

加密算法的基础上引入共享密钥与干扰因子,将边缘节点的数据实现改进的全同态加密并上传到工业云平台,改进的全同态加密算法可以兼顾多边缘节点之间协作计算时数据的机密性与互操作性;最后,工业云平台对各边缘节点上传的数据进行同态分析计算后,下发到各边缘节点处。

(1)共享密钥管理机制。共享密钥管理机制分为共享密钥的生成与共享密钥的更新。

①共享密钥的生成。

步骤1:希望参与协作计算的各边缘节点,分别向权威中心申请共享密钥。为了便于叙述,只选用了两个边缘节点间做协作计算的例子进行方法的具体阐述,具体过程如图3.15所示。在实际中可以有更多的边缘节点参与协作计算,其原理及过程与本方案所阐述的方法一致。

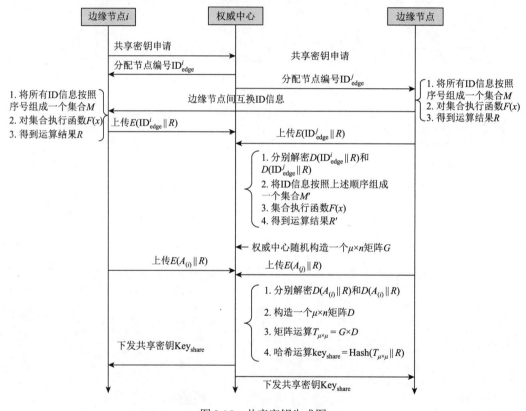

图3.15　共享密钥生成图

步骤2:权威中心向提出密钥申请的各边缘节点分配不同的节点编号。本示例中,权威中心分别为边缘节点选取的编号为$\text{ID}_{\text{edge}}^{i}$ 和 $\text{ID}_{\text{edge}}^{j}$ 。

步骤3:边缘节点之间互换ID号,使得同一协作计算组的每个边缘节点存储该协作计算组中所有边缘节点的ID号;权威中心将同一协作计算组的所有边缘节点按其ID号从小到大的顺序排列组成一个集合,本示例中集合 M^s 具体取为 M ,且 $M = \{\text{ID}_{\text{edge}}^{i},$ $\text{ID}_{\text{edge}}^{j}\}$;权威中心下存在多个协作计算组;每一协作计算组执行同一个函数 $F(M^s)$ 运算

得到不同结果值 R^s；权威中心通过 R^s 能够分辨不同协作计算组，以便为不同协作计算组分发不同的密钥。本处引入了结果值 R^s 的原因为权威中心所管辖范围内，多边缘节点之间可以形成多种合作关系，如边缘节点 $\text{ID}_{\text{edge}}^i$ 与边缘节点 $\text{ID}_{\text{edge}}^j$ 形成一种合作关系，这两个节点可以进行一种协作计算；边缘节点 $\text{ID}_{\text{edge}}^i$ 与边缘节点 $\text{ID}_{\text{edge}}^k$ 形成另一种合作关系，这两个节点可以进行另一种协作计算。因此，权威中心通过 R^s 能够分辨不同协作计算组，以便为不同协作计算组分发不同的密钥。

权威中心为每一组协作关系执行一个函数 $F(M^s)$ 运算得到不同结果值 R^s：

$$R^s = F(M^s) \tag{3.3}$$

式中，函数 F 是任意可对边缘节点集合 M^s 进行一次或多次数学计算的数学函数，不对具体的数学函数进行选取。

由于不同边缘节点的 ID 编号是唯一的，每一协作计算组的所有边缘节点所构成的集合 M^s 是唯一的，通过函数 $F(M^s)$ 运算得到结果值 R^s 也是唯一的。

因此，权威中心可以通过唯一的结果值 R^s 来分辨不同协作计算组所对应的密钥。

步骤 4：本示例中边缘节点 $\text{ID}_{\text{edge}}^i$ 和边缘节点 $\text{ID}_{\text{edge}}^j$ 组成协作计算组的计算结果值 R^s，具体取为 R；边缘节点 $\text{ID}_{\text{edge}}^i$ 和边缘节点 $\text{ID}_{\text{edge}}^j$ 分别将数据 $\text{ID}_{\text{edge}}^i \parallel R$、$\text{ID}_{\text{edge}}^j \parallel R$ 加密为 $E(\text{ID}_{\text{edge}}^i \parallel R)$、$E(\text{ID}_{\text{edge}}^j \parallel R)$ 后上传到权威中心。其中 $\parallel$ 表示字符串连接符。

步骤 5：权威中心首先通过预配置密钥解密得到 $D(\text{ID}_{\text{edge}}^i \parallel R)$、$D(\text{ID}_{\text{edge}}^j \parallel R)$，其次通过 R 提取出需要进行同种协作计算的所有边缘节点，再次将这些边缘节点按步骤 3 的顺序组成一个集合 M^*，然后执行相同的函数 $F(M^*)$，最后运算得到结果值 R'。在本示例中，权威中心得到的集合 $M^* = \{\text{ID}_{\text{edge}}^i, \text{ID}_{\text{edge}}^j\}$。如果参与协作计算边缘节点 $\text{ID}_{\text{edge}}^i$ 和 $\text{ID}_{\text{edge}}^j$ 都将自己的 ID 上传到权威中心，那么权威中心得到的集合 M^* 与步骤 3 中边缘节点的集合 M 是相同的，这两个相同集合执行相同函数 $F(x)$，得到的计算结果值 $R = R'$。

此外，权威中心通过判断 R 与 R' 的值相等与否来防止非法节点的伪造攻击，如非法边缘节点 $\text{ID}_{\text{edge}}^i$ 未与边缘节点 $\text{ID}_{\text{edge}}^j$ 达成合作关系，却向权威中心谎称与边缘节点 $\text{ID}_{\text{edge}}^j$ 已达成合作关系，并将边缘节点 $\text{ID}_{\text{edge}}^i$ 与边缘节点 $\text{ID}_{\text{edge}}^j$ 的 ID 号组成集合 M 上传到权威中心，权威中心就会同时向非法边缘节点 $\text{ID}_{\text{edge}}^i$ 与合法边缘节点 $\text{ID}_{\text{edge}}^j$ 发送同一共享密钥，非法边缘节点 $\text{ID}_{\text{edge}}^i$ 就可以通过此共享密钥去访问边缘节点 $\text{ID}_{\text{edge}}^j$ 的数据。对于上述非法节点的伪造攻击，只有非法边缘节点 $\text{ID}_{\text{edge}}^i$ 向权威中心上传了 $\text{ID}_{\text{edge}}^i \parallel R$，而边缘节点 $\text{ID}_{\text{edge}}^j$ 并未向权威中心上传 $\text{ID}_{\text{edge}}^j \parallel R$。因此，权威中心得到的边缘节点集合 M^* 与非法节点发送的集合 M 不一致，这两个不同的集合执行相同函数 $F(x)$ 运算后得到的结果值不相同，因此 $R \neq R'$。

步骤 6：权威中心在判断计算结果值 $R = R'$ 后，随机构造一个 $\mu \times n$ 矩阵 G，其中的元素属于有限域 $\text{GF}(q)$，μ 表示矩阵 G 的行数，也表示矩阵 G 列矩阵的长度，n 是每一协作计算组的边缘节点数量，在本示例中 $n = 2$，μ 的值可以根据实际所需安全强度，自行确定其大小。

步骤 7：边缘节点 $\text{ID}_{\text{edge}}^i$ 和边缘节点 $\text{ID}_{\text{edge}}^j$ 分别随机生成一个 μ 大小的列矩阵 $A_{(i)}$ 和 $A_{(j)}$，并进行加密得到 $E(A_{(i)} \parallel R)$、$E(A_{(j)} \parallel R)$ 后上传至权威中心。其中，列矩阵中的所有元素均属于有限域 $\text{GF}(q)$。

步骤 8：权威中心首先通过预配置密钥解密得到 $D(A_{(i)} \| R)$、$D(A_{(j)} \| R)$，其次通过 R 提取出参与同组协作计算的边缘节点 $\text{ID}_{\text{edge}}^i$ 和边缘节点 $\text{ID}_{\text{edge}}^j$ 的列矩阵，再次将这些列矩阵 $A_{(i)}$、$A_{(j)}$ 随机重组后构成一个 $n \times \mu$ 的矩阵 D，然后进行一个矩阵运算 $T_{\mu \times \mu} = G \times D$，$T_{\mu \times \mu}$ 为新生成的矩阵，用于生成共享密钥，最后权威中心引入 R 与矩阵 $T_{\mu \times \mu}$ 一起进行哈希运算，在本示例中 $n = 2$。

$\text{Key}_{\text{share}} = \text{Hash}(T_{\mu \times \mu} \| R)$ 生成共享密钥，并将生成的共享密钥分发给对应的边缘节点。权威中心引入 R 与矩阵 $T_{\mu \times \mu}$ 一起进行哈希运算是为了防止不同协作计算组出现相同密钥。

②共享密钥的更新。

在两种情况下，权威中心会更新共享密钥。一是权威中心发现非法边缘节点，二是新边缘节点加入已建立协作计算的各边缘节点中，进行新的协作计算。

权威中心发现非法边缘节点的共享密钥更新。当边缘节点 $\text{ID}_{\text{edge}}^i$ 或 $\text{ID}_{\text{edge}}^j$ 被捕获后成为非法边缘节点，非法边缘节点用 $\text{ID}_{\text{edge}}^{\text{fake}}$ 表示；权威中心发现非法边缘节点的共享密钥更新图（图 3.16），密钥更新是为了保证网络的后向安全，即非法边缘节点 $\text{ID}_{\text{edge}}^{\text{fake}}$ 无法再获得更新密钥，从而无法再获取合法边缘节点间后续生成的计算数据（非法边缘节点的检测方法不做涉及）。

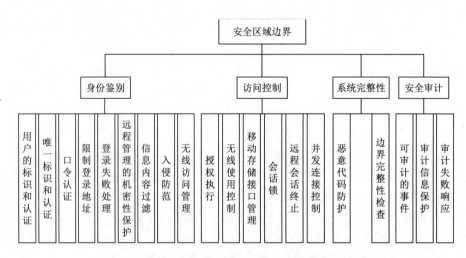

图 3.16　权威中心发现非法边缘节点的共享密钥更新图

步骤 1：权威中心获取非法边缘节点 $\text{ID}_{\text{edge}}^{\text{fake}}$ 信息后，将其从边缘节点集合 M^* 中删除，删除后边缘节点集合为 M^{**}。

步骤 2：权威中心随机构造一个新的 $\mu \times (n-1)$ 矩阵 G'，由于剔除了非法边缘节点 $\text{ID}_{\text{edge}}^{\text{fake}}$，新参与协作计算的边缘节点便从 n 减至 $n-1$。

步骤 3：权威中心首先根据新的集合中边缘节点所对应的列矩阵，随机重组生成新的 $(n-1) \times \mu$ 矩阵 D'，然后进行一个矩阵运算 $T'_{\mu \times \mu} = G' \times D'$，最后权威中心引入 R' 与矩阵 $T'_{\mu \times \mu}$ 一起进行哈希运算 $[\text{Key}'_{\text{share}} = \text{Hash}(T''_{\mu \times \mu} \| R')]$。

当新边缘节点加入某一协作计算组时，为防止新加入的边缘节点可以通过未更新的密钥获取其未参与协作计算前其他边缘节点间产生的协作计算数据，权威中心需要更新共享密钥，从而保证协作计算数据的前向安全。

图 3.17 是新边缘节点 k 加入边缘节点 $\mathrm{ID}_{\mathrm{edge}}^{i}$ 和边缘节点 $\mathrm{ID}_{\mathrm{edge}}^{j}$ 后组成协作计算组的共享密钥更新过程。

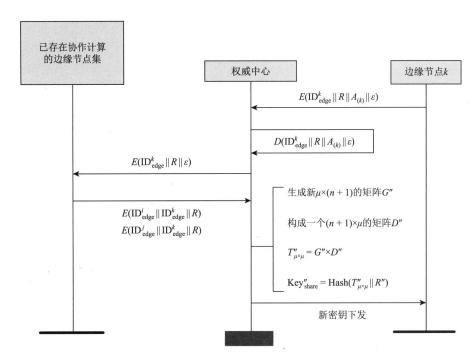

图 3.17　新边缘节点 k 加入边缘节点 $\mathrm{ID}_{\mathrm{edge}}^{i}$ 和边缘节点 $\mathrm{ID}_{\mathrm{edge}}^{j}$ 后组成协作计算组的共享密钥更新过程

步骤 1：新边缘节点 k 首先随机构造一个列矩阵 $A_{(k)}$，$A_{(k)}$ 为新边缘节点 k 所对应的列矩阵，长度为 μ，然后将边缘节点 $\mathrm{ID}_{\mathrm{edge}}^{i}$ 和边缘节点 $\mathrm{ID}_{\mathrm{edge}}^{j}$ 组成协作计算组所对应的结果值 R、新边缘节点编号 $\mathrm{ID}_{\mathrm{edge}}^{k}$、列矩阵 $A_{(k)}$，以及新节点请求加入协作计算标志 ε，通过加密 $E(\mathrm{ID}_{\mathrm{edge}}^{k} \| R \| A_{(k)} \| \varepsilon)$ 上传到权威中心。

步骤 2：权威中心首先通过预配置密钥解密得到 $D(\mathrm{ID}_{\mathrm{edge}}^{k} \| R \| A_{(k)} \| \varepsilon)$，然后通过 ε 知道 $\mathrm{ID}_{\mathrm{edge}}^{k}$ 希望加入某协作计算组的请求，最后通过结果值 R 确定新边缘节点希望加入边缘节点 $\mathrm{ID}_{\mathrm{edge}}^{i}$ 和边缘节点 $\mathrm{ID}_{\mathrm{edge}}^{j}$ 组成的协作计算组。权威中心确定新边缘节点希望加入的协作计算组后，将同时向边缘节点 $\mathrm{ID}_{\mathrm{edge}}^{i}$、$\mathrm{ID}_{\mathrm{edge}}^{j}$ 求证，发放的求证信息格式为 $E(\mathrm{ID}_{\mathrm{edge}}^{k} \| R \| \varepsilon)$。

步骤 3：边缘节点 $\mathrm{ID}_{\mathrm{edge}}^{i}$、$\mathrm{ID}_{\mathrm{edge}}^{j}$ 接收到该求证信息，分别解密得到 $D(\mathrm{ID}_{\mathrm{edge}}^{k} \| R \| \varepsilon)$，通过 ε 及 R 知道此时 $\mathrm{ID}_{\mathrm{edge}}^{k}$ 有想加入 $\mathrm{ID}_{\mathrm{edge}}^{i}$ 和 $\mathrm{ID}_{\mathrm{edge}}^{j}$ 所组成协作计算组的请求，若 $\mathrm{ID}_{\mathrm{edge}}^{i}$ 同意 $\mathrm{ID}_{\mathrm{edge}}^{k}$ 参与协作计算组，便会向权威中心发送 $E(\mathrm{ID}_{\mathrm{edge}}^{i} \| \mathrm{ID}_{\mathrm{edge}}^{k} \| R)$，同理，$\mathrm{ID}_{\mathrm{edge}}^{j}$ 如果同意边缘节点 $\mathrm{ID}_{\mathrm{edge}}^{k}$ 加入协作计算组，也会向权威中心发送 $E(\mathrm{ID}_{\mathrm{edge}}^{j} \| \mathrm{ID}_{\mathrm{edge}}^{k} \| R)$。

步骤 4：权威中心根据 R 值收集其他边缘节点组成的集合 M^{***}，其他边缘节点是指同意边缘节点 $\mathrm{ID}_{\mathrm{edge}}^{k}$ 参与协作计算的节点。如果边缘节点 $\mathrm{ID}_{\mathrm{edge}}^{i}$ 和 $\mathrm{ID}_{\mathrm{edge}}^{j}$ 都同意了边缘节点

$\mathrm{ID}_{\mathrm{edge}}^{k}$ 加入协作计算，并将求证消息发送到权威中心，则此边缘节点集合 M^{***} 与 $\mathrm{ID}_{\mathrm{edge}}^{i}$ 和 $\mathrm{ID}_{\mathrm{edge}}^{j}$ 所组成协作计算组对应的边缘节点集合 M 相同，那么权威中心分别对 M^{***}、M 进行相同的函数 $F(x)$ 计算后，得到的结果值 R'' 与结果值 R 相同。

步骤 5：如果权威中心得到的结果值 R'' 与结果值 R 相同，权威中心首先根据新集合对应的矩阵随机组合生成 $\mu \times (n+1)$ 的新矩阵 G''，其次将同一协作计算组中所有边缘节点的列矩阵通过随机重组构成一个 $(n+1) \times \mu$ 的矩阵 D''，然后进行一个矩阵运算 $T''_{\mu \times \mu} = G'' \times D''$，最后权威中心将 $T''_{\mu \times \mu}$ 引入 R'' 与矩阵 $T''_{\mu \times \mu}$ 一起进行哈希运算，如式（3.4）所示。

$$\mathrm{Key}''_{\mathrm{share}} = \mathrm{Hash}(T''_{\mu \times \mu} \| R'') \tag{3.4}$$

（2）不同数据类型的干扰因子生成机制。企业用户可以从工业协议、网络 ID、数据源地址、数据属性、传感器类型、处理优先级里面选择一个或者多个作为干扰因子，从而实现工业数据更细粒度的共享。不同工业场景可以根据自身情况选取不同的工业属性，及其长度。

干扰因子组成图如图 3.18 所示。

工业协议占 1 字节，范围为 0X00～0XFF。

网络 ID 占 2 字节，范围为 0X0000～0XFFFF。

数据源地址占 4 字节，范围为 0X00000000～0XFFFFFFFF。

数据属性占 1 字节，范围为 0X00～0XFF。

传感器类型占 1 字节，范围为 0X00～0XFF。

处理优先级占 1 字节，范围为 0X00～0XFF。

干扰因子加在不同数据类型的明文数据尾部。

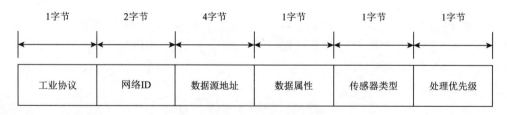

图 3.18　干扰因子组成图

（3）引入共享密钥与干扰因子的改进全同态加密算法。

①参数选择。

方案中有许多参数，所有参数均由一个安全参数 λ 决定。

γ 为公钥的比特长度；η 为私钥的比特长度；ρ 为噪声的比特长度；τ 为公钥样本数量；x 为公钥样本，公钥样本集合 $L = \{x_0, x_1, \cdots, x_\tau\}$，$\mathrm{pk} = \sum_{0}^{\tau} x_i$。参数为 $\rho = \lambda$，$\eta = O(\lambda^2)$，$\gamma = O(\lambda^5)$，$\tau = \gamma + \lambda$，$\rho' = 2\lambda$。其中 ρ' 为 2 次噪声参数，$O(x)$ 为时间复杂度函数。

为保障基于整数的全同态加密算法的安全性，现有相关算法建议公钥中各参数选择如下：

$$D_{\gamma,\rho}(p)=\left\{q\in\left(Z\cap 0,\frac{2^{\gamma}}{p}\right)\right\},\ p_{sk}\in(2Z+1\cap(2^{\eta-1},2^{\eta})),\ p_{share}\in(2Z+1\cap(2^{\eta-1},2^{\eta})),\ 输$$

出 $x_i=p_{sk}qp_{share}+2r_i$。其中，$p_{sk}$ 为边缘节点的私钥，p_{share} 为边缘节点的共享密钥，Z 为数学中的整数符号，q、r_i 为随机大素数，$D_{\gamma,\rho}(p)$ 为分布函数，x_i 为公钥样本集合 L 中第 i 个公钥样本。

②方案的构造。

Keygen(λ) 对公钥样本 $x_i\in D_{\gamma,\rho}(p)$，$i=0,1,\cdots,\tau$。其中 x_0 最大且为奇数，$r_p(x_0)$ 是偶数，$r_p(x_0)$ 表示 r 除 x_0 的余数。

$E(p_{sk},m'\in\{0,1\})$：选择一个随机子集 $S''\subseteq\{1,2,\cdots,\tau\}$ 和一个随机整数 $r\subseteq(-2^{p'},2^{p'})$，输出 $c\leftarrow\left[m'+\delta+2r+\sum_{i\in S}x_i\right]_{x_0}$。其中，$\left[m'+\delta+2r+\sum_{i\in S}x_i\right]_{x_0}$ 表示 $m'+\delta+2r+\sum_{i\in S}x_i$ 对 x_0 整除取余，δ 是干扰因子。

Evaluate(p_{sk},C,c)：假设自举电路函数所对应的自举电路为具有 t 个输入的电路 C，则函数输入为公钥 p_{sk}、t 个输入的（二进制）电路 C 和对应的 t 个密文 $c=(c_1,c_2,\cdots,c_t)$，将电路 C 的（整数）加法门和乘法门应用于密文，对整数执行所有操作，并返回结果整数。

Decrypt$_{share}(p_{share},c,\delta)$ 是指共享数据解密算法：算法的输出为 $m'\leftarrow((c-\delta)\bmod p_{share})\bmod 2$。

3. 基于同态加密的现场设备隐私数据保护

1）背景

工业互联网产生的数据增长速度日益加快，给传统的利用中央服务器集中式存储、分析和处理数据的模式带来了沉重的压力，也影响了服务的实时性、智能化和安全性。特别是工业现场数据安全问题的解决是保障工业互联网良性发展的基础之一。工业互联网将为中国工业企业带来弯道超车的巨大机遇，同时也给工业数据安全管理和保护领域提出了种种挑战，因此随着工业互联网相关技术的进一步发展，工业互联网数据安全保障体系建设成为建设和发展工业互联网的迫切要求。工业云平台通过构建基于海量数据采集、汇集和分析的服务体系，支撑制造资源的泛在连接、弹性供给和高效配置。工业现场设备的数据在整个工业互联网传输过程中会有一些隐私数据上传到工业云平台。攻击者可以通过入侵工业云平台获取现场设备的隐私数据，对工业现场设备的数据造成很大的安全问题。

工业现场设备的隐私数据安全是创建安全工业边缘计算环境的基础，其根本目的在于保障数据的保密性和完整性。隐私数据安全防御主要针对外包数据的所有权和控制权分离化、存储随机化等特性，用于解决数据丢失、数据泄露、非法数据操作等问题。工业边缘计算将计算从云迁移到临近现场设备的一端，直接对数据进行本地处理和决策，在一定的程度上避免了数据在网络中长距离的传播，降低了隐私泄露的风险。然而，由于边缘设备获取的是现场设备第一手数据，能够获得大量的敏感隐私数据。例如，在工业边缘计算、企业和物联网边缘计算场景下，边缘节点相对于传统的云中心，缺少有效的加密或脱敏措施，一旦受到攻击、嗅探和腐蚀，其存储的家庭人员消费信息、电子医疗系统中人员健康信息、道路事件车辆信息等将被泄露。

目前，对现场设备隐私数据保密性和安全性通常采用加密技术来实现。传统的加密算法包含对称加密算法（如 DES、3DES、ADES 等）和非对称加密算法（如 RSA、Diffe-Hellman、ECC 等），但传统加密算法加密后的数据可操作性低，对后续的数据处理造成很大阻碍。目前，比较常用的数据加密算法有基于属性加密（attribute-based encryption，ABE）算法、代理重加密（proxy reencryp tion，PRE）算法和全同态加密（fully homomorphic encryption，FHE）算法等。本节研究同态加密算法，边缘网关采用同态加密算法对工业现场设备的隐私数据加密并传输到工业云平台，工业云平台进行同态存储后将密文结果下发回边缘网关。

同态加密技术是一种可对密文执行数学计算，并使密文解密后得到的计算结果与直接对明文执行该数学计算得到的结果一致的技术，以其隐私同态性，已被广泛地应用于云计算领域。通过同态加密技术，工业现场设备将密文数据上传到云平台，不仅可以使用第三方的云平台资源和服务对数据进行分析、处理，而且能够避免不完全可信第三方对数据的非法盗用与篡改。

2）技术方案

工业互联网中引入边缘计算，在靠近工业现场设备数据源头的网络边缘侧，融合网络、计算、存储、应用核心能力的开放平台能就近提供边缘智能服务，满足行业数字化在敏捷连接、实时和安全业务方面的需求。边缘网关通过其本地化处理可以减少数据处理的时延和将现场隐私数据传到云平台的网络带宽成本。

边缘网关通过对实时、短周期的数据进行分析，可以更好地支持基于本地业务的工业企业实时智能化处理与执行；也可以对现场设备隐私数据进行初步筛选处理，将需要进行协作计算、存储的隐私数据传递到工业云平台。工业边缘网关的架构包含工业现场设备、边缘网关和工业云平台。工业边缘计算的架构如图 3.19 所示。

工业现场设备的隐私数据分布在工业边缘网关中，这些数据在现场形成、采集和再传输的过程中会出现三种情况。

一是工业现场设备的隐私数据对边缘网关敏感，但是对工业云平台不敏感。工业现场设备可以与工业云平台分享其隐私，但是工业现场设备不希望边缘网关掌握其隐私。因此隐私数据在发送之前，工业现场设备需要对隐私数据进行保护处理。

二是工业现场设备的隐私数据对边缘网关不敏感，对工业云平台敏感。工业现场设备和边缘网关可以共享其隐私，但是工业现场设备不希望其隐私被云平台知道，不希望云平台泄露其隐私。

三是工业现场设备的隐私数据对边缘网关和工业云平台都敏感。工业现场设备不希望在边缘网关和工业云平台上，泄露其隐私数据。

（1）设备的隐私数据对边缘网关敏感，但是对工业云平台不敏感。

在工业网络环境中，工业现场设备有隐私数据（如设备 ID、设备厂家、设备的型号、设备的采用协议、设备发送频率、设备发送时间等）和设备需要采集数据（如温度、湿

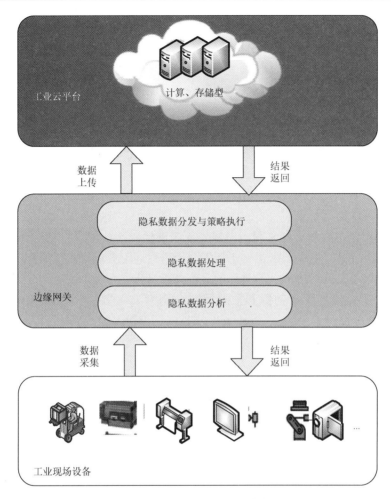

图 3.19 工业边缘计算的架构

度、电流、电压等)。工业现场设备将需要处理的采集数据上传到工业云平台进行处理,这些数据中包含了工业现场设备的一些隐私数据,如表 3.3 所示。工业现场设备通过工业边缘网关向工业云发送数据的过程中,部分隐私数据会被边缘网关获取。工业现场设备发送数据的形式为 $(F_{1-i} \| \text{Data}_i)$。

表 3.3 工业现场设备的相关数据

	隐私信息						采集的数据
设备 ID	设备厂家	设备的型号	设备采用的协议	设备发送频率	设备发送时间	设备采用密钥	工业数据
ID_1	M_1	D_1_Type	Protocol_1	SF_1	ST_1	PK_1	Data_1
ID_2	M_2	D_2_Type	Protocol_2	SF_2	ST_2	PK_2	Data_2
ID_3	M_3	D_3_Type	Protocol_3	SF_3	ST_3	PK_3	Data_3
$\vdots$	$\vdots$	$\vdots$	$\vdots$	$\vdots$	$\vdots$	$\vdots$	$\vdots$
ID_i	M_i	D_i_Type	Protocol_i	SF_i	ST_i	PK_i	Data_i

　　因为设备 ID 是隐私数据，所以工业现场设备不想分享自己的 ID 给边缘或云平台，边缘网关收到的 ID 信息也不知道具体是哪个工业现场设备的 ID 信息，这可以保证工业现场设备的安全性，同样地，工业现场设备的厂家、型号和采用的协议也可以作为工业现场设备的隐私数据。如果边缘网关知道工业现场设备发送的时间，攻击者通过入侵边缘网关后就可以知道工业现场设备什么时间发过来的数据，所以设备发送时间也可以作为工业现场设备的隐私数据。

　　这种情况是工业现场设备的隐私数据对边缘网关敏感，但是对工业云平台不敏感。工业现场设备可以与工业云平台分享其隐私，但是工业现场设备不希望边缘网关掌握其隐私。因此隐私数据在发送之前，工业现场设备需要对普通隐私数据进行保护处理。其隐私数据保护流程如下所示。

　　工业现场设备对隐私数据采用同态加密算法进行加密，然后将加密后的数据直接上传到边缘网关，边缘网关再把密文上传到工业云平台。工业云平台对密文进行同态计算，然后将密文结果下发回边缘网关。具体的过程如下所示。

　　假设两个工业现场设备的隐私数据明文分别为 $F_1 = (\text{ID}_1 \| M_1 \| D_1\_\text{Type} \| \text{Protocol}_1 \| \text{ST}_1)$、$F_2 = (\text{ID}_2 \| M_2 \| D_2\_\text{Type} \| \text{Protocol}_2 \| \text{ST}_2)$。工业现场设备先把其隐私数据的明文进行同态加密，并发送到边缘网关（图 3.20）。边缘网关进行同态运算，并返回结果。该算法具体过程如下所示。

　　①工业现场设备 1 和工业现场设备 2 首先向权威中心提出密钥申请，权威中心收到工业现场设备提出的密钥申请请求后，调用安全参数函数 Keygen 生成安全参数 λ。

　　②权威中心先使用 λ 作为输入参数，依次调用函数生成私钥 p、大素数 q、大素数 r。随机选择 τ 对整数 r_i 和 q_i，计算得到 $\tau + 1$ 个公钥 $x_i = pq_i + 2r_i$。其中 $0 < i < \tau$，$q_i \in \left(Z \cap \left[0, \dfrac{2^y}{p} \right] \right)$，$r_i \in Z \cap (-2^p, 2^p)$，对 x_i 重新排序，使得 x_0 最大且为奇数，$r_p(x_0)$ 是偶数，$r_p(x_0)$ 表示 r 除 x_0 的余数。权威中心再用 p、q、r 作为输入参数，调用公钥函数生成公钥 $\text{pk} = \{x_0, x_1, \cdots, x_\tau\}$，公钥尺寸为 $\tau + 1$，并发到工业现场设备。

　　③工业现场设备 1 与工业现场设备 2 用 pk 和明文 $F_1 = (\text{ID}_1 \| M_1 \| D_1\_\text{Type} \| \text{Protocol}_1 \| \text{ST}_1)$、$F_2 = (\text{ID}_2 \| M_2 \| D_2\_\text{Type} \| \text{Protocol}_2 \| \text{ST}_2)$ 为输入，工业现场设备 1 和工业现场设备 2 采用加密函数 $\text{Encrypt}(\text{pk}, F_1, F_2)$ 选择一个随机子集 $S \subseteq \{1, 2, \cdots, \tau\}$ 生成密文 CF_1' 与密文 CF_2'，其中 $\text{CF}_1' = \left[F_1 + 2r + \sum_{i \in S} x_i \right] x_0$，$\text{CF}_2' = \left[F_2 + 2r + \sum_{i \in S} x_i \right] x_0$。密文组成形式为 $E(\text{CF}_1' \| \text{CF}_2')$，其中 $\|$ 表示链接字符，工业现场设备通过传输方式把密文上传到边缘网关。

　　④边缘网关收到密文 $E(\text{CF}_1' \| \text{CF}_2')$，直接发送给工业云平台，工业云平台采用函数 $\text{Evaluate}(\text{pk}, C, \text{CF}_1', \text{CF}_2')$ 将密文进行 C 电路中的加法同态计算，最后生成密文 $M' = \text{CF}_1' + \text{CF}_2'$，满足 $\text{Decrypt}(p, M') = M$，其中 $M = F_1 + F_2$；在乘法同态计算的算法中，工业云平台收到密文 $E(\text{CF}_1' \| \text{CF}_2')$，采用函数 $\text{Evaluate}(\text{pk}, C, \text{CF}_1', \text{CF}_2')$ 将密文进行 C 电路中的乘法同态计算，最后生成密文 $M' = \text{CF}_1' \times \text{CF}_2'$，满足 $\text{Decrypt}(p, M') = M$，其中 $M = F_1 \times F_2$，并返回结果给边缘网关，边缘网关把计算的结果返回工业现场设备。

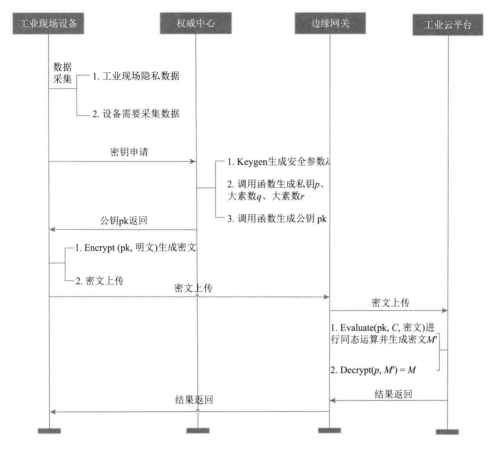

图 3.20　现场设备隐私数据明文对边缘网关敏感，对云平台不敏感

（2）设备的隐私数据对边缘网关不敏感，对工业云平台敏感。

工业现场通常采用各种数据采集方式（如模拟量的采集、数字量的采集、开关量的采集）。数据采集设备可以将工业现场设备大部分的接口信号收集起来，然后加以分析处理之后，通过有线或者无线的数据传输方式上传到工业边缘网关。

在工业网络环境中，工业现场设备自身具有隐私数据（如设备 ID、设备厂家、设备的型号、设备采用的协议等）和设备需要采集的数据（如温度、湿度、电流、电压等）。工业现场设备将需要处理的采集数据上传到工业云平台进行处理，这些数据中包含了现场设备的一些隐私数据，如表 3.4 所示。现场设备发送数据的形式为 $(F_{1-i} \parallel \text{Data}_i)$。

表 3.4　工业现场设备的相关数据

隐私信息							采集的数据
设备 ID	设备厂家	设备的型号	设备采用的协议	设备发送频率	设备发送时间	设备采用密钥	工业数据
ID_1	M_1	D_1_Type	Protocol_1	SF_1	ST_1	PK_1	Data_1
ID_2	M_2	D_2_Type	Protocol_2	SF_2	ST_2	PK_2	Data_2

隐私信息							采集的数据
设备 ID	设备厂家	设备的型号	设备采用的协议	设备发送频率	设备发送时间	设备采用密钥	工业数据
ID_3	M_3	D_3_Type	$Protocol_3$	SF_3	ST_3	PK_3	$Data_3$
⋮	⋮	⋮	⋮	⋮	⋮	⋮	⋮
ID_i	M_i	D_i_Type	$Protocol_i$	SF_i	ST_i	PK_i	$Data_i$

这种情况是工业现场设备对边缘网关不敏感，工业现场设备可以分享隐私数据给边缘网关。设备 ID 是工业现场设备的隐私数据，工业现场设备不想将这些隐私数据分享给边缘或云平台，边缘网关收到的 ID 信息也不知道具体是哪个工业现场设备的 ID，这可以保证工业现场设备的安全性，同样地，工业现场设备的厂家、型号和采用的协议也可以作为工业现场设备的隐私数据。如果边缘网关知道工业现场设备发送的时间，攻击者通过入侵边缘网关获取工业现场设备在某个时间发送到边缘网关的数据和某一天现场的产量，以此作为突破口攻击工业现场，造成很大的安全危害，所以工业现场设备发送的时间也可以作为现场设备的隐私数据。工业现场设备采用的密钥是工业现场设备当前在加密过程中生成的密钥，如果边缘网关掌握这些密钥就能把密文解密出来，攻击者可以获取工业现场设备的明文，造成数据泄露。边缘网关收到工业现场设备隐私数据后需要进行分类处理。边缘网关根据工业现场设备的发送频率是否一样，将工业现场设备的隐私数据分成两类：普通隐私数据和需要协作计算与存储的隐私数据，如表 3.5 所示。

具体分类规则是安全管理者按照工厂信息安全计划来决定的。表 3.5 中 F 是工业现场设备隐私数据，GF 是普通隐私数据，GF_{11} 可能是表 3.5 中的设备 ID_1、设备厂家 M_1、设备发送时间 ST_1 的某一种数据，具体由安全管理者决定，CF 是需要协作计算与存储的隐私数据，CF_{11} 也可能是表 3.5 中的设备 ID_1、设备厂家 M_1、设备采用协议 Protocol1 的某一种数据，具体由安全管理者决定。

表 3.5　边缘网关对隐私数据分类

工业现场设备隐私数据 F	普通隐私数据 GF	需要协作计算与存储的隐私数据 CF
$F_1 = \{GF_1, CF_1\}$	$GF_1 = (GF_{11}, GF_{12}, \cdots, GF_{1j})$	$CF_1 = (CF_{11}, CF_{12}, \cdots, CF_{1k})$
$F_2 = \{GF_2, CF_2\}$	$GF_2 = (GF_{21}, GF_{22}, \cdots, GF_{2j})$	$CF_2 = (CF_{21}, CF_{22}, \cdots, CF_{2k})$
⋮	⋮	⋮
$F_i = \{GF_i, CF_i\}$	$GF_i = (GF_{i1}, GF_{i2}, \cdots, GF_{ij})$	$CF_i = (CF_{i1}, CF_{i2}, \cdots, CF_{ik})$

①普通隐私数据处理。

对于工业现场设备的普通隐私数据，发送之前，工业现场设备需要先对普通隐私数据进行处理。在这种情况，工业现场设备不希望在边缘网关上泄露普通隐私数据。工业现场设备的普通隐私数据采用同态加密算法对隐私数据加密后上传到边缘网关，边缘网关直接进行计算处理，并返回结果。普通隐私数据保护流程如下所示。

假设两个工业现场设备的隐私数据明文，分别为 $F_1 = (ID_1 \| M_1 \| D_1\_Type)$、$F_2 =$

$(\mathrm{ID}_2 \| M_2 \| D_2\_\mathrm{Type})$。工业现场设备先把其隐私数据的明文进行同态加密，并发送到边缘网关。边缘网关进行同态运算，并返回结果。设备隐私数据对边缘网关敏感的流程如图 3.21 所示。

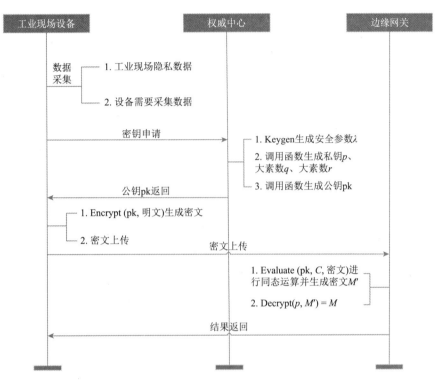

图 3.21　设备隐私数据对边缘网关敏感的流程

a. 工业现场设备首先向权威中心提出密钥申请，权威中心收到工业现场设备提出的密钥申请请求后，调用安全参数函数 Keygen 生成安全参数 λ。

b. 权威中心先使用 λ 作为输入参数，依次调用函数生成私钥 p、大素数 q、大素数 r。随机选择 τ 对整数 r_i 和 q_i，计算得到 $\tau+1$ 个公钥 $x_i = pq_i + 2r_i$。其中 $0 < i < \tau$，$q_i \in \left(Z \cap \left[0, \dfrac{2^y}{p} \right] \right)$，$r_i \in Z \cap (-2^p, 2^p)$，对 x_i 重新排序，使得 x_0 最大且为奇数，$r_p(x_0)$ 是偶数，$r_p(x_0)$ 表示 r 除 x_0 的余数。权威中心再用 p、q、r 作为输入参数，调用公钥函数生成公钥 $\mathrm{pk} = \{x_0, x_1, \cdots, x_\tau\}$，公钥尺寸为 $\tau+1$，并发到现场设备。

c. 现场用 pk 和明文 $F_1 = (\mathrm{ID}_1 \| M_1 \| D_1\_\mathrm{Type})$、$F_2 = (\mathrm{ID}_2 \| M_2 \| D_2\_\mathrm{Type})$ 为输入，采用加密函数 $\mathrm{Encrypt}(\mathrm{pk}, F_1, F_2)$，选择一个随机子集 $S \subseteq \{1, 2, \cdots, \tau\}$ 生成密文 CF_1' 与密文 CF_2'，其中 $\mathrm{CF}_1' = \left[F_1 + 2r + \sum_{i \in S} x_i \right] x_0$，$\mathrm{CF}_2' = \left[F_2 + 2r + \sum_{i \in S} x_i \right] x_0$。密文组成形式为 $E(\mathrm{CF}_1' \| \mathrm{CF}_2')$，其中 ‖ 表示链接字符，通过传输方式把密文上传到边缘网关。

d. 边缘网关收到密文 $E(\mathrm{CF}_1' \| \mathrm{CF}_2')$，采用函数 $\mathrm{Evaluate}(\mathrm{pk}, C, \mathrm{CF}_1', \mathrm{CF}_2')$ 将密文进行 C

电路中的加法同态计算，最后生成密文 $M' = \mathrm{CF}_1' + \mathrm{CF}_2'$，满足 $\mathrm{Decrypt}(p, M') = M$，其中 $M = F_1 \times F_2$；或者边缘网关收到密文 $E(\mathrm{CF}_1' \| \mathrm{CF}_2')$，采用函数 $\mathrm{Evaluate}(\mathrm{pk}, C, \mathrm{CF}_1', \mathrm{CF}_2')$ 将密文进行 C 电路中的乘法同态计算，最后生成密文 $M' = \mathrm{CF}_1' \times \mathrm{CF}_2'$，满足 $\mathrm{Decrypt}(p, M') = M$，其中 $M = F_1 \times F_2$，并返回结果。

②协作隐私数据处理。

对于需要协作计算与存储的复杂隐私数据，对设备的资源要求较高，而边缘网关的本地计算和处理能力相对较弱，因此边缘网关需要将初步处理结果上传到工业云平台进行隐私保护处理。

将工业现场设备的隐私数据发送到边缘网关，边缘网关处理后上传至工业云平台进一步处理，工业云平台返回结果。边缘网关再把结果返回给相关工业现场设备。协作隐私数据保护流程如图 3.22 所示。

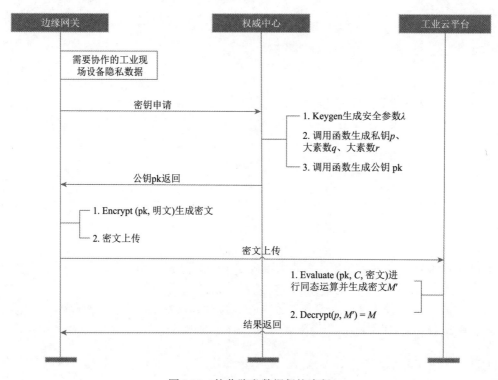

图 3.22　协作隐私数据保护流程

具体流程如下：

a. 假设两个工业现场设备的隐私数据明文，分别为 $F_1 = (\mathrm{Protocol}_1 \| \mathrm{SF}_1 \| \mathrm{ST}_1 \| \mathrm{PK}_1)$、$F_2 = (\mathrm{Protocol}_2 \| \mathrm{SF}_2 \| \mathrm{ST}_2 \| \mathrm{PK}_2)$。两个工业现场设备直接把其隐私数据的明文发送到边缘网关，边缘网关对明文进行同态加密操作，并发送到工业云平台。工业云平台进行同态运算，并返回结果。

b. 边缘网关首先向权威中心提出密钥申请，权威中心收到边缘网关提出的密钥申请请求后，调用安全参数函数 Keygen 生成安全参数 λ。

c. 权威中心先使用 λ 作为输入参数，依次调用函数生成私钥 p、大素数 q、大素数 r。随机选择 τ 对整数 r_i 和 q_i，计算得到 $\tau+1$ 个公钥 $x_i = pq_i + 2r_i$。其中 $0 < i < \tau$，$q_i \in \left(Z \bigcap \left[0, \dfrac{2^y}{p} \right] \right)$，$r_i \in Z \bigcap (-2^p, 2^p)$，对 x_i 重新排序，使得 x_0 最大且为奇数，$r_p(x_0)$ 是偶数，$r_p(x_0)$ 表示 r 除 x_0 的余数。权威中心再用 p、q、r 作为输入参数，调用公钥函数生成公钥 $pk = \{x_0, x_1, \cdots, x_\tau\}$，公钥尺寸为 $\tau+1$，并发到边缘网关。

d. 边缘网关将 pk 和明文 $F_1 = (ID_1 \| M_1 \| D_1\_Type \| Protocol_1)$、$F_2 = (ID_2 \| M_2 \| D_2\_Type \| Protocol_2)$ 作为输入，采用加密函数 $Encrypt(pk, F_1, F_2)$，选择一个随机子集 $S \subseteq \{1, 2, \cdots, \tau\}$ 生成密文 CF'_{11} 与密文 CF'_{21}，其中 $CF'_1 = \left[F_1 + 2r + \sum\limits_{i \in S} x_i \right] x_0$，$CF'_2 = \left[F_2 + 2r + \sum\limits_{i \in S} x_i \right] x_0$。密文组成形式为 $E(CF'_1 \| CF'_2)$，其中 $\|$ 表示链接字符，通过传输方式把密文上传到工业云平台。

e. 工业云平台收到密文 $E(CF'_1 \| CF'_2)$，采用函数 $Evaluate(pk, C, CF'_{11}, CF'_{21})$ 将密文进行 C 电路中的加法和乘法，最后生成密文 $M' = CF'_{11} + CF'_{21}$，满足 $Decrypt(p, M') = M$，其中 $M = F_1 + F_2$。或者工业云平台收到密文 $E(CF'_1 \| CF'_2)$，采用函数 $Evaluate(pk, C, CF'_1, CF'_2)$ 将密文进行 C 电路中的乘法同态计算，最后生成密文 $M' = CF'_1 \times CF'_2$，满足 $Decrypt(p, M') = M$，其中 $M = F_1 \times F_2$，云平台通过传输方式返回结果。

③设备的隐私数据对边缘网关和工业云平台都敏感。

在工业网络环境中，工业现场设备有隐私数据（如设备 ID、设备厂家、设备的型号、设备采用的协议、设备发送频率、设备发送时间等）和设备需要采集的数据（如温度、湿度、电流、电压等）。现场设备将需要处理的采集数据上传到工业云平台进行处理，这些数据中包含了工业现场设备的一些隐私数据，如表 3.6 所示。现场设备发送数据的形式为 $(F_{1-i} \| Data_i)$。

表 3.6　工业现场设备的相关数据

设备 ID	隐私信息						采集的数据
	设备厂家	设备的型号	设备采用的协议	设备发送频率	设备发送时间	设备采用密钥	工业数据
ID_1	M_1	D_1_Type	$Protocol_1$	SF_1	ST_1	PK_1	$Data_1$
ID_2	M_2	D_2_Type	$Protocol_2$	SF_2	ST_2	PK_2	$Data_2$
ID_3	M_3	D_3_Type	$Protocol_3$	SF_3	ST_3	PK_3	$Data_3$
$\vdots$	$\vdots$	$\vdots$	$\vdots$	$\vdots$	$\vdots$	$\vdots$	$\vdots$
ID_i	M_i	D_i_Type	$Protocol_i$	SF_i	ST_i	PK_i	$Data_i$

设备隐私数据 F_{1-i} 包括 $ID_{1-i} \| M_{1-i} \| D_{1-i}\_Type \| Protocol_{1-i} \| ST_{1-i}$，其中 $\|$ 表示链接字符。因为设备 ID 是隐私数据所以工业现场设备不想分享自己的 ID 给边缘或云平台，边缘网关收到的 ID 信息也不知道具体是哪个工业现场设备的 ID 信息，这可以保证工业现

场设备的安全性，同样地，工业现场设备的厂家、型号和采用的协议也可以作为现场设备的隐私数据。这种情况是工业现场设备的隐私数据对边缘网关和工业云平台都敏感，工业现场设备不希望在边缘网关和工业云平台上泄露隐私数据。因此普通隐私数据在发送之前，工业现场设备需要对隐私数据进行保护处理。设备隐私数据对边缘网关和云平台都敏感的流程如图 3.23 所示。

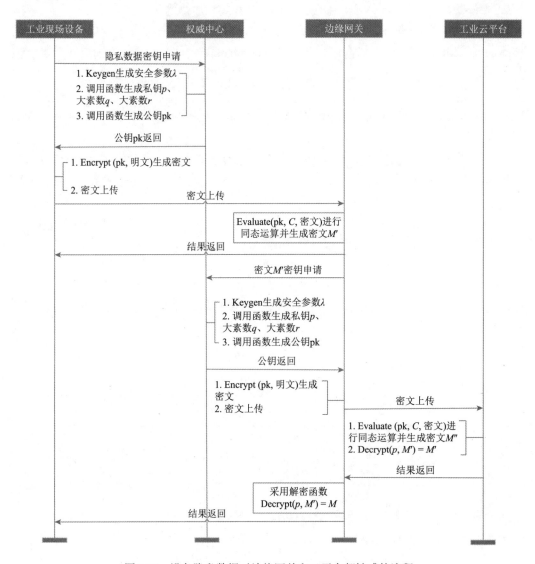

图 3.23　设备隐私数据对边缘网关和云平台都敏感的流程

该流程只选用了两个现场设备隐私数据间做协作计算的例子进行方法的具体阐述。假设两个现场设备的隐私数据分别为 $F_1 = (\text{ID}_1 \| M_1 \| D_1\_\text{Type} \| \text{Protocol}_1)$、$F_2 = (\text{ID}_2 \| M_2 \| D_2\_\text{Type} \| \text{Protocol}_2)$，现场设备上传数据前，需要先对隐私数据进行处理，具体过程如下：

①现场设备首先向权威中心提出密钥申请，权威中心收到现场设备提出的密钥申请请求后，调用安全参数函数 Keygen 生成安全参数 λ。

②权威中心先使用 λ 作为输入参数，依次调用函数生成私钥 p、大素数 q、大素数 r。随机选择 τ 对整数 r_i 和 q_i，计算得到 $\tau+1$ 个公钥 $x_i = pq_i + 2r_i$。其中 $0 < i < \tau$，$q_i \in \left(Z \cap \left[0, \dfrac{2^y}{p} \right] \right)$，$r_i \in Z \cap (-2^p, 2^p)$，对 x_i 重新排序，使得 x_0 最大且为奇数，$r_p(x_0)$ 是偶数，$r_p(x_0)$ 表示 r 除 x_0 的余数。权威中心再用 p、q、r 作为输入参数，调用公钥函数生成公钥 $\mathrm{pk} = \{x_0, x_1, \cdots, x_\tau\}$，公钥尺寸为 $\tau+1$，并发到现场设备。

③现场用 pk 和明文 $F_1 = (\mathrm{ID}_1 \| M_1 \| D_1\_\mathrm{Type} \| \mathrm{Protocol}_1)$，$F_2 = (\mathrm{ID}_2 \| M_2 \| D_2\_\mathrm{Type} \| \mathrm{Protocol}_2)$ 为输入，采用加密函数 $\mathrm{Encrypt}(\mathrm{pk}, F_1, F_2)$ 选择一个随机子集 $S \subseteq \{1, 2, \cdots, \tau\}$ 生成密文 CF_1' 与密文 CF_2'，其中 $\mathrm{CF}_1' = \left[F_1 + 2r + \sum_{i \in S} x_i \right] x_0$，$\mathrm{CF}_2' = \left[F_2 + 2r + \sum_{i \in S} x_i \right] x_0$。密文组成形式为 $E(\mathrm{CF}_1' \| \mathrm{CF}_2')$，其中 $\|$ 表示链接字符，通过传输方式把密文上传到边缘网关。

④边缘网关收到密文 $E(\mathrm{CF}_1' \| \mathrm{CF}_2')$，采用函数 $\mathrm{Evaluate}(\mathrm{pk}, C, \mathrm{CF}_{11}', \mathrm{CF}_{21}')$ 将密文进行 C 电路中的加法同态计算，最后生成密文 $M' = \mathrm{CF}_1' + \mathrm{CF}_2'$，满足 $\mathrm{Decrypt}(p, M') = M$，其中 $M = F_1 + F_2$。或者边缘网关收到密文 $E(\mathrm{CF}_1' \| \mathrm{CF}_2')$，采用函数 $\mathrm{Evaluate}(\mathrm{pk}, C, \mathrm{CF}_{11}', \mathrm{CF}_{21}')$ 将密文进行 C 电路中的乘法同态计算，最后生成密文 $M' = \mathrm{CF}_1' \times \mathrm{CF}_2'$，满足 $\mathrm{Decrypt}(p, M') = M$，其中 $M = F_1 \times F_2$，并返回结果。

边缘网关对密文 M' 进行进一步加密，并上传到工业云平台。具体过程如下：

①边缘网关首先向权威中心提出密钥申请，权威中心收到边缘节点提出的密钥申请请求后，调用安全参数函数 Keygen 生成安全参数 λ。

②权威中心先使用 λ 作为输入参数，依次调用函数生成私钥 p、大素数 q、大素数 r。随机选择 τ 对整数 r_i 和 q_i，计算得到 $\tau+1$ 个公钥 $x_i = pq_i p + 2r_i$。其中 $0 < i < \tau$，$q_i \in \left(Z \cap \left[0, \dfrac{2^y}{p} \right] \right)$，$r_i \in Z \cap (-2^p, 2^p)$。对 x_i 重新排序，使得 x_0 最大且为奇数，$r_p(x_0)$ 是偶数，$r_p(x_0)$ 表示 r 除 x_0 的余数。权威中心再用 p、q、r 作为输入参数，调用公钥函数生成公钥 $\mathrm{pk} = \{x_0, x_1, \cdots, x_\tau\}$，公钥尺寸为 $\tau+1$，并发到边缘网关。

③边缘网关用 pk 和 M' 作为输入，采用加密函数 $\mathrm{Encrypt}(\mathrm{pk}, M')$，选择一个随机子集 $S \subseteq \{1, 2, \cdots, \tau\}$ 生成密文 M''，其中 $M'' = \left[M' + 2r + \sum_{i \in S} x_i \right] x_0$。然后，边缘网关通过传输方式把密文上传到工业云平台。

④工业云平台收到密文 M''，首先对密文进行加法同态加密运算，采用函数 $\mathrm{Evaluate}(\mathrm{pk}, C, M'')$ 将密文进行 C 电路中的加法，其中 $M'' = F_1 + F_2$。工业云平台采用函数 $\mathrm{Evaluate}(\mathrm{pk}, C, M'')$ 将密文进行 C 电路中的乘法，其中 $M'' = F_1 \times F_2$，采用函数 $\mathrm{Decrypt}(p, M'') = M'$。工业云平台通过传输方式把运算的结果返回边缘网关。

⑤边缘网关收到工业云平台返回的结果直接进行同态解密，计算的函数值为 $\mathrm{Decrypt}(p, M') = M$，然后边缘网关把结果返回工业现场设备。

3.3　工业互联网边缘侧主动防御

3.3.1　概述

随着边缘计算规模的增加，其安全问题也逐渐得到重视。其中，一个重要部分是内部攻击威胁。内部攻击威胁主要是指恶意攻击者获取了网络的合法身份并且对网络进行破坏或进行数据窃取。被动防御的安全机制（加密、授权等）不能有效地应对这种威胁，因此，需要主动防御技术来主动识别恶意或故障边缘节点。

3.3.2　信任评估关键技术

信任评价机制在改善网络和优化服务方面也有一定的优势。信任评价机制来源于人类生活经验。在人们的交流、合作等交互过程中，通过获得的直接或间接信息来对合作伙伴的信任程度进行评估，用以决定是否继续进行交流或是合作。相比于被动防御的安全机制，信任评价机制更加轻量，更加适用于工业互联网边缘侧网络，是被动防御安全机制的有益补充。

信任评估成了一种能有效地提高网络安全性的方式，在特定环境和特定时期内对被评估节点能力、安全性和可信度等主观相信程度的量化把抽象模糊的信任值转换成可以度量的量化数值，从而判断目标节点是否可信，然后在网络的整个生存周期内，对不可信的节点采取相应的限制，如不与之通信等。在区分可信任信息和不信任信息方面起着重要作用，相比基于密码体制的安全方案，基于信任评估的安全方案更能有效地防止合法内部节点的攻击。在设计信任评估机制时，难点在于信任值计算和信任的动态激励[24-26]。

3.3.3　方案实例——基于信任评估的边缘节点计算结果可信判别方法

1. 背景

边缘计算是一种将部分数据处理和数据存储放在边缘节点进行的新型计算模式，其通过融合边缘侧的计算、通信和存储能力，就近为工业网络提供边缘智能服务，并可以通过边云协同机制为工业互联网平台提供数据支撑，从而满足工业互联网泛在互联、实时业务处理、安全和隐私保护等多方面应用需求。

因此工业网络中引入边缘计算，在网络边缘中边缘节点执行数据处理和存储，能够解决设备请求时延、云端存储和计算负担过重、网络传输带宽压力过大等问题。边缘计算将工业云的能力扩展到了网络边缘，解决了工业云移动性差、时延高等问题。此外，边缘节点不仅可以处理本地数据，还可以处理来自工业云的数据。边缘计算允许终端设备将存储和计算的任务迁移到网络边缘节点中，既可满足终端设备的计算能力扩展需求，又能有效地节约计算任务在终端设备与云服务器之间的传输链路资源。

将边缘计算引入工业网络能带来许多好处,能够实现工业设备、协议、数据的互联互通,保证工业的实时性和可靠性,缓解运营中心的带宽压力,降低企业成本。然而,边缘计算在助力工业发展的同时,也将网络攻击威胁引入了网络边缘,给工业边缘计算网络中的边缘节点带来了新的安全挑战。在满足工业网络中高实时性要求的同时,确保工业云和边缘节点之间的数据完整性、真实性及可靠性是一项挑战。由于边缘节点向外直接接入了互联网,进而将工业现场设备直接暴露于互联网中,存在非常大的安全隐患,特别是数据的安全问题。边缘安全是边缘计算的重要保障,边缘节点是整个工业网络架构中的数据传输枢纽,南向直接与工业现场设备相连,北向直接与工业云平台相连,而且边缘节点承担着部分计算任务,若边缘节点故障或被入侵,发送错误的计算结果,将会对整个工业网络造成不可估量的损失。因此边缘节点的计算结果可信直接关系到工厂的生产和人员安全,因此亟须在工业边缘计算环境中研究确保边缘节点计算结果可信的安全机制。

目前,国内外关于确保工业边缘节点与工业云之间通信信息可信的研究较少,大部分研究的是信息在传输过程中未被篡改,但无法确保边缘节点计算结果可信,即边缘节点输出的计算结果正确。因此需要通过对边缘节点的计算结果进行可信度量,防止工业边缘节点输出错误数据和抵御恶意边缘节点的虚假数据攻击。目前研究方法包括基于全局迭代、基于上下文聚合等局部聚合,但工业边缘计算网络与普通的 IT 网络存在明显差异,具有不同的特征,普通 IT 网络对实时性要求不高,能够容忍一定的延迟,而工业边缘计算网络则要求可靠性高、时延小,已有的信任评估方法并不能适用于工业边缘计算的环境。

针对上述问题,本节从安全体系结构、通用信息模型的角度设计具有信任评估功能的工业边缘计算安全架构,结合工业边缘计算的特征,针对性地设计适用于工业边缘计算的信任评估机制来抵御消息篡改、伪造等攻击,并提高边缘节点计算结果的可信度,保证工业云输入未被篡改的可信计算结果及使现场设备接收到正确的计算结果,而不是接收到恶意或无意义的消息,从而提高工业生产的效率和安全性。

2. 技术方案

在工业边缘计算环境中,工业现场设备将采集到的数据传输到边缘侧的边缘节点,边缘节点处理来自现场设备的数据,然后边缘节点将计算结果返回给现场设备,或者将初步计算结果发送到工业云平台进一步计算后再返回给工业现场设备。为了确保边缘节点的计算结果正确及传输过程中结果未被伪造或篡改,能识别出边缘故障节点及抵御恶意节点的篡改、冒充、重放等攻击,即保证工业现场设备收到可信计算结果,为此,本节提出具有信任机制的工业边缘计算框架。边缘节点的信任评估由网络边缘的边缘代理完成,在网络边缘处理信任计算的响应时间更短,执行效率更高,网络压力更小,如图 3.24 所示。

假设工业现场设备采集的数据是可信的,工业现场设备与边缘节点之间通信是可信的,工业现场设备与边缘代理之间通信是可信的,那么认为工业现场设备反馈的信息是诚实的。在具有信任评估功能的工业边缘计算框架中,本书提出确保边缘节点计算结果

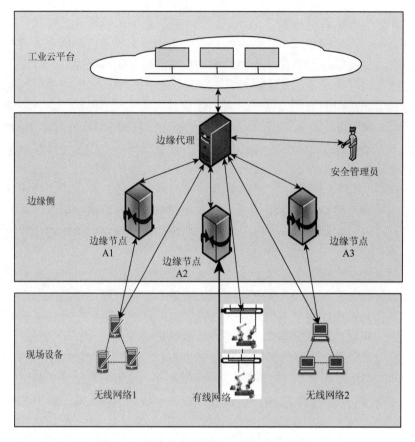

图 3.24　具有信任机制的工业边缘计算框架

可信的信任评估方法，该方法利用边缘代理对边缘节点的计算结果进行客观分析，将分析结果结合模糊评价法及熵权法完成对边缘节点的信任评估。边缘代理通过比较边缘节点的信任值与信任阈值，决定哪些边缘节点可以接收计算任务和发送消息，由此可以减少边缘侧输出不可信数据的概率。该信任评估方法中的信任阈值由安全管理员设定的边缘节点允许的错误率确定。

网络运行后，若边缘节点的计算结果需要进一步计算，为了确保边缘节点、边缘代理和工业云平台之间交互的信息未被篡改，使得工业现场设备收到可信的计算结果，本方案采用椭圆曲线代理签名方案，将可信边缘节点的初步计算结果签名后发送到工业云进一步处理后再返回给工业现场设备。

信任评估流程图如图 3.25 所示，信任评估过程时序图如图 3.26 所示。

本方案将信任定义为边缘代理对边缘节点计算结果可信的评估，边缘节点的信任值是边缘节点长期行为表现的一种定量形式。信任评估包括四个单元：证据收集、证据处理、初始信任评估、信任更新。信任评估的总体框架和流程图如图 3.27 所示。

证据包括三个维度的信息，一是直接评估边缘节点计算结果的三个有效因素，分别为边缘节点计算结果的准确性、完整性和及时性，用于计算边缘节点的直接信任值；二是历史信任值，边缘代理将在滑动窗口内的历史信任值加权平均后，修正直接信任值；三是

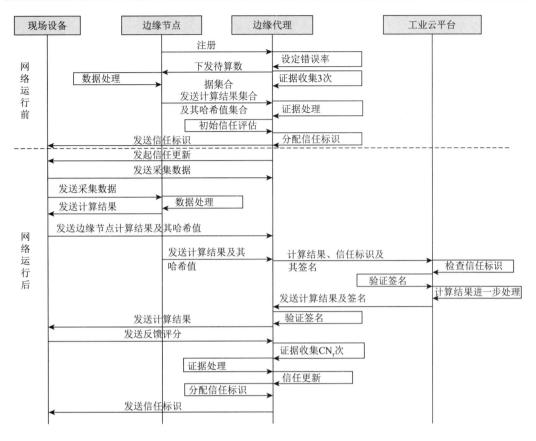

图 3.25　信任评估流程图

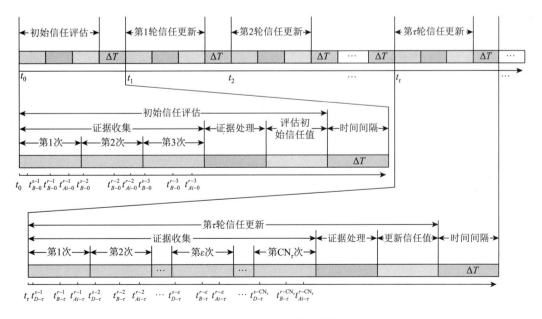

图 3.26　信任评估过程时序图

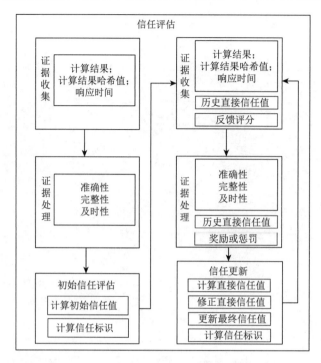

图 3.27　信任评估的总体框架和流程图

现场设备对边缘节点计算结果的反馈评分，边缘代理根据反馈评分得到惩罚或奖励因子，用于计算边缘节点的最终信任值。信任评估过程分为网络运行前初始信任值的计算和网络运行后信任值的更新。信任评估过程中边缘节点有以下五种状态。

待加入：待加入的边缘节点没有信任值，此时边缘节点计算来自边缘代理的待算数据。

待运行：边缘代理计算边缘节点的初始信任值，此时边缘节点处于待运行状态，等待现场设备发送数据的边缘节点。

运行：边缘代理将待运行的边缘节点的信任标识发送给现场设备，可信边缘节点计算来自现场设备的数据，此时边缘处于运行状态。

待审核：网络运行一段时间后，边缘代理向现场设备发起信任更新。边缘代理收集并处理证据数据后进行信任更新时，边缘节点处于待审核状态，现场设备停止向待审核边缘节点发送数据，直到现场设备收到信任标识。

运行/隔离：边缘代理更新完信任值后，给待审核的边缘节点分配信任标识，并将信任标识发送给现场设备。现场设备给信任标识大于零的边缘节点发送数据，此时边缘节点处于运行状态；现场设备不给信任标识为零的边缘节点发送数据，此时边缘节点被边缘代理列入黑名单，处于隔离状态。

下面详细说明本方案信任评估流程。

1）网络运行前

待加入的边缘节点将身份信息 ID_{Ai} 发送至边缘代理进行注册，安全管理员设定各边缘节点在工业生产环境中允许计算出错的错误率 ER_{Ai}；边缘代理用 $\varepsilon(\varepsilon = 1, 2, \cdots, \text{CN}_{\tau})$ 标记证据是第几次收集的证据，用 $\tau(\tau \in N)$ 标记信任相关信息是第几轮计算的信任值，评估初始信任值时 $\tau = 0$，更新信任值时 $\tau \geqslant 1$；CN_τ 表示边缘代理第 τ 轮计算信任值时需要证据收集的总次数，t_τ 表示边缘代理开始第 τ 轮计算信任值的时间。边缘代理验证边缘节点的身份后，开始评估边缘节点的初始信任值。

（1）证据收集。t_0 时边缘代理开始评估边缘节点的初始信任值，边缘代理随机生成待算数据集合 $\mathrm{Data}_{B-0}^{c-\varepsilon} = \{a_{0-0}^{\varepsilon}, a_{1-0}^{\varepsilon}, a_{2-0}^{\varepsilon}, \cdots, a_{l-0}^{\varepsilon}\}$，并生成相邻数据两两计算后的结果集合 $\mathrm{Data}_{B-0}^{r-\varepsilon} = \{b_{1-0}^{\varepsilon}, b_{2-0}^{\varepsilon}, b_{3-0}^{\varepsilon}, \cdots, b_{l-0}^{\varepsilon}\}$，作为参考集合，本方案规定初始信任值评估所需证据收集次数 CN_0 为 3。

边缘代理将待算集合发送给边缘节点，边缘节点计算后将计算结果集合 $\mathrm{Data}_{Ai-0}^{r-\varepsilon} = \{c_{1-0}^{\varepsilon}, c_{2-0}^{\varepsilon}, c_{3-0}^{\varepsilon}, \cdots, c_{l-0}^{\varepsilon}\}$ 及计算结果哈希值集合 $\mathrm{Data}_{Ai-0}^{h-\varepsilon} = \{h_{1-0}^{\varepsilon}, h_{2-0}^{\varepsilon}, h_{3-0}^{\varepsilon}, \cdots, h_{l-0}^{\varepsilon}\}$ 发送给边缘代理。

边缘代理根据边缘节点计算结果集合 $\mathrm{Data}_{Ai-0}^{r-\varepsilon}$ 计算其对应的哈希值 $\mathrm{Data}_{Ai-0}^{h'-\varepsilon} = \{h_{1-0}^{\varepsilon'}, h_{2-0}^{\varepsilon'}, h_{3-0}^{\varepsilon'}, \cdots, h_{l-0}^{\varepsilon'}\}$。

边缘代理记录其第 ε 次发送待算集合的时间 $t_{B-0}^{s-\varepsilon}$、计算完成时间 $t_{B-0}^{r-\varepsilon}$、接收边缘节点 Ai 计算结果的时间 $t_{Ai-0}^{r-\varepsilon}$，i 为节点个数，$i = 1, 2, \cdots, n$。边缘代理评估初始信任值时证据收集过程时序图如图 3.28 所示。

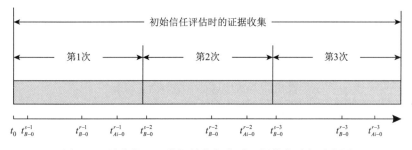

图 3.28　边缘代理评估初始信任值时证据收集过程时序图

（2）证据处理。边缘代理根据边缘节点计算结果的准确性、完整性、及时性来评估计算结果是否可信，这三个参数为评估边缘节点计算结果的有效因素，可以把这些因素看作边缘节点值得信任的证据，用这些证据对边缘节点计算结果做出客观评价。这三个数据信任证据是查找数据项与信任者之间信任关系的核心维度。

在网络运行前边缘代理根据待加入的边缘节点 Ai 的返回结果计算出边缘节点 Ai 的准确性、完整性、及时性。边缘代理对收集到的数据处理如下所示。

① 准确性为正确计算结果个数占总数据个数的比重；第 ε 次证据收集的准确性计算公式为

$$E_{Ai-\tau}^{ac-\varepsilon} = \frac{N_{Ai-\tau}^{ac-\varepsilon}}{l} \tag{3.5}$$

式中，$N_{Ai-\tau}^{ac-\varepsilon}$ 表示第 ε 次证据收集的边缘代理计算结果集合 $\mathrm{Data}_{B-\tau}^{r-\varepsilon}$ 和边缘节点 Ai 计算结果集合 $\mathrm{Data}_{Ai-\tau}^{r-\varepsilon}$ 中相同的个数，ε 表示第 ε 次收集的证据，τ 表示第 τ 轮信任计算，l 为每次证据收集的数据量。

②完整性为完整数据个数占总数据个数的比重；第 ε 次证据收集的完整性计算公式为

$$E_{Ai-\tau}^{cm-\varepsilon} = \frac{N_{Ai-\tau}^{cm-\varepsilon}}{l} \tag{3.6}$$

式中，$N_{Ai-\tau}^{cm-\varepsilon}$ 表示第 ε 次证据收集的边缘代理计算的结果哈希值集合 $\text{Data}_{Ai-\varepsilon}^{h-\varepsilon}$ 和边缘节点 Ai 计算的结果哈希值集合 $\text{Data}_{Ai-\varepsilon}^{h-\varepsilon}$ 中相同的个数，ε 表示第 ε 次收集的证据，τ 表示第 τ 轮信任计算，l 为每次证据收集的数据量。

③及时性为边缘节点 Ai 与边缘代理的计算效率之差；第 ε 次证据收集的及时性计算公式为

$$E_{Ai-\tau}^{tm-\varepsilon} = T_{Ai-\tau}^{tm-\varepsilon} - T_{B-\tau}^{tm-\varepsilon} \tag{3.7}$$

式中，$T_{Ai-\tau}^{tm-\varepsilon}$ 为第 ε 次证据收集时，边缘节点的计算效率；$T_{B-\tau}^{tm-\varepsilon}$ 为第 ε 次证据收集时，边缘代理的计算效率，τ 表示第 τ 轮信任计算。

边缘代理评估初始信任值时，边缘代理根据其发送第 ε 次待算集合的时间 $t_{B-0}^{s-\varepsilon}$、计算完待算集合的时间 $t_{B-0}^{r-\varepsilon}$、接收边缘节点 Ai 计算结果的时间 $t_{Ai-0}^{r-\varepsilon}$，计算 CN_0 次边缘节点的计算效率 $T_{Ai-0}^{tm-\varepsilon} = \frac{t_{Ai-0}^{r-\varepsilon} - t_{B-0}^{s-\varepsilon}}{l}$ 和边缘代理的计算效率 $T_{B-0}^{tm-\varepsilon} = \frac{t_{B-0}^{r-\varepsilon} - t_{B-0}^{s-\varepsilon}}{l}$，代入式（3.7），计算得到 CN_0 个边缘节点 Ai 的及时性。

边缘代理评估初始信任值时，利用式（3.5）～式（3.7）处理 3 次收集的证据，得到待加入的边缘节点 Ai 准确性、完整性和及时性的值各 3 个，如表 3.7 所示。

表 3.7　边缘节点 Ai 的直接信任因素

次数	准确性	完整性	及时性
第一次	E_{Ai-0}^{ac-1}	E_{Ai-0}^{cm-1}	E_{Ai-0}^{tm-1}
第二次	E_{Ai-0}^{ac-2}	E_{Ai-0}^{cm-2}	E_{Ai-0}^{tm-2}
第三次	E_{Ai-0}^{ac-3}	E_{Ai-0}^{cm-3}	E_{Ai-0}^{tm-3}

（3）初始信任评估。

①计算初始信任值。

直接信任值是边缘节点完成请求任务能力的量化值，它基于边缘代理与边缘节点之间的交互记录历史。边缘代理计算边缘节点初始信任值时，边缘节点处于待运行状态。边缘代理分别对待运行的边缘节点的直接信任因素进行模糊评价，计算直接信任值步骤如下所示。

步骤 1：确定因素集 $E = \{E_{Ai-\varepsilon}^{ac-\varepsilon}, E_{Ai-\tau}^{cm-\varepsilon}, E_{Ai-\tau}^{tm-\varepsilon}\}$，评价集 $V = \{V_1, V_2, V_3\}$，V_1 为不可信，V_2 为不确定，V_3 为可信；在流程中规定 μ^{un} 为不可信 V_1 的隶属度，且 $0 \leq \mu^{un} < \beta_u$；$\mu^{in}$ 为不可信 V_2 的隶属度，且 $\beta_u \leq \mu^{in} < \beta_c$；$\mu^{cr}$ 为不可信 V_3 的隶属度，且 $\beta_c \leq \mu^{cr} < 1$。$\beta_u$、$\beta_c$ 为不可信和可信的阈值；边缘代理计算准确性、完整性和及时性的隶属度，其计算公式如下所示。

a. 第 ε 次证据收集的准确性的隶属度计算公式为

$$\mu_{1-\tau}^{\varepsilon} = \begin{cases} 0, & E_{Ai-\varepsilon}^{ac-\varepsilon} = 0 \\ [1+10(1-E_{Ai-\tau}^{ac-\varepsilon})^2]^{-1}, & 0 < E_{Ai-\tau}^{ac-\varepsilon} \leqslant 1 \end{cases} \tag{3.8}$$

b. 第 ε 次证据收集的完整性的隶属度计算如式（3.9）所示：

$$\mu_{2-\tau}^{\varepsilon} = \begin{cases} 0, & E_{Ai-\varepsilon}^{cm-\varepsilon} = 0 \\ [1+10(1-E_{Ai-\tau}^{cm-\varepsilon})^2]^{-1}, & 0 < E_{Ai-\tau}^{cm-\varepsilon} \leqslant 1 \end{cases} \tag{3.9}$$

c. 第 ε 次证据收集的及时性的隶属度计算公式为 $\mu_{3-\tau}^{\varepsilon} = [1+\gamma \times (E_{Ai-\tau}^{tm-\varepsilon})^2]^{-1}$，其中 $\gamma = \dfrac{\text{边缘代理CPU主频}}{\text{边缘节点CPU主频}}$。

步骤 2：计算第 τ 轮信任计算时准确性、完整性和及时性对应的隶属度占 V_1、V_2、V_3 的比重，分别为 $\{r_{11-\tau}, r_{12-\tau}, r_{13-\tau}\}$、$\{r_{21-\tau}, r_{22-\tau}, r_{23-\tau}\}$ 和 $\{r_{31-\tau}, r_{32-\tau}, r_{33-\tau}\}$，如 $r_{11-\tau} = \dfrac{N(\mu_{1-\tau}^{un-\varepsilon})}{CN_\tau}$，$N(\mu_{1-\tau}^{un-\varepsilon})$ 为 CN_τ 个准确性隶属度中在不可信隶属度范围内的个数；边缘代理得到评判矩阵

$$R_\tau = \begin{bmatrix} r_{11-\tau} & r_{12-\tau} & r_{13-\tau} \\ r_{21-\tau} & r_{22-\tau} & r_{23-\tau} \\ r_{31-\tau} & r_{32-\tau} & r_{33-\tau} \end{bmatrix}$$

步骤 3：利用熵权法计算准确性、完整性和及时性对应的权重，计算步骤如下所示。

a. 准确性、完整性和及时性对应的 CN_τ 次隶属度 $\mu_{1-\tau}^{\varepsilon}$、$\mu_{2-\tau}^{\varepsilon}$、$\mu_{3-\tau}^{\varepsilon}$ 组成矩阵

$$\begin{bmatrix} \mu_{1-\tau}^{1} & \cdots & \mu_{1-\tau}^{\varepsilon} & \cdots & \mu_{1-\tau}^{CN_\tau} \\ \mu_{2-\tau}^{1} & \cdots & \mu_{2-\tau}^{\varepsilon} & \cdots & \mu_{2-\tau}^{CN_\tau} \\ \mu_{3-\tau}^{1} & \cdots & \mu_{3-\tau}^{\varepsilon} & \cdots & \mu_{3-\tau}^{CN_\tau} \end{bmatrix}$$

b. 计算准确性、完整性和及时性对应的信息熵：$E_{j-\tau} = -(\ln CN_\tau)^{-1} \sum\limits_{\varepsilon=1}^{CN_\tau} (p_{j-\tau}^{\varepsilon}) \ln(p_{j-\tau}^{\varepsilon})$，其中 $p_{j-\tau}^{\varepsilon} = \dfrac{\mu_{j-\tau}^{\varepsilon}}{\sum\limits_{\varepsilon=1}^{CN_\tau} \mu_{j-\tau}^{\varepsilon}}$，$j=1,2,3$。

c. 计算准确性、完整性和及时性对应的权重：$\alpha_{j-\tau} = \dfrac{1-E_{j-\tau}}{3-\sum\limits_{j=1}^{3} E_{j-\tau}}$；为避免某因素离散程度过小可能出现权重为零的情况，准确性、完整性和及时性对应的权重分别为 $\alpha_1 \in [0.5, 0.8]$、$\alpha_2 \in [0.01, 0.2]$、$\alpha_3 \in [0.2, 0.4]$，满足 $\alpha_1 > \alpha_3 > \alpha_2$；当熵权法得到的权重不在规定范围内时，取其对应范围的最大值或最小值，实际权重 $\alpha_{j-\tau}' = \dfrac{\alpha_{j-\tau}}{\alpha_{1-\tau} + \alpha_{2-\tau} + \alpha_{3-\tau}}$，$A_\tau = \{\alpha_{1-\tau}', \alpha_{2-\tau}', \alpha_{3-\tau}'\}$。

步骤 4：计算评判结果 $Z_{Ai-\tau} = A_\tau * R_\tau = \{z_{1-\tau}, z_{2-\tau}, z_{3-\tau}\}$，存在以下三种情况。

a. 当 $z_{1-\tau}$ 最大时，边缘节点 Ai 不可信，边缘代理不计算准确性、完整性和及时性的平均隶属度。

b. 当 $z_{2-\tau}$ 最大时，边缘节点 Ai 信任不确定，边缘代理计算准确性、完整性和及时性在区间 $[\beta_u,\beta_c)$ 内的隶属度的均值：

$$\bar{\mu}_{1-\tau}=\frac{\sum_{\varepsilon=1}^{\mathrm{CN}_\tau}\mu_{1-\tau}^{in-\tau}}{N\mu_{1-\tau}^{in-\varepsilon}},\bar{\mu}_{2-\tau}=\frac{\sum_{\varepsilon=1}^{\mathrm{CN}_\tau}\mu_{2-\tau}^{in-\tau}}{N\mu_{2-\tau}^{in-\varepsilon}},\bar{\mu}_{3-\tau}=\frac{\sum_{\varepsilon=1}^{\mathrm{CN}_\tau}\mu_{3-\tau}^{in-\tau}}{N\mu_{3-\tau}^{in-\varepsilon}}$$

式中，分母为各因素隶属度在区间 $[\beta_u,\beta_c)$ 内的个数，分子为各因素隶属度在区间 $[\beta_u,\beta_c)$ 内的隶属度之和。

c. 当 $z_{3-\tau}$ 最大时，边缘节点 Ai 可信，边缘代理计算准确性、完整性和及时性在区间 $[\beta_c,1]$ 内的隶属度的均值：

$$\bar{\mu}_{1-\tau}=\frac{\sum_{\varepsilon=1}^{\mathrm{CN}_\tau}\mu_{1-\tau}^{cr-\tau}}{N\mu_{1-\tau}^{cr-\varepsilon}},\bar{\mu}_{2-\tau}=\frac{\sum_{\varepsilon=1}^{\mathrm{CN}_\tau}\mu_{2-\tau}^{cr-\tau}}{N\mu_{2-\tau}^{cr-\varepsilon}},\bar{\mu}_{3-\tau}=\frac{\sum_{\varepsilon=1}^{\mathrm{CN}_\tau}\mu_{3-\tau}^{cr-\tau}}{N\mu_{3-\tau}^{cr-\varepsilon}}$$

式中，分母为各因素隶属度在区间 $[\beta_c,1]$ 内的个数，分子为各因素隶属度在区间 $[\beta_c,1]$ 内的隶属度之和。

步骤 5：边缘代理根据准确性、完整性和及时性的平均隶属度及其权重计算边缘节点 Ai 直接信任值 $\mathrm{Trust}_{Ai-\tau}^{cd}$，计算公式为

$$\mathrm{Trust}_{Ai-\tau}^{cd}=\alpha'_{1-\tau}\mu_{1-\tau}+\alpha'_{2-\tau}\mu_{2-\tau}+\alpha'_{3-\tau}\mu_{3-\tau} \tag{3.10}$$

由于待运行的边缘节点没有历史信任值和反馈评分，此时的初始直接信任值就是最终信任值，边缘节点 Ai 运行前的最终信任值 $\mathrm{Trust}_{Ai-0}^{u}-\mathrm{Trust}_{Ai-0}^{cd}$。

②计算信任标识。

表 3.8 为边缘节点信任等级表，信任分为三级，分别为不可信、不确定、可信。

表 3.8　边缘节点信任等级表

信任等级	信任描述	信任值范围
1	不可信	$[0,\beta_u)$
2	不确定	$[\beta_u,\beta_c]$
3	可信	$[\beta_c,1]$

不可信的阈值为 β_u，可信的阈值为 β_c，满足 $0<\beta_u<\beta_c\leqslant1$，且 $\beta_c=[1+10(\mathrm{ER}_{Ai})^2]^{-1}$，$\beta_u=\beta_c-0.2$，其中 ER_{Ai} 为工业生产环境允许边缘节点 Ai 偶尔因失误造成计算出错的错误率，$0\leqslant\mathrm{ER}_{Ai}<30\%$；$\beta_u$、$\beta_c$ 越大，表示系统对错误计算结果越敏感。安全管理者设定工业生产环境允许边缘节点的错误率，边缘代理根据错误率计算对应的 β_u、β_c，如表 3.9 所示。

表 3.9　β_u、β_c 取值表（举例）

错误率 ER_{Ai}	β_u	β_c
0	0.80	1.00
10%	0.70	0.90
20%	0.51	0.71

边缘代理根据评判结果计算待运行的边缘节点 Ai 的信任标识，规则如下：

a. 对于信任值等级为可信的边缘节点，为了避免恶意节点骗取信任，边缘代理将可信边缘节点的信任值替换为 $\dfrac{\beta_u + \beta_c}{2}$，即将可信边缘节点降为信任不确定的边缘节点。

b. 对于信任值等级为不确定的边缘节点，边缘代理给其分配初始信任值的信任标识 $TI_{Ai-0} = 1$，根据式（3.11）计算初始信任标识的有效时间 T_{Ai-0}^v，将初始信任相关信息根据表 3.9 中的阈值划分信任值等级并存储在本地。

初始信任值信任标识的有效时间 T_{Ai-0}^v 为

$$T_{Ai-0}^v = 5i \times CN_0 \times \overline{T}_{Ai-0} \times l + 5\Delta T \tag{3.11}$$

式中，i 为在线边缘节点个数；CN_0 为初始信任评估时证据收集次数；$\overline{T}_{Ai-0}$ 为边缘节点 Ai 的平均计算效率 $\overline{T}_{Ai-0} = \dfrac{\sum_{\varepsilon=1}^{CN_0} T_{Ai-0}^{tm-\varepsilon}}{CN_0}$；$l$ 为每次证据收集的数据量；ΔT 为信任更新的时间间隔；有效时间 T_{Ai-0}^v 的单位为 s；若边缘节点的信任标识过期，边缘代理将该边缘节点列入黑名单。

表 3.10 为边缘节点 Ai 初始信任相关数据。

表 3.10　边缘节点 Ai 初始信任相关数据

时间	节点身份标识	准确性隶属度均值	完整性隶属度均值	及时性隶属度均值	初始信任值	信任标识	有效时间
t_0	ID_{Ai}	$\overline{\mu}_{1-0}$	$\overline{\mu}_{2-0}$	$\overline{\mu}_{3-0}$	$Trust_{Ai-0}^u$	TI_{Ai-0}	T_{Ai-0}^v

c. 对于信任等级为不可信，即 $z_{1-\tau}$ 最大的边缘节点，为了避免评估错误，边缘代理重复上述证据收集、证据处理和信任评估步骤，评估其初始信任值 2 次，若 2 次仍为不可信，则报告安全管理员将其更换，并计算更换后的待加入的边缘节点的初始信任值。

边缘代理将信任标识发送给现场设备，现场设备检查待运行的边缘节点的信任标识后，给信任标识大于 0 的边缘节点发送数据，之后边缘节点处于运行状态。

2）网络运行后

（1）证据收集。

网络运行 ΔT 时间后，边缘代理向现场设备发起更新信任请求，边缘代理开始收集现场设备的采集数据、边缘节点的计算结果及其哈希值和现场设备的反馈评分，记录边缘节点响应时间和历史直接信任值。边缘代理发起信任更新请求后，边缘代理每次证据收集有以下两种情况。

情况一：边缘节点直接返回计算结果给现场设备，现场设备将边缘节点的计算结果及其哈希值发送给边缘代理，如图 3.29 所示。

情况二：边缘节点初步计算后，将计算结果及其哈希值发送给边缘代理，边缘代理收集证据并将边缘节点计算结果、信任标识及其签名后上传工业云，工业云检查边缘节点信任标识和验证签名后进一步处理边缘节点的初步计算结果，然后工业云将计算结果及签名发送给边缘代理，边缘代理验证签名后将计算结果发送给现场设备，如图 3.30 所示。

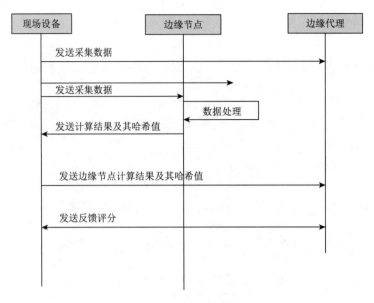

图 3.29　信任更新时证据收集的情况一的流程图

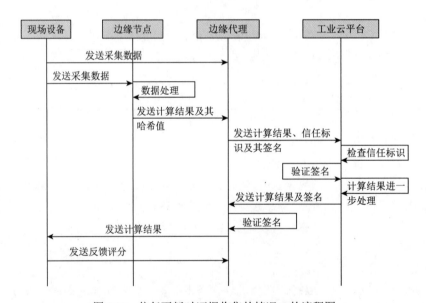

图 3.30　信任更新时证据收集的情况二的流程图

边缘代理收集以上这两种情况下的证据数据，收集 l 个证据数据作为一次证据收集；每轮信任更新需要证据收集 CN_τ 次，此时边缘节点处于运行状态；边缘代理用 $\varepsilon(\varepsilon=1,2,\cdots,\mathrm{CN}_\tau)$ 记录证据收集次数；第 τ 轮信任更新时，边缘代理需要收集完 CN_τ 次证据后，进行证据处理和信任更新操作；每轮信任更新间隔时间为 ΔT；规定第 τ 轮信任更新所需证据的收集次数 CN_τ 的计算公式为

$$\mathrm{CN}_\tau = \lceil 6 \times \arctan[0.5 \times \mathrm{TI}_{Ai-(\tau-1)}] \rceil \tag{3.12}$$

式中，$\lceil\ \rceil$ 表示向上取整。

边缘代理根据第 $\tau-1$ 次的信任标识计算第 τ 轮信任更新所需证据的收集次数 CN_τ；当信任标识较小时，证据收集次数较少，边缘代理可快速地更新边缘节点的信任值；网络运行初期，证据收集次数随可信次数的增加而增多，为了能及时地更新信任值和减少信任计算量，证据收集次数不能无限增大，证据收集次数 CN_τ 的最大值为 $6\times\dfrac{\pi}{2}\approx10$。

　　①直接信任因素收集。

现场设备将采集的数据 $a_{0-\tau}^{\varepsilon}$ 同时发送给边缘代理和边缘节点 Ai，现场设备每隔 Δt 发送一个数据，边缘代理和边缘节点 Ai 接收到第 2 个采集数据后开始处理；边缘代理处理相邻两次采集数据的计算结果为 $b_{\vartheta-\tau}^{\varepsilon}$，边缘节点 Ai 处理相邻两次采集数据的计算结果为 $c_{\vartheta-\tau}^{\varepsilon}$，$\vartheta$ 为每次收集的证据集合的证据序号，即第 ϑ 个证据；每次证据收集，现场设备需要发送 $l+1$ 个数据，现场设备发送的数据组成集合 $\mathrm{Data}_{D-\tau}^{c-\varepsilon}=\{a_{0-\tau}^{\varepsilon},a_{1-\tau}^{\varepsilon},a_{2-\tau}^{\varepsilon},\cdots,a_{l-\tau}^{\varepsilon}\}$。

t_τ 时边缘代理开始第 τ 轮信任更新，边缘代理累计收集 CN_τ 次证据，第 ε 次收集 l 个数据的证据包括边缘代理的计算结果 $\mathrm{Data}_{B-\tau}^{r-\varepsilon}=\{b_{1-\tau}^{\varepsilon},b_{2-\tau}^{\varepsilon},\cdots,b_{\vartheta-\tau}^{\varepsilon},\cdots,b_{l-\tau}^{\varepsilon}\}$、边缘节点 Ai 的计算结果 $\mathrm{Data}_{Ai-\tau}^{r-\varepsilon}=\{c_{1-\tau}^{\varepsilon},c_{2-\tau}^{\varepsilon},\cdots,c_{\vartheta-\tau}^{\varepsilon},\cdots,c_{l-\tau}^{\varepsilon}\}$ 及其哈希值 $\mathrm{Data}_{Ai-\tau}^{h-\varepsilon}=\{h_{1-\tau}^{\varepsilon},h_{2-\tau}^{\varepsilon},\cdots,h_{\vartheta-\tau}^{\varepsilon},\cdots,h_{l-\tau}^{\varepsilon}\}$、边缘代理根据边缘节点 Ai 计算结果集合 $\mathrm{Data}_{Ai-\tau}^{r-\varepsilon}$ 及其对应的哈希值 $\mathrm{Data}_{Ai-\tau}^{h'-\varepsilon}=\{h_{1-\tau}^{\varepsilon'},h_{2-\tau}^{\varepsilon'},\cdots,h_{\vartheta-\tau}^{\varepsilon'},\cdots,h_{l-\tau}^{\varepsilon'}\}$；边缘代理记录第 ε 次证据收集时现场设备发送第一个数据的时间 $t_{D-\tau}^{s-\varepsilon}$、边缘代理计算完成第 l 个结果的时间 $t_{B-\tau}^{r-\varepsilon}$、边缘节点 Ai 计算完成第 l 个结果的时间 $t_{Ai-\tau}^{r-\varepsilon}$；第 τ 轮信任更新时证据收集过程的时序图如图 3.31 所示。

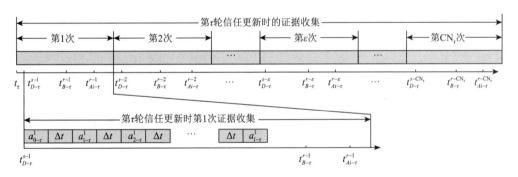

图 3.31　第 τ 轮信任更新时证据收集过程的时序图

　　②历史直接信任值收集。

由于信任随时间动态变化，为了避免出现恶意行为，边缘代理需要用历史直接信任值对直接信任值进行修正，可使得直接信任值更加精确。因此边缘代理使用滑动窗口来存储历史直接信任值，以减少老旧直接信任值对新的直接信任值的影响。每个边缘节点分别有一个滑动存储窗口。窗口越大，则存储和计算开销就越多，因此短小的滑动存储窗口可以有效地限制信任计算量，提高信任评估效率。

如图 3.32 所示，滑动存储窗口有 u 个窗格，每个窗格保留一个历史直接信任值，即将第 τ 轮信任更新之前的直接信任值存储在滑动存储窗口中；第 k 个窗格存储的直接信任值为 $\mathrm{Trust}_{Ai-(\tau-u+k-1)}^{cd}$；当每个窗格都有一个直接信任值时，窗口才开始移动，每次移动一个窗格；新的直接信任值在信任更新后加入窗口中，而过期的直接信任值被挤出窗口；

第 τ 轮信任更新时,窗口内存储着第 $\tau-u$ 轮到第 $\tau-1$ 轮信任更新时的直接信任值,第 τ 轮信任更新完之后再把第 τ 轮直接信任值存入滑动存储窗口中;当边缘节点 Ai 的信任标识为 0 时,边缘节点被视为恶意节点,边缘代理将其滑动存储窗口删除。

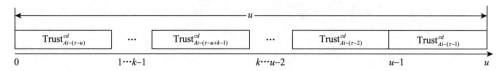

图 3.32　滑动存储窗口

③反馈评分收集。

边缘代理更新运行状态的边缘节点的最终信任值还需要考虑现场设备对边缘节点计算结果的反馈评分;现场设备对边缘节点的评分规则:若发生安全事故,则不管是否在信任更新,现场设备都反馈 $d_{9-\tau}^{\varepsilon}=-1$,并且边缘代理会将反馈评分对应的边缘节点列入黑名单;否则,现场设备反馈对计算结果的评分,差评 $d_{9-\tau}^{\varepsilon}=0$,好评 $d_{9-\tau}^{\varepsilon}=1$。

现场设备向边缘代理反馈对计算结果的评分,第 τ 轮信任更新时边缘代理收集 CN_{τ} 次,每次收集 l 个反馈评分,边缘代理第 ε 次收集的反馈评分为 $\mathrm{Data}_{Ai-\tau}^{f-\varepsilon}=\{d_{1-\tau}^{\varepsilon},d_{2-\tau}^{\varepsilon},\cdots,d_{9-\tau}^{\varepsilon},\cdots,d_{l-\tau}^{\varepsilon}\}$,其中包括现场设备对 v 个边缘节点直接向现场设备返回的计算结果的评分和现场设备对 $l-v$ 个由边缘节点发给工业云处理后再返回给现场设备的计算结果的评分;采用椭圆曲线代理签名,使得边缘节点与工业云的通信可信,无论现场设备收到的计算结果来自边缘节点还是工业云,现场设备反馈评分的对象都是边缘节点。

(2)证据处理。

①直接信任因素处理。

边缘代理收集 CN_{τ} 次证据后,分别计算第 τ 轮信任更新时每次证据收集的边缘节点 Ai 的准确性、完整性、及时性。

边缘代理根据式(3.1)计算边缘节点 Ai 的准确性。

边缘代理根据式(3.2)计算边缘节点 Ai 的完整性。

边缘代理根据第 ε 次证据收集时现场设备发送第一个数据的时间 $t_{D-\tau}^{s-\varepsilon}$、边缘代理计算完成第 l 个结果的时间 $t_{B-\tau}^{r-\varepsilon}$、边缘节点 Ai 计算完成第 l 个结果的时间 $t_{Ai-\tau}^{r-\varepsilon}$,计算边缘节点的计算效率 $T_{Ai-\tau}^{tm-\varepsilon}=\dfrac{t_{Ai-\tau}^{r-\varepsilon}-t_{D-\tau}^{s-\varepsilon}}{l}$ 和边缘代理的计算效率 $T_{B-\tau}^{tm-\varepsilon}=\dfrac{t_{B-\tau}^{r-\varepsilon}-t_{D-\tau}^{s-\varepsilon}}{l}$,将 $T_{Ai-\tau}^{tm-\varepsilon}$、$T_{B-\tau}^{tm-\varepsilon}$ 代入式(3.6)计算边缘节点 Ai 的及时性。

边缘代理进行第 τ 轮信任更新时,利用式(3.4)~式(3.6)处理收集的直接信任因素,得到待审核的边缘节点 Ai 准确性、完整性和及时性的值各 CN_{τ} 个,如表 3.11 所示。

表 3.11　边缘节点 Ai 的 CN_{τ} 次直接信任因素

次数	准确性	完整性	及时性
第一次	$E_{Ai-\tau}^{ac-1}$	$E_{Ai-\tau}^{cm-1}$	$E_{Ai-\tau}^{tm-1}$
第二次	$E_{Ai-\tau}^{ac-2}$	$E_{Ai-\tau}^{cm-2}$	$E_{Ai-\tau}^{tm-2}$

次数	准确性	完整性	及时性
⋮	⋮	⋮	⋮
第 ε 次	$E_{Ai-\tau}^{ac-\varepsilon}$	$E_{Ai-\tau}^{cm-\varepsilon}$	$E_{Ai-\tau}^{tm-\varepsilon}$
第 CN_τ 次	$E_{Ai-\tau}^{ac-\mathrm{CN}_\tau}$	$E_{Ai-\tau}^{cm-\mathrm{CN}_\tau}$	$E_{Ai-\tau}^{tm-\mathrm{CN}_\tau}$

②历史信任值处理。

因为最新的信任值的影响比之前的信任值大，所以，不同时间的历史直接信任值的权重因子需要考虑到时间的因素，即时间越久的信任值，所占的比重越低。在滑动存储窗口中的第 k 个窗口的权重为

$$\varphi_k = \mathrm{e}^{-\rho(u-k)} \tag{3.13}$$

式中，ρ 为衰减系数，值为 0.3；当滑动存储窗口未存满时，u 取实际历史直接信任值的个数。

边缘代理根据滑动存储窗口中的历史直接信任值及其权重，计算第 τ 轮信任更新时边缘节点 Ai 的加权平均历史信任值 $\mathrm{Trust}_{Ai-\tau}^{hd}$，其计算公式为

$$\mathrm{Trust}_{Ai-\tau}^{hd} = \frac{\sum_{k=1}^{u} \varphi_K \times \mathrm{Trust}_{Ai-(\tau-u+k-1)}^{cd}}{\sum_{k=1}^{u} \varphi_K} \tag{3.14}$$

③反馈评分处理。

对于反馈评分为 –1 的边缘节点，安全管理员将其更换为待加入边缘节点后，边缘代理重复初始信任值计算步骤，评估待加入边缘节点的初始信任值。

边缘代理根据反馈评分，计算第 τ 轮信任更新时边缘节点 Ai 的奖励和惩罚因子；边缘代理根据第 ε 次证据收集的好评总次数 $N_{Ai-\tau}^{g-\varepsilon}$ 与正确计算结果的最低要求个数的差值 $\Delta N_{Ai-\tau}^{\varepsilon} = N_{Ai-\tau}^{g-\varepsilon} - l \times (1 - \mathrm{ER}_{Ai})$，计算第 ε 次证据收集对应奖励因子 $E_{Ai-\tau}^{g-\varepsilon}$ 和惩罚因子 $E_{Ai-\tau}^{b-\varepsilon}$，其中 $N_{Ai-\tau}^{g-\varepsilon} = \sum_{\vartheta=1}^{l} d_{\vartheta-\tau}^{\varepsilon}$。

若 $\Delta N_{Ai-\tau}^{\varepsilon} \geqslant 0$，则第 ε 次证据收集对应的奖励因子为 $E_{Ai-\tau}^{g-\varepsilon} = 0.3[(1+\mathrm{e}^{-N_{Ai-\tau}^{\varepsilon}})^{-1} - 0.5]$，惩罚因子为 $E_{Ai-\tau}^{b-\varepsilon} = 0$；否则，第 ε 次证据收集对应的奖励因子为 $E_{Ai-\tau}^{g-\varepsilon} = 0$，惩罚因子为 $E_{Ai-\tau}^{b-\varepsilon} = 0.4[(1+\mathrm{e}^{-N_{Ai-\tau}^{\varepsilon}})^{-1} - 0.5]$；奖励程度小惩罚程度大，体现信任值慢增快降的特点。

边缘代理根据第 τ 轮信任更新时的奖励和惩罚因子，计算出最终的奖励或惩罚因子 $E_{Ai-\tau}^{f}$：

$$E_{Ai-\tau}^{f} = \begin{cases} 0, & \exists d_{\vartheta-\tau}^{\varepsilon} = -1 \\ \dfrac{\sum_{\varepsilon=1}^{\mathrm{CN}_\tau}[E_{Ai-\tau}^{g-\varepsilon} + E_{Ai-\tau}^{b-\varepsilon}]}{\mathrm{CN}_\tau}, & \forall d_{\vartheta-\tau}^{\varepsilon} \neq -1 \end{cases} \tag{3.15}$$

现场设备好的反馈会增加边缘节点 Ai 的信任值，而不好的反馈会快速降低边缘节点

Ai 的信任值；当存在来自现场设备的安全事故反馈时，$E_{Ai-\tau}^{f}$ 表现为惩罚因子，$E_{Ai-\tau}^{f}=0$；当没有安全事故反馈时，$E_{Ai-\tau}^{f}>0$ 表示奖励，$E_{Ai-\tau}^{f}<0$ 表示惩罚，$E_{Ai-\tau}^{f}=0$ 表示既不奖励也不惩罚。

（3）信任更新。

边缘代理根据直接信任值、历史信任值和反馈评分对边缘节点的信任值进行更新，此时边缘节点处于待审核状态。因为内部攻击发生在特定时间，所以信任评价机制并不需要太频繁的信任更新，而且频繁的信任更新会占用更多的传输和计算资源。每轮信任更新间隔时间为 ΔT。

①计算直接信任值。

边缘代理在重复评估初始信任时，计算直接信任值的步骤，利用式（3.10）计算第 τ 轮信任更新时评判结果为可信和不确定的待审核边缘节点 Ai 的直接信任值 $\text{Trust}_{Ai-\tau}^{cd}$；对于评判结果为不可信的待审核边缘节点，则边缘代理直接将其列入黑名单。

②修正直接信任值。

边缘代理在计算最终信任值之前，需要利用加权平均后的历史直接信任值对直接信任值进行修正；边缘代理将边缘节点 Ai 的 $\text{Trust}_{Ai-\tau}^{cd}$ 和 $\text{Trust}_{Ai-\tau}^{hd}$ 加权汇总后得到第 τ 轮信任更新时边缘节点 Ai 修正后的直接信任值 $\text{Trust}_{Ai-\tau}^{d}$，其计算公式为

$$\text{Trust}_{Ai-\tau}^{d}=\delta\times\text{Trust}_{Ai-\tau}^{cd}+(1-\delta)\times\text{Trust}_{Ai-\tau}^{hd} \tag{3.16}$$

式中，δ 用来权衡当前信任和历史信任所占比重，δ 定义公式为

$$\delta=\begin{cases}\delta_1, & \text{Trust}_{Ai-\tau}^{cd}\geq\text{Trust}_{Ai-\tau}^{hd}\\ \delta_2, & \text{Trust}_{Ai-\tau}^{cd}<\text{Trust}_{Ai-\tau}^{hd}\end{cases}, \quad \delta=\begin{cases}\delta_1, & \text{Trust}_{Ai-\tau}^{cd}\geq\text{Trust}_{Ai-\tau}^{hd}\\ \delta_2, & \text{Trust}_{Ai-\tau}^{cd}<\text{Trust}_{Ai-\tau}^{hd}\end{cases} \tag{3.17}$$

式中，$0<\delta_1<\delta_2<1$，规定 $\delta_1=0.3$，$\delta_2=0.7$，δ_1 取值较小，防止边缘节点较快地积累自身信任，δ_2 取值较大，体现对边缘节点恶意行为的惩罚。

③更新最终信任值。

边缘代理根据式（3.15）计算得到的奖励或惩罚因子，计算待审核边缘节点的最终信任值。

第 τ 轮信任更新时边缘节点 Ai 的最终信任值 $\text{Trust}_{Ai-\tau}^{u}$ 的计算公式为

$$\text{Trust}_{Ai-\tau}^{u}=\begin{cases}E_{Ai-\tau}^{f}\times\text{Trust}_{Ai-\tau}^{d}, & \exists d_{9-\tau}^{\varepsilon}=-1\\ E_{Ai-\tau}^{f}+\text{Trust}_{Ai-\tau}^{d}, & \forall d_{9-\tau}^{\varepsilon}\neq-1\end{cases} \tag{3.18}$$

当存在某反馈评分为-1时，第 τ 轮信任更新时边缘节点 Ai 的最终信任值为0；否则第 τ 轮信任更新时边缘节点 Ai 的最终信任值为边缘节点 Ai 修正后的直接信任值加上奖励或惩罚因子。

④计算信任标识。

信任更新后边缘代理将待审核边缘节点的最终信任值与表3.8中的信任阈值（信任临界值）进行比较，然后根据评判结果和最终信任值计算边缘节点 Ai 的信任标识，规则如下所示。

a. 对于信任值等级为可信的边缘节点，边缘代理根据式（3.19）计算其信任标识 $\text{TI}_{Ai-\tau}$，根据式（3.20）计算信任标识的有效时间 $T_{Ai-\tau}^{v}$，然后将其信任相关信息存储在本地。

第 τ 轮信任更新时边缘节点 Ai 的信任标识的具体计算公式为

$$\mathrm{TI}_{Ai-\tau} = \begin{cases} 0, & \mathrm{Trust}^{d}_{Ai-\tau} < \beta_u \\ \mathrm{TI}_{Ai-(\tau-1)}, & \beta_u \leqslant \mathrm{Trust}^{d}_{Ai-\tau} < \beta_c \\ \mathrm{TI}_{Ai-(\tau-1)} + 1, & \mathrm{Trust}^{d}_{Ai-\tau} \geqslant \beta_c \end{cases} \tag{3.19}$$

信任值信任标识的有效时间 $T^{v}_{Ai-\tau}$ 的计算公式为

$$T^{v}_{Ai-\tau} = 6 \times \mathrm{CN}_\tau \times l \times (\overline{T_{Ai-\tau}} + \Delta t) + \mathrm{TI}_{Ai-\tau} \times \Delta T \tag{3.20}$$

式中，CN_τ 为第 τ 轮信任更新所需证据的收集次数；l 为每次证据收集的数据量；$\overline{T_{Ai-\tau}}$ 为

边缘节点 Ai 的平均计算效率 $\overline{T_{Ai-\tau}} = \dfrac{\sum\limits_{\varepsilon=1}^{\mathrm{CN}_\tau} T^{tm-\varepsilon}_{Ai-\tau}}{\mathrm{CN}_\tau}$；$\Delta t$ 为现场设备发送数据的时间间隔；ΔT 为

信任更新的时间间隔；有效时间 $T^{v}_{Ai-\tau}$ 的单位为 s；若边缘节点的信任标识过期，边缘代理
将该边缘节点列入黑名单。

表 3.12 为边缘节点 Ai 的信任相关数据。

表 3.12　边缘节点 Ai 的信任相关数据

时间	节点身份标识	准确性隶属度均值	完整性隶属度均值	及时性隶属度均值	修正后的直接信任值	奖励和惩罚	最终信任值	信任标识	有效时间
t_τ	ID_{Ai}	$\overline{\mu_{1-\tau}}$	$\overline{\mu_{2-\tau}}$	$\overline{\mu_{3-\tau}}$	$\mathrm{Trust}^{d}_{Ai-\tau}$	$\mathrm{E}^{f}_{Ai-\tau}$	$\mathrm{Trust}^{u}_{Ai-\tau}$	$\mathrm{TI}_{Ai-\tau}$	$T^{v}_{Ai-\tau}$

　　b. 对于信任等级为不确定的边缘节点，其信任标识不变；边缘代理检查其信任标识，
若信任标识连续相等次数少于三次，边缘代理允许该边缘节点运行；否则，边缘代理将
其列入黑名单，之后边缘节点处于隔离状态。

　　c. 对于信任等级为不可信的边缘节点，则边缘代理直接将其列入黑名单，之后边缘
节点处于隔离状态；边缘代理广播黑名单中边缘节点的身份信息及其信任标识为 0，并报
告安全管理员将其更换；安全管理员将隔离边缘节点更换为待加入边缘节点后，边缘代
理重复初始信任值计算步骤，评估待加入边缘节点的初始信任值。

　　边缘代理将信任标识发送给现场设备，现场设备根据边缘节点的信任标识决定是否
发送数据，给信任标识大于的边缘节点发送数据，而不给信任标识为 0 的边缘节点发送
数据。

　　经过 ΔT 时间后，边缘代理重复执行证据收集、证据处理和信任更新步骤，如此循环。

参 考 文 献

[1]　Al-Doghman F，Chaczko Z，Ajayan A R，et al. A review on fog computing technology[C]. 2016 IEEE International
Conference on Systems，Man，and Cybernetics（SMC），Budapest，2016：1525-1530.

[2]　Rekha G，Tyagi A K，Anuradha N. Integration of fog computing and internet of things：An useful overview[C]. Proceedings
of Lecture Notes in Electrical Engineering，Berlin，2020.

[3]　Satyanarayanan M. The emergence of edge computing[J]. Computer，2017，50（1）：30-39.

[4]　Sun X，Ansari N. EdgeIoT：Mobile edge computing for the internet of things[J]. IEEE Communications Magazine，2016，

54（12）：22-29.

[5]　Georgakopoulos D，Jayaraman P P，Fazia M，et al. Internet of things and edge cloud computing roadmap for manufacturing[J]. IEEE Cloud Computing，2016，3（4）：66-73.

[6]　黄海峰. 边缘计算产业联盟成立影响几何[J]. 通信世界，2016（33）：52-53.

[7]　张晓. 面向 LLN 网络的轻量级无证书密码算法研究[D]. 重庆：重庆邮电大学，2013.

[8]　Shan Y C，Lv C，Cui W B. A pilot study on the application of cloud CRM in industrial automation[C]. 20th International Conference on Industrial Engineering and Engineering Management，Zhuhai，2013：429-434

[9]　Bhardway S. A study of fog computing technology serving internet of things（IOT）[J]. Asian Journal of Multidimensional Research，2021，10（10）：1160-1161.

[10]　Chiang M，Zhang T. Fog and IoT：An overview of research opportunities[J]. IEEE Internet Things Journal，2017，3（6）：854-864.

[11]　Lin Y J. A secure cross-domain authentication scheme with perfect forward security and complete anonymity in fog computing[J]. Journal of Information Security and Applications，2021，63：5-6.

[12]　Sun X，Ansari N. Edge IoT：Mobile edge computing for the internet of things[J]. IEEE Communications Magazine，2016，54（12）：22-29.

[13]　徐欣平. 面向多数据中心的云服务优化技术研究[D]. 大连：大连理工大学，2020.

[14]　Peng D，Zhang H，Zhang K，et al. Research of the embedded dynamic web monitoring system based on EPA protocol and ARM Linux[C]. IEEE International Conference on Computer Science and Information Technology，Beijing，2009：640-644.

[15]　Jiao B，He X. Application of the real-time EtherCAT in steel plate loading and unloading system[C]. Communications in Computer and Information Science，2014，463：268-275.

[16]　Liang W，Liu S，Yang Y，et al. Research of adaptive frequency hopping technology in WIA-PA industrial wireless network[J]. Communications in Computer and Information Science，2012，334：248-262.

[17]　Saifullah A，Xu Y，Lu C，et al. Real-time scheduling for WirelessHART networks[C]. 31st IEEE Real-Time Systems Symposium，San Diego，2010：150-159.

[18]　Karakoç F，Demirci H，Harmancı A E. ITUbee：A software oriented lightweight block cipher[C]. Lecture Notes in Computer Science，2013，8162：16-27.

[19]　Dijk M V，Gentry C，Halevi S，et al. Fully homomorphic encryption over the integers[C]. International Conference on Theory and Application of Cryptographic Techniques，Berlin，2010.

[20]　Gentry C. Fully homomorphic encryption using ideal lattices[C]. Proceedings of the 41st Annual ACM Symposium on Theory of Computing，New York，2009：169-178.

[21]　Bos J W，Lauter K，Loftus J，et al. Improved security for a ring-based fully homomorphic encryption scheme[C]. IMA International Conference on Cryptography and Coding，Berlin，2013：45-64.

[22]　Coron J S，Mandal A，Naccache D，et al. Fully homomorphic encryption over integers with shorter public keys[C]. Annual Cryptology Conference，Berlin，2011.

[23]　徐鹏，刘超，斯雪明. 基于整数多项式环的全同态加密算法[J]. 计算机工程，2012，38（24）：1-4.

[24]　关志萌，崔艳荣. 基于信任管理的无线传感器网络安全分簇算法[J]. 电脑知识与技术，2019，15（3）：3.

[25]　Yu Z. Research on cloud computing security evaluation model based on trust management[C]. 2018 IEEE 4th International Conference on Computer and Communications，Chengdu，2018.

[26]　Li Q，Malip A，Martin K，et al. A reputation-based announcement scheme for VANETs[J]. IEEE Transactions on Vehiculer Technology，2012，61（9）：4095-4108.

第4章 工业互联网传输网络安全

4.1 概　　述

"网"为工业互联网的传输层关键基础设施，传输层将连接对象延伸到工业全系统、全产业链、全价值链，可实现人、物品、机器、车间、企业及设计、研发、生成、管理、服务等产业链、价值链、全要素和各环节的泛在深度互联与数据的顺畅流通。本章将在 IT 和 OT 深度融合的背景下，讨论工业互联网的传输网络的安全问题，这里的传输网络包括现场网络与骨干网络之间的回程网络、工厂内 IT 网络、工厂与工厂间的互联网络（骨干网络）。

工业互联网数据要实现互联互通必将依赖网络传输，因此，对工业互联网而言网络传输的安全问题至关重要，应配备信息传输过程中的安全机制，应在传输两端主体身份鉴别和认证、传输数据加密、传输链路节点身份鉴别和认证方面进行安全控制。为了保障数据在传输过程中不遭受篡改、完整性不遭破坏及数据在传输过程中被加密，本章提出多因素认证办法，并就网络传输的其他各环节提出相应的对策。为了解决这些问题，在工业无线网络传输中应该采用一些轻量级安全及可靠性技术。

4.1.1 安全目标

在工业互联网传输层，通过对传输协议进行安全防护，使得传输安全性得到进一步提升。但是，工业互联网传输网络的有线传输介质和无线传输介质仍旧存在安全风险，所以必须采取一定的安全措施，以保证网络通信安全和用户数据安全。在网络通信传输时，应配备信息传输过程中的安全机制，在传输两端主体身份鉴别和认证、传输数据加密、传输链路节点身份鉴别和认证方面进行安全控制。对使用安全通道进行传输的所有用户数据进行加密，以实现身份验证，避免中间人攻击和重放攻击。在工业互联网传输网络中的被动防御安全机制应实现以下安全目标。

（1）数据机密性。数据机密性是指在传输网络中，所有设备和计算机传输的重要数据信息不在传输过程中遭受篡改，不应该泄露给其邻居的节点及其他网络中的设备，哪怕被人窃听或者截获了，攻击者仍然不能获得正确的信息，保证信息数据只能为合法用户所使用。

（2）数据完整性。应保证网络中信息的一致性，源发布者和目的接收方的信息完全一致，完整性不会遭到破坏。加密技术能够解决数据的保密问题，但如果一个密文数据被攻击者篡改，接收者将不能解密得到正确的结果，造成数据发送失败。

（3）身份认证。在网络传输中实行用户身份实体认证，身份实体认证是指网络中一方根据某种协议确认另一方身份的过程，给网络的接入提供安全机制，是保证传输网安全的第一道屏障；消息认证主要用于保证消息源的合法性和消息的完整性，防止非法节点发送、伪造和篡改消息；在端到端之间实现认证，实现传输层中数据传输的可靠性、机密性和完整性。

（4）传输加密。可在工业通信协议的基础上增加虚拟专用网（vitual private network，VPN）加密通信方式，采用 IPSec 等加密协议实现加密传输。加密通信方式既可以选择硬件加密，也可以选择软件加密。软件加密依赖于操作系统等运行环境，加解密运算需要占用嵌入式系统微控制器或处理器资源，导致业务系统性能下降，而且易受攻击和出错。硬件加密采用定制 IC 方式，它不但无性能损失，而且可以对 IC 采取封装等物理攻击防范措施。此外，还可以使用标准化可信平台模块，既能够实现高复杂性加密，也能够完成大量密钥及签名的安全存储，还能够对所存储数据的物理读取进行保护。

4.1.2　安全原则

由于工业传输是在一个开放式和无线空间下进行的，首先考虑传输网络环境的安全性问题，其次应注意各种传输安全机制的局限性，并且安全措施应该易于部署和使用；在保障工业互联网安全信息数据加密和用户身份验证的前提下保障传输网络的安全。所以工业传输网络的被动防御应做到以下几方面。

（1）设计的安全传输防护机制应尽量安全和易于实施。

（2）工业互联网网络传输需要控制各传输节点、链路及端到端的加密过程，选用合适的对称加密和公钥加密算法。

（3）对于加密传输、签名验证、鉴别，必须明确要求，制定能够实现各安全域内部、各安全域之间的网络传输接口规范。

（4）任何安全机制都应将降低网络的通信开销作为首要考虑条件。

（5）在传输协议方面，应采用超文本传输安全协议（hypertext transfer protocol secure，HTTPS）与 SSL/TLS，支持 IPSec 实现远程通道的安全加密，并对 IPv4 协议与 IPv6 协议具有兼容性。

（6）采用 HTTPS 协议，以 HTTP 作为通信机制，并使用 SSL/TLS 对传输的工业数据包进行加密，既能够实现网络服务器的身份认证，也能够为传输数据提供完整性与隐私保护。

4.1.3　主要挑战

工业互联网实现了全系统、全产业链和全生命周期的互联互通，而与此同时，互联互通的实现也打破传统工业相对封闭可信的生产环境，导致攻击路径大大增加。相较于未与外部互联网直接联通的传统工业网络，工业互联网的传输网络面临着来自工厂内网和外部互联网两方面的安全威胁。

在工厂内网，安全问题主要包括：一是传统静态防护策略和安全域划分方法不能满足工业企业网络复杂多变、灵活组网的需求；二是工业互联网涉及不同网络在通信协议、数据格式、传输速率等方面的差异性，OT 网络与 IT 网络的异构融合面临极大挑战；三是工业领域传统协议和网络体系结构设计之初基本没有考虑安全性，安全认证机制和访问控制手段缺失，攻击者一旦通过互联网通信通道进入下层工业控制网，只需掌握通信协议就可以很容易地对工业控制网络实现常见的拒绝服务攻击、中间人攻击等，轻则影响生产数据采集和控制指令的及时性与正确性，重则造成物理设施损坏。

在外部互联网，随着 IPv6、软件定义网络（software-defined network，SDN）、5G 等新型蜂窝移动通信技术加工业互联网融合形态加速涌现，对网络安全和技术管理提出了更高的要求。此外，工业网络各层级之间直接通过以太网甚至是互联网承载数据通信，越来越多的生产组件和服务直接或间接与互联网连接，攻击者从研发端、管理端、消费端、生产端都有可能实现对工业互联网的攻击或病毒传播。

4.2 关键技术及方案实例

4.2.1 5G 安全关键技术

5G 作为新一代移动通信技术，与传统网络相比，具有更高的速率、更低的功耗、更短的时延和更多的连接等特性。此外，5G 在大幅提升移动互联网业务能力的基础上，进一步拓展到物联网领域，从人与人通信拓展到人与物、物与物通信，开启万物互联的新时代。5G 主要面向的三大业务场景包括增强型移动宽带（enhanced mobile broadband，eMBB）、海量机器类通信（massive machine type communication，mMTC）和超可靠低时延通信（ultra- reliable and low latency communications，uRLLC）。

5G 网络的发展趋势，尤其是 5G 新业务、新架构、新技术，对安全和用户隐私保护都提出了新的挑战。

图 4.1 为 5G 网络安全总体架构图。

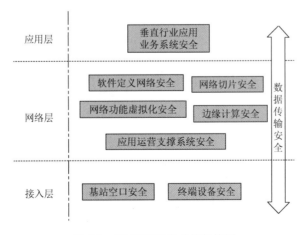

图 4.1 5G 网络安全总体架构图

1. 基站空口安全

基站空口存在的安全风险主要包括两大类。

（1）由无线环境中的外部不可控因素引发的安全风险：无线环境中的伪基站会干扰无线信号，导致 5G 终端降级接入，连接至不安全的 2G/3G/4G 网络中。无线环境中广泛分布的安全性较低的物联网设备若遭受攻击，可能会对基站或核心网发起 DDoS 攻击，这会降低网络设备功能的可用性。

（2）空口协议存在的安全风险：3GPP 协议自身存在的漏洞可能面临身份假冒、服务抵赖、重放攻击等风险，这会对终端真实性造成影响；终端制造商为提升服务质量、降低时延，关闭了用户数据加密和完整性保护的选项，导致用户数据被恶意篡改，这会给数据的机密性与完整性带来影响。

2. 网络切片安全

按照业务逻辑需求，5G 网络能够分成不同的网络切片，其中至少分为 eMBB、mMTC、uRLLC 三大类。通过网络切片管理为每一个业务组织形成一个虚拟化的专用网络。

目前，网络切片在 5G 生产系统中尚未广泛应用，其脆弱性需有待全面评估，潜在的安全风险点集中体现在：切片中共享的通用网络接口、管理接口、切片之间的接口、切片的选择与管理接口。这些接口存在被非法调用的风险，一旦非法的攻击者通过这些接口访问业务功能服务器，滥用网络设备，非法获取包括用户标识在内的隐私数据，将会给用户标识安全性、数据机密性、数据完整性与网络功能可用性带来影响。

（1）用户标识安全性。若直接使用真实的用户标识进行用户与用户或者用户与应用平台之间的通信，一旦系统的网络切片或切片之间的接口被非法程序访问，用户的标识容易遭到泄露。用户真实身份及其他关联的隐私信息存在泄露的隐患。用户标识被识别后其通信活动与内容容易受到攻击者的非法窃听或拦截。

（2）数据机密性。在安全隔离方面，网络切片技术使得网络边界模糊，若网络切片的管理域与存储敏感信息域没有实现隔离，一旦网络切片遭到攻击，切片中存储的敏感信息将会发生泄露；在身份认证方面，未经过授权的设备访问网络切片会导致端对应用的非法使用，非法客户端也存在被黑客利用的风险，造成数据的泄露。

（3）数据完整性与网络功能可用性。在业务与应用的服务质量方面，实现 5G 的每一个网络切片均有一组特定的 QoS 参数集，这些参数的配置与网络服务质量、数据的完整性密切相关，应在保障安全的前提下保证用户的服务质量。在 5G 主要应用场景中，uRLLC 与 mMTC 均对服务质量具有较高的要求。若大幅度降低时延来提升传输速率，会导致数据丢包率上升，数据的完整性难以保证。

在基础设施共享方面，多个网络切片共享通用的硬件设备，一旦硬件设备遭到破坏，将会导致使用该设备的多个切片都会受到功能性破坏，网络功能的可用性受到严重影响。

3. 边缘计算安全

边缘计算是将网络业务和计算能力下沉到更接近用户的无线接入网侧，从而降低核心网的负载和开销，并降低了业务时延。边缘计算给 5G 网络带来的安全风险点如下所示。

（1）用户标识的安全性：5G 网络边缘设备安全防护能力较弱，可能会面临网络攻击，用户终端与边缘设备之间的流量容易受到截断或者监听，攻击者可能在流量中捕获并识别出用户标识。

（2）数据机密性与完整性：边缘计算将采用开放的 API、开放的网络功能虚拟化等技术，开放性接口的引入将边缘计算暴露给外部攻击者，攻击者通过非法访问开放接口，窃取或者非法篡改数据。

（3）终端的真实性：由于 5G 网络边缘的资源有限，相较于核心网，边缘节点的计算能力较弱，降低了对终端的身份验证能力。

（4）网络功能的可用性：边缘计算基础设施通常部署在无线基站等 5G 网络边缘，更容易暴露在不安全的环境中，设备面临着功能性损坏的风险。

4. 软件定义网络安全

5G 网络最突出的特征为通过软件定义网络实现了控制面与用户面的分离，利用网络操作系统集中管理网络，基于大数据和人工智能为每一个业务流计算出端到端的路由，而且将路由信息嵌入到原节点的 IPv6 扩展报头，并按照原路径传递到各节点，中间节点只需转发而无须选路，保证低时延转发，从而实现对流量的灵活控制。

SDN 技术的引入给 5G 网络的数据机密性与完整性带来安全风险。面对不断变化的网络资源，SDN 计算出来的路由可能存在冲突，尤其是在跨地区路由的场景下，需要 SDN 之间交换业务流和网络资源数据，这就增加了复杂性，容易出现路由计算失误、数据包丢失或者将数据传送至错误的目的地址，导致传输的数据的完整性受到影响。此外，虚拟化基础设备的 API 也会对数据的机密性与完整性产生影响：一是数据窃取，如用户的密码等信息被窃取，攻击者登录账号发布敏感信息；二是数据篡改，提交的数据被攻击者抓包后进行篡改后再提交；三是数据泄露，攻击者采用爬虫抓取业务数据甚至核心数据，给用户直接或间接地造成损失。

SDN 技术给 5G 网络的功能可用性带来的风险可从软件与硬件两个方面分析：软件方面，与传统移动网络相比，5G 网络对软件的依赖性增大，给网络运营带来了新的威胁，因此必须确保这些软件不会暴露或者被恶意篡改；硬件方面，SDN 控制器等相关硬件设备同样存在功能性破坏或者盗用的安全风险。此外，在硬件设备发生故障后，系统恢复应通过自动化的方式恢复 NFV、SDN、MANO 系统之间的互操作性功能。

5. 网络功能虚拟化安全

与传统移动网络相比，基于通用的硬件，NFV 可以自定义软件。这种技术给 5G 网络带来许多优点的同时也带来诸多安全风险。

（1）在软件方面，若虚拟化系统存在漏洞，当遭到基于软件的网络攻击时，系统功能性遭到破坏；若存储了敏感或重要信息的功能模块与受到损坏的功能之间没有实现安全隔离，还会导致数据的机密性受到影响。

（2）在硬件方面，通用硬件设备存在安全弱点：一是通用硬件设备的安全，部署在机房中的设备受到环境的影响，设备可能会受到物理性的损坏；二是在故障恢复方面，设备故障发生后，很难做到快速恢复；三是通用的基础设施存在设备被非法使用的风险。

虚拟化技术在软件和硬件方面给 5G 网络的网络功能可用性、数据的机密性带来较高的安全风险。此外。由于 5G 网络采用多层级的上下文认证方式，并配置多属性的 QoS 用于上下文感知，包括多种用户上下文（如应用程序和使用模式）和设备上下文（如位置和速度）。这些认证方式如果存在漏洞，容易被攻击者破解，给终端设备和用户的认证带来影响，使得终端的真实性降低。

6. 应用运营支撑系统安全

5G 应用的运营支撑系统，不仅包括类似于传统网络的故障管理、配置管理、告警管理、性能管理，还包括虚拟化的网络功能的管理，根据用户的需求，对网络功能进行配置、调整。

运营支撑系统通常情况下会分级管理，较低一级的系统通常部署得比较分散，数据存储分散，安全管理与防御能力较弱，其功能可能被非法使用，会造成业务数据的泄露或者丢失，数据的机密性和完整性面临着挑战。

再者，如果运营支撑系统存在安全漏洞，容易遭到黑客攻击，会破坏网络，使网络功能的可用性受到影响。

4.2.2　TSN 安全关键技术

工业互联网是实现人、机器、车间、企业等主体及设计、研发、生产、管理、服务等产业链环节的全要素泛在互联的基础，是工业智能化的"血液循环系统"，包括工业企业内网和工业企业外网，其中工业企业内网实现工厂内生产装备、信息采集设备、生产管理系统和人等生产要素的广泛互联。由于我国工业企业发展水平差异较大，一部分企业特别是中小企业的数字化、网络化基础薄弱，缺乏智能化生产、网络化协同等新模式新业态的基础环境，因此，迫切需要对工业企业内网进行改造升级。

时间敏感网络能解决工业互联网面临的问题。时间敏感网络（time-sensitive networking，TSN）新标准的出现解决了现有网络的一些缺点，新的 TSN 标准将会带来带宽、安全性、互操作、时延和同步等优点，把需要和不需要实时数据传输的机器、人和物连接起来。当前制造业生产管理对于效能和良率要求越来越高，使得工业应用领域的通信带宽需求日益攀升，期望透过工厂撷取的高信息量来分析大数据，推动新一代智能制造应用。新的 TSN 特征将在工业互联网应用中通过增加通信要求的确定性和低延时性，可以消除标准以太网未能成为主骨干网络的最后障碍，推动关键和非关键的控制信息与数据汇聚到单个网络中，通过增加必要的网络安全措施，真正实现一网到底。

时间敏感网络实现 OT 和 IT 的实时无缝融合。TSN 是一种能使以太网具有实时性和确定性的新技术，能够突破网络通信上总线的复杂性障碍、周期性与非周期性数据的传输障碍、实时性障碍，解决了现有网络的一些问题。TSN 有着带宽、安全性和互操作性等方面的优势，而且拥有更快的传输路径。因此，将时间敏感网络应用于工业互联网，确保了时间敏感的重要数据能够按时通过标准网络设施进行传输；促进了各个设备之间的互联互通；为企业内集成应用提供了有力的保障；为需要实时监控或实时反馈的工业领域提供了改善互联效率的最佳途径。这将为未来工业通信系统带来重大的变革，真正实现 OT 和 IT 的实时无缝融合。TSN 是一种具有有界传输时延、低传输抖动和极低数据丢失率的高质量实时传输网络。TSN 基于标准以太网，凭借时间同步、数据调度、负载整形等多种优化机制，根据采集数据的重要性程度不同，为不同的数据分配不同的优先级，使对于传输时延要求较高的时间敏感型数据成为高优先级数据，能够被优先调度，来保证时间敏感数据的实时、高效、稳定传输。

　　TSN 本身并非是一项全新的技术。IEEE 于 2002 年发布了 IEEE 1588 精确时钟同步协议。2005 年，IEEE 802.1 成立了 IEEE 802.1AVB 工作组，开始制定基于以太网架构的音频/视频传输协议集，用于解决数据在以太网中的实时性、传输时延及流量整形等问题，同时又确保与以太网的兼容性。AVB 引起了工业领域的技术组织及企业的关注。IEEE 802.1 成立了 TSN 工作组，进而开发了时钟同步、流量调度、网络配置系列标准集。在这个过程中，由 AVnu、IIC、OPC UA 基金会等组织积极推进 TSN 技术标准的制定。工业领域的企业（包括 B&R、TTTech、SEW、Schneider 等）着手为工业领域的严格时间任务制定整形器，并成立了整形器工作组，并于 2016 年 9 月在维也纳召开了第一次整形器工作组会议。然后，有更多的企业和组织［包括德国工业 4.0 组织 LNI（labs network industry）、美国工业互联网组织、中国的边缘计算产业联盟、工业互联网产业联盟等］加入 TSN 技术的研究，并构建了多个测试床。2019 年，IEC 与 IEEE 合作成立 IEC 60802 工作组，并在日本召开了第一次工作组会议，以便工业领域的 TSN 开发可以实现底层的互操作。同时，在 OPC UA 基金会也成立了 FLC（field level communication）工作组，将 TSN 技术与 OPC UA 规范融合，以提供适用于智能制造、工业互联网领域的高带宽、低延时、语义互操作的工业通信架构。

　　按照网络架构，网络通常分为标准以太网、确定性以太网。TSN 实现了混合网络的数据传输能力，满足标准以太网的分布式对等架构、确定性网络所采用的轮询/集束帧技术的要求，并使得网络能够发挥各自的优势功能。TSN 是基于 IEEE 802.1Q 的虚拟局域网（virtual local area network，VLAN）和优先级标准的一种确定型网络。IEEE 802.1Q 支持 QoS。QoS 是一种基础网络技术，用于为网络通信提供更好的服务。QoS 是一种网络安全机制，用于解决网络延时与拥塞的问题。最初的 Internet 并未设计 QoS 机制。为满足用户不同应用的服务质量需求，需要网络能够根据用户需求进行配置与资源调度。IEEE 802.1Q 标准是一种包含了 QoS 机制的网络，能够提供网络性能的可预知性，并有效地分配网络带宽，以便合理地利用资源。

　　在 TSN 的使用场景中，对于系统传输的安全稳定性要求极高，故障可能导致高额经济损失及对人类和环境的危害；随着 TSN 互连性的提升，开放网络会导致 TSN 直接面对常见的各种攻击。因此，TSN 任务组不仅将实时属性引入了标准以太网，而且还开发了一种新颖的容错机制，称为帧复制和可靠性消除（frame replication and elimination for reliability，FRER）。FRER 为时间触发（time triggered，TT）流量提供高度可靠的通信。针对安全关键的实时系统，本节建立一个包含冗余链路的容错拓扑，以满足减小路由开销、容错和时序的要求。

此外，时间敏感网络提出了 802.1CB 机制，以提高流传输的鲁棒性和可靠性，尤其是对于安全性至关重要的流量。具有 FRER 功能的发布者或中继系统（如交换机）首先为每个输出帧生成并编码序列号。然后，它将通过多个路由将数据包的多个副本转发到目标。因此，在其中一条路由出现任何故障的情况下，数据包将通过冗余路径传递到目的地。因此，FRER 机制大大降低了流量丢失的可能性。在 TSN 中，IEEE 802.1Qca 部署协议为每个流配置备用路由。另外，为了避免网络过载，在中间中继系统或接收器处消除了重复的帧。

4.2.3　IPv6 工业互联网安全关键技术

利用 IPv6 促进工业互联网互联互通是国家重点部署工作。2017 年国务院出台《国务院关于深化"互联网＋先进制造业"发展工业互联网的指导意见》并在"夯实网络基础"任务中明确提出"全面部署 IPv6（互联网协议第 6 版）"。在 2017 年中共中央办公厅、国务院办公厅印发的《推进互联网协议第六版（IPv6）规模部署行动计划》中提到支持 IPv6 应用创新与示范，加大 IPv6 推广应用力度。

基于 IPv6 的工业互联网的互联互通已成必然的趋势。目前工业和信息化部正按照国家重大战略部署，研究和制定中国工业互联网发展路径，其中，基于 IPv6 的特定行业工业网络互联互通是主要目标。将工业互联网、互联网协议第六版（IPv6）等技术创新应用于电力、石油、船舶等特定行业领域，运用 IPv6 技术支持海量终端接入，为工业互联网提供庞大网络空间与数据传输通道；构建网络过渡环境，解决异构网络、不同互联网协议间的无法互联互通的问题，实现全国范围内的多地区、多厂区、多车间的网络互联互通。

只有 IPv6 才能满足工业互联网对海量地址空间的需求。将 IPv6 技术创新应用于电力、钢铁、矿业等特定行业领域，可有效地解决海量终端接入问题，为网络化智能化转型升级提供庞大网络空间与数据传输通道，解决异构网络、不同互联网协议间的互联互通。

基于 IPv6 的工业互联网安全防护亟须提高。工业网络的互联发展使工业网络安全问题日益凸显，越来越多的工业设备暴露于互联网上，安全隐患不断增加。工业网络安全是工业网络互联发展的前提，是国家深入推进"互联网＋先进制造业"的重要保障。作为新工业革命的关键基础设施，工业互联网安全代表着国家新一代信息基础设施重要的发展方向，已经成为国家经济命脉的工业体系的神经中枢。

由于通过 IPv6 实现了工厂内网和工厂外网的互联互通，给设备、网络、控制、应用和数据等不同层面带来新的安全风险与安全挑战，设备内嵌安全、动态网络安全防御、信息安全和功能安全融合、面向工业应用的灵活安全保障能力、工业数据及用户数据分类分级保护机制成为未来的发展方向。

根据《国家智能制造标准体系建设指南》，保障工业信息安全特别是智能制造信息安全已成为我国信息安全战略的重要组成部分，关系着生产安全、经济安全乃至国家安全。重庆邮电大学通过调研工业互联网底层设备需求，研究突破资源受限性环境下工业互联网 IPv6 安全关键技术，提出了《工业互联网 IPv6 安全技术要求》标准草案，对资源受限性环境下工业互联网 IPv6 安全机制、安全管理方法、安全分级进行规定；同时，通过研制符合标准的工业互联网设备，搭建标准验证平台，对标准的一致性和有效性进行验证，为实现可信的 IPv6 地址分配、路由环境及工业互联网的安全通信建立基础，为基于 IPv6 的工业互联网示范应用提供安全保障。

　　基于 IPv6 的工业互联网安全架构如图 4.2 所示，在互联架构的网络接入层，针对非法接入和连接窃听等安全威胁，设备认证和安全地址分配有效地保护工业无线接入与工业有线接入安全；在互联架构的传输层，针对数据泄露、数据篡改等威胁，密钥管理、IPSec 安全关联和 ESP 安全封装有效地保护工业骨干网安全；在互联架构的应用层，针对病毒入侵和越权访问等威胁，采用安全审计、边界隔离、访问控制和态势感知等防护措施有效地保护应用服务器和主机安全。

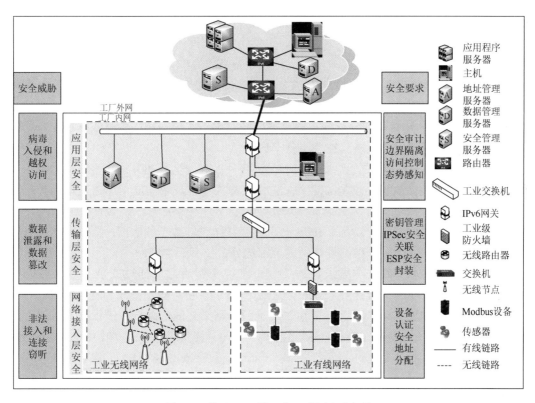

图 4.2　基于 IPv6 的工业互联网安全架构

1. 基于 IPv6 的工业互联网安全威胁

　　基于 IPv6 的工业无线网络和工业有线网络都涉及现场设备与节点的接入，这些设备与节点都存在非法接入和连接窃听等一些安全威胁，一旦这些设备与节点被攻击后，攻击者可以通过未经内部网络管理者许可的方式连接到内网,对基于 IPv6 的工业互联网造成安全威胁。

工厂内部产生的管理数据、操作数据及工厂外部数据等各类数据都存在着安全问题,不管数据是通过大数据平台存储,还是分布在用户、生产终端、设计服务器等多种设备上,在基于 IPv6 的工业互联网的传输层,海量数据和账户口令都将面临数据丢失、泄露、篡改等安全威胁。

工厂内部的应用程序服务器、安全管理服务器及应用主机通过 IPv6 网络实现互联互通。对这些服务器而言,最大的风险来自病毒入侵与越权访问,攻击者利用软件或操作系统漏洞,侵入服务器内部,窃取数据信息甚至是损坏设备,对工厂内部与外部网络的连接造成安全威胁。

2. 基于 IPv6 的工业互联网安全要求

(1)设备认证安全要求。接入 IPv6 网络的现场设备与标识解析节点需具有唯一的 IPv6 地址标识,要求 IPv6 网络对接入的现场设备与标识解析节点的 IPv6 地址进行身份认证,保证合法接入和合法连接。网络接入认证需采用基于 IPv6 地址的身份认证等机制。

(2)安全地址分配安全要求。安全可信的工业互联网地址配置方法是工业互联网数据传输的保障。同时工厂内网对安全性、可靠性都有较高的要求。对于基于 IPv6 的工业互联,并基于 DHCPv6 协议,要求定义一种安全的方法来支持实时性的地址配置。在传统 DHCPv6 协议中,客户端和服务器双方缺乏相互验证环节,恶意节点可以伪造 DHCP 消息,使得 DHCPv6 协议容易受到各种攻击。同时由于客户端和服务器双方通信是基于明文传输的,网络参数配置极易被不法分子窃听。

对于 DHCPv6 存在的安全隐患,本节提供两种提高安全性的方式:客户端认证,以提高服务器抵御类似欺骗等攻击的能力;进行服务器和客户端间通信加密,以保护信息不被窃取。

(3)密钥管理安全要求。基于 IPv6 的工业互联网进行数据传输前,要求通信双方交换加密密钥,密钥交换过程包括密钥生成、密钥分发及密钥加密。

(4)IPSec 安全关联安全要求。通信双方交换密钥后,应通过安全关联(security associations,SA)建立安全连接。SA 的工作方式分为两种:传输模式和隧道模式。传输模式用于两个主机间的连接,而隧道模式用于两个网关之间的连接,应根据需求进行选择。SA 采用的安全协议为 ESP 或 AH。由于每个 SA 只能提供 ESP 或 AH 中的一种服务,因此为同时实现数据的私有性和完整性,对一个连接需要采用多个 SA 的组合来实现相应的安全。

(5)ESP 安全封装要求。通过 ESP 传输/隧道模式保障基于 IPv6 的工业互联网单播安全通信,要求具有鉴别原点和检查数据包完整性的功能且能提供数据加密与验证。

通过 ESP 多播广播认证解密,要求在实现广播认证的同时完成保密消息到多播组内节点的保密传输,以此保障基于 IPv6 的工业互联网多播安全通信。

将 IPSec 引入工厂内网,由于 ESP 扩展首部负载较大,需对 ESP 首部进行编码,降低 ESP 扩展首部带来的负载,以保证 IPSec 安全机制与工厂内资源受限网络的适配。

（6）应用层安全要求。通过镜像或代理等方式分析网络边界中的流量，对网络边界中各种设备和人员活动等各类操作行为进行识别、记录、存储和分析，发现系统中现有的和潜在的安全威胁，并实时分析网络边界中发生的安全事件并告警。

（7）访问控制。在基于 IPv6 的工业互联网工厂内网与工厂外网边界根据访问控制策略设置访问控制规则，保证跨越网络边界的访问和数据流通过边界防护设备提供的受控接口进行通信。通过检查数据包的源 IPv6 地址、目的 IPv6 地址、源端口、目的端口和协议确定是否允许该数据包通过区域边界。

在网络边界部署访问控制设备，启用访问控制功能，设定访问控制策略，要求对发起的访问进行源 IPv6 地址、目的 IPv6 地址、源端口、目的端口和协议等项目的检查与记录，以允许/拒绝数据包的出入；提供账户分配管理功能，能够新建、添加、删除、修改账户信息的功能；应在会话处于非活跃时间或会话结束后终止网络会话，终止链接动作可以由被请求数据的设备或程序执行，也可以由防护设备执行。应在各安全区域之间部署安全网关设备，建立各区域之间的网关路径，保证各子区域之间访问的相对独立性。

（8）边界隔离。在基于 IPv6 的工业互联网工厂内网与外网的交界处，应采用基于 IPv6 地址的技术隔离手段将基于 IPv6 的工业互联网工厂内网与工厂外网进行边界隔离。

根据基于 IPv6 的工业互联网中现场设备和业务特点将工厂内网划分成不同的安全域，安全域之间采用技术隔离手段进行边界隔离。在工厂内部，根据网络中各系统的控制功能、装置功能、工艺过程、工艺间关联性及所使用的现场总线协议类型等划分成不同的安全域，并按照方便管理和控制的原则为各安全域分配 IPv6 网段地址。各 IPv6 网段应相互隔离，原则上不直接连接在一起。

4.2.4　ISDN 工业软件定义网络安全关键技术

随着工业互联网、工业物联网的快速发展，工业网络正逐渐将 IT 与 OT 融合，工业自动化生产车间有广泛分布的物联网设备，它们实时采集工况负载情况，以及设备的状态参数等数据信息，这些数据信息的累积构成了工业大数据，因此工业网络需要引进新的技术才能适应这些新的变化。

SDN 是一种开放的网络创新架构，可以实现网络虚拟化。通过将网络设备的控制面与数据面分离开来，灵活控制网络流量，实现智能化生产，给网络的发展带来新的动力。在保证工业网络实时性需求的前提下，向工业网络中引入 SDN 的理念，形成工业软件定义网络环境，通过在网络层构建扁平化架构，并由集中的控制器生成策略下发给扁平化的交换机进行网络的统一管理和调度。

工业有线网络与工业无线网络具有不同的特征，均有可能遭受攻击，因此在对工业软件定义网络环境下 DDoS 攻击检测进行研究时，需要首先区分出不同的攻击场景，下面对工业有线网络与工业无线网络进行对比分析。工业网络主要包括工业有线网络与工业无线网络，两种网络包含的协议如图 4.3 所示。

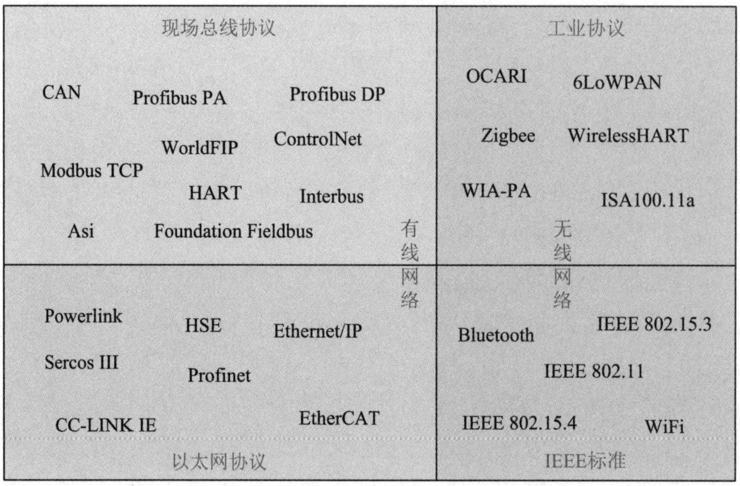

现场总线协议				工业协议	
CAN	Profibus PA	Profibus DP		OCARI	6LoWPAN
	WorldFIP	ControlNet		Zigbee	WirelessHART
Modbus TCP				WIA-PA	ISA100.11a
	HART	Interbus	有		无
Asi	Foundation Fieldbus		线		线
			网		网
			络		络
Powerlink	HSE	Ethernet/IP		Bluetooth	IEEE 802.15.3
Sercos III		Profinet			IEEE 802.11
CC-LINK IE		EtherCAT		IEEE 802.15.4	WiFi
以太网协议				IEEE标准	

图4.3 工业有线网络协议与工业无线网络协议

工业有线网络发展已久，大部分工业骨干网络都采用的是有线网络。工业有线网络主要由现场总线协议与以太网协议组成，随着工业通信网络逐渐变得数字化、智能化，工业有线网络规模扩增，出现新设备部署困难、配置烦琐等问题，因此工业网络开始引入无线网络技术。无线网络协议包括工业协议与 IEEE 标准协议，常用的工业无线协议包括 6LoWPAN、Zigbee、WirelessHART、WIA-PA、ISA100.11a 等，IEEE 标准规定的工业无线协议包括 Bluetooth、IEEE 802.15.4、WiFi 等，其中 IEEE 802.15.4（Zigbee）技术主要针对现场设备层的无线短程网络，其特点包括功耗低、时延小、兼容性好、网络容量大，且该网络安全系数较高、数据传输可靠性强、实现成本低廉。

软件定义网络技术是实现工业互联网发展的必要前提，目前针对工业软件定义网络已有的一些研究基础，包括软件定义工业无线传感网[1]、软件定义工业物联网、软件定义工业自动化网络[2,3]，在这些已有架构的基础上本节主要研究工业软件定义网络的系统架构（图4.4）。

工业回程网是广域网络（Internet 网络）和接入网络（包括工业有线网络与工业无线网络）间的传输网络，其覆盖范围在几平方千米到几十平方千米之内，属于中等规模的网络，使用工业回程网络可以解决将工业有线网络与工业无线网络接入广域网"最后几千米"的传输问题。目前已有相关研究将 SDN 应用于工业控制网络中，将 SDN 控制器与工业接入网络系统管理器配合使用，能够对工业接入网络与工业回程网资源进行优化控制。

工业软件定义网络架构中，接入网络主要分为工业有线接入网络与工业无线接入网络。工业 SDN 控制器与接入网络的系统管理器之间通过交互可以实现不同接入网络之间的信息传输共享。对于有线与无线混合的工业网络存在的实时性、可靠性、安全性及兼容性问题业内已经提出了一些解决方案。

工业软件定义网络架构从上至下分为应用层、控制层、数据层与现场设备[4]。其中应用层包括 SDN 控制软件和防 DDoS 攻击应用管理软件，前者用于用户配置 SDN 控制器，

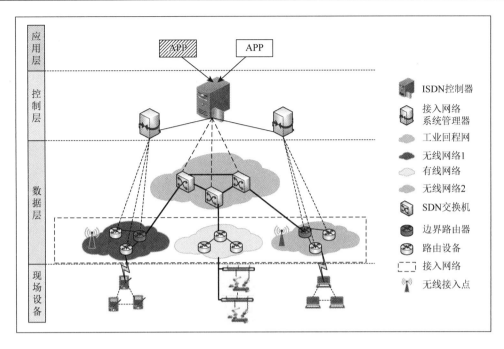

图 4.4　工业软件定义网络的系统架构

后者用于支持安全人员根据网络 DDoS 攻击特点，制定相应的防御策略，保证网络安全运行。

　　控制层包括 ISDN 控制器、工业接入网络系统管理器。ISDN 控制器负责工业回程网的资源控制与调度，负责网络的链路发现拓扑管理、状态监测和策略制定并下发流表，并将监测到的信息供 DDoS 攻击检测与缓解系统查询；ISDN 控制器上运行联合调度器，负责工业接入网络系统管理器的交互，负责工业接入网络的数据传输路径和资源信息的计算及决策。工业接入网络系统管理器负责配置工业接入网网络属性、管理路由表、调度设备间的通信、监视网络性能和安全管理；负责管理网络中设备的运行及整个无线网络的通信，包括设备入网和离网、网络故障的监控与报告和通信配置管理。

　　数据层包括 SDN 交换机和工业接入网网络设备，其中，SDN 交换机位于工业回程网中，依靠 SDN 控制器的全局视图功能，用于灵活、高效地配置工业回程网；工业接入网络中的网络设备是网络传输的物理实体，为工业接入网络系统管理器进行管理和配置，从而实现工业接入网络系统管理器所需要的网络功能；工业接入网络边界路由器负责将报文处理后，转发给工业回程网络。

　　企业在引进创新技术前首要保证的是安全，为了使工业软件定义网络技术能够有效地实施，对工业软件定义网络环境下的安全研究显得尤为重要。目前国内外已经有许多对 SDN 环境的安全研究。Scotthayward 等[5]对软件定义网络的安全进行了分析，阐述了SDN 架构的优势与安全挑战，总结了几种主要的攻击风险，包括未授权访问、数据泄露、数据修改、恶意应用程序、控制器的集中管控引起的 DoS 攻击、接口配置问题，并对 DoS攻击的影响做了深度分析。Rawat 和 Reddy[6]分析了软件定义网络的潜在攻击，包括欺骗攻击、入侵攻击、匿名攻击、DDoS 攻击与 DoS 攻击，阐述了各种攻击的原理。Dayal 等[7]分析了 SDN 环境下安全研究趋势，其中 DDoS 攻击是网络中较易遭受的攻击，因此引起了研究者的重点关注。

SDN 架构集中控制的特点也是一个巨大的安全威胁，尤其是单控制器被攻击后网络将陷入瘫痪。Cnki 学术趋势网站 SDN DDoS 的结果与 Google Trends 网站搜索 SDN DDoS 的结果如图 4.5 与图 4.6 所示。

由图 4.5 与图 4.6 可见，国内外对 SDN 中 DDoS 攻击的研究开始呈增长趋势，DDoS

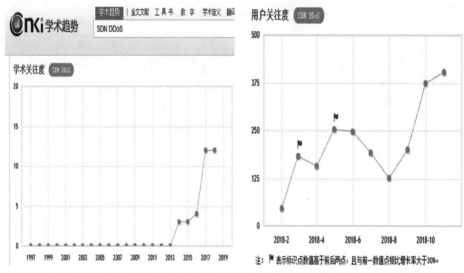

图 4.5　Cnki 学术趋势网站搜索 SDN DDoS 的结果

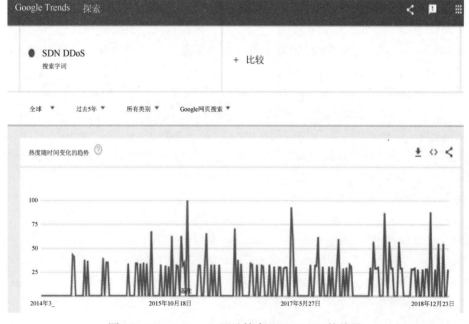

图 4.6　Google Trends 网站搜索 SDN DDoS 的结果

攻击对网络的危害性极强，由于物联网设备数量大量增长，工业软件定义网络的新型工业网络架构遭受 DDoS 攻击的风险也开始增大。

　　DDoS 攻击是指处于不同位置的多个攻击者同时向一个或数个目标发动攻击，或者一个攻击者控制了位于不同位置的多台机器并利用这些机器对受害者同时实施攻击。由于攻击的发出点分布在不同的地方，所以这类攻击称为 DDoS 攻击。

　　DDoS 攻击是目前网络攻击的主要方式，在工业网络逐渐向智能化发展的趋势下，对 DDoS 攻击的威胁也需要提供具有针对性的解决方案。DDoS 攻击大致可以分为两大类，即传输层/网络层攻击和应用层攻击[8]，前一种攻击使用 SYN、UDP 及 DNS 数据包来发起 DDoS 攻击，通过消耗受攻击设备的网络带宽来干扰合法的用户连接请求，攻击者可以使用直接的泛洪攻击或基于反射的泛洪攻击，直接泛洪攻击就是攻击者直接向攻击目标发送大量的请求，消耗网络带宽，而基于反射的泛洪攻击则是攻击者向多个网络设备发送虚假请求，通过这些网络设备反射给最终的攻击目标（如 SDN 控制器）。应用层攻击[9, 10]主要以消耗 CPU 资源、存储资源的方式影响合法用户的请求，通常攻击者通过泛洪请求或慢速请求发起攻击，常见的攻击有 DNS-Flood 攻击、CC 攻击等。

　　SDN 环境下的 DDoS 攻击主要有以下几类。

　　（1）带宽攻击。带宽攻击的攻击原理是通过占用网络带宽或向网络路由设备发送大量数据包，将这些虚假的数据包发送到指定的攻击目标设备处。带宽攻击也常常采用源地址欺骗并不停地变化源地址的方式，使攻击不易被检测出来。

　　（2）漏洞攻击。漏洞攻击利用网络协议或软件漏洞实现攻击，漏洞攻击不需要像带宽攻击一样发送大量的数据包，只需要向被攻击者发送少量畸形数据包就可使其产生异常，甚至崩溃以实现攻击目的。如 TCP Flood 攻击是专门针对 TCP/IP 协议的一种攻击类型，其中又以 SYN Flood 攻击为代表，通过发出的虚假连接请求方式使被攻击设备疲于应对自身被占用的资源，从而使得被攻击目标不能继续正常工作。

　　（3）网络链路型攻击。网络链路型攻击主要通过占用网络带宽来消耗网络固定资源，造成网络中的正常服务请求被堆积在请求队列中，服务器不能及时地响应并处理合法请求，达到拒绝服务的目的。

　　（4）节点型攻击。节点型攻击主要通过消耗节点资源来进行攻击，攻击者向目标服务器发送超出其处理能力范围的伪装请求，使正常请求得不到响应，从而影响网络正常服务。

　　SDN 的特点是将网络的数据转发平面和控制平面分离，从而通过控制器中的软件平台去实现底层硬件的可编程化控制，实现对网络资源灵活的按需调配。SDN 控制器通过利用 OpenFlow 协议向 OpenFlow 交换机主动或被动地下发流表，数据包通过匹配流表得到转发。利用 SDN 集中控制及可编程性的优点，可更加灵活地管控庞大的工业网络流量。

　　结合 SDN 的以上特点，形成一种基于 SDN 的 DDoS 攻击检测的技术。该技术利用工业回程网中 SDN 控制器的东西向接口与工业接入网络的系统管理器的协同作用，结合工业回程网及工业接入网络数据包特征，扩展 OpenFlow 交换机流表项匹配域，设定流表 0 为"缓解 DDoS 攻击专用流表"，及时抵御攻击数据流。利用工业回程网的 SDN 控制器及 DDoS 攻击检测与缓解系统，识别出攻击数据流并发现 DDoS 攻击源，通过调度工业接入网络系统管理器实施缓解 DDoS 攻击的策略。该策略保证了工业回程网和工业接入网络的正常流量，消除了 DDoS 攻击对工业网络安全造成的威胁。

4.3　方案实例

4.3.1　一种工业时间敏感网络多级安全数据调度方法

1. 背景

当前，工厂内网呈现"三级"结构，根据目前工厂管理层级的划分，工厂内网被分为"现场级"、"车间级"和"工厂级/企业级"三个层次，每层之间的网络配置和管理策略相互独立。在现场级，工业现场总线被大量地用于连接现场检测传感器、执行器与工业控制器；车间级网络通信是完成控制器之间、控制器与本地或远程监控系统之间，以及控制器与工厂级网络之间的通信连接；企业 IT 网络，通常采用高速以太网及 TCP/IP 进行网络互联。对于工业现场无线网络，采用 802.15.4 无线传输协议，基于超帧时隙调度模式，一个超帧是一个调度周期，且在一个调度周期内包含多个时隙，数据帧被预分配在固定的时隙进行传输，有效地保证了数据传输的确定性。

在传统工业生产环境中，大量工业应用对实时性通信有着迫切需求，通常希望在最短的时间内接收到最重要的数据，从而迅速地对工业环境中出现的问题做出反应。而传统的工业无线网络为了提高数据传输的确定性往往事先按照预定的时间进行发送，这就使得即使再重要的数据，也要等待前面的数据传输完成后才能发送。为了满足要求，当前的做法通常是修改工厂内网的以太网协议或者在关键生产流程部署独立的专用以太网。然而这种方式的互通性、扩展性和兼容性不够，因此车间骨干网络采用 TSN，为这个难题提供了一个有效的解决方案。TSN 基于标准以太网，凭借时间同步、数据调度、负载整形等多种优化机制，根据采集数据的重要性程度不同，为不同的数据分配不同的优先级，使对于传输时延要求较高的时间敏感型数据成为高优先级数据，能够被优先调度，来保证时间敏感数据的实时、高效、稳定传输。

由于工业网络暴露在恶劣的环境中，容易受到中间人攻击、DoS 攻击和重放攻击等，需要对传输的数据进行安全加密。但是加密强度过高，会降低数据传输效率，如果重要的数据得不到及时发送，加上高强度加密带来的时间消耗，导致该数据传输时延加大；如果加密强度过低，又会使得重要的数据安全性过低而遭受到攻击。因此为了兼顾安全性与传输效率，采用多级安全加密方式，根据数据重要性不同对应加密强度不一样，将数据分成不同安全等级队列进行调度，有效地解决工业网络对安全需求和效率之间的矛盾。

2. 技术方案

1）系统总体方案设计

在标准以太网的基础上，引入 TSN 后系统开发和维护的成本都会降低，使完整性、实时性、安全性保持分离状态的网络能够实现多功能的聚合，消除了工业物联网中关键数据和非关键数据共存的障碍[11]。工业无线网络接入 TSN 的网络结构如图 4.7 所示。

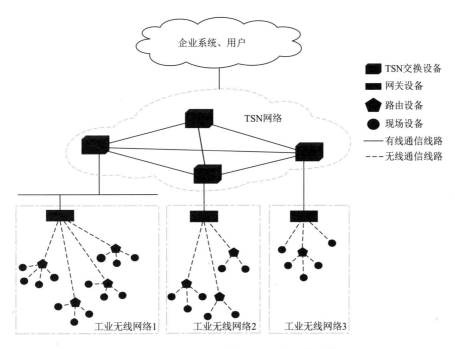

图 4.7　工业无线网络接入 TSN 的网络结构

在工业应用中，越来越多的设备因为安全需求采取了安全措施，由于加密算法会带来时延，将影响数据传入 TSN 后的实时性。

采用安全强度较低的安全机制在时延上尚可接受，但一定程度上又影响安全强度。如何既保证现场设备与用户之间数据的机密性，又保证工业现场对数据实时性的要求，是工业无线网络接入 TSN 后需要解决的问题。针对该需求，给现场工业网络采取的安全机制进行分级，对不同安全需求的数据采取不同安全强度的安全机制，并将安全强度和时延作为指标，共同决定该数据在 TSN 网络中的调度方式，从而在工业数据安全性和实时性之间达到了一个平衡。为此，工业无线网络接入 TSN 的网络系统总体架构设计方案如图 4.8 所示。

工业无线网络包括现场设备、路由设备及网关设备，由于路由主要起转发数据的作用，因此在总体设计方案过程及接下来的研究中省去路由设备的表示，使方案流程更加简洁。根据总体设计方案可以看出，工业无线网络和 TSN 网络分别执行不同的功能，工业无线网络接入 TSN 网络总体架构功能结构图如图 4.9 所示。

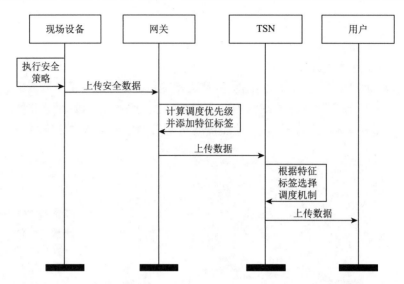

图 4.8　工业无线网络接入 TSN 的网络系统总体架构设计方案

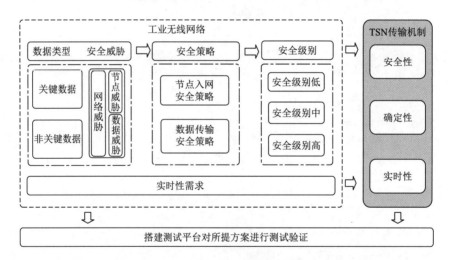

图 4.9　工业无线网络接入 TSN 网络总体架构功能结构图

工业无线网络将采集到的工业数据分成关键数据和非关键数据,根据节点的安全需求和不同类型数据的安全需求采取不同的安全策略,以此达到安全分级的作用。然后结合数据的实时性需求,将安全等级和时延作为数据传入 TSN 的调度因素,TSN 通过时间同步、时间感知调度和流量整形等优化机制,确保了不同数据的调度需求,使网络中的关键数据传输不受非关键数据影响,最终达到安全、实时的调度目标[12]。

2)工业无线网络分级安全策略设计

为了应对工业无线网络面临的安全威胁,针对网络中关键数据和非关键数据设计了两种不同安全强度的认证协议,然后对安全数据通信采用不同安全强度的加密校验机制,通过认证协议和加密校验机制的选择,对数据采用的安全策略进行分级。网关作为整个网络中的安全管理者对数据进行分析、管理。

（1）工业无线网络安全策略设计与分级。

在工业环境中，不同企业、组织或个人等对数据的划分标准可能各不相同，一般需要严格按照国家标准、所在组织机构的相关规定，并结合自身需求对数据进行安全分级。

工业数据资产敏感程度是工业无线网络系统安全等级的定级要素，由工业无线网络采集数据的资产价值确定。本书根据《信息安全技术　工业控制系统信息安全分级规范》（GB/T 36324—2018），结合工业环境需求将不同类型的数据分成 4 个敏感程度，如表 4.1 所示。

表 4.1　数据类型及安全需求描述

敏感程度	数据类型	安全需求描述
非敏感	可公开的非重要参数信息等	适用于不需要采取特定保密性措施的公开信息
一般敏感	工业生产系统的生产辅助部位信息等	适用于隐私性要求不高的数据，安全需求较低
敏感	工业生产系统的重要生产部位信息等	适用于隐私性要求中等的数据，安全需求中等
高度敏感	工业生产系统的核心生产部位等	适用于隐私性要求很高的数据，安全需求最高

将数据划分成 4 个敏感程度，具体描述如下所示。

①非敏感数据。非敏感数据主要包括工业现场不重要的参数信息等，即使被外界获取，也不会对生产带来影响。

②一般敏感数据。一般敏感数据主要包括工业生产中的一般业务，来自于工业生产系统辅助部位，工业生产系统对该数据的依赖程度较低，即使受到攻击对主要生产流程产生的影响较小。

③敏感数据。敏感数据主要包括工业生产中的重要业务，来自于工业生产系统重要部位，工业生产系统对该数据依赖程度中等，当受到攻击时，对局部生产流程产生中断或对主要生产流程影响较大。

④高度敏感数据。高度敏感数据主要包括工业生产中的关键业务，来自于工业生产系统核心部位，工业生产系统对该数据依赖程度高，当受到攻击时，生产系统将无法正常运行，甚至发生危险。

本节拟根据数据敏感程度，设计 4 种不同级别的安全策略，以实施差别保护，如表 4.2 所示。不同安全策略下采取不同的认证和加密/校验机制，既满足工业数据的安全需求，又提高网络系统的计算性能。

表 4.2　数据敏感程度与安全策略级别对应关系

数据敏感程度	安全策略级别	设备身份认证机制	完整性和机密性
非敏感	1	无/弱认证	无须加密校验/校验
一般敏感	2	弱认证	校验
敏感	3	强认证	加密/加密且校验
高度敏感	4	强认证	加密且校验

将数据的安全策略级别分成 4 个等级，从 1～4 的安全等级依次增加。

（2）不同安全策略级别下的认证机制设计。

工业无线网络应用于特定的工业环境时，必须保证数据来源合法性，现场设备需要进行认证才能够加入网络，如果数据来自非法设备，上层企业或用户就会因为非法数据而做出错误的判断，对工业生产造成致命危胁。工业无线网络中网关作为安全管理者，对新加入设备的身份进行合法性认证，如果认证成功，则为新设备分配相应的安全通信资源。

工业无线网络接入 TSN 后，为了对不同类型的工业数据进行安全分级，平衡网络设备的认证强度和资源开销，本节设计两种认证方案，对于采集高度敏感和敏感数据的现场设备入网时采用强认证协议，以确保关键数据来源的合法性；对于采集一般敏感数据的现场设备入网时采用弱认证协议，达到安全入网的目的即可；对于采集非敏感数据的现场设备入网时不采用认证协议或者采取弱认证协议，最大限度地节约网络资源。安全策略级别和认证方式对应关系如表 4.3 所示。

表 4.3　安全策略级别和认证方式对应关系

安全策略级别	认证方式
1	无/弱认证
2	弱认证
3	强认证
4	强认证

两种认证方式具体内容如下所示。

①现场设备与网关弱认证协议。对于网络中采集非关键数据的现场设备而言，入网过程采用一种运行速度快、实现简单的弱认证协议，以减少此类数据的资源消耗。本节假设网关设备是足够安全可信的且具有较强的计算能力，认证过程中所使用到的符号如表 4.4 所示。

表 4.4　现场设备与网关弱认证使用到的符号

符号	符号说明
KP	配置密钥
KJ	加入密钥
KEK	密钥加密密钥
KED	会话密钥
IDX	现场设备身份信息
$f(\cdot)$	密钥产生函数
$h(\cdot)$	哈希函数
‖	连接符

认证过程所使用的三种密钥（加入密钥 KJ、密钥加密密钥 KEK、会话密钥 KED）都是由网关通过密钥产生协议（secret key generation，SKG）生成并下发给现场设备的，SKG 协议实现流程如图 4.10 所示。

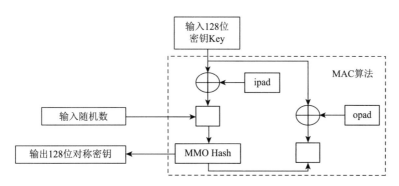

图 4.10　SKG 协议实现流程

SKG 协议通过 HMAC 机制使用 n 位输入密钥进行计算，输出 n 位对称密钥，该对称密钥作为现场设备和网关之间的共享密钥，用于身份认证及安全通信。其中 ipad 表示 16 个二进制 00110110 不断循环，opad 表示 16 个二进制 01011100 不断循环。

现场设备与网关弱认证过程如图 4.11 所示。

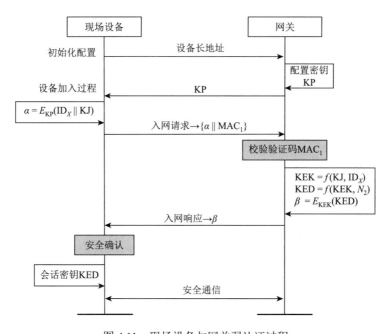

图 4.11　现场设备与网关弱认证过程

具体认证过程包括以下步骤。

步骤 1：初始化配置阶段，现场设备将地址发送给网关。

步骤 2：网关选择配置密钥 KP，下发给现场设备，用于生成加入密钥 KJ。

步骤 3：现场设备选择随机数 N_1，由 SKG 协议生成加入密钥 $KJ = f(KP, N_1)$，使用 KP 对认证信息 $ID_X \parallel KJID_X \parallel KJ$ 加密，得到安全认证信息 $\alpha = E_{KP}(ID_X \parallel KJ)$，并计算消息验证码 $MAC_1 = h(\alpha)$，然后将安全加入请求 $\{\alpha \parallel MAC_1\}$ 发送给网关。

步骤 4：网关接收到现场设备的加入请求后，首先计算 $MAC_2 = h(\alpha)$，判断 $MAC_2 = MAC_1$ 是否成立，如果成立，进一步解密 α，得到 ID'_X，然后判断 $ID'_X = ID_X$ 是否成立，如果不成立，则本次认证失败；否则，现场设备入网成功。然后网关选择随机数 N_2，同时由 SKG 协议生成密钥加密密钥 $KEK = f(KJ, ID_X)$，用于网关向新设备分配会话密钥时对该密钥进行保护。进而生成会话密钥 $KED = f(KEK, N_2)$，使用 KEK 加密会话密钥 $\beta = E_{KEK}(KED)$，发送安全响应信息给现场设备。

步骤 5：现场设备收到响应信息后，对加密的会话密钥 β 进行解密，获取数据加密密钥 KED，用于下一步安全通信，整个认证过程完成。

②现场设备与网关强认证协议。对于网络中的关键数据，确保其来源的合法性尤为重要，为了提高入网设备的安全性，本节设计一种基于椭圆曲线加密（elliptic curve cryptography，ECC）算法的无证书强认证方案。本节所使用到的符号如表 4.5 所示。

表 4.5　现场设备与网关强认证使用到的符号

符号	符号说明
FD	现场设备
GW	网关
KGC	密钥生成中心
G	椭圆曲线上的点
r, R, n	随机数
PK	公钥
SK	私钥
$h(\cdot)$	哈希函数
$MAC(\cdot)$	消息认证码
$\parallel$	连接符

网关作为安全管理者的同时充当密钥生成中心（key generation center，KGC）的角色，现场设备和网关的强认证过程如图 4.12 所示，具体包括三个阶段，首先是初始化阶段，密钥生成中心在此阶段生成系统参数；然后是注册阶段，现场设备和网关分别向 KGC 申请注册，生成公私钥对；最后是认证阶段，现场设备和网关相互进行身份认证并协商生成会话密钥。

现场设备和网关的强认证过程如下所示。

a. 初始化阶段。

密钥生成中心对系统进行初始化并设置安全参数。首先生成质数 p，选择有限域 F_p 上的椭圆曲线方程式为

$$y^2 = x^3 + ax + b \bmod p \tag{4.1}$$

其次，选择两个满足下列约束条件的小于 p 的非负整数 a、b，即

$$4a^3 + 27b^2 \neq 0(\bmod p) \tag{4.2}$$

最后，选择一个私有密钥 $x \in Z_p$，计算系统公开密钥 $Y = xG$，公开参数为

$$\{p, E_p, G, Y\} \tag{4.3}$$

式中，p 为初始化生成的质数；E_p 为椭圆曲线；G 为椭圆曲线上的点；Y 为公开密钥。

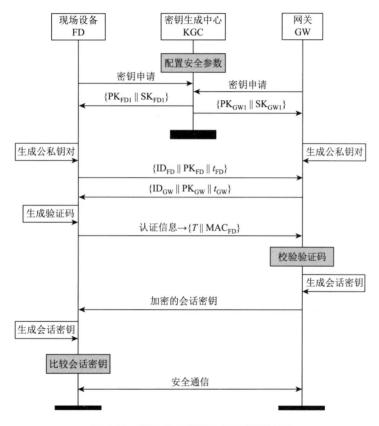

图 4.12　现场设备和网关的强认证过程

b. 注册阶段。

步骤 1：现场设备和网关分别向 KGC 进行密钥申请。当 KGC 收到现场设备的请求后，选择一个随机数 r_{FD}，计算现场设备的部分公私钥对：

$$PK_{FD1} = r_{FD}G \tag{4.4}$$

$$SK_{FD1} = r_{FD} + xh(ID_{FD} \| PK_{FD1}) \tag{4.5}$$

KGC 将 PK_{FD1} 和 SK_{FD1} 发送给现场设备。现场设备选择一个秘密值 R_{FD} 作为另一部分私钥，结合 SK_{FD1} 和 PK_{FD1} 生成公私钥对，分别为

$$PK_{FD} = (PK_{FD1} \| PK_{FD2}) = (PK_{FD1} \| R_{FD}G) \tag{4.6}$$

$$SK_{FD} = (SK_{FD1} \| SK_{FD2}) = (SK_{FD1} \| R_{FD}) \tag{4.7}$$

步骤 2：KGC 收到网关的密钥请求后，选择一个随机整数 r_{GW}，然后如步骤 2 所示，首先计算部分公私钥对，即

$$PK_{GW1} = r_{GW}G \tag{4.8}$$

$$SK_{GW1} = r_{GW} + xh(ID_{GW} \| PK_{GW1}) \tag{4.9}$$

KGC 将 $PK_{GW1}PK_{GW1}$ 和 $SK_{GW1}SK_{GW1}$ 发送给网关。然后网关同样选择一个秘密值 R_{GW} 作为另一部分私钥，结合 SK_{GW1} 和 PK_{GW1} 生成公私钥对，分别为

$$SK_{GW} = (SK_{GW1} \| SK_{GW2}) = (SK_{GW1} \| R_{GW}) \tag{4.10}$$

$$PK_{GW} = (PK_{GW1} \| PK_{GW2}) = (PK_{GW1} \| R_{GW}G) \tag{4.11}$$

c. 认证阶段。

步骤 1：现场设备和网关分别生成标签，标签生成公式如式（4.12）和式（4.13）所示。

$$t_{FD} = n_{FD} \times G \tag{4.12}$$

$$t_{GW} = n_{GW} \times G \tag{4.13}$$

式中，n_{FD} 为现场设备生成的随机数；n_{GW} 为网关生成的随机数。

步骤 2：现场设备将身份信息和公钥信息 $\{ID_{FD} \| PK_{FD}\}$ 发送给网关，同时网关将信息 $\{ID_{GW} \| PK_{GW}\}$ 发送给现场设备。

步骤 3：现场设备根据接收到的信息生成验证密钥 k_{FD}，即

$$k_{FD} = h(ID_{GW} \| PK_{GW1})SK_{FD1}G + h(ID_{FD} \| PK_{FD1})PK_{GW1} + SK_{FD2}PK_{GW2} + n_{FD}t_{GW} + Y \tag{4.14}$$

使用此密钥生成消息验证码 MAC_{FD}，所用公式如式（4.15）所示：

$$MAC_{FD} = MAC_{kFD}(ID_{FD} \| PK_{FD} \| T) \tag{4.15}$$

式中，T 为当前时间戳。

现场设备将认证消息 $\{T \| MAC_{FD}\}$ 发送给网关。

步骤 4：网关收到来自现场设备的认证消息后，首先验证 $|T' - T| < \Delta T$ 以确保消息的新鲜性，然后同样生成验证密钥 k_{GW}，即

$$k_{GW} = h(ID_{FD} \| PK_{FD1})SK_{GW1}G + h(ID_{GW} \| PK_{GW1})PK_{FD1} + SK_{GW2}PK_{FD2} + n_{GW}t_{FD} + Y \tag{4.16}$$

使用此密钥生成验证码 MAC_{GW} 为

$$MAC_{GW} = MAC_{kGW}(ID_{FD} \| PK_{FD} \| T) \tag{4.17}$$

判断 MAC_{GW} 与 MAC_{FD} 是否相等，如果则相等则认证成功，继续如下的步骤。

步骤 5：网关计算 $Q_{GW} = n_{GW} \times t_{FD}$，然后生成会话密钥 $K_{GW_{FD}}$，即

$$K_{GW_{FD}} = h(ID_{GW} \| ID_{FD} \| Q_{GW} \| k_{GW}) \tag{4.18}$$

网关使用 k_{GW} 加密会话密钥，将加密的会话密钥发送给现场设备。

步骤 6：现场设备接收到加密的会话密钥后，对其进行解密获取会话密钥 $K_{GW_{FD}}$，然后计算 $Q_{FD} = n_{FD} \times t_{GW}$，同样生成会话密钥 $K_{FD_{GW}}$ 为

$$K_{FD_{GW}} = h(ID_{FD} \| ID_{GW} \| Q_{FD} \| k_{FD}) \tag{4.19}$$

比较网关生成的会话密钥 $K_{GW_{FD}}$ 和现场设备生成的会话密钥 $K_{FD_{GW}}$ 是否相等，如果相等的情况下才能进行下一步安全数据的传输。

③方案正确性验证。为了验证方案实现的正确性，密钥 k_{FD} 和 k_{GW} 相等的证明过程如式（4.20）所示：

$$
\begin{aligned}
k_{FD} &= h(\mathrm{ID}_{GW} \| \mathrm{PK}_{GW1})\mathrm{SK}_{FD1}G + h(\mathrm{ID}_{FD} \| \mathrm{PK}_{FD1})\mathrm{PK}_{GW1} + \mathrm{SK}_{FD2}\mathrm{PK}_{GW2} + n_{FD}t_{GW} + Y \\
&= h(\mathrm{ID}_{GW} \| \mathrm{PK}_{GW1})(r_{FD} + xh(\mathrm{ID}_{FD} \| \mathrm{PK}_{FD1}))G \\
&\quad + h(\mathrm{ID}_{FD} \| \mathrm{PK}_{FD1})r_{GW}G + R_{FD}R_{GW}G + n_{FD}n_{GW}G + xG \\
&= h(\mathrm{ID}_{FD} \| \mathrm{PK}_{FD1})\mathrm{SK}_{GW1}G + h(\mathrm{ID}_{GW} \| \mathrm{PK}_{GW1})\mathrm{PK}_{FD1} \\
&\quad + \mathrm{SK}_{GW2}\mathrm{PK}_{FD2} + n_{GW}t_{FD} + Y \\
&= k_{GW}
\end{aligned} \tag{4.20}
$$

网关生成的会话密钥 $K_{GW_{FD}}$ 和现场设备生成的会话密钥 $K_{FD_{GW}}$ 相等的证明过程如式（4.21）所示：

$$
\begin{aligned}
K_{GW_{FD}} &= h(\mathrm{ID}_{GW} \| \mathrm{ID}_{FD} \| Q_{GW} \| k_{GW}) \\
&= h(\mathrm{ID}_{GW} \| \mathrm{ID}_{FD} \| n_{GW} \times n_{FD} \times G \| k_{GW}) \\
&= h(\mathrm{ID}_{GW} \| \mathrm{ID}_{FD} \| Q_{FD} \| k_{FD}) \\
&= K_{FD_{GW}}
\end{aligned} \tag{4.21}
$$

计算结果表明，现场设备和网关协商生成的验证密钥 $k_{FD} = k_{GW}$，会话密钥 $K_{GW_{FD}} = K_{FD_{GW}}$，方案的正确性验证成功。

④安全性分析。弱认证机制使每个现场设备拥有不同的密钥，即使一个现场设备被攻击者窃取了密钥信息，也不会影响其他现场设备，但是由于现场设备和网关拥有对称密钥，一旦某一方被攻击，密钥都将泄露。因此强认证机制利用了 ECC 的以下性质来确保了更高强度密钥的安全性。

a. 椭圆曲线离散对数：假设 P 为椭圆曲线上的某一个点，Q 是 p 的多倍运算，存在一个整数 $x > 0$，使得 $Q = xP$，在已知 P 和 Q 的情况下，几乎不可能计算出 x。

b. Diffie-Hellman 密钥交换：假设 P, xP, yP 都是椭圆曲线上的点，即 $P, xP, yP \in G$，其中 $x, y \in Z_p$，在有限时间内计算 $xyP \in GxyP \in G$ 是不可能的。

c. 椭圆曲线分解：假设 p, Q 为椭圆曲线上的两个点，满足 $Q = xp + ypQ = xp + yp$，其中 $x, y \in Z_p$，在已知的条件下，很难在椭圆曲线上找到 xp 和 yp 两个点。

基于以上这几点，得到强认证机制的安全性包括以下几点。

a. 会话密钥安全：现场设备和网关需要向密钥生成中心进行申请，现场设备生成会话密钥，利用生成的公私钥进行计算，得到验证密钥，进而生成验证信息进行第一次验证；网关生成会话密钥后，现场设备进行了第二次安全确认，只有现场设备和网关协商出的密钥相等，现场设备和网关才能进行安全通信，因此确保了会话密钥足够的安全性。

b. 不可否认性：只有合法的现场设备才能发送验证信息，并且不能否认发送的信息，即现场设备是根据其自身信息和网关信息计算得到验证密钥 k_{FD} 的，恶意节点无法伪装成合法节点发送认证信息；并且由椭圆曲线离散对数性质可知，即使攻击者获取了 t_{FD} 和 G，也很难计算出 n_{FD}，因此无法获取合法节点的信息。

c. 密钥托管弹性：无证书模式提供了密钥托管弹性，即使密钥生成中心被攻击者窃听到现场设备和网关的部分公私钥对，也无法获取现场设备和网关的信息，因此不能生成完整的公私钥对，提高了密钥的安全性。

3）不同安全策略级别下的机密性和完整性机制设计

对于工业无线网络接入 TSN 后的安全数据传输，如果在受保护生命周期中加密系统被认为是安全的，面临的攻击通常是暴力搜索与猜测攻击，攻击成功的概率取决于攻击者最大的计算能力（计算次数、专用硬件设备等）。假设某个对称算法的密钥长度有 n 位，攻击者想要破解该加密算法至少需要 2^n 步，则称这个算法拥有 n 位安全级别。例如，对称加密算法 3DES 采用的是 3 个 64 位的密钥，密钥强度为 80～112。而对称加密算法 AES 只对 16 字节的块进行操作，具体操作的轮数和密钥的长度有关，AES 包含 3 种长度的密钥：128 位、192 位和 256 位，分别对 16 字节的块进行 10 轮次、12 轮次和 14 轮次的操作，对应的密钥强度为 128、192 和 256。

而非对称密码算法的密钥长度和安全等级对应关系不像对称算法那样显而易见。非对称密码算法 RSA 和 ECC 需要的操作数与密钥都很长，相比较而言，ECC 所需的密钥较短，但仍然是对称加密算法 3DES、AES 密钥长度的两倍，在存储与传输过程中开销较大，计算将会变得极其复杂，比使用 AES 或 3DES 对一个分组加密要慢 2～3 阶。

根据欧洲信息技术委员会发布的 ECRYPT2 Yearly Report on Algorithms and Keysizes，80 位安全级别一般是最小的通用级别，完全可以有效地抵御最具威胁的攻击场景。在加密过程中一般不使用 32 位和 64 位的密钥长度，因为攻击者能够较为轻松地攻破 32 位或 64 位密钥长度，无法提供较强的机密性保护。从当前发展趋势来看，112 位或 128 位安全级别能够提供较高的安全性[13, 14]。

AES 相比于其他对称加密算法拥有更好的安全性、灵活性和效率，可在软件及硬件上实现快速加解密，并且操作简单、存储开销较小，因此本节数据安全通信采用 AES_CCM 算法，其中 CCM 基于密码分组链接（cipher-block chaining，CBC）模式和消息认证码算法混合使用，可以同时对数据加密并进行认证，其中加密算法使用 128 位对称密钥的 AES 算法。CCM 模式可以选择长度为 0 位、32 位、64 位、128 位的完整性校验码，这种认证模式不仅可以检测出数据的意外错误，而且也能检测出攻击者故意的、未经授权的数据篡改。AES_CCM 完整性校验流程如图 4.13 所示。

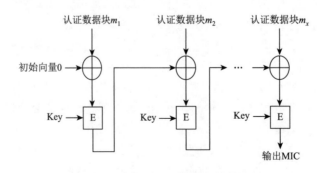

图 4.13　AES_CCM 完整性校验流程

CCM 校验模式的基本条件包括发布者和接收方定义相同的校验算法、共享校验密钥、指定校验码长度等。在该模式下，定义一个非重复的参数值 Nonce，Nonce 可以是时间值、计数器或者防止重放攻击的特殊标记。每个认证数据块 m_i 的长度是 128 位，其中包括 1 字节标志位、13 字节 Nonce 值和 2 字节明文有效数据长度值；初始向量为 128 位的二进制全 0 串。

数据加解密方式使用基于 CTR 算法的 CCM 模式，加密前需构造初始化向量，其中解密过程是加密的逆过程，AES_CCM 加密流程如图 4.14 所示。由明文产生的每个明文块 M_1、M_2、M_i 的长度为 128 位，如果数据块长度不够 128 位，则用 0 进行补充。每个初始化的向量块长度为 128 位，其中包括 1 字节标志位、13 字节 Nonce 值和 2 字节计数器值。

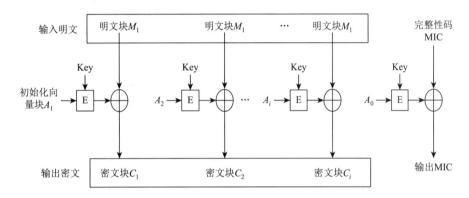

图 4.14　AES_CCM 加密流程

CCM 模式指定完整性校验码长度，包括 0 位、32 位、64 位和 128 位。CCM 模式下可选择是否加密或者完整性校验，以此来区分出不同的安全等级，不同选择方式对应安全等级如表 4.6 所示。

表 4.6　CCM 模式安全等级

安全等级	安全属性
0	无
1	MIC-32
2	MIC-64
3	MIC-128
4	加密
5	加密-MIC-32
6	加密-MIC-64
7	加密-MIC-128

是否加密及选择不同长度的完整性校验码共同决定了机密性和完整性的安全等级，

本节根据不同敏感程度数据需求，设计不同安全策略级别使用的加密和完整性校验机制，具体如表 4.7 所示。

表 4.7　安全策略级别与安全属性对应关系

安全策略级别	安全属性
1	无
	MIC-32
2	MIC-64
	MIC-128
3	加密
	加密-MIC-32
4	加密-MIC-64
	加密-MIC-128

4）安全控制字段设计

基于上面建立的安全策略级别与认证方式和机密性及完整性保护的对应关系，为每种数据设置属性 ID 号，其中设置非敏感数据属性为 0x01，一般敏感数据为 0x02，敏感数据为 0x03，高度敏感数据为 0x04。

根据不同数据的敏感程度，分别选择不同的安全策略，如表 4.8 所示。

表 4.8　数据敏感程度与安全策略级别对应关系

数据敏感程度	属性 ID	安全策略级别	认证方式	安全属性
非敏感	0x01	1	无	无
			弱认证	MIC-32
一般敏感	0x02	2	弱认证	MIC-64
				MIC-128
敏感	0x03	3	强认证	加密
				加密-MIC-32
高度敏感	0x04	4	强认证	加密-MIC-64
				加密-MIC-128

本书工业无线网络采用 WIA-PA 通信协议，现场设备应用层负责建立安全数据包、维护安全服务和密钥信息等，通过应用子层之上的安全管理实体对这些安全信息进行管理。现场设备采取的安全策略涵盖密钥机制、身份认证、数据保护等内容，安全管理实体根据采集数据的属性 ID 选择相应的安全策略，对数据进行安全处理。WIA-PA 应用层数据帧格式如图 4.15 所示。

字节	1	1/0	1/0	1/0	1	1	可变长
字段名称	帧控制	目的对象	源对象	命令	属性ID	安全控制	帧载荷
		地址字段					
		帧头					载荷

图 4.15　WIA-PA 应用层数据帧格式

如果要采取安全机制，先将安全使能置 1，然后根据安全策略设置安全控制字段，执行相应安全机制。安全控制字段设计如图 4.16 所示。

位0	1～3	4	5～7
安全使能： 0 = 不使用安全 1 = 使用安全	安全属性： 000 = None 001 = MIC-32 010 = MIC-64 011 = MIC-128 100 = 加密 101 = 加密-MIC-32 110 = 加密-MIC-64 111 = 加密-MIC-128	身份认证方式： 0 = 弱认证 1 = 弱认证	保留

图 4.16　安全控制字段设计

通过不同安全策略的执行，满足了网络中所有数据的安全需求，如对于当前企业或用户不需要的数据，其安全传输与否不是我们所关心的，则将其属性设为 0x00，采用较低强度的安全机制或不使用任何安全措施，极大地节约了网络资源；而对于当前企业或用户最重要的数据，丢失或篡改都将给工业系统带来致命性的打击，则需要重点保护该类数据，所以将此类数据属性设置为 0x04，对其来源合法性、机密性、完整性都做高强度保护。

5）基于分级安全策略的数据传输机制研究

本章工业无线网络网关结合安全策略级别和时延等级计算数据调度优先级，并在数据上传到 TSN 交换机时进行虚拟局域网优先级标签设置，使数据传入相应的调度队列，实现不同的传输机制。

（1）调度优先级确定方法。

现场工业无线网络数据采用不同安全策略后，安全机制带来的时间开销不同，这就会造成采用高级别安全策略的数据端到端时延变长。如果某些数据因为加密和完整性校验带来过大的时延，将很有可能导致用户接收到此类数据时超出所要求的最大时延而影响实时性要求。为此，根据数据从现场设备到网关的时延，结合安全策略级别，动态调整接入 TSN 安全数据的优先级。

在工业无线网络中，现场设备到网关的端到端时延主要由三部分组成：现场设备加密/校验时延、现场设备到网关的传输时延、网关解密/校验时延，即

$$T = T_{en} + T_t + T_{de} \tag{4.22}$$

式中，T_{en} 为现场设备加密/校验时延；T_t 为现场设备到网关的传输时延；T_{de} 为网关解密/校验时延。

由于安全策略不同，所采用的加解密/校验算法消耗时间也有所不同，即不同安全策略下数据的 T_{en} 和 T_{de} 不同；又因为传输受当前信道质量等因素的影响，使得 T_t 也不同，因此不同周期内同一个现场设备发送的数据端到端时延都是动态变化的。定义数据端到端时延 T 与标准规定的最大时延 T_0 的比值称为时延系数，记为 λ，即

$$\lambda = \frac{T}{T_0} \tag{4.23}$$

式中，T_0 为规定的最大时延。

由时延系数可知，如果 $\lambda > 1$，表示数据端到端时延已经超过规定数值，则丢弃该数据；如果 λ 越接近 1，表示当前数据在工业无线网络中的传输消耗时间更多，因此数据接入 TSN 后需要优先被调度，以补偿主要由加解密/校验引起的时延。

在一个周期内，假设数据的最小时延系数为 λ_{min}，最大时延系数为 λ_{max}，将时延系数等间距划分成 x 个组，计算每个时延系数组的间距 $\Delta = \dfrac{\lambda_{max} - \lambda_{min}}{x}$，然后计算每个组的起始位置，第 m 组的起始位置 ω 可表示为

$$\omega_m = \begin{cases} \lambda_{min} \\ \lambda_{m-1} + \Delta, \quad m = 2, \cdots, x \end{cases} \tag{4.24}$$

计算时延系数到每个组起始点的距离，如果该数据时延系数 λ_i 距离 ω_m 最近，则将该数据的时延等级记为 m。时延系数等级计算公式为

$$m = \arg \min_{1 \leqslant m \leqslant x} |\lambda_i - \omega_m|, \quad i = 1, 2, \cdots, n \tag{4.25}$$

式（4.25）表示当 $|\lambda_i - \omega_m|$ 为最小值时 m 的取值。

本书综合数据安全策略级别，将数据端到端的时延划分成四个等级，即令 $x = 4$ 时，数据端到端的时延等级表示为 1～4，其中数字越大，代表该数据在工业无线网络中传输消耗的时间越多，越接近规定的最大时延，剩余的传输时间就越短。因此时延等级与实时性对应关系如表 4.9 所示。

表 4.9　时延等级与实时性对应关系

时延等级	实时性描述
1	剩余传输时间较长，实时性需求较低
2	剩余传输时间一般，实时性需求一般
3	剩余传输时间较短，实时性需求高
4	剩余传输时间最短，实时性需求最高

为了表述方便直观，将采用安全策略后的数据表示为 $D(m,n)$，其中 m 表示时延等级，n 表示安全策略级别。本书结合端到端时延等级 m 和安全策略级别 n 来确定数据的调度优先级 P 为

$$P = \alpha \times m + \beta \times n \tag{4.26}$$

式中，α、β 分别表示调度优先级中 m 和 n 所占的比重，且 $\alpha + \beta = 1$。

可以根据当前应用环境下对数据安全性和实时性的需求程度调整 α 与 β 的值。本书综合考虑安全性与实时性，令 $\alpha = \beta = 0.5$，则不同安全策略下对应调度优先级如表 4.10 所示。

表 4.10　不同安全策略下对应调度优先级

安全策略	时延	调度优先级
1	1	1
	2	1.5
	3	2
	4	2.5
2	1	1.5
	2	2
	3	2.5
	4	3
3	1	2
	2	2.5
	3	3
	4	3.5
4	1	2.5
	2	3
	3	3.5
	4	4

优先级算法综合考虑了数据的安全性和实时性，敏感程度高的数据采取的安全策略级别高，同时时延高的数据优先级也高。通常情况下由于敏感程度越高的数据采取的安全策略带来的时延更大，所以敏感程度越高且当前时延等级越大的数据综合调度优先级就越高，这既能保证敏感程度高的数据传输的确定性，又能确保其传输的实时性。

（2）不同调度优先级对应 TSN 调度队列分类。

工业无线网络安全数据接入 TSN 后，按照调度优先级将 TSN 调度队列主要分为三类：基于 TT 类、时间关键（time-critical，TC）类、尽力而为（best-effort，BE）类。

TSN 调度队列如图 4.17 所示，一共有 8 个调度队列，其中 TT 队列内的数据 VLAN 优先级标签为 7；由于网络中 TC 类数据最多，设置两个调度队列 TC_A 和 TC_B，VLAN 优先级标签分别为 6 和 5，调度优先级 TC_A 高于 TC_B；其余队列为 BE 类队列。IEEE 802.1AS 提供了一个全局时间同步，IEEE 802.1Qbv 利用时间同步定义了时间感知调度器（time-aware shaper，TAS），通过时间感知调度器使 TSN 来控制队列报文，数据帧被标识并指派给带有 VLAN 优先级标签的队列，每个队列在一个时间表中定义，然后这些数据队列报文在预定时间窗口执行传输。TAS 控制调度队列门的开关，其中 0 表示控制门处于关闭状态，1 表示控制门处于打开状态，数据只有在门状态为开时才能进行传输。

调度队列中 TT 类队列优先级最高，网络初始化时，针对 TT 类数据生成时刻表，使该类数据严格按照设定好的调度表顺序传输，以保证实时性和确定性。如图 4.17 所示，T000：011111 意味着在 T000 时刻调度周期开始，TT 队列作为调度队列队首处于关闭状态，其余队列处于打开状态。门控制列表在每个调度周期内都是重复的，调度周期为系统中所有接入的工业无线网络周期的最小公倍数，表示为

$$T_s = \mathrm{lcm}(T_1, T_2, \cdots, T_n) \tag{4.27}$$

式中，T_n 为第 n 个工业无线网络的现场设备数据发送周期。

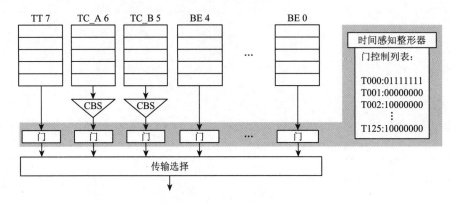

图 4.17　TSN 调度队列

如 IEEE 802.1Qbv 中所述，为了避免其他类型流量的影响，当 TT 队列的门打开时，其余队列都处于关闭状态。

TC 类调度队列优先级次之，传输需满足条件：控制门处于打开状态；当前没有更高优先级的数据传输；打开基于信任值整形器（credit-based shaper，CBS）。CBS 标准在 IEEE 802.1Qat 中描述，结合 IEEE 802.Qbv 标准，只有当信任值曲线的值为正数或者零时，队列内的数据才能够传输，目的是避免该类数据在某个时刻流量爆发，导致优先级低于 TC 队列的数据没有传输机会，称为"挨饿"现象[15]。TC 队列调度开始时，信任值初始化为零；当有 TC 数据传输时，信任值曲线以固定的斜率下降；如果 TC 数据等待传输时，信任值曲线以固定的斜率上升；如果数据传输完毕时信任值仍然为正，则将其置为零。传输数据时的下降斜率和空闲时的上升斜率由系统配置，TC 类数据传输机制如图 4.18 所示。

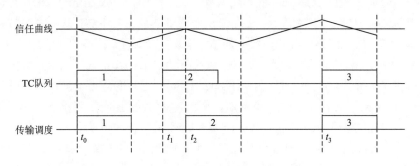

图 4.18　TC 类数据传输机制

当 t_0 时刻信任值为零时，数据帧 1 开始传输，信任值则以固定的斜率下降，当数据帧 1 传输完毕后，信任值以固定斜率上升。在 t_1 时刻准备传输帧 2，但是此时信任值还为负数，所以现在帧 2 处于等待传输状态，当信任值上升到零时，开始帧 2 的传输。同样在 t_3 时刻信任值为正数，帧 3 可以进行传输。

BE 类调度队列优先级最低，队列中的数据属于非关键数据，网络尽最大的可能性来发送该数据，但对时延、可靠性等性能不提供任何保证。

为了使网络中的关键数据不受非关键数据的影响，数据调度优先级由安全策略级别和时延等级共同来确定，按照上面数据调度优先级计算方法，得到优先级 P 的取值范围为 $1 \leqslant P \leqslant 4$。为了兼顾数据的安全性和实时性，具有不同调度优先级的数据对应 TSN 调度队列（表 4.11）。

表 4.11　不同调度优先级的数据对应 TSN 调度队列

调度优先级	TSN 调度队列
$P=4$	TT
$2.5 \leqslant P < 4$	TC_A
$1 < P < 2.5$	TC_B
$P=1$	BE

因此在不同安全策略下数据进入的 TSN 调度队列如表 4.12 所示。

表 4.12　在不同安全策略下数据进入的 TSN 调度队列

安全策略	时延	调度优先级	TSN 调度队列
1	1	1	BE
	2	1.5	
	3	2	
	4	2.5	
2	1	1.5	
	2	2	
	3	2.5	
	4	3	TC
3	1	2	
	2	2.5	
	3	3	
	4	3.5	
4	1	2.5	
	2	3	
	3	3.5	
	4	4	TT

其中安全策略级别和时延等级均为 4 的数据其敏感程度最高且即将到达最大时延要求，因此进入 TSN 的 TT 调度队列拥有最高的调度优先级；TC 类为优先级范围在 1～4 的数据，具有一定的时延要求，调度优先级仅次于 TT 队列；BE 类为优先级等于 1 的数据，安全等级和时延等级均为 1，该类数据为网络中的非关键数据，且还有足够的剩余传输时间，因此调度优先级最低。

（3）不同调度队列数据混合传输机制。

工业无线网络接入 TSN 后，如果 TC 或者 BE 类数据在 TT 数据传输窗口开始前发送，有可能导致 TT 数据传输出现延迟，因此 TSN 可以采用两种传输模式来解决该问题。

①不可抢占模式。

该模式下，当前数据帧在传输时，其他数据帧不能打断该数据帧的传输。在 TT 数据帧传输前设置一个保护带（guard band，GB），如图 4.19（a）所示，GB 的长度为最大数据帧长度，以防止 TC 或 BE 数据干扰 TT 数据的传输。最坏情况下，GB 的长度不能大于 1534 字节的以太网最大传输单元（maximum transmission unit，MTU）[16]。在 GB 期间，TC 类和 BE 类数据的队列控制门提前处于关闭状态，以保证 TT 队列打开时链路是空闲的。不可抢占模式虽然确保 TT 数据传输低时延，但是 GB 会导致带宽浪费，因此 TSN 传输机制又包含可抢占模式。

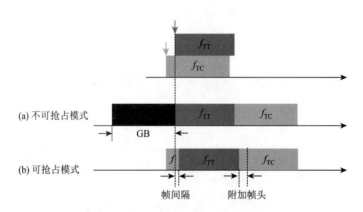

图 4.19　不可抢占模式和可抢占模式

②可抢占模式。

该模式下，TT 类数据帧可以打断当前低于其优先级的数据帧的传输，由 IEEE 802.1Qbu 定义，如图 4.19（b）所示。在允许帧抢占的情况下，TC 或 BE 数据的传输会被 TT 数据打断，等 TT 数据传输完成后，TC 或 BE 数据从停止的地方继续传输。被切片的数据帧前一部分被视作一个完整的以太网帧，然后在一个帧间隔时间后，开始 TT 帧的传输。待 TT 帧传输完成后，被切片的数据帧后一部分补上合适的前导码继续传送。接收端根据前导码中的字段判断该帧属于哪种类型，并跟切片数据帧的前一部分重新组装成原帧。被切分开的数据重新添加前导码时会带来额外开销，标准中给出此开销为 24 字节，与 GB 相比，额外开销要小得多，因此使用帧抢占模式将减少 TC 或 BE 数据的时延，同时节约传输链路带宽。

TC 类数据的传输基于 CBS，CBS 有效地防止了低优先级数据帧的"挨饿"现象。如果 TC 队列不为空，在 $TC\_X(X\in\{A,B\})$ 类数据传输时，信任值将以发送斜率 $sdSl_X$ 下降；当 TC_X 类数据等待传输时，信任值将以空闲斜率 $idSl_X(X\in\{A,B\})$ 上升；如果 TC 队列为空，且当前信任值为正，则此时将信任值设为零。此外，还要考虑 TC 队列控制门关闭的情况，当处于 GB 时期或者 TT 类数据传输时，信任值处于"冻结"状态，即信任值保持当前值不变。在考虑 TC 和 TT、BE 类数据混合传输时，传输机制如图 4.20 所示，分别包含不可抢占模式和可抢占模式，其中箭头表示数据帧的入队时刻。

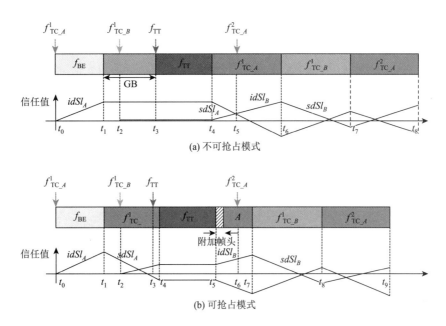

图 4.20　混合流传输机制

从图 4.20（a）可以看出，当帧 $f^1_{TC\_A}$ 在 t_0 时刻入队时，网络中一个 BE 帧正在传输，由于该模式下任何数据帧不能打断当前帧的传输，因此 $f^1_{TC\_A}$ 需等待 f_{BE} 传输完成后才能进行传送，此时 TC_A 队列处于等待状态，信任值以斜率 $idSl_A$ 上升。t_1 时刻 BE 帧传输完毕，但是根据初始化调度表的设置，在 TT 数据传输前预留了时间间隔（设置 GB），因此 TC_A 队列此时处于关闭状态，信任值在 $t_1\sim t_4$ 时刻处于"冻结状态"。当 TC_B 队列中的帧 $f^1_{TC\_B}$ 在 t_2 时刻入队时，信任值仍处于"冻结"状态。当 t_4 时刻 f_{TT} 传输完毕时，TT 队列关闭，由于 TC_A 队列优先级高于 TC_B，因此优先传输 $f^1_{TC\_A}$，信任值 A 上升；同时 $f^1_{TC\_B}$ 等待传输，信任值 B 下降。在 $f^1_{TC\_A}$ 传输过程中，帧 $f^2_{TC\_A}$ 在 t_5 时刻入队，因此在 t_6 时刻 $f^1_{TC\_A}$ 传输完成后，有两个帧 $f^2_{TC\_A}$ 和 $f^1_{TC\_B}$ 等待传输，但此时信任值 A 为负，信任值 B 为正，所以 $f^2_{TC\_A}$ 不允许传输，$f^1_{TC\_B}$ 可以进行传输，信任值 A 进而以斜率 $idSl_A$ 上升。当 $f^1_{TC\_B}$ 传输完成后，信任值 A 上升为正时，$f^2_{TC\_A}$ 即可进行传输，有效地防止了 TC_B 队列内的数据"挨饿"现象。

如图 4.20（b）所示的可抢占模式中，令每个帧入队时间和图 4.19（a）中一样，由于发生帧抢占时需将 $f_{TC\_A}^1$ 进行分片，虽然分片后的帧添加额外帧头给帧 f_{TT} 造成了 t_4-t_3 的时延，但是带宽消耗远小于 GB，因此 TC 帧的传输完成时间要小于不可抢占模式。

4.3.2　一种工业 SDN 网络 DDoS 攻击检测与缓解方法

1. 背景

SDN 是将网络的数据转发平面和控制平面分离，从而通过控制器中的软件平台去实现可编程化控制底层硬件，实现对网络资源灵活地按需调配。SDN 控制器通过利用 OpenFlow 协议向 OFlow 交换机主动或被动下发流表，数据包通过匹配流表得到转发。利用 SDN 集中控制及可编程性的优点来更灵活地管控庞大的工业网络系统，减少底层重复的人工配置等问题。

工业回程网是广域网和接入网络（如无线 WirelessHART、WIA-PA）之间的传输网络，覆盖范围为几平方千米到几十平方千米，属于中等规模网络，解决工业无线网络接入广域网"最后几千米"的传输问题。

目前，针对工业接入网络和工业回程网的资源调度问题，业内主要是采用 SDN 控制器和工业接入网络系统控制器进行联合调度，实现资源的有效配置。

网络安全方面，目前针对工业 SDN 网络的 DDoS 攻击主要以下两种形态存在。

（1）攻击者针对工业回程网 OpenFlow 交换机进行 DDoS 攻击：利用 OpenFlow 交换机产生大量无法匹配的 packet-in 信息对 SDN 控制器进行攻击，造成 SDN 控制器因大量 packet-in 信息汇入而宕机，导致正常数据包请求不能及时得到处理。

（2）攻击者针对工业接入网络（工业有线网络、工业无线网络）路由节点等关键网络设备进行 DDoS 攻击，造成工业接入网络和工业回程网汇入大量无效的数据包，影响网络正常工作。

目前，对普通 SDN 网络 DDoS 攻击检测方法有很多，包括基于信息熵值法、基于 KNN 方法等。然而，由于工业回程网和工业控制网络自身特征，其工业网络的网络特性、实时性要求、可靠性要求等并没有被考虑，况且普通 SDN 网络的 OpenFlow 协议也未针对工业网络进行特殊匹配和改进，既有研究成果很难直接应用到工业 SDN 网络。特别是在一些不支持 IP 的工业接入网络（如 WIA-PA 网络、WirelessHART 网络等）暴发 DDoS 攻击时，传统 OpenFlow 流表模式匹配方法、信息熵值方法等很难对攻击的实际发生位置进行溯源和定位。

2. 技术方案

针对典型的基于 SDN 的工业回程网架构，本节提出一种基于 SDN 的工业网络 DDoS 检测与缓解架构，如图 4.21 所示，包括应用平面、控制平面和转发平面。

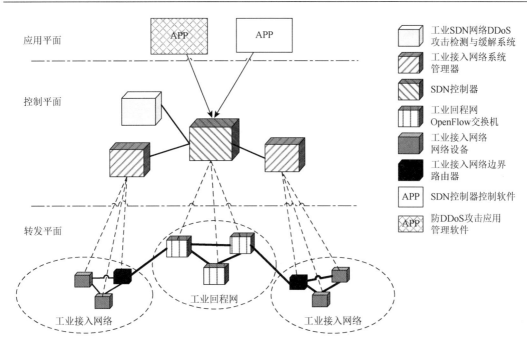

图 4.21　基于 SDN 的工业网络 DDoS 检测与缓解架构图

应用平面包括 SDN 控制器控制软件和防 DDoS 攻击应用管理软件。SDN 控制器控制软件：用户通过该软件配置 SDN 控制器。防 DDoS 攻击应用管理软件：可支持安全人员根据网络 DDoS 攻击特点，制定相应的防御策略，保证网络安全运行。

控制平面包括 SDN 控制器、SDN 控制器上运行的联合调度器及工业 SDN 网络 DDoS 攻击检测与缓解系统。

SDN 控制器负责工业回程网的资源控制与调度，负责网络的链路发现拓扑管理、状态监测和策略制定并下发流表，并将监测到的信息供 DDoS 攻击检测与缓解系统查询。

SDN 控制器上运行的联合调度器负责工业接入网络系统管理器进行交互，以及工业接入网络的数据传输路径和资源信息的计算与决策；工业接入网络系统管理器负责配置工业接入网网络属性、管理路由表、调度设备间的通信、监视网络性能和安全管理。工业接入网络系统管理器负责管理网络中设备的运行及整个无线网络的通信，包括设备入网和离网、网络故障的监控和报告、通信配置管理等。

工业 SDN 网络 DDoS 攻击检测与缓解系统包括检测和缓解两个模块。

检测模块根据 SDN 控制器状态监测信息，分析工业网络发给 OpenFlow 交换机的实时数据并提取相应数据特征，判断是否受到 DDoS 攻击，并将判断结果报告给 DDoS 攻击缓解系统；缓解模块负责快速响应网络中的 DDoS 攻击情况，通过 SDN 控制器对工业网络中的流量进行调度。

转发平面包括工业回程网络 OpenFlow 交换机、工业接入网络设备。OpenFlow 交换机位于工业回程网中，依靠 SDN 控制器的全局视图功能，实现灵活、高效地配置工业回程网。

工业接入网络设备是工业接入网络的网络传输物理实体，提供工业接入网络系统管理器进行管理和配置，从而实现工业接入网络系统管理器所需的网络功能。

工业接入网络边界路由器是接入网络设备的一种，在负责将报文处理后，转发给工业回程网。

基于上述架构，本书提出一种基于 SDN 的工业网络的 DDoS 攻击检测与缓解方法。工业 SDN 网络 DDoS 攻击检测和缓解过程如图 4.22 所示。

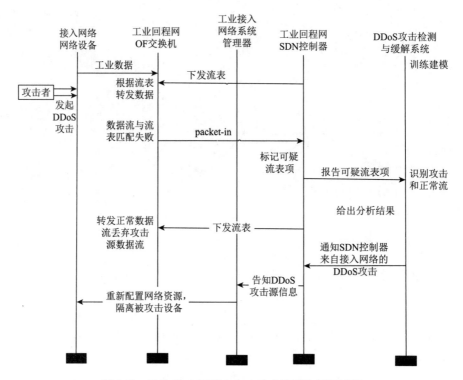

图 4.22　工业 SDN 网络 DDoS 攻击检测和缓解过程

基于 SDN 的工业网络 DDoS 检测与缓解方案提出的攻击检测与缓解机制如下所示。

1）网络正常工作，工业接入网络转交工业回程网数据报文

工业接入网络的形态和协议多样，既有有线接入网络（Modbus、FF 等），又存在无线接入网络（WIA-PA、ISA100.11a 等），通过边界路由器转发给工业回程网时，一般不会保留数据的全部原始特征。如一个无线接入网络节点采集到的数据到达边界后，一般只保留节点 ID 及采集到的数据值，由边界路由进行转发。

这就给攻击者利用工业接入网络的节点发起 DDoS 攻击提供了条件。因为工业节点 ID 并不能通过 OpenFlow 协议进行流表匹配，所以只能定位到边界路由，很难具体定位被 DDoS 攻击的节点。

基于此，为实现所述方法对接入网络的 DDoS 攻击检测，需要对工业接入网络转交工业回程网的数据报文进行如下改进。

当接入网络路由设备向边界路由发送数据包时，网关支持工业有线协议和工业无线协议转换为 IPv4 协议或 IPv6 协议，但需要保留原始数据的以下特征：接入网络类型、网络协议、PAN_ID、工作信道、源 MAC 地址、目的 MAC 地址和源设备 ID。例如，将

WIA-PA 协议转换为 IPv6 协议，并保留原始数据包，原始数据包中应显示该数据来自无线接入网络、协议为 WIA-PA、PAN_ID、工作信道、源 MAC 地址、目的 MAC 地址、源设备 ID 等信息在转换后的 IPv6 协议数据负载中，供跨域传输时工业回程网中 OpenFlow 交换机流表匹配使用。

2）改进并扩展 OpenFlow 流表项

如图 4.23 所示，在工业接入网络（如 WIA-PA 网络、ISA100.11a 网络）中的路由设备被攻击者作为傀儡设备，向接入网络中发送大量虚假数据包，当某些攻击数据包通过工业回程网跨域传输时，因匹配失败造成 SDN 控制器不能正常工作。

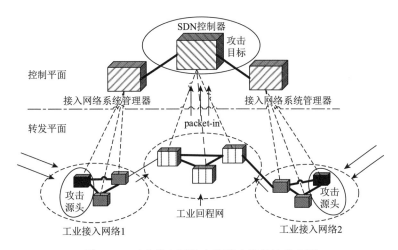

图 4.23 工业接入网络中的路由设备被攻击图

为保证不支持 IP 的工业无线网络协议（如 WIA-PA）能更好地得到 OpenFlow 交换机的兼容，本方案对传统 OpenFlow 流表进行修改，主要表现为扩展 OpenFlow 交换机流表项匹配域，增加扩展域使 OpenFlow 交换机能够更精确地匹配来自工业接入网络的数据包。

图 4.24 为扩展的流表项结构图。

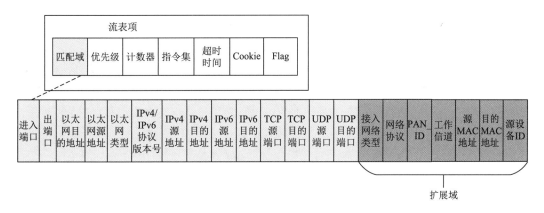

图 4.24 扩展的流表项结构图

3）数据经过 OpenFlow 交换机时，OpenFlow 交换机的工作机制

数据经过 OpenFlow 交换机时，进行流表匹配，存在匹配和不能匹配两种情况。

匹配：数据流根据流表中的匹配域进行匹配转发，流表每项匹配一次则流表项中计数器计数一次。

不能匹配：数据流表无法匹配数据流，交换机则先将其缓存在缓冲区，再提取其包头封装成 packet-in 消息，若缓冲区已满则直接将整个数据包封装成 packet-in 消息，发给 SDN 控制器并由 SDN 控制器分析及决策，然后通过下发 flow-mod 或 packet-out 消息进行处理。

4）SDN 控制器查询 OpenFlow 交换机的匹配情况并标记可疑流表项，报告 packet-in 消息

SDN 控制器单位时间内每个流表项的匹配数据流个数为 M，控制器根据经验值设定单位时间内每个流表项的正常数据流匹配个数为 M^*，计算 $M–M^* = \Delta M$。

SDN 控制器单位时间内 packet-in 消息数量为 N，SDN 控制器单位时间内 flow-mod 与 packet-out 消息数量之和为 N^*，计算 $N–N^* = \Delta N$。

若某一流表项的 ΔM 超过阈值，则该流表项被 SDN 控制器标记为可疑流表项。若当前 OpenFlow 交换机发给 SDN 控制器的 ΔN 超过阈值，则 SDN 控制器判断出现数据流异常。

工业回程网络 OpenFlow 交换机流表不匹配偏差容忍度 ΔM 和 ΔN，由用户通过防 DDoS 攻击应用管理软件进行设定。

SDN 控制器将可疑流表项报告给 DDoS 攻击检测与缓解系统。SDN 控制器将携带接入网络类型、网络协议、PAN_ID、工作信道、源 MAC 地址、目的 MAC 地址和源设备 ID 信息的 packet-in 消息报告给 DDoS 攻击检测与缓解系统。由 DDoS 攻击检测与缓解系统判断该 packet-in 消息是由正常流量、正常暴发流量、DDoS 攻击流量或 L-DDoS 攻击流量中的哪一种流量所引起的。

下面从两个方面介绍 DDoS 攻击检测与缓解系统对可疑流表项报告的处理过程和对 packet-in 消息的识别处理过程。

一方面是 DDoS 攻击检测与缓解系统对可疑流表项报告的处理过程。

DDoS 攻击检测与缓解系统将可疑流表项信息通知工业接入网络系统管理器，工业接入网络系统管理器将重新分配网络资源，并制定相应的缓解攻击策略，阻断工业接入网络内部 DDoS 攻击源设备的继续通信。

另一方面是 DDoS 攻击检测与缓解系统对 packet-in 消息的识别处理过程。

（1）数据样本训练建模过程。

DDoS 攻击检测与缓解系统需要对工业接入网络和工业回程网络的正常数据进行训练建模。引入工业网络特征后，对网络中的包含正常流量、正常暴发流量、DDoS 攻击流量及 L-DDoS 攻击流量的数据样本进行训练建模。

步骤 1：按照 C4.5 决策树算法，选取属性"ΔM 及 ΔN"作为根节点。

步骤 2：根据工业接入网络流量特征表现取值表，将流量特征模糊离散处理为三种特征程度值（X, Y, Z）。

表 4.13 为工业接入网络流量特征表现取值表。

表 4.13　工业接入网络流量特征表现取值表

特征表现 流量特征	X	Y	Z
IPv6/IPv4 源地址	已知常见	变化随机弱	变化随机强
TCP 源端口	已知常见	变化随机弱	变化随机强
UDP 源端口	已知常见	变化随机弱	变化随机强
网络协议	接入网络协议（如 WIA-PA、ISA100.11a 等）	未知协议	-
源设备 ID	已知常见	变化随机弱	变化随机强
源 MAC 地址	已知常见	变化随机弱	变化随机强
工作信道	该信道质量高	该信道质量中	该信道质量低
ΔM 和 ΔN	都在阈值内	其中一个 在阈值内	都不在阈值内

统计数据流样本按照表 4.14～表 4.16 所示的 X、Y 和 Z 取值。

表 4.14　根节点取 X 时的数据样本取值表

编号	1 IPv6/IPv4 源地址	2 TCP 源 端口	3 UDP 源 端口	4 网络协议	5 源设备 ID	6 源 MAC 地址	7 工作信道	8 ΔM 和 ΔN	流量 类型
样本 1									X
样本 2									X
⋮									X
样本 m									X

表 4.15　根节点取 Y 时的数据样本取值表

编号	1 IPv6/IPv4 源地址	2 TCP 源 端口	3 UDP 源 端口	4 网络协议	5 源设备 ID	6 源 MAC 地址	7 工作信道	8 ΔM 和 ΔN	流量 类型
样本 3									Y
样本 5									Y
⋮									Y
样本 n									Y

表 4.16　根节点取 Z 时的数据样本取值表

编号	1 IPv6/IPv4 源地址	2 TCP 源 端口	3 UDP 源 端口	4 网络协议	5 源设备 ID	6 源 MAC 地址	7 工作信道	8 ΔM 和 ΔN	流量 类型
样本 4									Z
样本 8									Z
⋮									Z
样本 x									Z

步骤 3：生成决策树有三种方法。

①根节点 X 方向上的属性选择法。

按照表 4.14 中，纵向统计数据流特征取值中 Z 出现的次数，取 Z 出现次数最多对应的属性作为根节点下面 X 方向的子节点。

若均无 Z，则统计比较 Y 出现的次数，取 Y 出现次数最多对应的属性作为根节点下面 X 方向的子节点；若均无 Y，则统计比较 X 出现的次数，取 X 出现次数最多对应的属性作为根节点下面 X 方向的子节点；若两个以上属性的 Z、Y 和 X 出现的次数相同，则随机选取一个属性作为根节点下面 X 方向的子节点。

②根节点 Y 方向上的属性选择法。

在表 4.15 中，纵向统计数据流特征取值中 Z 出现的次数，取 Z 出现次数最多对应的属性作为根节点下面 Y 方向的子节点。

若均无 Z，则统计比较 Y 出现的次数，取 Y 出现次数最多对应的属性作为根节点下面 Y 方向的子节点；若均无 Y，则统计比较 X 出现的次数，取 X 出现次数最多对应的属性作为根节点下面 Y 方向的子节点；若两个以上属性的 Z、Y 和 X 出现次数相同，则随机选取一个属性作为根节点下面 Y 方向的子节点。

③根节点 Z 方向上的属性选择法。

在表 4.16 中，纵向统计数据流特征取值中 Z 出现的次数，取 Z 出现次数最多对应的属性作为根节点下面 Z 方向的子节点。

若均无 Z，则统计比较 Y 出现的次数，取 Y 出现次数最多对应的属性作为根节点下面 Z 方向的子节点；若均无 Y，则统计比较 X 出现的次数，取 X 出现次数最多对应的属性作为根节点下面 Z 方向的子节点；若两个以上属性的 Z、Y 和 X 出现次数相同，则随机选取一个属性作为根节点下面 Z 方向的子节点。

至此，根节点下 X、Y、Z 分支的属性分类完成，形成第二层节点。第三层节点的生成方式和第二层节点的生成方式类似，分别生成和选择第二层节点的 X、Y、Z 方向的属性。以此类推，完成 4 个数据分类子集（正常流量、正常暴发流量、DDoS 攻击流量及 L-DDoS 攻击流量）决策树模型的生成，如图 4.25 所示。

（2）DDoS 攻击检测与缓解系统攻击识别过程。

将 packet-in 消息放入（1）中的训练样本模型中进行判断，得到该 packet-in 消息属于哪个分类。

（3）DDoS 攻击检测与缓解系统的处理过程。

步骤 1：DDoS 攻击检测与缓解系统通过（1）、（2）过程，识别出缓存在 OpenFlow 交换机中的正常数据流和正常暴发流量，通过 SDN 控制器下发扩展后的流表，使缓存在 OpenFlow 交换机中的数据流被转发；未缓存在 OpenFlow 交换机的正常数据流则将其直接通过 OpenFlow 交换机输出端口转发出去。同时将识别出的 DDoS 流量和 L-DDoS 攻击流量的相关特征记录下来，并将这些特征写入"缓解攻击专用流表项"中，其优先级被设为最高，下发给 OpenFlow 交换机流表 0 中，及时阻断攻击源继续发过来的数据包。

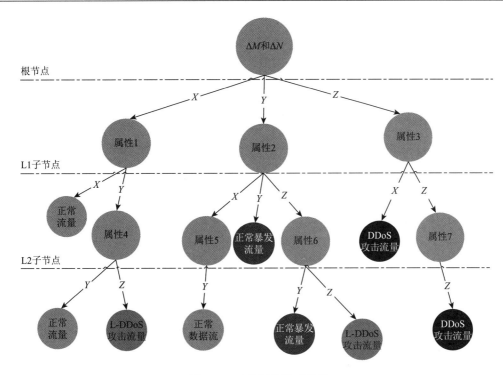

图 4.25　决策树模型示意图

步骤 2：DDoS 攻击检测与缓解系统会将来自于接入网络的 DDoS 攻击相关信息通知给工业回程网中的 SDN 控制器，如攻击源所在的源 MAC 地址、源网络设备 ID、工作信道、PAN_ID 等。

步骤 3：SDN 控制器将攻击数据流的信息告知与之协同工作的工业接入网络系统管理器，工业接入网络系统管理器将重新分配网络资源，并制定相应的缓解攻击策略，阻断工业接入网络内部 DDoS 攻击源设备的继续通信。

步骤 4：当 SDN 控制器读取到 OpenFlow 交换机 ΔM 和 ΔN 均在正常阈值范围内时，判断 DDoS 攻击结束，删除"缓解攻击专用流表项"，SDN 控制器重新获取拓扑信息，先主动向 OpenFlow 交换机发送修改流表信息更新流表，然后再采用被动下修改流表方式工作。

设计 DDoS 攻击检测与缓解机制的目的在于提供一种工业 SDN 网络 DDoS 攻击检测与缓解方法，利用工业 SDN 网络中的 SDN 控制器及工业接入网络系统管理器，扩展工业回程网中的 OpenFlow 交换机流表项的匹配域，使其能够更精确地匹配来自工业接入网络的数据包，SDN 控制器与 DDoS 攻击与检测服务器通过交互来实现对工业回程网和工业接入网络中 DDoS 攻击的检测及缓解。

4.3.3　一种基于 SDN 的物联网访问控制方法

1. 背景

访问控制是物联网安全需要解决的重要问题。目前物联网的访问控制主要采用自主访问控制和强制访问控制等方案。传统网络中的访问控制策略存在以下几个问题：缺乏授权、缺少访问控制模型的分布式特性（授权需要集中控制）、规则和策略不一致、静态规则和策略管理复杂性及策略执行点存在性能瓶颈和单点故障的问题。此外，当今网络中的访问控制大多数仅限于应用于网络设备中的防火墙和访问控制列表。防火墙遇到单点故障和静态配置问题，ACL 管理复杂且容易出错。当依赖手动配置（如 ACL、VLAN）时，这种方式很容易出错，并且很容易出现配置错误等问题。

近些年，软件定义网络被引入物联网，SDN 将物联网的控制平面和转发平面分开，以实现底层基础设施的抽象。

如何在引入软件定义网络后，处理好物联网的访问控制问题，一直是研究热点。因此，将引入 SDN 网络架构作为降低访问控制执行和策略管理复杂性的关键因素。

2. 技术方案

基于 SDN 的物联网访问控制技术方案包括以下步骤。

1）提出基于 SDN 的物联网访问控制架构

基于 SDN 网络的 IoT 设备访问控制架构如图 4.26 所示。

（1）应用层：该层由在虚拟化核心网络上部署的一组应用程序组成。

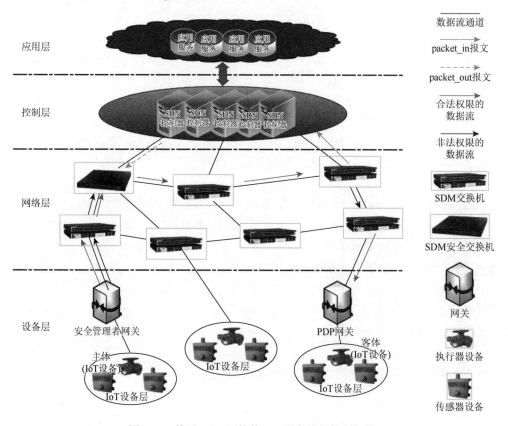

图 4.26　基于 SDN 网络的 IoT 设备访问控制架构

（2）控制层：该层负责管理网络层设备；该层具有最高级别的安全性，并作为访问控制管理的核心；该层能够获取所有网络设备配置并具有身份验证和访问规则修改的功能，该层中的 SDN 控制器能够检测恶意行为，并在其他危险信号出现的情况下生成并修改新的转发规则。

（3）网络层：该层包括两种交换机，分别为 SDN 交换机与 SDN 接入交换机；该层中的两种交换机都由控制层管理，且访问规则均由控制层定义；SDN 交换机作为基本的网络设备，用于转发数据；SDN 控制器使用流表来配置 SDN 交换机设备并将它们与能够通信的设备连接；SDN 接入交换机包含 SDN 交换机的功能，当物联网设备间存在非法权限数据流时，SDN 接入交换机对非法权限数据流进行过滤，从而实现 SDN 接入交换机对数据流量的控制。

（4）设备层：该层由一组具有不同数据及支持不同的访问服务的异构设备组成；设备层能够运行多个应用程序，每个应用程序将具有不同的权限以访问不同类别的数据；设备层包含安全管理者网关与 PDP 网关（对访问请求生成访问控制决策）、主体（发起访问请求的物联网节点）及客体（被访问的物联网节点）。

2）执行访问控制流程

基于 SDN 网络的 CCAAC 流程图如图 4.27 所示，分为以下几个环节。

令牌构造：当主体需要访问客体时，主体将请求访问报文发送至安全管理者网关，安全管理者网关通过获取访问请求报文中所包含的主客体 ID、请求动作信息和令牌上下文信息来生成令牌并下发给主体。

访问请求：主体向客体发起访问请求，访问客体中所存储的数据或资源；主体生成访问请求，其中附加令牌和数字签名，用于客体对主体的认证并建立访问控制关系，且该请求不被任何中间实体读取；SDN 交换机将访问请求转发至客体，当客体 IoT 设备接收到访问请求后，便开始执行令牌验证步骤。

细粒度访问控制决策：当 PDP 网关在接收到主体的访问请求报文时会将 IP、ID 与关联表中主体 IP 地址所对应的主体 ID、允许授权的请求动作与访问请求报文一同转发给客体，客体 IoT 设备接收到访问请求后，便开始执行令牌认证；令牌验证包含客体检查是否包含令牌，客体检查数字签名有效性，客体验证空间上下文信息。

（1）如果令牌认证失败，则访问控制决策为拒绝，客体将访问控制决策、主客体 ID 及主体的访问时间<TC1：TC2>发送至 PDP 网关，PDP 网关会将该访问决策信息发给 SDN 控制器。

（2）如果令牌验证成功，则客体将主客体 ID、请求动作 RA、上下文信息和客体允许访问时间段发送至 PDP 网关，以进一步生成具体的细粒度访问控制决策。

PDP 网关对主体角色 R、主/客体设备安全等级 DS、设备普遍等级 UR、数据敏感等级 PU 等信息进行判断，生成访问控制决策并发给 SDN 控制器。

访问控制策略执行：SDN 控制层在获取访问控制决策、主客体 ID 及主体的访问时间<TC1：TC2>后便将这些信息转换成 flow_mod 流表并在 TC1 时刻下发给 SDN 接入交换机，在 TC1 时刻，主体开始向客体发送合法权限的数据流，其中可能包含非法权限的数据流，当数据流进入 SDN 接入交换机时，SDN 接入交换机根据获得的 flow_mod 流

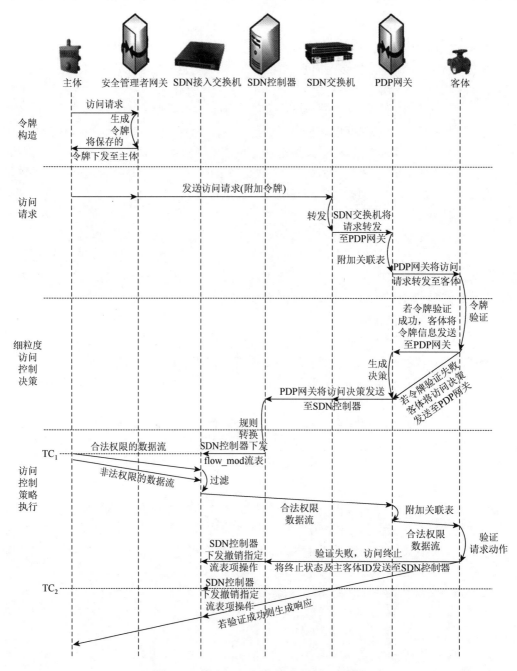

图 4.27　基于 SDN 网络的 CCAAC 流程图

表规则对数据流中合法权限数据流与非法权限数据流进行划分,并过滤非法权限数据流,对合法权限的数据流执行转发操作;随后,当 PDP 网关在接收主体 IP 的数据包时,会将主体 IP、ID 与允许授权的请求动作的关联表中主体 IP 地址所对应的主体 ID 及允许授权的请求动作与数据包一同转发给客体,客体根据允许授权的请求动作与数据报文中请求动作进行匹配,如果匹配失败,则当前访问终止,并将终止状态及主客体 ID 发送至 SDN

控制器，SDN 控制器根据接收的这些信息向 SDN 接入交换机下发更新或删除指定流表中的流表项指令，随后需要主体重新执行步骤访问控制流程；如果匹配成功，则客体生成响应并执行请求动作，将请求响应返回至主体。

在 TC2 时刻，SDN 控制器会自动地向 SDN 接入交换机下发更新或删除指定流表中的流表项指令。若主体需要访问客体，需要重新发送带令牌的访问控制请求，执行上述访问控制流程过程。

在 SDN 网络架构中，基于 SDN 的物联网访问控制降低了访问控制执行和策略管理的复杂性，通过引入 SDN 的概念，利用访问控制可以实现更精细的粒度，具体工作流程如图 4.28 所示。

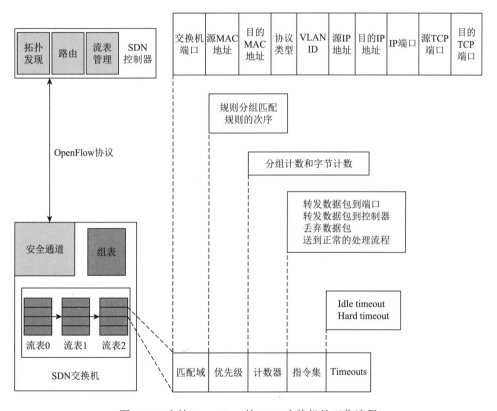

图 4.28　支持 OpenFlow 的 SDN 交换机的工作流程

参 考 文 献

[1]　Bera S，Misra S，Vasilakos A V. Software-defined networking for internet of things：A survey[J]. IEEE Internet of Things Journal，2017，4（6）：1994-2008.

[2]　Ahmed K，Nafi N S，Blech J O，et al. Software defined industry automation networks[C]. Telecommunication Networks and Applications Conference，Melbourne，2017：1-3.

[3]　Alshamrani A，Chowdhary A，Pisharody S，et al. A defense system for defeating DDoS attacks in SDN based networks[C]. Proceedings of the 15th ACM International Symposium on Mobility Management and Wireless Access，New York，2017：

83-92.

[4]   石志凯，朱国胜. 软件定义网络安全研究[J]. 计算机应用，2017，37（1）：75-79.

[5]   Scotthayward S，Natarajan S，Sezer A S. A survey of security in software defined networks[J]. IEEE Communications Surveys and Tutorials，2016，18（1）：623-654.

[6]   Rawat D B，Reddy S R. Software defined networking architecture，security and energy efficiency：A survey[J]. IEEE Communications Surveys and Tutorials，2017，19（1）：325-346.

[7]   Dayal N，Maity P，Srivastava S，et al. Research trends in security and DDoS in SDN[J]. Security and Communication Networks，2016，9（18）：6386-6411.

[8]   王岩. 基于可信第三方的安全可问责云存储方案的研究与实现[D]. 北京：北京邮电大学，2013.

[9]   黄宸. Web 服务 DDoS 攻击的防御技术研究[D]. 北京：北京邮电大学，2013.

[10]   Sharma P. DDoS tools：Classification，analysis and comparison[C]. International Conference on Computing for Sustainable Global Development，New Delhi，2015：342-346.

[11]   Steiner W. Scheduling real-time communication in IEEE 802.1Qbv time sensitive networks[C]. International Conference on Real-time Networks and Systems，Brest，2016：183-192.

[12]   徐骁麟. 时间敏感网络技术及其在工业互联网中的应用[J]. 电信网技术，2018（5）：1-5.

[13]   陈祺琦. 面向蓝牙 4.0 的 AES 加解密模块设计与验证[D]. 南京：东南大学，2015.

[14]   金磊. 无线网络中 AES 加密算法安全性思考[J]. 无线互联科技，2018，15（19）：16-17.

[15]   Maxim D，Song Y Q. Delay analysis of AVB traffic in time-sensitive networks（TSN）[C]. Proceedings of the 25th International Conference on Real-Time Networks and Systems，Grenoble，2017：18-27.

[16]   王朴野. 时间敏感网络中调度算法的研究与仿真[D]. 北京：北京邮电大学，2018.

第5章　工业互联网平台安全

5.1　概　　述

随着制造业从数字化阶段向网络化阶段加速迈进，工业互联网平台在全世界范围内迅速兴起。工业互联网平台是新型制造系统的数字化神经中枢、是工业资源配置的核心，在制造企业转型中发挥核心支撑作用[1, 2]。工业互联网平台能够帮助企业实现智能化生产管理，提高生产效率，降低运营成本，助力其实现商业模式创新，实现跨企业、跨区域、跨行业的资源和能力聚集，打造更加高效的协同设计、制造和服务体系，促进大众创业、万众创新，为制造强国、网络强国建设提供良好的技术平台。

目前，全球制造业龙头企业、ICT 领先企业、互联网主导企业基于各自优势，从不同层面与角度搭建了工业互联网平台。工业互联网平台虽发展时间不长，但均有迅速扩张的趋势，正积极探索技术、管理、商业模式等方面规律，并取得了一些进展。但工业生产环节网络与外部网络互通，在提高效率的同时，也可能引发并导致严重的安全事件。工业互联网打破了传统工业相对封闭可信的制造环境，使病毒、高级持续性威胁等网络攻击对工业生产的危害日益加剧，涉及国计民生的工业基础设施一旦受到网络攻击，将会导致巨大的经济损失，造成广泛的社会影响。然而，针对工业互联网平台安全的相关工作仍处于摸索阶段，平台安全管理体系不健全、技术保障缺手段、数据风险难防范等问题较为突出，亟须加快提升工业互联网平台安全保障能力。

5.1.1　安全目标

一方面，通过提升安全防护水平，可以保障平台稳定可靠运行。需要加快推进适用于工业互联网平台的数据加密、访问控制、漏洞监测等关键技术的研发与应用，增强平台对非法入侵的甄别和抵抗能力[3]。

另一方面，综合利用数据备份与恢复、冗余设计、容错设计等方法提升平台运行鲁棒性，加强工业互联网安全性能监测与故障监测，及时发现和排除故障，确保平台整体稳定。

1. 平台的安全防护目标

1）数据接入安全

防止数据泄露、被侦听或篡改，保障数据在源头和传输过程中安全。数据产生时，应根据数据的敏感度进行分类；数据传输过程中应采用技术措施保证鉴别信息（指用于鉴定用户身份是否合法的信息，如用户登录各种业务系统的账号和密码、服务密码等）传输的保密性；应支持用户实现对关键业务数据和管理数据传输的保密性；应能够检测到数据在传输过程中完整性受到破坏。

2）平台安全

确保工业互联网平台的代码安全、应用安全、数据安全、网站安全。

恶意代码防范方面，平台应安装防恶意代码软件，并及时更新防恶意代码软件版本和恶意代码库；平台服务器所使用的操作系统应遵循最小安装的原则，仅安装需要的组件和应用程序，保持系统补丁及时得到更新；能够检测到对重要服务器进行入侵的行为，能够记录入侵的源 IP、攻击的类型、攻击的目的、攻击的时间，并在发生严重入侵事件时提供报警。

应用安全方面，应用程序应提供专门的登录控制模块对登录用户进行身份标识和鉴别，并保证用户身份标识的唯一性；应由经过授权的主体配置访问控制策略，严格限制各用户的访问权限，按安全策略要求控制用户对业务、数据、网络资源等的访问；审计范围应覆盖到每个用户的关键操作、重要行为、业务资源使用情况等重要事件（如普通用户异常登录、发布恶意代码、异常修改账号信息等行为，以及管理员在业务功能及账号控制方面的关键操作）。

数据安全方面，数据存储时，应采用加密技术或其他保护措施实现鉴别信息的存储保密性的功能，并能够检测到数据在存储过程中完整性是否受到破坏[4]；数据使用时，应对数据的使用进行授权和验证；数据迁移时，应进行数据迁移前的网络安全能力评估，保证数据迁移的安全实施；数据销毁时，能够提供手段协助清除因数据在不同存储设备间迁移、业务终止、自然灾害、合同终止等遗留的数据，对日志的留存期限应符合国家有关规定；应提供手段清除数据的所有副本；数据的备份和恢复应提供数据本地备份与恢复功能，全量数据备份至少每周一次，增量备份至少每天一次，或提供多副本备份机制。

网站安全方面，网站应对输入数据（如文件路径、统一资源定位符（uniform resource locator，URL）地址等）做安全验证，默认所有输入都可能包含恶意信息，并尽量使用白名单验证方法；应禁止明文传输用户密码，可采用 SSL/TLS 加密隧道确保用户密码的传输安全；应确保会话的安全创建；对于不同类别的数据，如日志记录和业务数据，应采取相应的隔离措施和安全保护措施。

3）访问安全

对登录平台服务器的用户进行身份标识和鉴别；平台管理用户身份标识具有不易被冒用的特点，口令应有复杂度要求并定期更换；应启用登录失败处理功能，可采取结束会话、限制非法登录次数和自动退出等措施；应采用安全方式防止用户鉴别认证信息泄露而造成身份冒用。

通过建立统一的访问机制，限制用户的访问权限、所能使用的计算资源和网络资源来实现对工业互联网平台重要资源的访问控制与管理，防止非法访问。平台应采用技术措施对允许访问服务器的终端地址范围进行限制；应关闭服务器不使用的端口，防止非法访问；应根据管理用户的角色分配权限，实现管理用户的权限分离，仅授予管理用户所需的最小权限。

2. 工业互联网安全态势感知目标

1）监测预警体系

通过建立关键信息基础设施网络安全监测预警体系，对工业企业关键信息基础设施进行全面监测，掌握本区域关键信息基础设施运行状况和安全风险，掌握当前区内网络安全形势、安全问题与各单位的安全水平，宏观把握网络安全态势，有针对性地研判预警，提升工业企业网络运行安全整体水平。

（1）在线资产探测。通过部署资产探测系统对全市网络所有 IP 地址进行快速探测，实现基础设施、工业控制设备、监控视频等的快速探测。通过对工业企业自治区网络空间的网络资产探测、识别和分析，以配合线下调研的方式实现网络资产的清底工作，为后续监察、预警、分析研判提供基础数据。

（2）在线系统及网站监控。建设大范围感知系统，对在线系统及网站通过远程探测方式进行重点监控，对其服务质量（是否稳定在线）、漏洞情况、内容是否发生篡改等情况进行监控。当发现在线系统出现问题时，第一时间进行预警、通报。

（3）重点单位监控。对区直属单位、重要企业进行重点监控，除在线系统及网站的监测外，对重点单位的出口进行流量监测，实时感知单位受攻击状况，发现攻击时能够第一时间研判、通知、处置，保障系统安全。

（4）建设重要信息系统网络安全综合防控体系。通过对重要信息系统安全需求进行总结分析，规划建设工业企业态势感知网站群安全防控管理系统，该系统可以用来了解网络安全威胁、风险和隐患，监测安全漏洞、病毒木马和网络攻击情况，掌握网络安全有关情报，及时通报预警重大网络安全威胁，阻断网络攻击行为，进而提升工业企业的区域安全态势感知与安全防护能力。

（5）对接网络安全检查工具箱数据。对于不能通过互联网实时传播的数据，使用其他一系列装备上传管理数据，要求平台能够将网络安全检查工具箱各类数据与平台对接，数据上传至工业企业自治区网络安全态势感知平台，在平台上进行统一管理，对网络安全检查的进度和状态进行全局监控。

（6）数据采集接口。平台需要接收各行业主管单位、国家安全部门、公安机关、工业和信息化厅、国家互联网应急中心工业企业分中心及社会上从事网络安全工作的企业的数据，需要提供自动化的数据接口，以实现数据的采集、联通。从而构建数据完备的工业企业自治区统一指挥平台。

以网络安全事件与威胁风险监测为驱动，对网络空间安全相关信息进行汇聚融合，形成针对人、物、地、事、关系的多维视图，从不同视角出发感知网络安全态势。形成包括综合态势、资产态势、威胁风险态势、攻击态势、安全事件态势、预警处置态势、工业控制态势感知七大视角的感知体系。

安全态势感知平台的建设能积极地应对关键信息基础设施可能会出现的安全事件，包括 0day 漏洞的定向预警、攻击事件、攻击行为等，通过真实网络安全信息汇总、分析研判，进行全市或是定向单位通报，促进相关单位加强整改，并提醒其他单位注意此类问题，加强防范部署，预防发生更多网络安全事件[5]。形成全市安全事件的主动预警机制,对工业企业各地的安全问题进行统一分析,同步预警至各相关单位并做好提前防范。

当网络安全态势感知平台监测到重要信息系统运营、使用单位的系统存在重大隐患,或受到攻击、入侵、已被植入后门、篡改、植入暗链、拖库等形成重大安全事件时,根据谁使用谁管理原则,通过平台将事件情况通过预警、通报处置等流程进行通报下发,业主单位反馈处置结果。

通报管理分为通报方式、通报状态统计和统计分析三个部分。支持多种方式(Web通报、手机移动终端 APP、电子邮件、短信息等)进行通报,满足方便、快捷、即时通信等要求,形成监管单位与通报成员单位的有效沟通。可对通报情况进行管理和统计,随时随地查看通报进度,实现高效通报。

实现平台与手机移动端相结合的多种方式的通报,包括 APP、微信小程序、电子邮件、短信息等。在发生严重情况时,如突发的安全事件、重大漏洞等,可立即通过 APP下发处置,或直接通过短信息、电话的方式进行传达;当系统监测到存在轻微的安全隐患时可以通过手机 APP 进行预警提醒或限期整改等。通报完成后,通报成员单位可通过 APP 进行及时的处置结果反馈,相关监管单位也可对通报过程进行跟踪记录,查看通报进度。

另外,可对相关联系人进行分类管理,如监管单位联系人、单位联系人等,可查看联系人详情,包括联系人的姓名、电话、电子邮件、职位等。并可进行及时沟通工作,实现及时传递消息。

2)网络安全事件追踪溯源能力

当重点单位遭到网络攻击或发现网站篡改事件时,能够对黑客行为进行追溯或证据留存;当事件触犯国家法律时,能够将相关信息、线索转移给公安机关,提供办案支撑。

追踪溯源系统采用大数据存储分析中心提供的计算能力和分析模型,基于用户掌握的各类数据,通过威胁检测探针对数据流量采集与汇总,对数据进行处理、存储、挖掘并将数据提供给业务感知分析平台。

基于大数据攻击行为分析建模,对攻击行为从探测到破坏的一系列攻击行为(攻击类别、攻击阶段、攻击有效性、受攻击目标的危害程度等)进行有效识别和判断,建立具备攻击模型可视化的层次结构和攻击过程阶段特征描述的业务感知分析平台。

追踪溯源系统在发生网络攻击案(事)件或有线索情况下,对攻击者及其使用的攻击手法、攻击途径、攻击资源、攻击位置、攻击后果等进行追踪溯源和拓展分析,为侦查打击、安全防范提供支撑。系统依托于大数据存储分析平台的基本功能,采用大数据分析方法与机器学习算法进行溯源。

(1)支持对不同类型的网络攻击行为有效性及危害性进行研判。通过威胁检测探针对采集协议流量的实时分析和汇总,实现多种协议类型数据包的全面审计,发现检测网络中的异常攻击,这些异常攻击包括但不限于 Web 攻击、异常访问、电子邮件社工类攻击、DGA 域名请求、恶意文件攻击、0day 攻击等,并将检测分析结果通过多种接口方式上报业务感知分析平台,从而对网络攻击行为进行及时发现和预警。

（2）支持基于杀伤链的攻击行为建模。对杀伤链的攻击行为建模主要分为弱点探测、渗透入侵、获取权限、命令与控制、数据盗取五个阶段。

基于海量数据的分析模型，提取多种类型的攻击行为。挖掘攻击规律，通过对五个阶段攻击行为关联，分析各阶段之间的关联性，还原真实攻击路线，并以直观的形式展示分析。基于攻击路线的行为建模，快速识别威胁，提取真正的网络攻击。

（3）支持对网络攻击行为所属类型、攻击所处阶段、攻击有效性的研判。对采集数据建模分析，基于 URL 异常、返回码异常、返回数据异常等综合分析访问行为，判断存在的恶意攻击行为、攻击所属类型。对源和目的主机行为建模分析，定位攻击所处阶段，对请求 URL 进行统计分析，可以发现的威胁内容包含风险记录 ID、会话 ID、触发时间、来源 IP 地址、来源端口、来源 MAC 地址、目的 IP 地址、目的端口、目的 MAC 地址、传输层协议类型、应用层协议类型、规则 ID、风险描述、相关链接。

综合威胁的来源、攻击手段、攻击过程、攻击目标、攻击影响等信息，实现对攻击的过程分析和溯源分析，确定主机遭受的威胁有效性。

（4）支持对攻击事件危害性的分析和研判。采集各种网络数据、环境数据、主机数据及威胁数据，通过数据处理、行为建模、机器学习等技术，对数据进行长时间、大范围的关联分析。实现对安全威胁的统一分析、攻击事件整个攻击链的关联分析和威胁发现。

3）提高重大活动安全保障期间协同应急响应能力

工业企业网络安全态势感知平台能对自治区内网络空间安全态势提供数据支持，并集合大数据的有效信息并提供专项分析展示，从多个维度提供大数据安全分析的结果，并实现国家网络安全和信息化委员会办公室、自治区网络安全和信息化委员会办公室、地州网络安全和信息化委员会办公室三级联动，以及多部门的应急指挥协同机制，建立应急处置队伍。为研判、决策及重要时期的网络安全保障工作提供有效支撑，面对重大安全保障期间网络安全事件、威胁能够快速组织并高效处置。

（1）重大活动网络安保系统建设。重大活动网络安保系统建设应吸取并总结 G20 峰会、世界互联网大会等重大活动安保期间的宝贵经验，形成重要网络安全事件或重大会议期间保障应急指挥功能体系。功能主要包括大数据态势分析、应急指挥、报平安及相关资源管理。

（2）实时预警系统建设。实时预警系统能及时发现、识别网络攻击威胁，监测恐怖组织、黑客组织、不法分子等的攻击活动、攻击行为、攻击方法；监测重点保护对象所受的攻击威胁、破坏、窃密、渗透等情况，以及重点保护对象的网络、系统、大数据等安全状况、存在的漏洞、隐患等，为快速处置、通报预警提供支撑。

实时预警系统能提供多种监测能力，包括重点网站监测能力、布点监测并获取数据能力、流量监测能力、资产普查能力、工业控制系统安全监测能力。

实时预警系统能够接入网站监测结果、网站流量分析结果、资产普查结果及工业控制安全监测分析结果，并能够通过报表系统对接入的结果进行分析统计，也能够通过导入导出功能对需要的数据进行导入导出。系统还支持对数据的基本检索、筛选功能。对于要管理的专用检测设备可以提供基本管理，并对管理链接进行快速跳转。

工业企业网络安全态势感知平台是通过采集企业内在网的关键信息，如基础设施资产与运行状态、安全事件、安全态势、原始知识库、原始安全风险信息及各单位（国家互联网应急中心工业企业分中心、公安机关、第三方安全公司等）威胁情报等数据而建成的。从日志、流量、漏洞等途径分析自治区内网络安全事件、攻击事件、恶意代码回传、恶意扫描行为等详细安全数据，并根据数据流转路线进行全面追踪溯源，并且结合监管业务特点进行更多安全相关的行为挖掘，为自治区内信息安全事件追踪溯源提供有力的技术支撑手段。

提供情报信息统一的分析、管理中心，与现有的工业企业其他安全管理系统相结合，为网络安全工作的研判链、决策链提供支撑，需开放接口，并支持上级主管单位、行业主管部门、公安机关、国家互联网应急中心工业企业分中心及不同安全企业、协会进行情报数据的接收、汇集、综合研判分析，并为各单位提供数据分发。

5.1.2　安全原则

工业互联网安全的最终趋势是要构建端到端信任、动静检测监测的工业级安全体系，主要包括四方面。

（1）应构建通用基础设施安全模型和标准框架体系，保障最终用户企业数据的可用性、完整性、安全性。

（2）部署的系统应固化，裁剪不必要的服务、应用和网络协议，适当配置操作系统的用户身份验证与资源控制机制。

（3）应采用静态和动态的自动化测试相结合机制，结合代码本身将安全纳入产品研发过程，保障软件代码安全性和可靠性。

（4）应对每个层级连续监控，对应用或微服务的连续监控，提供数据保护机制，阻断来自于外部网络的恶意攻击。

5.1.3　主要挑战

1）工业互联网平台安全管理体系尚不健全

工业互联网平台安全的有关管理政策、技术标准研究刚刚起步，如何明晰各方安全责任、规范管理平台安全、指导平台企业做好安全防护，尚无明确依据。平台安全建设指南，海量设备接入安全规范，应用服务安全检测标准，平台服务提供商及工业互联网应用提供商资质审查制度等一系列指导文件亟待研究制定。

2）工业互联网平台安全技术防护能力较弱

工业互联网平台运行情况缺乏安全监测手段，海量接入设备认证与管控技术尚未成熟，相关工业互联网应用安全检测技术匮乏，敏感数据传输没有得到有效保障。除此之外，工业互联网平台企业多采用传统信息安全防护技术、设备来构建安全防护体系架构，尚无面向工业互联网平台安全的专用防护设备，整体安全解决方案还不成熟，关键基础安全技术产品受制于人。

3）工业互联网平台数据安全风险

数据是贯穿工业互联网的"血液"，是工业互联网安全保障的主线。工业互联网平台采集、存储和利用的数据资源具有体量大、种类多、关联性强、流动路径复杂、价值分布不均、风险隐患各异、安全需求不一等特点，存在责任主体边界模糊、分级防护难度大、事件追踪溯源困难等问题。同时，工业大数据技术的广泛应用加剧了平台数据安全风险，大规模数据泄露、数据交易权属不明等安全隐患突出。

5.2　工业互联网平台被动安全关键技术

5.2.1　简介

工业 PaaS 层为工业 APP 创建、测试和部署提供安全的开发环境。这样开发环境下的安全策略与传统的网络安全有非常强的相关性，目前主流的被动防御安全措施（黑白名单、身份认证、审计、安全路由等防护机制）都会在这一层次有效地实现应用效果[6]。同时，工业 PaaS 层中涉及的虚拟机安全问题需要被特别重视，包括虚拟机篡改、跳跃、逃逸、隐匿和拒绝服务等各种安全问题。

5.2.2　关键技术

1. 黑白名单

黑名单只是一种防止恶意程序运行的方法，更新黑名单可以快速通过更新服务器来实现，大多数防病毒程序使用黑名单技术来阻止已知威胁。黑名单技术只在某些应用中能够发挥良好的作用，当然前提是黑名单内容具有准确性和完整性。黑名单的另一个问题就是，它只能抵御已知的有害的程序，不能够抵御新威胁（0day 攻击等），对进入网络的流量进行扫描并将其与黑名单对比还可能浪费相当多的资源及降低网络流量。

白名单的宗旨是不阻止某些特定的事物，它采取了与黑名单相反的做法，利用一份"已知为良好"的实体（程序、电子邮件地址、域名、网址）名单执行程序功能，白名单的优点是没有运行需要不断更新的防病毒软件，任何不在名单上的事物将被阻止运行；系统能够免受 0day 攻击。当单独使用白名单时，它能够非常有效地阻止恶意软件，但是同样也会阻止合法代码的运行。白名单需要与其他安全方法结合使用。

2. 访问控制

访问控制是指在鉴别用户的合法身份后，通过某种途径准许或限制用户对数据信息的访问能力及范围，阻止未经授权的资源访问。访问控制通常用于限制用户的访问权、所能使用的计算资源和网络资源来实现对云平台重要资源的访问控制与管理，防止非法访问。访问控制是保证系统保密性、完整性、可用性和合法使用性的重要基础。

访问控制的主要目的是限制访问主体对客体的访问，从而保障数据资源在合法范围内得以有效使用和管理。为了达到上述目的，访问控制需要完成两个任务：识别和确认访问系统的用户、决定该用户可以对某一系统资源进行何种类型的访问。

访问控制包括三个要素：主体、客体和控制策略。

（1）主体是指提出访问资源具体请求，是某一操作动作的发起者，但不一定是动作的执行者，可能是某一用户，也可以是用户启动的进程、服务和设备等。

（2）客体是指被访问资源的实体。所有可以被操作的信息、资源、对象都可以是客体。客体可以是信息、文件、记录等集合体，也可以是网络上硬件设施、无线通信中的终端，甚至可以包含另外一个客体。

（3）控制策略是主体对客体的相关访问规则集合，即属性集合。访问策略体现了一种授权行为，也是客体对主体某些操作行为的默认。

访问控制的主要功能包括：保证合法用户访问授权保护的网络资源，防止非法的主体进入受保护的网络资源，或防止合法用户对受保护的网络资源进行非授权的访问。访问控制首先需要对用户身份的合法性进行验证，同时利用控制策略进行选用和管理工作。当验证用户身份和访问权限之后，还需要对越权操作进行监控。

3．安全审计

实现网络流量监测与告警，采用被动方式从网络采集数据包，通过解析工业控制网络流量、深度分析工业控制协议、与系统内置的协议特征库和设备对象进行智能匹配，实现实时流量监测及异常活动告警，实时掌握工业控制网络运行状况，发现潜在的网络安全问题。通过设定状态白名单基线，当有未知设备接入网络或出现网络故障时，可触发实时告警机制。

安全审计对系统记录和行为进行独立的审查与估计，其主要作用和目的包括 5 个方面。

（1）对可能存在的潜在攻击者起到威慑和警示作用，核心是风险评估。

（2）测试系统的控制情况，及时进行调整，保证与安全策略和操作规程协调一致。

（3）对已出现的破坏事件，做出评估并提供有效的灾难恢复和追究责任的依据。

（4）对系统控制、安全策略与规程中的变更进行评价和反馈，以便修订决策和部署。

（5）协助系统管理员及时发现网络系统入侵或潜在的系统漏洞及隐患。

5.3　工业互联网平台主动防御关键技术

5.3.1　简介

目前总体来看，工业互联网安全防护上存在监测预警能力的缺失，对于一些安全事件的威胁，没有做到及时监测、及时预警、及时发现。为了解决工业互联网高速发展所带来的日益严峻的安全挑战，国家非常重视工业互联网安全态势感知工作。国务院、工业和信息化部，先后提出指导意见，制定预警机制、通报机制、处置机制、行动计划，以求提升安全态势感知和综合保障能力。

通过主动防御技术，实现对工业互联网安全的可视化，并洞悉业务信息系统的运行状况与安全状况，对工业互联网的安全事件进行综合分析与审计，识别和定位外部攻击、内部违规[7]；进行业务系统的安全风险度量、安全态势度量和安全管理建设水平度量；进行持续的安全巡检、应急响应与知识积累，不断提升安全管理的能力。

5.3.2　工业互联网平台主动防御技术

1. 安全大数据分析

利用大数据的思维和手段对网络安全运维相关的数据进行智能挖掘与分析，运用数学统计、机器学习及最新的人工智能算法实现面向历史数据、实时数据、时序数据的聚类、关联和预测分析[8]。安全大数据分析的目的是通过关联分析等手段发现防火墙、Web 应用防护（Web application firewall，WAF）系统、IDS 等检测不到的高级持续性安全攻击行为和未知威胁行为，弥补传统安全防护措施的不足。

安全大数据分析要以丰富海量的安全大数据作为分析对象。网络环境整体的安全分析需要大量的数据支撑，需要解决多元数据采集的问题[9]。数据采集的对象应包括设备日志数据、全流量审计数据、弱点信息数据、资产数据、用户行为数据、威胁情报数据等多元的异构数据，对海量的数据解析处理并进行存储。

安全大数据分析要以建立科学合理的分析模型作为前提。一般认为安全大数据的分析模型包括但不仅限于：规则模型、关联模型、统计模型、异常模型等。通过各模型不同的特点功能对安全大数据进行全面的分析[10]。

规则模型：通过定义规则策略，提取分析安全大数据中的有效字段进行比对，基于应用场景从安全日志等数据中筛选识别安全事件。

关联模型：对跨设备的多源的安全数据进行关联分析，从多个安全事件中检测行为模式，发现隐藏的高级威胁及安全风险。

统计模型：从安全数据中发现重要的统计特征，通过设置阈值进行过滤，找出异常指标，发现可以从指标异常中体现出的恶意行为和安全事件。

异常模型：采集历史数据，通过持续的机器学习构建正常的行为基线并持续更新，自适应发现偏离于基线的异常行为。

安全大数据分析是实现全面网络安全态势感知的必要手段。通过收集网络安全大数据并进行深度分析，可以实现海量大数据存储查询、网络攻击行为追踪溯源、资产被攻击情况追溯等功能，可以对网络拓扑域的安全状况、网页被攻击访问的详细状况进行态势可视化呈现，为工业互联网安全态势感知提供数据支撑。

2. 态势感知

1）实时数据监测技术

对主要的网络流量，设计高速网络数据采集及分布灵活的部署策略，分布式部署安全检测引擎构成的监测集群，对主要网络重点流量进行采集与检测。安全检测引擎通过报文获取——报文协议解析——规则匹配——报警数据生成的流程，对网络中的实时数据流量进行分析，实现对重点流量中包含的已知威胁与未知威胁的检测，满足主要网络节点的轮询监测能力。

（1）全流量双安全屏障分析技术。基于主动防御的思想，以异常流量检测、安全状态检测、多协议分析等手段为第一道屏障，实现在不影响网络性能的前提下，实时获取来自于网络和主机的事件信息，并分析和判读入侵行为及具体的攻击手段。

依托资深安全专家对大量安全状态、安全事件的代码特征和行为特征的分析经验，以单个攻击事件为线索，扩展到全部的攻击事件链，运用分类算法模型，准确定位出有效的安全状态和安全事件。

（2）细粒度的安全事件展示方式。借助于精细的分析模型和可视化图形，以更为细分的类别对安全事件进行全方位的展示。展示粒度时间上可以具体化到周、日，级别上可以具体化到高危、中危等，并能与历史数据对比形成趋势性报告。

2）全方位数据实时采集技术

对工业互联网网络设备数据进行采集，实时对工业互联网出入口的网络安全事件、入侵攻击行为、网络病毒传输进行安全检测，为分析工业互联网访问恶意行为的攻击报文等提供采集数据来源。

对网站的安全状态进行全方位实时（支持细粒度的轮询）检测。该检测内容包括系统漏洞检测、篡改事件检测、系统可用性检测，从而为网络安全监测提供重点联网系统中具有威胁性通报的原始数据。

3）协议深度解析技术

通过协议深度解析技术，实现对应用层的流量检测和控制。当 IP 数据包、TCP 或 UDP 数据流通过协议深度检测的网络管理系统时，该系统通过深入读取 IP 数据包载荷的内容来对 OSI 七层协议中的应用层信息进行重组，从而得到整个应用程序的内容，然后按照系统定义的管理策略对流量进行整形操作。

首先构建工业控制协议解析库，然后工业控制协议解析库将端口号、报文中的特征字符串或表现出的统计特征作为区分的维度对工业控制协议进行分类，并利用这些特征，结合一定识别或分类技术，完成对工业控制协议的划分、解析。工业控制协议解析库内嵌有多种通信采集协议库和转发协议库，可以同时采集多个不同子系统的数据，进行数据集中汇总、分类和预处理，并对上级调度等平台系统进行数据转发。

4）基于工业控制蜜罐的被动诱捕技术

使用蜜罐技术对工业控制攻击进行被动诱捕，通过将 VM、Docker、SDN 等虚拟化技术与应用、主机、系统、网络等相结合的方法，实现虚拟的应用、主机、系统、网络相关功能的模拟，通过牵引攻击行为与重定向攻击行为，达到迷惑攻击者和诱捕转移攻击行为的目的，技术流程如图 5.1 所示。

（1）网络扫描行为与异常行为监控：设置一个、多个或海量虚拟机构成的虚拟应用、主机、系统或网络。当攻击者在进行网络侦查与网络扫描时，如果网络可达，将可能会命中网络中的虚拟主机系统资产，根据异常连接分析机制和连接行为分析，识别出扫描行为和异常行为的类型，攻击源 IP 将会被第一时间告警。

（2）网络扫描防护与服务欺骗可以为 Nmap、ZMap、Masscan 等端口扫描与服务识别工具提供虚假的端口和服务开放结果，甚至包括一定比例的端口全开的虚假端口和服务开放结果，极大地增加攻击者扫描器运行的时间，增加验证、分析服务和主机应用的时间，最终达到隐藏真实系统的目的，使其知难而退。

（3）攻击行为牵引与重定向：对于已经突破网络的攻击者，威胁诱捕类系统可以在虚拟主机系统中设置不同比例、不同类型、不同业务、不同漏洞的虚拟主机系统，诱导捕获攻击者深入攻击行为，并且将流量牵引并重定向到指定的容器、系统、网络环境内，使其进入"网络黑洞"，增加攻击时效，并持续牵引并转移攻击者专注方向。

（4）攻击行为分析与反制：正常情况下，当已经有扫描行为或异常连接行为时威胁诱捕系统已经在第一时间生成安全攻击事件，利用网络扫描防护、服务欺骗、重定向等特性能在一定程度上延缓攻击时效，同时当生成安全攻击事件时，威胁诱捕系统[11]也可以将攻击源 IP 推送至安全防护产品并进行联动封堵，全程留存的行为日志可以分析网络是否被攻击者突破，了解并掌握未授权测试与攻击行为。

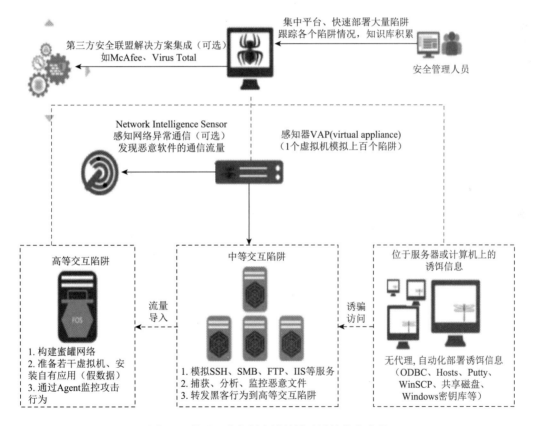

图 5.1　基于工业控制蜜罐的被动诱捕技术流程

5）基于工业控制行业白名单主动探测技术

建立工业控制行业安全防护白名单，为工业网络安全防护提供技术支撑。白名单主动防御是通过约定协议规则来限制网络数据的交换，在控制网到信息网之间进行动态行为判断。通过对约定协议的特征分析和端口限制的方法，从根源上限制未知恶意软件的运行和传播。

白名单[12]是一种安全管理规范，不仅应用于防火墙软件的设置规则，也是在实际管理中要遵循的原则，如在对设备和计算机进行实际操作时，需要使用指定的笔记本电脑、U 盘等，管理人员只信任可识别的身份，未经授权的行为将被拒绝。

通过识别系统中的进程或文件是否具有经批准的属性、常见进程名称、文件名称、发行商名称、数字签名，白名单能够让企业批准哪些进程被允许在特定系统运行。有些白名单供应商产品只包括可执行文件，而其他产品还包括脚本和宏，可以阻止更广泛的文件。其中，一种越来越受欢迎的白名单方法被称为应用控制，这种方法专门侧重于管理端点应用的行为。白名单历来被认为难以部署、管理耗时，并且白名单让企业很难应付想要部署自己选择的应用的员工。然而，在最近几年，白名单产品已经取得了很大进展，它更好地与现有端点安全技术整合来消除部署和管理障碍，为希望快速安装应用的用户提供了快速的自动批准。此外，现在的大部分白名单产品还提供一种功能，即将一个系统作为基准模型，生成内部白名单数据库，或者提供模板用来设置可接受基准，这可以支持 PCI DSS 或 SOX 等标准[13]。

白名单可以抵御 0day 恶意软件和有针对性的攻击，因为在默认情况下，任何未经批准的软件、工具和进程都不能在端点上运行。如果恶意软件试图在启用了白名单的端点进行安装，白名单会确定这不是可信进程，并否定其运行权限。

6）异常行为的智能分析与识别技术

异常行为的智能分析与识别作为一种积极主动的安全防护技术，能在工业互联网受到危害之前拦截和响应入侵，可以对工业互联网主体进行纵深、多层次的防御。

异常行为的智能分析与识别技术通过在工业互联网环境的个人工作站和网络流量异常等方面进行监测，依据学习工业控制系统[14]中的工作站的各项进程、端口的执行情况及网络正常流量的基准线，来识别未知的攻击，或是对于网络使用行为的变化，提出报警。通过综合对多个操作行为进行时间关联分析，按照主动防御的观点来判断其是否实际存在入侵、攻击等威胁，检查潜在威胁在不同组件之间的相互关系。通过把可疑行为的不同部分关联起来并不断更新行为特征库，判断其是否属于恶意或异常行为，提高恶意行为的识别率，最终确定恶意代码的攻击行为。在判断为恶意行为后，根据其目的、后续行为及危害性，采取相应的应对措施。

7）基于 Hadoop 架构的分布式存储技术

利用 Hadoop 的大数据分布式系统基础架构，开发分布式程序，充分地利用集群的威力进行高速运算和存储。利用 Hadoop 的 MapReduce 框架把应用程序分解为并行计算指令，跨计算节点运行，将数据集迅速进行处理。

收集工业系统生产的数据，这些数据主要包括设备的运行状态、故障信息及生产消耗的原材料等，如产量、精矿品位、物料温度、烧眼角度、吹送压力、残氧浓度等参数。利用 Hadoop 在数据存储、提取、运算和加载方面上的天然优势，通过对大量数据的全面持续性的采集，足以实现全生产过程的信息透明，以及为上层算法提供计算容器与经过预处理的分析数据。

8）全局网络风险态势的安全可视化与防御技术

设计全局网络风险态势的安全可视化与防御技术，使用多种直观的图形进行分析，例如，饼图、柱图、折线图等基本图表及三维图，并结合地理信息系统，直观有效地将隐含在数据中的网络风险事件可视化，通过大屏展现互联网的安全风险态势和发生的网络攻击态势，快速直观地呈现整体安全态势和安全风险事件，驱动安全事件预警、防御、应急处理流程。

9）大数据分析处理与安全分析预警建模技术

基于大数据实时流处理及批处理技术，本节研发基于统计、分类、聚类、相似性分析、关联分析、趋势预测安全分析与预警模型，设计实现多种网络和系统安全风险分析预警模型，利用多种态势分析方法（熵、漏洞、情景事件）建立不同事件之间的关联关系，将安全事件、原始流量、用户身份和威胁情报等信息综合关联起来，进行协同分析与安全态势联合分析，提升事件安全分析能力、预警能力和追查能力。大数据分析处理与安全分析预警模型包括漏洞风险预警模型、安全攻击分析模型、脆弱账号分析模型、口令暴力破解行为分析模型、系统漏洞扫描行为分析模型、Web 漏洞扫描行为分析模型、SQL 注入攻击分析模型、XSS 跨站脚本攻击分析模型、越权访问攻击分析模型、WebShell 攻击分析模型、网页篡改攻击分析模型、拒绝服务攻击分析模型、病毒木马蠕虫分析模型、敏感信息泄露分析模型、APT 高级持续性威胁攻击分析模型。

5.4　方案实例

重庆邮电大学搭建的基于 IPv6 的手机产品验证装配柔性自动化生产线试验验证子平台能够满足快速、智能、个人化的产品组装供应；实现生产线柔性化和模块化，并且可针对不同的工艺自由组合线体；通过制造执行系统（manufacturing execution system，MES）建立立体库、AGV 运输、智能生产线生产管理的连接。以下介绍该平台的安全态势感知系统。

5.4.1　平台组成与子平台功能

平台主要由基于 IPv6 工业网络的手机生产线生产装备的实时监视、基于 IPv6 工业网络的手机生产线物料运输 AGV 小车远程实时监视、基于 IPv6 工业网络的手机生产线的数据安全监视、基于 IPv6 工业网络的手机生产线工位数据有线监控、基于 IPv6 工业网络的手机生产线装备与环境状态监测等模块组成，手机产品测试装配柔性自动化生产线网络架构如图 5.2 所示，手机产品测试装配柔性自动化生产线三视图如图 5.3～图 5.5 所示。

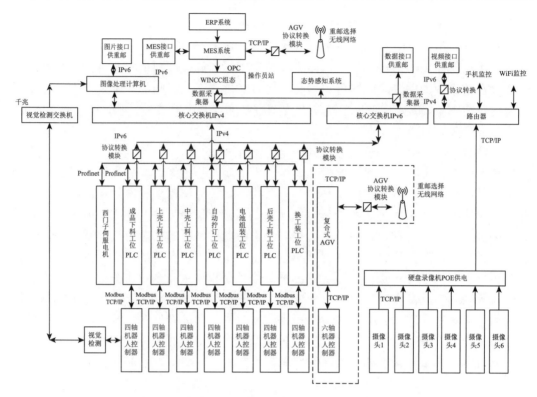

图 5.2　手机产品测试装配柔性自动化生产线网络架构

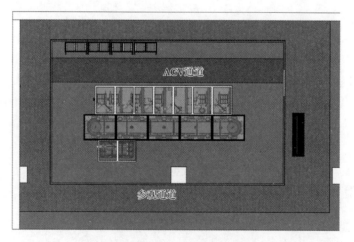

图 5.3　手机产品测试装配柔性自动化生产线（俯视图）

　　手机生产线生产装备的实时监视通过 IPv6 网络实现对手机生产线生产装备的实时监视。手机生产线的所有生产装备的状态信息、物料信息、传感器信息通过 Modbus、Profinet 等进行采集、传输、存储。机器人的位置信息、速度信息、电池电量、作业信息、运动模式数据通过 Modbus 传输给 Profinet 节点。采集的机器人的位置信息、速度信息、电池电量、作业信息、运动模式等状态数据通过路由器/交换机上传到上位机，上传的数据通过 OPC UA 解析以后在上位机上打印显示。通过在上位机上观察机器人的位置信息、速度信息、电池电量、作业信息、运动模式数据来判断机器人的状态。当出现使用异常时，设备上装有急停按钮。

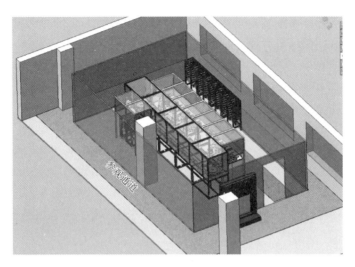

图 5.4　手机产品测试装配柔性自动化生产线（左视图）

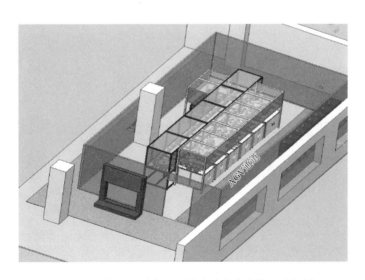

图 5.5　手机产品测试装配柔性自动化生产线（右视图）

手机生产线物料运输 AGV 小车远程实时监视同样是通过 IPv6 网络实现对手机生产线物料运输 AGV 小车的远程实时监视。手机生产线物料运输 AGV 小车与无线节点（WIA-PA）之间通过 Modbus 通信，手机生产线物料运输 AGV 小车的数据通过路由器转发给 IPv6 边界网关，数据通过 OPC UA 解析以后在上位机上打印显示，观察上位机上显示的手机生产线物料运输 AGV 小车的数据来判断小车的状态。当 AGV 小车出现异常时，AGV 小车会紧急停止。

　　手机生产线生产装备的安全防护系统通过 IPv6 网络实现对手机生产线生产装备的实时监视。安全网关所具备的访问控制和安全区域隔离等安全策略能有效地保证数据在由底层网络采集后传输到上位机的过程中的数据安全，隔离各种病毒入侵与越权访问等安全威胁，对采集到的数据进行安全审计分析。

　　网络安全态势在线监测分析与预警系统可在不影响原工业控制系统运行的前提下，实现对工业控制系统网络进行透明化、可视化监测，做到工业控制系统网络全要素的实时透明化呈现，并基于实时状态和控制指令的全透明化监测进行安全态势感知与预警。

　　基于 IPv6 的手机产品验证装配柔性自动化生产线试验验证子平台可实时监测对象系统的总体拓扑与连接方式、各组成设备的软硬件信息、配置参数、工作状态等；可采集到对象系统中所有的通信报文并进行监控、显示、存储，对通信流量、通信关系、节点吞吐量、网段负载、各种报文占比等进行分析和审计，随后对通信内容进行工业控制协议深度解析，提取出起止时间、起止设备、传输路径、功能码、操作数等关键信息，从而分析每条报文的通信属性、行为特征、通信目的、操作意图等，结合工艺参数、工艺流程、工艺操作规程等的关联关系进行符合性和安全性分析，并在发现异常时及时预警，其现场概况图如图 5.6 所示。

图 5.6　现场概况图

　　工业控制系统网络安全态势在线监测分析与预警系统的特色功能在于具有基于生产装置模型与操作工艺和流程的安全态势实时监视与分析能力。工业控制系统网络安全态势在线监测分析与预警系统不仅可监测工业控制系统网络的数据流量、通信行为，而且可深度解析通信报文，识别出其中传输的服务类型、数据内容，提取通信中的工艺与生产特征，解析出工艺参数、控制指令，与生产装置模型和操作工艺、流程相结合，打破信息流与能量流、物质流之间的界限，建立网络通信与实体控制的关联，预判网络指令对生产实际的影响，结合通信安全与生产安全实现全方位工业控制系统安全。

网络安全态势在线监测分析与预警系统组成如图 5.7 所示，分别是数据采集子系统、数据处理子系统、数据库服务子系统及客户端应用系统。

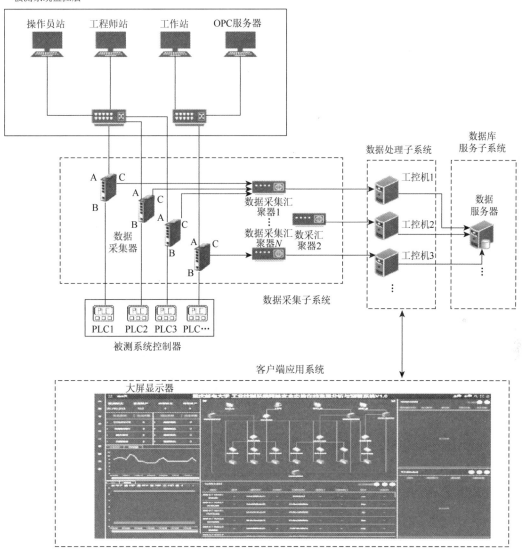

图 5.7　网络安全态势在线监测分析与预警系统组成

1）数据采集子系统

数据采集子系统用于实时采集对象系统中的所有通信报文，并提交其他子系统进行数据处理与分析，主要包括数据采集器和数据采集汇聚器。

数据采集器可串接或并接在被监视的对象系统中，采集对象系统中产生的所有通信报文,并为每条通信报文记录精确时间戳,采集到的报文经由数据采集汇聚器汇聚后,送到数据处理子系统进行处理。

数据采集汇聚器用于将多个数据采集器的采集数据进行汇聚,需具备多入一出的报文汇聚能力,可采用市售镜像交换机实现,建议采用专用数据采集汇聚器。

2)数据处理子系统

数据处理子系统接收来自数据采集子系统的数据,并逐条进行协议解析,提取报文的字段、行为等特征,监测每一个设备、每一条报文的状态和行为,分析其安全属性,并将解析结果和原始数据一并存入服务器,同时将实时状态送达前端用户界面进行显示。

数据处理子系统通常使用工业控制机实现,对于复杂系统数据运算量较大的,也可以使用服务器实现。

如图5.8所示,该子系统通过以太网卡与数据采集子系统连接,使用网卡驱动进行报文采集,并将报文送入报文字段解析引擎;报文字段解析引擎对报文进行逐条解析,并将报文解析结果通过分发器同时传输到报文统计与推送模块、设备识别与定位模块、工艺参数解析模块、工艺操作解析模块、基于网络通信的攻击检测模块、基于工艺流程和操作的攻击监测模块、操作指令异常检测模块、DoS/DDoS攻击检测模块、基于控制器状态的攻击检测模块等,进行相应的统计和检测;工艺参数解析模块与工艺操作解析模块的解析结果也发送到基于工艺流程和操作的攻击检测模块及操作指令异常检测模块,作为工艺流程和操作指令检测的输入依据。

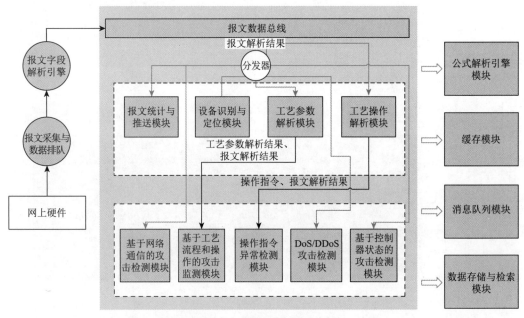

图5.8　数据处理子系统模块组成与处理流程

此外,数据处理子系统还包含公式解析引擎模块,其用于执行工艺参数异常、操作指令异常、工艺数据相关性异常、操作指令相关性异常等检测;缓存模块用于历史数据缓存,为工艺数据和指令的相关性检测提供信息查询;消息队列模块用于实现与数据库服务子系统及客户端应用系统之间的通信；数据存储与检索模块可以实现数据检索和排队功能，作为客户端应用系统与数据库服务子系统之间的接口通道。

　　3）数据库服务子系统

　　数据库服务子系统主要使用数据库服务器（对小型系统可以使用工业控制机，对大型系统可以使用服务器集群）为安全态势监测与预警系统提供数据的存储与查询等服务。

　　数据库服务子系统包括数据库软件自身、数据库服务接口，以及数据库服务子系统与数据处理子系统的通信。数据库服务子系统可记录系统采集到的所有报文及各条报文对应的解析结果，同时接收数据处理子系统及客户端应用系统的随时查询和提取操作。

　　4）客户端应用系统

　　客户端应用系统用于实现与用户的实时交互，为用户展现工业控制网络中的所有蛛丝马迹，基于 B/S 架构，使用浏览器进行操作，运行在工业控制机上。网络安全态势在线监测分析与预警系统主界面如图 5.9 所示。

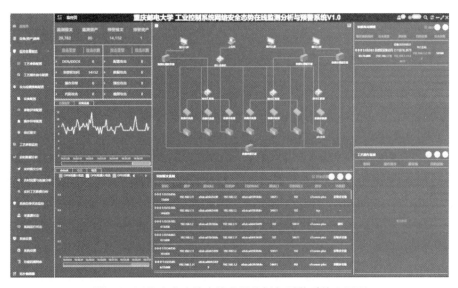

图 5.9　网络安全态势在线监测分析与预警系统主界面

5.4.2　支持的系统与协议

　　网络安全态势在线监测分析与预警系统适用于如图 5.10 所示的典型工业控制系统，基本覆盖了所有主流品牌，所支持的系统主要包括以下几种。

　　PLC 系列：西门子 S7-200/300/400/1200/1500 系列、西门子 PXC 系列、施耐德 Quantum 系列、罗克韦尔 ControlLogix 系列、ABB AC450/AC800 系列、GE RX3i 系列、贝加莱 X20 系列、三菱 Q 系列等。

　　DCS 系列：艾默生 Ovation ORC1100 系列、艾默生 DeltaV 系列/BB 系列、霍尼韦尔 PKS C300 系列、横河 CENTUM VP 系列、ABB Symphony Plus 系列、英维思 Foxboro 系列等。

　　RTU（远程终端设备）：西门子 AK/AM 系列、ABB RTU560 系列、GE D20 系列、SEL 3530/2411 系列、施耐德 C264 系列等。

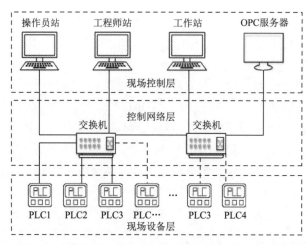

图 5.10　网络安全态势在线监测分析与预警系统适用的对象系统示意图

电力系统保护装置：西门子 SIPROTEC4/74J/7UT 系列、GE G60/T35/F650/C650/T650 系列、ABB REF/REC 系列、SEL 700 系列、施耐德 P141/443/643/743 系列等。

网络安全态势在线监测分析与预警系统支持所有基于以太网的报文采集，包括 Modbus、Profinet、S7、IEC104、Ethernet/IP、MMS、CC-LINK、OPC、HSE、TE、EtherCAT、PowerLink 等，以及基于 485/422 的串口协议、基于 CAN 总线的协议等。

重庆邮电大学装配自动化生产线网络通信使用的工业控制协议为基于 ISO（TCP）的 s7comm、s7comm-plus 和 Modbus TCP 协议，将系统接入之后，重庆邮电大学装配自动化生产线中现有的协议及涉及的功能码都能够正确解析。解析出的 PLC 协议与功能码部分截图如图 5.11～图 5.13 所示。

重庆邮电大学装配自动化生产线的主站与上位机间的工艺参数可以在上位机中的 wincc 软件变量表里面看到。可以查找到一些工艺参数所对应的变量名，如图 5.14 所示，找到这些变量名在实际的 PLC 存储器中的数据块、数据类型等信息。

在前端进行工艺参数的配置时，填上这些配置信息及对应的工艺参数名，即可对系统中的对应工艺参数进行解析和实时监测。根据诸如此类的各个工艺参数对应的变量配置信息进行配置，配置结果如图 5.15 所示。

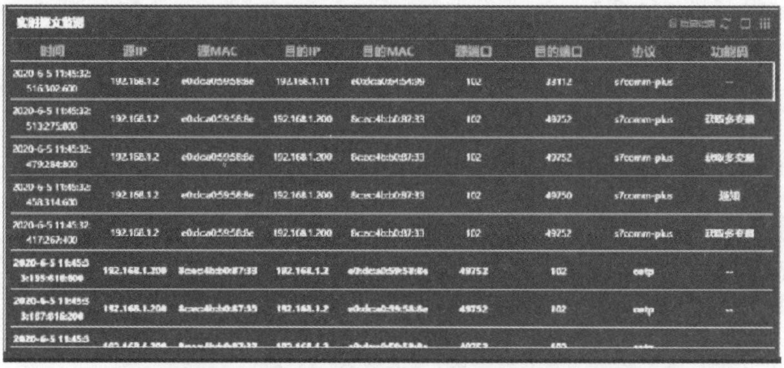

图 5.11　解析出主站 PLC 协议与功能码部分截图

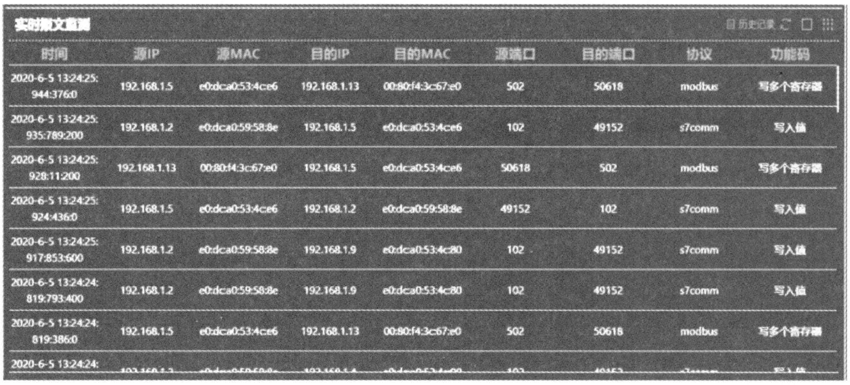

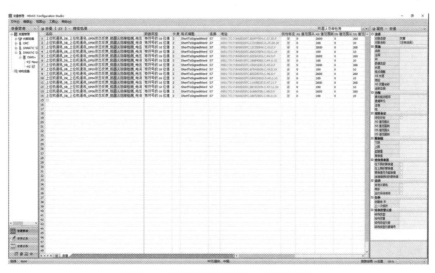

图 5.12　解析出 1、2、3 主站 PLC 协议与功能码部分截图

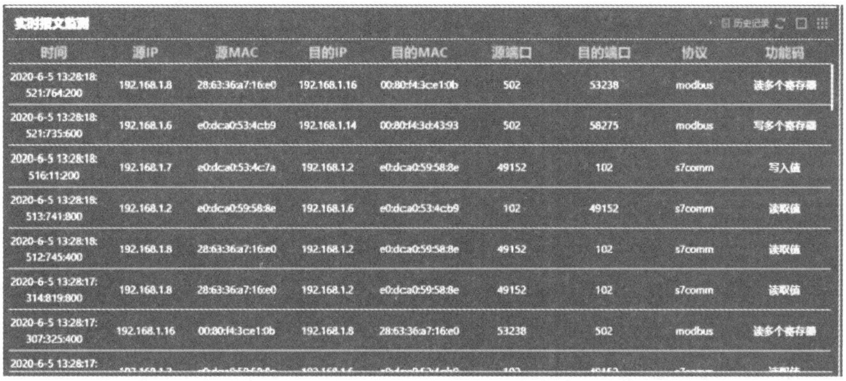

图 5.13　解析出 4、5、6 主站 PLC 协议与功能码部分截图

图 5.14　上位机图形编辑器变量列表

在对工艺参数进行配置之后，系统便能根据上位机与主站 PLC 的通信报文，将工艺参数解析出来并实时监测，如图 5.16、图 5.17 所示。

图 5.15　态势系统工艺参数配置界面

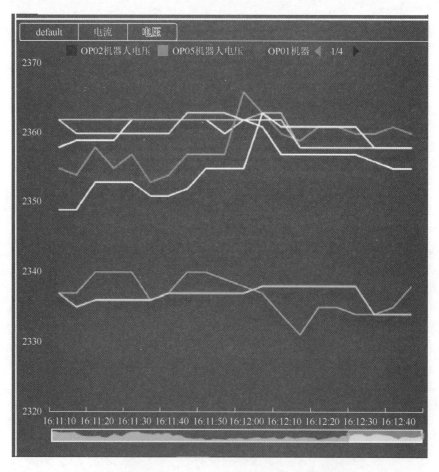

图 5.16　态势系统工艺参数实时监控页面-电压类型参数

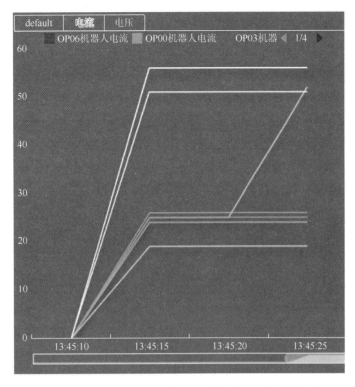

图 5.17　态势系统工艺参数实时监控页面-电流类型参数

5.4.3　可识别的攻击类型

网络安全态势在线监测分析与预警系统可对被测系统的通信进行深度解析，并识别以下类型的攻击。

1）基于 TCP/工业控制协议的 DoS/DDoS 攻击

DoS/DDoS 攻击即在短时间内向被攻击设备发送过量的报文，从而阻塞网络、耗尽被攻击设备的资源，使其无法提供有效服务。因此，对 DoS/DDoS 攻击的检测可以通过发送频率来进行判断。

如图 5.18 所示，基于某个设备 A 进行 DoS/DDoS 参数配置，添加一条对 S7 协议的配置，选择协议类型为 S7，配置局内地址 DoS 攻击的允许请求次数和请求时间，配置多址 DoS 攻击的允许请求次数和请求时间。

图 5.19 为 DoS/DDoS 攻击检测的告警结果示例。

2）非授权设备访问

非授权攻击的检测形式为判断目标是否存在于规则库中，对非授权设备即根据报文解析出的设备信息，再到设备权限库中进行检索。非授权设备访问包含三种形式。

（1）该设备非系统合法设备，非法接入。

（2）该系统为系统内设备，但无访问某目的设备的权限。

（3）该设备的访问不在允许时间范围内。

← 返回　设备20191101113157741_1143:192.168.0.12
添加
#
协议类型
Dos攻击配置
提交
协议类型:　s7comm
同址DOS攻击
允许请求时间(s):　1
允许请求次数:　1
多址DOS攻击
允许请求时间(s):　1
允许请求次数:　1

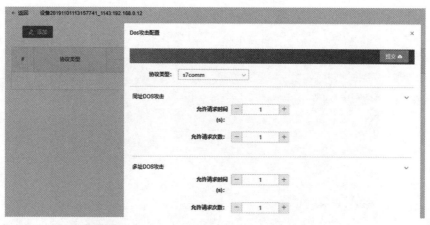

图 5.18　DoS/DDoS 攻击检测参数配置

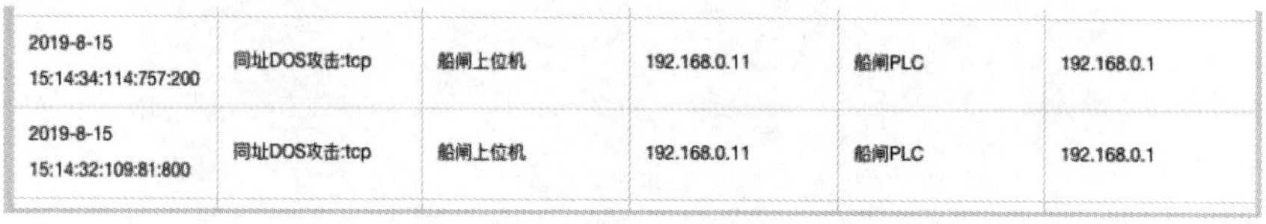

2019-8-15 15:14:34:114:757:200	同址DOS攻击:tcp	船闸上位机	192.168.0.11	船闸PLC	192.168.0.1
2019-8-15 15:14:32:109:81:800	同址DOS攻击:tcp	船闸上位机	192.168.0.11	船闸PLC	192.168.0.1

图 5.19　DoS/DDoS 攻击检测的告警结果示例

因此，对非授权设备访问的规则设备包含以下几种。

（1）系统合法设备表。

（2）对某目的设备，允许访问的源设备列表。

（3）授权的访问时间范围。

非授权访问设备设置页面如图 5.20 所示，此处设置了授权设备列表及各设备对应的授权时间。

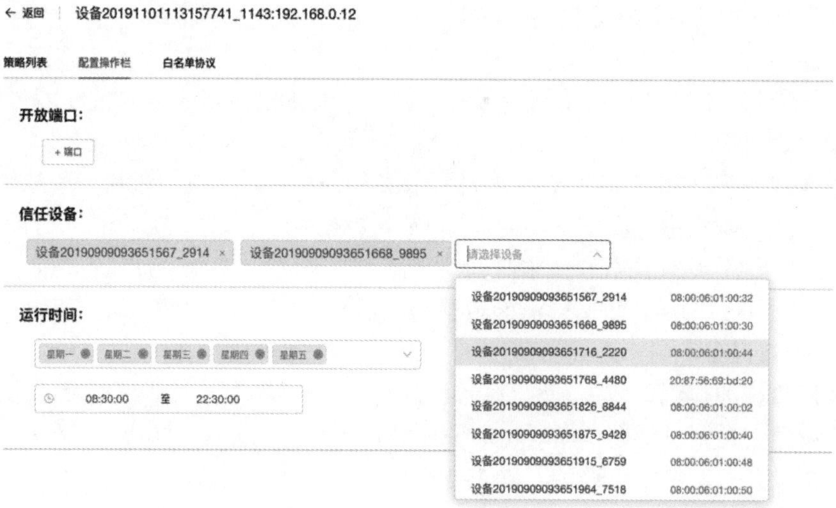

← 返回　设备20191101113157741_1143:192.168.0.12
策略列表　配置操作栏　白名单协议
开放端口:
+ 端口
信任设备:
设备20190909093651567_2914
设备20190909093651668_9895
请选择设备
运行时间:
星期一　星期二　星期三　星期四　星期五
08:30:00　至　22:30:00
设备20190909093651567_2914　08:00:06:01:00:32
设备20190909093651668_9895　08:00:06:01:00:30
设备20190909093651716_2220　08:00:06:01:00:44
设备20190909093651768_4480　20:87:56:69:bd:20
设备20190909093651826_8844　08:00:06:01:00:02
设备20190909093651875_9428　08:00:06:01:00:40
设备20190909093651915_6759　08:00:06:01:00:48
设备20190909093651964_7518　08:00:06:01:00:50

图 5.20　非授权访问设备设置页面

图 5.21 为检测到的非授权设备访问攻击告警，此时，某非授权设备正向 PLC 主站控制器发起访问。

图 5.21　检测到的非授权设备访问攻击告警

3）非授权端口访问

非授权攻击的检测形式为判断目标是否存在于规则库中，对非授权端口攻击即根据报文解析出的端口，再到端口权限库中进行检索。

授权端口配置如图 5.22 所示，此处包括对目的设备的授权端口号及授权时间进行配置。

图 5.22　授权端口配置

非授权端口攻击告警如图 5.23 所示，此时设备 1 向设备 2 发起了非授权端口攻击。

实时攻击监测　　　　　　　　　　　　　　　　　统计

时间	攻击类型	源设备	源地址	目的设备	目的地址
2019-08-24 16:43:32 825:234:123	非授权端口访问	设备1	192.168.0.12	设备2	192.168.0.1

图 5.23　非授权端口攻击告警

4）非授权指令访问

支持对系统进行功能码白名单配置，不同功能码对应不同的操作指令，仅有白名单列表中的操作指令才具有通信权限，若监测发现白名单外的通信功能码，则判定为对应的非授权指令访问。

图 5.24 为对非授权指令攻击的检测配置，在该列表中，列出了各种工业控制协议所具有的全部操作指令类型，通过打勾的形式进行白名单配置，即勾选的操作指令为授权指令，未勾选的指令为非授权指令。

当系统检测到出现非授权的指令报文时，则触发非授权指令攻击告警。

图 5.24　非授权指令攻击的检测配置

5）工艺参数异常

网络安全态势在线监测分析与预警系统具备对工业控制协议的深度解析能力，可提取出报文中蕴含的工艺参数数据值，同时由用户根据实际系统的组态配置自定义地将工艺参数名称对应起来（如电压、电流等），为管理员查看实时工艺数据提供数据来源，同时作为数据源输入工艺参数解析模块、操作指令攻击检测模块进行解析。

图 5.25 为 S7 协议进行工艺参数提取所进行的配置界面，此处先自定义变量名称，再

配置该变量对应的设备、报文 DB 块位置、字节偏移等，并设置量纲和量程范围，即可完成提取规则配置。

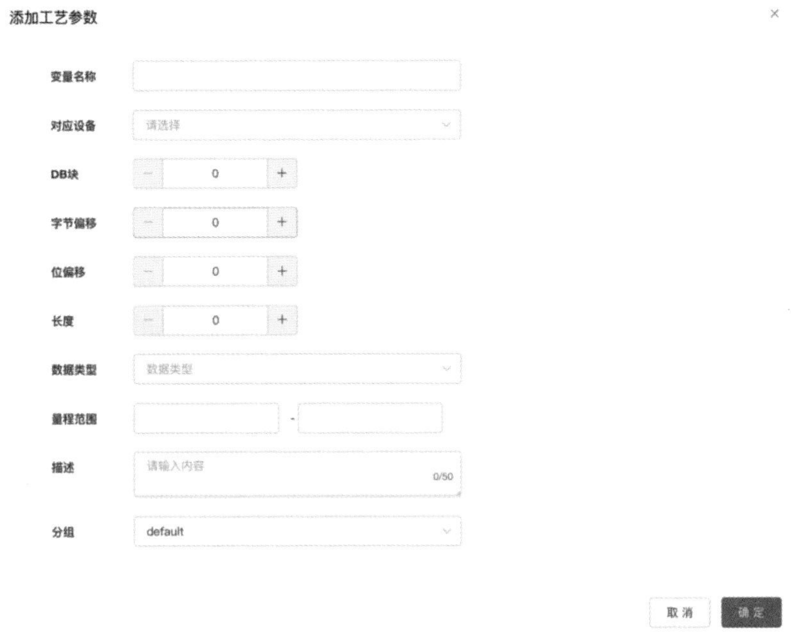

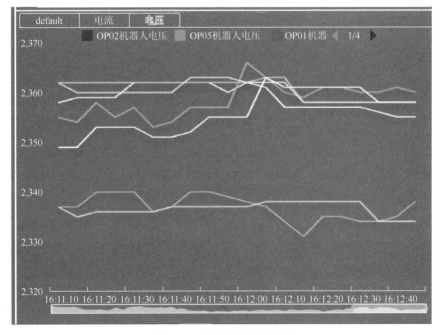

图 5.25 S7 协议进行工艺参数提取所进行的配置界面

如图 5.26 所示，解析出的机器人电压电流实时参数以折线图的形式实时刷新显示。

图 5.26 工艺参数解析结果

　　工艺参数提取完成后，还可对工艺参数进行关联性检测，以分析其安全性。模块通过解析用户配置的异常检测公式，采用四则运算符与逻辑运算符进行关联性分析。

　　工艺参数关联性异常包括三种情况。

　　（1）工艺参数数值超阈值，如电压不可超越 220V，可采用大于（＞）、小于（＜）等四则运算符进行判断。

　　（2）工艺参数之间的相关关系异常，如某管道中闸门 1 与闸门 2 不可同时打开，可采用与（&）、或（|）、非（!）等逻辑运算符进行判断。

　　（3）工艺参数之间的因果关系异常，如锅炉在密闭状态下，增加输入功率而炉温不上升甚至下降，可综合采用四则与逻辑运算符进行判断。

　　工艺参数异常检测与协议无关，只与用户配置的规则有关。当工艺参数满足用户配置的异常检测公式时，认为当前系统工艺参数存在异常，并进行报警。

　　图 5.27 为工艺参数关联性配置的界面，此时配置的规则为"闸门 2 与闸门 3 状态同时为 1（打开）"，即"闸门 2 && 闸门 3 == 1"。

图 5.27　工艺参数关联性配置的界面

　　6）工艺操作异常

　　网络安全态势在线监测分析与预警系统具备从工业控制协议报文中提取操作指令的能力，同时由用户根据实际系统的组态配置自定义地将所检测出的操作指令与实际动作进行映射（如开闸、关闸等），为管理员查看实时操作指令提供数据来源，同时将得到的操作指令作为数据源输入操作指令攻击检测模块进行解析。

　　实时操作的关联性分析主要在于当前工艺参数条件下，实时操作对应的控制行为是否影响系统安全，如当锅炉压力超限时发送加热指令等，也可以通过四则运算符与逻辑运算符组成的公式进行判断。

图 5.28 为实时操作的提取规则配置与关联性检测设置界面，该界面对 S7 协议条件下的工艺操作进行配置，首先自定义操作名称，再选择对应的 DB 块、字节偏移及位偏移，完成操作名称与操作数之间的映射。

随后编辑公式，选取其他工艺参数与解析出的操作进行逻辑运算，当运算结果满足时，即可判定实时操作异常。

图 5.28　实时操作的提取规则配置与关联性检测设置界面

7）代码读取攻击

工业控制网络中，若要读取控制器中代码，则必须使用工业控制协议中的代码上传功能能码，因此对代码读取攻击的识别，可通过该设备是否具有代码上传权限来实现。

图 5.29 为对某设备进行代码读取攻击配置的界面，为该设备添加了使用 S7 协议进行代码上传操作的权限，若其他设备使用 S7 协议进行代码读取操作，则触发代码读取攻击告警。

信任设备：

设备20190909093651567_2914 ×   ＋设备

操作指令：

☐ IEC104 >	☐ CPU服务
☐ Ethernet/IP >	☐ 建立通信
☐ Modbus >	☐ 读取值
☐ Profinet_IO >	☐ 写入值
☑ s7Comm >	☐ 程序调用服务
☐ MMS >	☐ 关闭PLC
☐ CC-Link >	☐ 请求下载
☐ OPC_UA >	☐ 下载块
☐ TE >	☐ 下载结束
☐ OPC_DA >	☐ 开始上传
☐ EtherCAT >	☑ 上传
☐ HSE >	☐ 上传结束
☐ PowerLink >	
☐ CAN >	
☐ IEC101	

图 5.29　对某设备进行代码读取攻击配置的界面

8）代码篡改攻击

代码篡改攻击的流程是，首先从控制器读取控制代码，对代码进行篡改后再重新注入控制器。对控制器的代码注入必须使用代码下载相关的报文功能码，因此，可以根据相关功能码进行权限设置来检测代码篡改攻击。

图 5.30 为在某西门子 S7 系统进行代码篡改攻击配置的界面，西门子 S7 的代码下载需要使用到"工程师命令调试""CPU 功能""NC 编程"等操作指令，为合法设备添加该指令白名单，则其他设备进行相关功能码操作时触发"代码篡改攻击"告警。

9）代码异常攻击

代码异常攻击检测器支持对控制器的代码状态进行检测，以识别代码异常攻击。可预存对应控制器合法控制代码的哈希值，并每隔一段时间（可自定义设置）从控制器中读取当前控制代码并进行哈希运算，与预存值进行匹配，若结果不符，则说明控制器代码异常，触发代码异常攻击。

10）配置篡改攻击

配置篡改攻击，即篡改控制器中的配置参数，需要通过写参数功能码进行操作。

图 5.31 为某基于 OPC UA 的系统进行配置篡改攻击配置界面，OPC UA 协议中的配

置修改需要使用"设置监控模式请求""设置监控模式响应""设置触发请求""设置触发响应"等四种操作指令,对可合法进行配置修改的设备设置白名单权限,则对于其他非法设备妄图修改配置参数时,会触发"配置篡改攻击"告警。

图 5.30　在某西门子 S7 系统进行代码篡改攻击配置的界面

图 5.31　某基于 OPC UA 的系统进行配置篡改攻击配置界面

11）数据篡改攻击

控制器设备的数据,通常存储于设备寄存器中,因此数据篡改攻击通过篡改寄存器数值实现。如图 5.32 所示,在某 Modbus 协议系统中,若要修改控制器数据,可以使用"写单个线圈""写单个寄存器""写多个线圈""写多个寄存器"等功能码,为合法的数据配置设备添加对应功能码的白名单权限,则其他设备意图篡改控制器数据时,会使用相关功能码,从而触发数据篡改告警。

12）嗅探攻击

工业控制系统中的控制器设备,常支持网络扫描与设备发现功能,便于系统联调和维护,此处用到基于工业控制协议的"设备扫描"功能码、特定格式的发现报文,或基于连接建立请求的端口、服务扫描。嗅探攻击常通过设备扫描发起,因此嗅探攻击的检测可从设备发现功能的权限配置来实现,如图 5.33 所示,可开启或关闭嗅探开关,当嗅探开关关闭时,若在网络中出现对该 PLC 进行扫描的通信报文,则触发嗅探攻击告警。

图 5.32　数据篡改攻击配置

图 5.33　嗅探攻击配置

参 考 文 献

[1]　王俊文. 未来工业互联网发展的技术需求[J]. 电信科学, 2019, 35（8）: 26-38.

[2]　Zhang J, Huang S, Wang Y J. Future internet: Trends and challenges[J]. Frontiers of Information Technology and Electronic Engineering, 2019（9）: 1185-1194.

[3]　工业互联网产业联盟. 工业互联网平台白皮书[EB/OL]. [2019-06-15]. https://www.ai-alliance.org.

[4]　蒋融融, 翁正秋, 陈铁明. 工业互联网平台及其安全技术发展[J]. 电信科学, 2020, 36（3）: 3-10.

[5]　王前. 网络安全态势感知研究[J]. 网络安全技术与应用, 2021（6）: 20-21.

[6]　工业互联网产业联盟. 工业互联网平台白皮书（2017）[R]. 北京: 中国信息通信研究院, 2017.

[7]　孙佳炜, 戴然, 阚沁怡, 等. 基于态势感知设备安全事件的主动防御技术应用[J]. 网络安全技术与应用, 2021（2）: 105-107.

[8]　U. S. Federal government. federal strategic plan for big data research and development[EB/OL]. [2016-11-15]. https://www.nitrd.gov.

[9]　王慧强，赖积保，朱亮，等. 网络态势感知系统研究综述[J]. 计算机科学，2006（10）：5-10.

[10]　樊佩茹，王冲华. 数据安全视角下工业互联网平台的攻击与防护[J]. 网络空间安全，2020，11（2）：75-80.

[11]　张彤，徐引进. 威胁诱捕感知系统设计与应用[J]. 电信工程技术与标准化，2019，32（12）：45-50.

[12]　黄长慧，胡光俊，李海威. 基于 URL 智能白名单的 Web 应用未知威胁阻断技术研究[J]. 信息网络安全，2021，21（3）：
　　　1-6.

[13]　Li Z，Kang J，Yu R，et al. Consortium blockchain for secure energy trading in industrial internet of things[J]. IEEE
　　　Transactions on Industrial Informatics，2017，14（8）：3690-3700.

[14]　美国国家标准与技术研究院. 工业控制系统安全指南[EB/OL]. [2015-07-15]. https://nvlpubs.nist.gov.

第6章　工业互联网安全测试

6.1　概　　述

现在一般从两方面提高工业互联网的安全性：一方面是提高工业控制系统的自身安全性，从设计阶段就采用安全性架构的理念，并落实在工业互联网的研发、部署、运行的各个阶段；另一方面是通过附加信息安全保障手段（如在系统中部署信息安全专用产品）在一定程度上弥补系统本身的安全漏洞[1]。由于工业互联网对高稳定性和高可用性的要求，通过附加信息安全保障的方式来提升系统安全性是目前最容易实现和被接受的方式。

目前使用相对比较广泛的工业互联网信息安全产品主要包括边界防护、审计监控和主机防护等类型。

边界防护类产品通常以串接方式工作，部署在工业控制以太网与企业管理网络之间、工厂的不同区域之间，或者控制层与现场设备层之间。通过一定的访问控制策略，对工业控制系统边界、工业控制系统内部区域边界进行保护。工业控制防火墙、工业控制隔离产品均属于边界防护类。由于这类产品以串接方式部署，同时具有阻断功能，产品的稳定可靠、功能安全要求较高，产品的异常将会对工业互联网的正常运行带来直接影响。

审计监控类产品通过镜像接口分析网络流量或者通过代理及设备的通用接口进行探测等方式开展工作，及时发现网络流量或设备的异常情况并告警，通常不会主动阻断通信。审计监控类产品主要包括工业控制审计产品、工业控制入侵检测产品、工业控制漏洞扫描及挖掘产品、工业控制安全管理平台等[2]。这类产品自身的故障不会直接影响工业互联网的正常运行，也更容易让用户接受。

主机安全产品可分为系统安全防护产品、文件安全防护产品和网络安全防护产品。系统安全防护产品保护操作系统，避免系统被破坏；文件安全防护产品保护主机上的数据，避免数据被窃取或者销毁；网络安全防护产品保护主机的门户，尽量避免恶意数据包进出主机网卡。这三个防护产品可提供一个全面的保护环境来保护主机安全，减小主机所面临的安全隐患。

工业互联网中会部署一定数量的主机设备，如工程师站、操作员站等。这些设备往往是工业控制系统的风险点，病毒的入侵、人为的误操作等威胁主要都是通过主机设备进入工业控制系统的。因此，这些主机有必要进行一定的防护。目前主要有两种针对主机设备的防护产品：一种为铠甲式防护产品，通过接管主机设备的鼠标键盘输入、USB等外围接口来保证主机的安全；另一种就是白名单产品，通过在主机上安装代理程序，只有可信的程序、进程才允许运行，防止恶意程序的侵入。

各类工业互联网安全产品进行大规模应用之前，应充分地考虑和评测其安全性，从源头保证物联网安全措施有效性、功能符合性、安全管理的全面性及给出安全防护评估。

在建设实施阶段，将所有的安全功能模块（产品）集成为一个完整的系统后，需要检查集成出的系统是否符合要求，测试并评估安全措施在整个系统中实施的有效性，跟踪安全保障机制并发现漏洞，完成系统的运行程序和安全生命期的安全风险评估报告。在运行维护阶段，要定期进行安全性检测和风险评估以保证系统的安全水平在运行期间不会下降，包括检查产品的升级和系统打补丁情况，检测系统的安全性能，检测新安全攻击、新威胁及其他与安全风险有关的因素，评估系统改动对安全系统造成的影响。

目前，国际上一些发达国家在工业互联网安全领域已经开展了一系列研究，如制定标准、指南及开发测试工具等。而国内在该领域的研究起步较晚，业内对工业安全事件带来的灾害认识不足，安全测试意识淡薄，同时，工业互联网信息安全相关的标准指南较少，缺乏操作性和实用性较强的测试系统。

在工业控制设备的风险分析及漏洞发现方面，欧美国家仍处于领先地位。ISA 安全兼容协会（ISA Security Compliance Institute，ISCI）推动的针对工业控制系统的 ISA Secure 安全认证测试与 IEC 62443 标准呼应，旨在帮助工业控制系统设备供应商和运营单位识别网络安全漏洞。

2017 年 3 月 7 日，由国家互联网应急中心（National Internet Emergency Response Center，CNCERT）主持研发的工业控制漏洞挖掘平台 Acheron 正式通过了 ISCI 的 ISA Secure CRT Tool 认证，并收到认证证书，成为国内首家获得该认证的机构[3]。目前全球仅有五款检测工具通过了其 CRT 工具认证，其他四款均为国外产品，其中包括最先发现心脏滴血漏洞的 Codenomicon Defensics 和被国外工业控制界广泛认可的检测工具 World Tech Achilles。Acheron 是一款面向工业控制领域的模糊测试平台，目前支持 50 余种通信协议（主要为工业控制协议），基本覆盖了主流工业控制领域，由 CNCERT 和北京信联科汇有限公司联合研制。Acheron 结合典型工业应用场景，支持 IO 控制信号实时监测、测试数据动态分析、自动化测试、随机化测试等多项实用功能，截至目前已累计发现 40 余个工业控制系统的漏洞。这将有助于我国工业控制安全领域与国际相关组织的对接和建立自主可控的工业控制安全认证体系。

当前，新一代信息通信技术正在全球范围内引发新一轮的产业变革，成为推动经济社会发展的重要力量。工业互联网作为我国战略性新兴产业的重要组成部分，正在进入深化应用的新阶段。工业互联网与传统产业、其他 IT 不断融合渗透，催生出新兴业态和新的应用，在加快经济发展方式转变、促进传统产业转型升级、服务社会民生方面正发挥越来越重要的作用。但如何保障更复杂、更大规模的工业互联网应用的成功部署和实施，是一个新的挑战。毫无疑问，测试技术将扮演关键角色。

测试可以对标准化的内容提供验证方法和手段，同时在测试工作中，不断发现和解决问题，有助于完善标准化体系，促进物联网产业链的发展。

6.1.1　安全测试目标

工业控制系统的信息安全威胁有多个方面，例如，工业控制协议本身未采取安全措施；明文传输或存在漏洞；工业控制系统长时间不间断运行导致操作系统、漏洞库等无法及时更新，易受病毒攻击感染；系统网络设计不完善，存在外部攻击通道；对外接口开放，存在安全隐患等[4]。为了应对以上安全威胁，工业互联网安全测试应实现以下目标。

（1）工业控制系统漏洞库。由于工业控制系统中通信协议的特殊性，传统的漏洞库并不适用于工业互联网安全测试领域，必须构建专门的工业控制系统漏洞库。

（2）漏洞扫描。依靠漏洞扫描引擎、检测规则的自动匹配，通过工业控制系统漏洞库，对被测工业控制系统中重要设备进行漏洞扫描及漏洞挖掘。

（3）防护能力。提取工业病毒行为特征，模拟攻击场景、攻击行为，测试和验证工业控制系统的防护能力。

（4）风险评估。依据安全测试标准或相关技术规范，按照严格程序对工业控制系统的安全保障能力进行综合测试评估，以帮助工业控制系统运行单位分析工业控制系统当前的安全运行状况、查找存在的安全问题，并提供安全改进建议，从而最大限度地降低工业控制系统的安全风险。

6.1.2　主要挑战

目前，工业互联网安全测试主要面临四大挑战。

（1）安全与应用测试的真实性。互联网时代的网络安全测试对应用和攻击仿真的真实性要求更高，但是，目前市场上的解决方案多是利用 PCAP 重放（即模拟）来进行的，这可能导致不正确的结果和错误的安全感知。

（2）安全网关测试标准。对于安全网关测试，若想让测试结果更加真实，那么行业就必须有一种开放式、标准化方法，以便对网络安全产品进行测试。

（3）物联网安全测试面临巨大风险。物联网安全包括五大攻击面：一是网络（服务、防火墙）；二是应用（身份验证、授权、输入验证）；三是设备硬件（物理安全）；四是移动（客户端数据存储、数据传输、API）；五是云（后端服务器、授权、更新安全性）。

（4）测试自动化。新架构使得 5G 网络面临新的复杂性挑战，这也使得测试变得越来越复杂。如果人工干预过多，就不能保证每次测试都能处于同等条件，也就无法得到准确的测试结果；如果编写成一个测试自动化脚本，用自动化脚本将测试流程串起来，能够节省大量测试成本、提高效率及准确率。

6.1.3　安全测试标准

工业互联网安全测试需要依据各种工业互联网安全标准。

1. 国外相关安全标准

《工业控制系统安全指南》（NIST SP—80082）主要由美国国家标准与技术研究院（National Institute of Standards and Technology，NIST）编制并推进，其目的是为 ICS 的安全保障提供指导意见。工业控制系统安全指南主要介绍了典型工业控制系统的关键组件和经典的网络拓扑结构，如 SCADA[5]、DCS、PLC 等。同时，工业控制系统安全指南详细介绍了工业控制系统中常见的威胁和潜在的脆弱性，并做了具体介绍。

该标准指出工业控制系统中资产主要包括计算机设备、网络安全防护设备、保障设备、各类支撑硬件系统的软件、系统内外的员工及系统在运行过程中产生的各类数据；工业控制系统面临的威胁源众多，如内部员工有意或无意的操作失误、黑客间谍的恶意入侵、不可预料的自然灾害、敌对势力或恐怖组织的战略性攻击；工业控制系统脆弱性主要分布在安全策略、实施程序、平台软硬件配置和网络通信几个方面。

2. 国内相关安全标准

1）等级保护 2.0 标准体系

（1）GB/T 22240—2008 标准概述。依据等级保护相关管理文件，从信息系统所承载的业务对国家安全、经济建设、社会生活中的重要作用和业务对信息系统的依赖程度这两方面出发，GB/T 22240—2008 标准提出确定信息系统安全保护等级的方法。《信息安全技术　信息系统安全等级保护定级指南》（GB/T 22240—2008）规定了信息系统安全等级保护的定级方法，适用于为信息系统安全等级保护的定级工作提供指导[6]。

（2）GB/T 25058—2019 标准概述。《信息安全技术　网络安全等级保护实施指南》（GB/T 25058—2019）规定了等级保护对象实施网络安全等级保护工作的过程，适用于指导网络安全等级保护工作的实施。

（3）GB/T 25070—2019 标准概述。《信息安全技术　网络安全等级保护安全设计技术要求》（GB/T 25070—2019）针对共性安全保护目标提出通用的安全设计技术要求，针对云计算、移动互联、物联网、工业控制和大数据等新技术、新应用领域的特殊安全保护目标提出特殊的安全设计技术要求。

GB/T 25070—2019 标准规定了网络安全等级保护第一级到第四级等级保护对象的安全设计技术要求，适用于指导运营使用单位、网络安全企业、网络安全服务机构开展网络安全等级保护安全技术方案的设计和实施，也可作为网络安全职能部门进行监督、检查和指导的依据。

（4）GB/T 22239—2019 标准概述。《信息安全技术　网络安全等级保护基本要求》（GB/T 22239—2019）针对共性安全保护需求提出安全通用要求，针对云计算、移动互联、物联网、工业控制和大数据等新技术、新应用领域的个性安全保护需求提出安全扩展要求，形成新的网络安全等级保护基本要求标准。

GB/T 22239—2019 标准规定了网络安全等级保护的第一级到第四级等级保护对象的安全通用要求和安全扩展要求，适用于指导分等级的非涉密对象的安全建设和监督管理。

（5）GB/T 36958—2018 标准概述。《信息安全技术　网络安全等级保护安全管理中心技术要求》（GB/T 36958—2018）从安全管理中心的功能、接口、自身安全等方面，对 GB/T 25070—2019 标准中提出的安全管理中心及其安全技术和机制进行了进一步规范，提出了通用的安全技术要求，指导安全厂商与用户依据 GB/T 36958—2018 标准要求设计和建设安全管理中心。为清晰地表示每一个安全级别比较低一级安全级别的安全技术要求的增加和增强，从第二级安全管理中心的技术要求开始，每一级新增部分用"黑体"表示。安全管理中心是对网络安全等级保护对象的安全策略及安全计算环境、安全区域边界和安全通信网络上的安全机制实施统一管理的平台或区域，是网络安全等级保护对象安全防御体系的重要组成部分，涉及系统管理、安全管理、审计管理等方面。

GB/T 36958—2018 标准规定了网络安全等级保护安全管理中心的技术要求，适用于指导安全厂商和运营使用单位依据本标准要求设计、建设和运营安全管理中心。

（6）GB/T 28448—2019 标准概述。《信息安全技术 网络安全等级保护测评要求》（GB/T 28448—2019）针对共性安全保护需求提出安全测评通用要求，针对云计算、移动互联、物联网和工业控制等新技术、新应用领域的个性安全保护需求提出安全测评扩展要求。

GB/T 28448—2019 标准规定了不同级别的等级保护对象的安全测评通用要求和安全测评扩展要求，适用于安全测评服务机构、等级保护对象的运营使用单位及主管部门对等级保护对象的安全状况进行安全测评并提供指南，也适用于网络安全职能部门进行网络安全等级保护监督检查时参考使用。

（7）GB/T 28449—2018 标准概述。《信息安全技术 网络安全等级保护测评过程指南》（GB/T 28449—2018）中的等级测评是测评机构依据 GB/T 22239—2019 及 GB/T 28448—2018 等标准，检测评估定级对象安全等级保护状况是否符合相应等级基本要求的过程，是落实网络安全等级保护制度的重要环节。在定级对象建设、整改时，定级对象运营、使用单位通过等级测评进行现状分析，确定系统的安全保护现状和存在的安全问题，并在此基础上确定系统的整改安全需求。在定级对象运维过程中，定级对象运营、使用单位定期对定级对象安全等级保护状况进行自查或委托测评机构开展等级测评，对信息安全管控能力进行考察和评价，从而判定定级对象是否具备 GB/T 22239—2019 标准中相应等级要求的安全保护能力。因此，等级测评活动所形成的等级测评报告是定级对象开展整改加固的重要依据，也是第三级以上定级对象备案的重要附件材料。等级测评结论为不符合或基本符合的定级对象，其运营、使用单位需根据等级测评报告，制定方案进行整改。

GB/T 28449—2018 标准规范了网络安全等级保护测评的工作过程，规定了测评活动及其工作任务，适用于测评机构、定级对象的主管部门及运营使用单位开展网络安全等级保护测试评价工作。

（8）GB/T 36627—2018 标准概述。网络安全等级保护相关的测评标准主要有 GB/T 22239—2019 标准、GB/T 28448—2019 标准和 GB/T 28449—2018 标准等。其中 GB/T 22239—2019 是网络安全等级保护测评的基础性标准，GB/T 28448—2019 标准针对 GB/T 22239—2019 标准中的要求，提出了不同网络安全等级的测评要求；GB/T 28449—2018 标准主要规定了网络安全等级保护测评工作的测评过程。

GB/T 36627—2018 标准与 GB/T 28448—2019 标准和 GB/T 28449—2018 标准的区别在于：GB/T 28448—2019 标准主要描述了针对各级等级保护对象单元测评的具体测评要求和测评流程，GB/T 28449—2018 标准则主要对网络安全等级保护测评的活动、工作任务及每项任务的输入/输出产品等提出指导性建议，不涉及测评中具体的测试方法和技术。GB/T 36627—2018 标准对网络安全等级保护测评中的相关测评技术进行明确的分类和定义，系统地归纳并阐述测评的技术方法，概述技术性安全测试和评估的要素，重点关注具体技术的实现功能、原则等，并提出建议供使用，因此 GB/T 36627—2018 标准在应用于网络安全等级保护测评时可以作为对 GB/T 28448—2019 标准和 GB/T 28449—2018 标准的补充。

（9）GB/T 36959—2018 标准概述。《中华人民共和国网络安全法》第二十一条规定，国家实行网络安全等级保护制度。等级保护制度推进工作的一个重要内容是对等级保护对象开展安全测评，通过测评掌握其安全状况，为整改建设和监督管理提供依据。开展安全测评应选择符合规定条件和相应能力的测评机构，并规范化其测评活动，通过专业化技术队伍建设，最终构建起网络安全等级保护测评体系。在此背景下，为确保有效指导测评机构的能力建设，满足等级保护工作要求，特制定《信息安全技术 网络安全等级保护测评机构能力要求和评估规范》（GB/T 36959—2018）。网络安全等级保护测评机构能力要求参考国际、国内测评与检验检测机构能力建设与评定的相关内容，结合网络安全等级保护测评工作的特点，对网络安全等级保护测评机构的组织管理能力、测评实施能力、设施和设备安全与保障能力、质量管理能力、规范性保证能力等提出基本能力要求，为规范网络安全等级保护测评机构的建设和管理及其能力评估工作提供依据。网络安全等级保护测评机构能力评估规范部分结合网络安全等级保护测评工作的特点，从委托受理、评估准备、文件审核、现场评估、整改验收到评估报告提交等整个评估过程提出了规范性要求。

GB/T 36959—2018 标准规定了网络安全等级保护测评机构的能力要求和评估规范，适用于拟成为或晋级为更高级网络安全等级保护测评机构的能力建设、运营管理和资格评定等活动。

2）工业控制系统相关标准

（1）GB/T 20984—2007 标准概述。

为了指导系统信息安全的评估工作，国务院信息化办公室提出了《信息安全评估规范》（GB/T 20984—2007）。该标准主要阐述了信息安全评估的定义、各评估要素关系和评估实施流程。信息安全评估的定义指出，信息安全评估就是利用科学的手段，全方位识别系统中的资产和安全措施，然后分析出系统中的脆弱性和脆弱点的存在而导致系统所面临的威胁。资产、安全措施、脆弱性、威胁相互作用，影响着整个系统的安全态势。

（2）GB/T 30976—2014 标准概述。

《工业控制系统信息安全》（GB/T 30976—2014）分为两个部分：第 1 部分（评估规范）和第 2 部分（验收规范）。

第 1 部分规定了工业控制系统（SCADA，DCS，PLC，PCS 等）信息安全评估的目标、评估的内容、实施过程等。第 1 部分适用于系统设计方、设备生产商、系统集成商、工程公司、用户、资产所有人及评估认证机构等对工业控制系统的信息安全进行评估时使用。

第 2 部分规定了对工业控制系统的信息安全解决方案的安全性进行验收的流程、测试内容、方法及应达到的要求。《工业控制系统信息安全》（GB/T 30976—2014）规定的工业控制系统的信息安全解决方案可以通过增加设备或系统来提高其安全性。第 2 部分的各项内容可以作为实际工作中的指导，适用于石油、化工、电力、核设施、交通、冶金、水处理、生产制造等行业使用的控制系统与设备。

（3）GB/T 32919—2016 标准概述。

《信息安全技术　工业控制系统安全控制应用指南》（GB/T 32919—2016）是针对各行业使用的工业控制系统给出的安全控制应用基本方法，是指导选择、裁剪、补偿和补充工业控制系统安全控制，形成适合组织需要的安全控制基线，以满足组织对工业控制系统安全需求，实现对工业控制系统进行适度、有效的风险控制管理。GB/T 32919—2016 标准适用于工业控制系统拥有者、使用者、设计实现者及信息安全管理部门，为工业控制系统信息安全设计、实现、整改工作提供指导，也为工业控制系统信息安全运行、风险评估和安全检查工作提供参考。GB/T 32919—2016 标准提供了可用于工业控制系统的安全控制列表，规约了工业控制系统的安全控制选择过程，以便构造工业控制系统的安全程序——一种概念层面上的安全解决方案。

GB/T 32919 2016 标准适用于：

①方便规约工业控制系统的安全功能需求，为安全设计（包括安全体系结构设计）和安全实现奠定有力的基础。

②指导工业控制系统安全整改中安全能力的调整和提高，以便能使工业控制系统保持持续安全性。

（4）GA/T 1390.5—2017 标准概述。

《信息安全技术　网络安全等级保护基本要求　第5部分：工业控制系统安全扩展要求》（GA/T 1390.5—2017）规定了不同安全保护等级工业控制系统的安全扩展要求，适用于批量控制、连续控制、离散控制等工业控制系统，为工业控制系统网络安全等级保护措施的设计、落实、测试、评估等提供指导要求。

（5）DB32/T 2289—2013 标准概述。《重点领域工业控制系统信息安全保护基本要求》（DB32/T 2289—2013）规定了重点领域工业控制系统信息安全保护的术语和定义、连接要求、组网要求、配置要求、设备选择与升级要求、数据要求、应急等基本要求。DB32/T 2289—2013 标准适用于重点领域工业控制系统的信息安全保护。

3）工业控制系统安全产品相关标准

（1）边界防护类产品标准。

《信息安全技术　工业控制系统专用防火墙技术要求》（GB/T 37933—2019）。

《信息安全技术　工业控制网络安全隔离与信息交换系统安全技术要求》（GB/T 37934—2019）。

（2）审计监控类产品标准。

《信息安全技术　工业控制系统网络审计产品安全技术要求》（GB/T 37941—2019）。

《信息安全技术　工业控制安全管理平台安全技术要求》（GA/T 1350—2017）。

《信息安全技术　工业控制系统入侵检测产品安全技术要求》（GA/T 1485—2018）。

（3）主机防护类产品检测条件。

由于标准的申报与编制需要一定的周期，市场出现了某些安全防护产品，检测中心则针对此类产品编制检测条件，并经专家团评审通过后，检验中心按检测条件来检测这些产品。主机防护类产品检测条件包括 ICS 主机安全防护与审计监控产品安全检测条件，文件加载执行控制产品安全检测条件。

（4）其他类产品标准。

《信息安全技术　工业控制系统产品信息安全通用评估准则》（GB/T 37962—2019），行标在编。

《信息安全技术　工业控制系统软件脆弱性扫描产品安全技术要求》（GA/T 1559—2019），行标在编。

《工业自动化和控制系统网络安全集散控制系统（DCS）》（GB/T 33009—2016）和《工业自动化和控制系统网络安全可编程序控制器（PLC）》（GB/T 33008—2016）等共同构成工业自动化和控制系统网络安全系列标准。《工业自动化和控制系统网络安全集散控制系统（DCS）》（GB/T 33009—2016）分为 4 个部分。

第 1 部分：防护要求。该部分规定了集散控制系统在运行和维护过程中应具备的安全能力、防护技术要求和安全防护区域的划分，并对过程监控层、现场控制层和现场设备层的防护要点、防护设备及防护技术提出了具体的要求。

第 2 部分：管理要求。该部分规定了集散控制系统网络安全管理体系及其相关安全管理要素的具体要求。

第 3 部分：评估指南。该部分规定了集散控制系统的安全风险评估等级划分、评估的对象及实施流程，以及安全措施有效性测试。

第 4 部分：风险与脆弱性检测要求。该部分规定了集散控制系统在投运前、后的风险和脆弱性检测，对集散控制系统软件、以太网网络通信协议与工业控制网络协议的风险与脆弱性检测提出具体的要求[7]。

《工业自动化和控制系统网络安全可编程序控制器（PLC）》（GB/T 33008—2016）已发布第 1 部分：系统要求。该部分规定了可编程序控制器（PLC）系统的网络安全要求，包括 PLC 直接或间接与其他系统通信的网络安全要求。

《信息安全技术　工业控制系统现场测控设备通用安全功能要求》（GB/T 36470—2018）规定了工业控制系统现场测控设备的用户标识与鉴别、使用控制、数据完整性、数据保密性、数据流限制、资源可用性 6 类通用的安全功能要求。GB/T 36470—2018 标准适用于指导设备的安全设计、开发、测试与评估。涉及设备功能实现原理、工业控制系统整体管理和运行及信息安全外围技术的内容不在 GB/T 36470—2018 标准范围之内。

6.2　安全测试指标体系

6.2.1　指标分类

在对国内外相关研究和标准进行分析的基础上，本节提出一套面向工业控制系统现场设备层、现场控制层和过程监控层的安全测试指标体系，指标体系涵盖了安全通信网络、安全区域边界、安全计算环境三个层面的安全要求。

典型工业控制系统结构如图 6.1 所示。通常工厂网络由 IT 网络和 OT 网络组成。本节讨论的工业控制系统定位在覆盖工厂 OT 层面的现场设备层、现场控制层和过程监控层。工业控制系统三层的主要功能说明如下所示。

过程监控层：以操作监视为主要任务，兼有部分管理功能。这一级是面向操作员和控制系统工程师的，因而这一级配备有技术手段齐备、功能强的计算机系统及各类外部装置，确保工程师和操作员对系统进行组态、监视和操作，对生产过程实行高级控制策略、故障诊断、质量评估；过程监控层可以部署未知威胁发现与跟踪溯源系统、安全态势感知系统等，对整个工业控制系统进行安全监控和管理。

现场控制层：采集过程数据，进行数据转换与处理；对生产过程进行监测和控制，输出控制信号，实现模拟量和开关量的控制；对 I/O 卡件进行诊断；与过程监控层等进行数据通信；现场控制层可以部署安全 PLC、安全 DCS、安全边界防护设备等，对边界安全提供必要的安全防护。

现场设备层：采集控制信号、执行控制命令，依照控制信号进行设备动作。现场设备层应提供设备身份合法性认证、数据源认证、加密解密、完整性校验等机制保证现场设备层的安全。

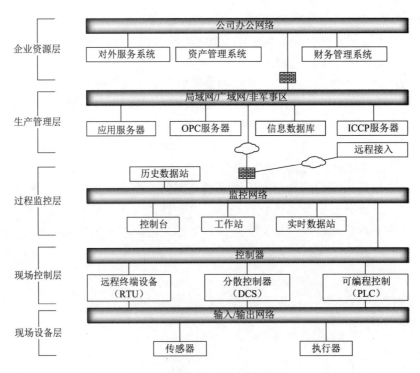

图 6.1 典型工业控制系统结构

根据相关指标所在的位置，参考 IEC 62443 工业网络安全标准及等保 2.0 信息安全标准体系，将安全测试指标进行如下分类：涉及计算实体（如软件、操作系统和数据库等）

的指标为计算环境指标。涉及边界防护实体（如 PLC、网关）的指标为区域边界指标。涉及网络通信的指标为通信网络指标，如图 6.2 所示。

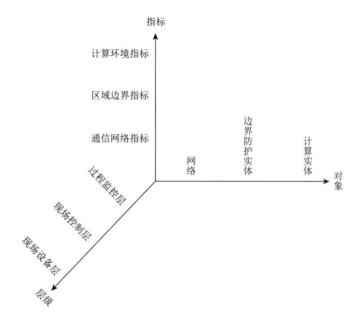

图 6.2　三维安全测试指标结构图

1. 通信网络指标

通信网络指标见表 6.1。

表 6.1　通信网络指标

一级指标	二级指标	指标描述
网络架构	硬件冗余	应采用冗余技术设计网络拓扑结构，避免关键节点存在单点故障；应提供主要网络设备、通信线路和数据处理系统的硬件冗余，保证系统的高可用性
	网络分区	控制系统网络能与非控制系统网络进行逻辑分区；关键控制系统网络能与其他控制系统网络进行逻辑分区；关键网络与其他控制系统网络实现逻辑隔离和物理隔离；重要网段应采取技术手段防止地址欺骗
通信传输	通信保密性	在通信双方建立连接之前，系统应利用密码技术进行会话初始化验证；应对通信过程中的整个报文或会话过程进行加密
	通信完整性	控制系统能在信息传输时保护其完整性
资源可用性	恢复和重构	当遭受攻击而造成网络中断或故障时，系统应提供恢复和重构到已知的安全状态的能力

2. 区域边界指标

区域边界指标见表 6.2。

表 6.2　区域边界指标

一级指标	二级指标	指标描述
身份鉴别	用户的标识和认证	对登录网络设备的用户进行身份鉴别； 主要网络设备应对同一用户选择两种或两种以上组合的鉴别技术来进行身份鉴别
	唯一标识和认证	网络设备用户的标识应唯一
	口令认证	身份鉴别信息应具有不易被冒用的特点，口令应有复杂度要求并定期更换，限制口令有效期
	限制登录地址	对网络设备的管理员登录地址进行限制
	登录失败处理	具有登录失败处理功能，可采取结束会话、限制非法登录次数和当网络登录连接超时自动退出等措施
	信息内容过滤	应对进出网络的信息内容进行过滤，实现对应用层 HTTP、FTP、TELNET、SMTP、POP3 等协议命令级的控制
	远程管理的机密性保护	当对网络设备进行远程管理时，应采取必要措施防止鉴别信息在网络传输过程中被窃听
	入侵防范	应在网络边界处监视以下攻击行为：端口扫描、强力攻击、木马后门攻击、拒绝服务攻击、缓冲区溢出攻击、IP 碎片攻击和网络蠕虫病毒攻击等；当检测到攻击行为时，记录攻击源 IP、攻击类型、攻击目的、攻击时间，在发生严重入侵事件时应提供告警
	无线访问管理	合法用户标识符能在无线访问接口上被认证；无效用户标识符在无线访问接口上被拒绝
访问控制	授权执行	应按用户和系统之间的允许访问规则，决定允许或拒绝用户对受控系统进行资源访问；实现设备特权用户的权限分离
	无线使用控制	能授权、监视和限制对控制系统的无线访问；能使用适当的认证机制保护无线访问
	移动存储接口管理	能限制移动存储接口的使用
	会话锁	会话期间无活动超过配置的超时周期后，会话锁超时被启动；仅当同一个授权个人用户或角色或者主管人员成功完成重新认证流程之后，会话锁才被移除
	远程会话终止	可配置的超时周期内无活动后，远程会话被终止；发起会话的用户可以手动终止远程会话
	并发连接控制	对任意给定用户，系统应提供限制每个接口的并发连接的数目的功能
系统完整性	恶意代码防范	应在网络边界处对恶意代码进行检测和清除；应维护恶意代码库的升级和检测系统的更新
	边界完整性检查	应能够对非授权设备私自连到内部网络的行为进行检查，准确地定出位置，并对其进行有效阻断；应能够对内部网络用户私自连到外部网络的行为进行检查，准确地定出位置，并对其进行有效阻断
安全审计	可审计的事件	应对网络系统中的网络设备运行状况、网络流量、用户行为等进行日志记录；审计记录包括事件的日期和时间、用户、事件类型、事件是否成功及其他与审计相关的信息；应能够根据记录数据进行分析，并生成审计报表
	审计信息保护	应对审计记录进行保护，避免受到未预期的删除、修改或覆盖等
	审计失败响应	在审计流程失败时，应向人员告警并防止技术服务和功能丢失；当审计流程失败时，应覆盖最老的审计记录和停止生成审计记录

3. 计算环境指标

计算环境指标见表 6.3。

表 6.3　计算环境指标

一级指标	二级指标	指标描述
身份鉴别 身份鉴别	用户的标识和认证	应对登录操作系统和数据库系统的用户进行身份标识与鉴别;应采用两种或两种以上组合的鉴别技术对管理用户进行身份鉴别
	唯一标识和认证	应为操作系统和数据库系统的不同用户分配不同的用户名,确保用户名具有唯一性
	口令认证	应限制用户口令的有效期,并限制用户在更改口令时使用重复口令;应具备用户弱口令周期自动检测告警功能;操作系统和数据库系统对用户身份标识的管理应具有不易被冒用的特点,口令应有复杂度要求并定期更换
	限制登录地址	依据 IP 地址、MAC 地址等属性对连接服务器的客户端工作站进行限制
	登录失败处理	应启用登录失败处理功能,可采取结束会话、限制非法登录次数和自动退出等措施
	远程管理的机密性保护	当对服务器进行远程管理时,应采取必要措施,防止鉴别信息在网络传输过程中被窃听
访问控制	账号管理	应及时删除多余的、过期的账户,避免共享账户的存在
	入侵防范	应能够检测到对重要服务器进行入侵的行为,能够记录入侵的源 IP、攻击的类型、攻击的目的、攻击的时间,并在发生严重入侵事件时提供告警
	授权执行	应根据管理用户的角色分配权限,实现管理用户的权限分离,仅授予管理用户所需的最小权限;应实现操作系统和数据库系统特权用户的权限分离;应由授权主体配置访问控制策略,并严格限制默认账户的访问权限
	资源控制	应对重要服务器进行监视,包括监视服务器的 CPU、硬盘、内存、网络等资源的使用情况;应能够对系统的服务水平降低到预先规定的最小值进行检测和告警;应能够对一个访问账户或一个请求进程占用的资源分配最大限额和最小限额;应提供服务优先级设定功能,并在安装后根据安全策略设定访问账户或请求进程的优先级,根据优先级分配系统资源
	移动存储接口管理	能限制移动存储接口的使用
系统 保密性	数据保密性	应采用加密或其他保护措施实现系统管理数据、鉴别信息和重要业务数据存储保密性
	信息保密性	应对重要信息资源设置敏感标记;对敏感信息的访问和传输进行控制,以防止窃听和篡改
	剩余信息保护	应保证操作系统和数据库系统用户的鉴别信息所存储空间在被释放或再分配给其他用户前得到完全清除,无论这些信息是存放在硬盘上还是在内存中
	密码的使用	识别工业实践普遍接受的密码算法、密钥长度和机制;验证控制系统支持上述某些密码算法、密钥长度和机制
系统 完整性	恶意代码防范	应安装防恶意代码软件,并及时更新防恶意代码软件版本和恶意代码库;主机防恶意代码产品应具有与网络防恶意代码产品不同的恶意代码库;应支持防恶意代码的统一管理;应具备软件进程、服务和服务端口白名单功能;检查是否不包含使用管理员权限的资源访问代码;检查是否支持软件执行程序校验机制
	数据完整性	应能够检测到系统管理数据、鉴别信息和重要业务数据在存储过程中完整性受到破坏,并在检测到完整性错误时采取必要的恢复措施;能提供保护软件和信息完整性的机制
安全审计	可审计的事件	审计范围应覆盖到服务器和重要客户端上的每个操作系统用户与数据库用户;审计内容应包括重要用户行为、系统资源的异常使用和重要系统命令的使用等系统内重要的安全相关事件;审计记录应包括事件的日期、时间、类型、主体标识、客体标识和结果等;应能够根据记录数据进行分析,并生成审计报表
	审计保护	应保护审计进程,避免受到未预期的中断;应保护审计记录,避免受到未预期的删除、修改或覆盖等
	时间戳	提供时间戳用于生成审计记录;提供可配置的频率用于同步内部系统时钟
资源 可用性	最小功能化	操作系统应遵循最小安装的原则,仅安装需要的组件和应用程序,并通过设置升级服务器等方式保持系统补丁及时得到更新;明确禁止和/或限制对非必要的功能、端口、协议和/或服务的使用

续表

一级指标	二级指标	指标描述
资源 可用性	软件容错	应提供数据有效性检验功能，保证通过人机接口输入或通过通信接口输入的数据格式或长度符合系统设定要求；应提供自动保护功能，当故障发生时自动保护当前所有状态，保证系统能够进行恢复
	备份与恢复	应提供本地数据备份与恢复功能，至少每天一次完全数据备份，在场外存放备份介质；应提供异地数据备份功能，利用通信网络将关键数据定时批量传送至备用场地；当遭受攻击而造成系统中断或故障时，系统应提供恢复和重构到已知的安全状态的能力

6.2.2　工业控制系统安全测试指标体系

根据安全测试指标，本书提出了一套针对工业控制系统现场设备层、现场控制层和过程监控层的安全测试指标体系。

1. 过程监控层

1）安全通信网络指标

工业控制系统过程监控层安全通信网络层面有 3 个一级指标，在 3 个一级指标下，分 5 个二级指标，见图 6.3。

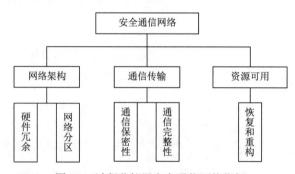

图 6.3　过程监控层安全通信网络指标

2）安全区域边界指标

工业控制系统过程监控层安全区域边界层面有 4 个一级指标，在 4 个一级指标下，分 20 个二级指标，见图 6.4。

3）安全计算环境指标

工业控制系统过程监控层安全计算环境层面有 6 个一级指标，在 6 个一级指标下，分 23 个二级指标，见图 6.5。

2. 现场控制层

1）安全通信网络指标

工业控制系统现场控制层安全通信网络层面有 3 个一级指标，在 3 个一级指标下，分 5 个二级指标，见图 6.6。

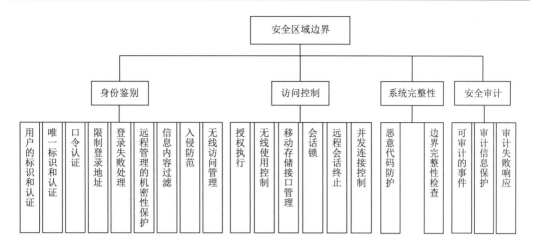

图 6.4 过程监控层安全区域边界指标

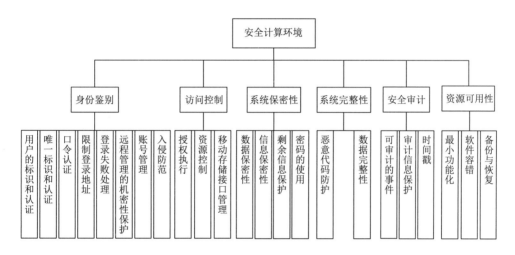

图 6.5 过程监控层安全计算环境指标

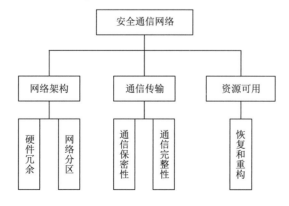

图 6.6 现场控制层安全通信网络指标

2）安全区域边界指标

工业控制系统现场控制层安全区域边界层面有 4 个一级指标，在 4 个一级指标下，分 14 个二级指标，见图 6.7。

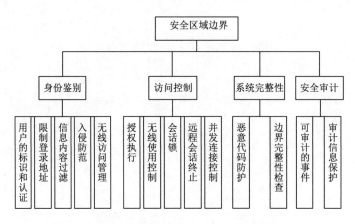

图 6.7　现场控制层安全区域边界指标

3）安全计算环境指标

工业控制系统现场控制层安全计算环境层面有 6 个一级指标，在 6 个一级指标下，分 23 个二级指标，见图 6.8。

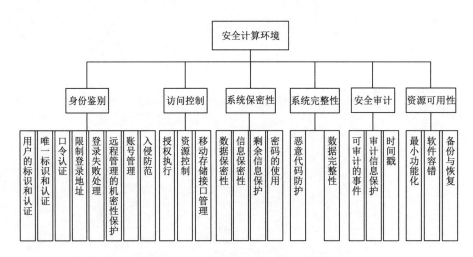

图 6.8　现场控制层安全计算环境指标

3. 现场设备层

1）安全通信网络指标

工业控制系统现场设备层安全通信网络层面有 3 个一级指标，在 3 个一级指标下，分 5 个二级指标，见图 6.9。

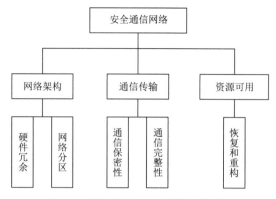

图 6.9　现场设备层安全通信网络指标

2）安全区域边界指标

工业控制系统现场设备层安全区域边界层面有 2 个一级指标，在 2 个一级指标下，分 3 个二级指标，见图 6.10。

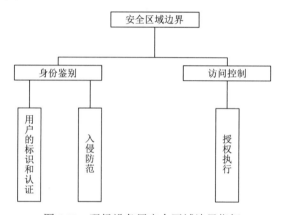

图 6.10　现场设备层安全区域边界指标

3）安全计算环境指标

工业控制系统现场设备层安全计算环境层面有 3 个一级指标，在 4 个一级指标下，分 7 个二级指标，见图 6.11。

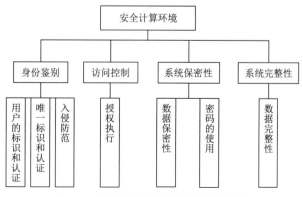

图 6.11　现场设备层安全计算环境指标

6.3　测　试　方　法

6.3.1　常规测试方法

按照测试的对象组成，工业控制系统网络安全测试方法可以分为组件测试、集成测试及系统测试。验证测试应该在组件测试阶段实现，确认测试应该在系统测试阶段实现。

（1）组件测试中组件可以是软件、硬件或任何组合情况。组件需要被测试以验证其满足特定的操作和安全要求。组件测试是正常的工作台测试，需要保证当组件集成到系统中时，每个组件都能按预期运行。

（2）集成测试包括来自不同供应商的各种组件的操作和安全测试，这些组件和工作台或辅助测试平台相连接，来检查所有的组件在投入 ICS 环境之前是否能一起正常地工作。

（3）系统测试的目的是证明合适的技术、流程、细致的管理、运营和技术对策使得 ICS 能正确完成，以及在应用中是有效的，并确保新的安全对策，如采购和安装，能够满足要求。系统测试包括系统的渗透测试来保证安全组件的能力，从而保护系统免受各种威胁满足每个区域的安全等级。渗透测试是一项在计算机系统上进行的授权模拟攻击，旨在对其安全性进行评估和证明网络防御按照预期计划正常运行而提供的一种机制。

工业控制系统网络安全测试按照测试的内容可以分为符合性测试和攻击性测试。

符合性测试重点考察测试对象功能是否满足功能需求，并查找测试对象中的功能缺陷，从而尽可能多地排除缺陷，提高测试对象质量。

攻击性测试是在测试中使用一些攻击手段来揭露测试对象设计和开发中的错误。设计手工的、探索性的攻击手段，并通过攻击的办法对测试对象进行测试，以达到发现测试对象中缺陷的目的，检验测试对象是否符合安全需求。

6.3.2　渗透测试

渗透测试是通过安全专家手工测试和使用黑盒漏洞扫描器相结合的方式完成的。在渗透测试中，应用程序或系统是在类似于来自恶意第三方的实际攻击的设置中从外部进行测试的。这意味着，在大多数设置中，执行测试的实体可能只有关于被测试系统的有限信息，并且只能与系统的公共接口进行交互。因此，这种方法有一个强制性的先决条件，即应用程序的功能必须要完整及具有足够的数据支撑，以便可以在测试执行过程中实现所有的工作流。渗透测试通常用于对网络通信开放的应用程序。NIST 发布的《信息安全测试与评估技术指南》将渗透测试过程划分为四个不同的阶段。

（1）计划。为测试定义和记录重要的约束条件与边界。例如，确定被测应用程序的相关组件，以及将要进行的测试的性质、范围及其入侵级别。

（2）分析。首先，系统地发现和枚举被测系统的所有可访问的外部接口。这组接口构成了系统的初始攻击面。其次,进行漏洞分析,其中标识了与接口匹配的适用漏洞类型。在商业渗透测试中,这个阶段还包括测试应用程序是否容易受到预先编译的漏洞数据库中包含的公开文档漏洞的影响。

(3)攻击。通过一系列攻击对标识的接口进行测试。在这些攻击中,测试人员会主动发送攻击来破坏系统。如果成功,所发现的安全漏洞将被利用,以获得关于系统的进一步信息,扩大测试人员的访问权限,并找到进一步的系统组件,这些组件可能会公开额外的接口。这个扩展的攻击面被反馈到分析阶段,以进行下一步的处理。

(4)报告。该阶段与渗透测试的其他三个阶段同时进行,并记录所有的信息。

6.3.3 测试对象

工业控制系统安全测试对象种类主要包括以下对象。

过程监控层的测试对象包括过程监控层网络、过程监控层的设备及软件。设备包括(但不限于)防病毒网关、防火墙、交换机、路由器、隔离部件、未知威胁主动发现与跟踪溯源系统、安全态势感知系统及各类服务器的计算机等,软件包括操作系统、数据库、控制类软件及其数据等。

现场控制层的测试对象包括(但不限于)现场控制层网络、现场控制层的工业控制系统控制设备、控制器软件及其数据。

现场设备层的测试对象包括(但不限于)现场设备层的有线网络、现场设备及其数据和现场设备无线网络、现场设备及其数据。

6.4 方 案 实 例

6.4.1 一种基于安全等级的传感网安全测评系统

1. 背景

随着传感器技术和无线网络技术的飞速发展,传感网作为新兴的下一代传感网,具有广阔的应用前景,是目前非常活跃的一个领域[8-11]。传感网在节点数量、节点组成、组网方式、应用领域等方面明显区别于因特网、移动自组网等传统网络形式,具有鲜明的特点,目前已成为研究人员和产业界关注的热点领域。传感网技术作为当前信息领域的研究热点及物联网的关键技术之一,在国防军事、环境监测、交通管理、医疗健康,工商服务等领域都有广泛的发展前景。

随着物联网技术的发展,无线传感器网络技术得到了广泛的应用,其安全性也得到很大关注,网络安全性能决定了应用的可实施性[12]。安全服务在传感网中有着不可估量的作用,是传感网的一道天然屏障。传感网中加入网络的设备对整个网络的运行有着至关重要的影响,如果不安全设备加入网络,不仅影响网络的运行,还会严重影响网络的安全性。所以,设备自身的安全性必须有一定的要求。因此,对传感网是否部署了安全服务及抗攻击能力进行测试，对网络设备是否具有安全通信能力进行测试，是传感网实现安全应用的基础。根据相关标准，如 IEEE 802.15.4、WIA-PA、ISA100、传感网安全通用标准等[13]，对传感网实施安全功能的实现步骤和实现方式进行有效一致性测试，是传感网相关安全服务和安全应用能够实现互操作与互联互通的基础。同时，传统的安全测评系统是从网络的整体角度考虑安全性，对在网设备自身的安全性没有做定性的评估，不能保证设备的加入是否会影响网络的安全运行。如果具有一定安全性的设备加入网络，不但可以提高设备运行的安全性，也能提高整个网络的安全性。因此，本节设计一种传感网测试方法及系统，包括安全功能和安全一致性测试两种测试方法，实现对传感网的安全测试，为其应用实施提供可靠的安全保障。此外，从设备的功能测试结果和安全等级的角度评估设备的安全性，同时对系统的安全性做出评价。

2. 技术方案

无线传感网的安全测试平台包括安全测评服务器和设置于待测传感网络端的安全测试执行系统，安全测评服务器包括 SICS 安全实现一致性声明设计模块和综合安全评估模块；SICS 安全实现一致性声明设计模块包括安全等级处理模块、案例集选取策略库、可选案例集库和安全功能测试套模块；综合安全评估模块包括安全等级评估模块、安全功能测试结果分析模块、安全等级分析报告和规范一致性分析报告；当测试待测传感网时，测试端一侧将设备的安全等级传输给安全等级处理模块及案例集选取策略库，测试端另一侧将设备的设备类型传输给案例集选取策略库；安全等级处理模块（2-1）根据安全等级得到安全等级划分要素集 G 和标准等级强度集 T，将得到的安全等级划分要素集 G 和标准等级强度集 T 发送给综合安全评估模块（3）的安全等级评估模块（3-1）。图 6.12 为安全测试系统结构图。

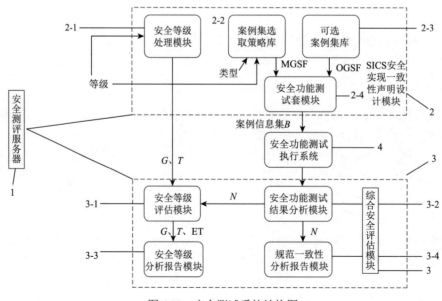

图 6.12　安全测试系统结构图

案例集选取策略库存储策略结构图，其根据测试端发送来的安全等级和设备类型构造必测案例集 MGSF，并将必测案例集 MGSF 发送给安全功能测试套模块；安全功能测试套模块根据可选案例集库的可选案例集 OGSF 和案例集选取策略库发送的必测案例集 MGSF 构造测试案例集 S，其中 $S = \{\text{MGSF} + \text{OGSF}\}$，然后将测试案例集 S 转化为案例信息集 B，其中 $B = \{M_1, M_2, \cdots, M_n\}$，并将所述案例信息集 B 发送给安全功能测试执行系统（4），所述安全功能测试执行系统（4）根据案例信息集 B 对设备进行测试得到设备的测试响应集，并将设备的测试响应集转发给安全功能测试结果分析模块（3-2）进行分析，形成测试结果集 N，安全等级评估模块以安全等级处理模块发送来的安全等级划分要素集 G、标准等级强度集 T 和安全功能测试结果分析模块的输出集 N 作为输入，计算出测试等级强度集 ET。并将安全等级划分要素集 G、标准等级强度集 T 和测试等级强度集 ET 发送给安全等级分析报告模块（3-3）生成设备安全等级报告，包括设备安全等级的测试值；安全功能测试结果分析模块还将测试结果集 N 发送给规范一致性分析报告模块，当测试结果集 N 的测试结果为 1 时表示测试成功，则符合一致性规范，当测试结果为 0 时表示测试失败，则不符合一致性规范。进一步地，安全功能测试套模块包括必测案例集 MGSF 和可选案例集 OGSF，其中必测案例集 MGSF 包括测试组 G_0 和安全等级划分要素集对应的测试组 $G_1 \sim G_{10}$，用测试案例集 GSF 来表示必测案例集 MGSF 和可选案例集 OGSF，GSF_n 代表第 n 个测试案例号，每个测试案例对应一个测试命令 CMD_n 和测试期望响应 RP_n，则每个测试案例对应的信息集 $M_n = \{\text{GSF}_n, \text{CMD}_n, \text{RP}_n\}$。进一步地，所述安全等级划分要素集 $G = \{G_1, G_2, \cdots, G_{10}\}$，对应安全等级划分要素 G_i，其中 $1 \leqslant i \leqslant 10$ 且为整数，标准等级强度集 $T = \{T_1, T_2, \cdots, T_{10}\}$，$T_i$ 为安全等级，表示安全等级划分要素 G_i 需要满足的强度，$0 \leqslant T_i \leqslant 5$，$T_i$ 为整数。进一步地，所述设备类型包括网关 Gateway、路由器 Router、终端设备 End Device，安全等级划分要素集 G 包括数据完整性 G_1、数据保密性 G_2、数据新鲜性 G_3、密钥管理 G_4、数据鉴别 G_5、敏感标记 G_6、自主访问控制 G_7、强制访问控制 G_8、用户身份鉴别 G_9 及节点鉴别 G_{10}。

平台特征包括安全测评服务器（1）和设置于待测传感网络端的安全功能测试执行系统（4）；安全测评服务器（1）包括 SICS 安全实现一致性声明设计模块（2）和综合安全评估模块（3），其中 SICS 安全实现一致性声明设计模块（2）包括安全等级处理模块（2-1）、案例集选取策略库（2-2）、可选案例集库（2-3）和安全功能测试套模块（2-4）。

综合安全评估模块（3）包括安全等级评估模块（3-1）、安全功能测试结果分析模块（3-2）、安全等级分析报告模块（3-3）和规范一致性分析报告模块（3-4）。

当测试待测传感网时，测试端一侧将设备的安全等级传给安全等级处理模块（2-1）及案例集选取策略库（2-2），测试端另一侧将设备的设备类型传输给案例集选取策略库（2-2）；其中安全等级处理模块（2-1）根据安全等级得到安全等级划分要素集 G 和标准等级强度集 T，将得到的安全等级划分要素集 G 和标准等级强度集 T 发送给综合安全评估模块（3）的安全等级评估模块（3-1）。

案例集选取策略库（2-2）根据收到测试端发送来的安全等级和设备类型来构造必

测案例集 MGSF，并将必测案例集 MGSF 发送给安全功能测试套模块（2-4）；安全功能测试套模块（2-4）根据可选案例集库（2-3）的可选案例集 OGSF 和案例集选取策略库（2-2）发送的必测案例集 MGSF 构造测试案例集 S，其中 $S = \{MGSF + OGSF\}$，然后将测试案例集 S 转化为案例信息集 B，其中 $B = \{M_1, M_2, \cdots, M_n\}$，并将所述案例信息集 B 发送给安全功能测试执行系统（4），安全功能测试执行系统（4）根据案例信息集 B 对设备进行测试得到设备的测试响应集合，并将设备的测试响应集转发给安全功能测试结果分析模块（3-2）进行分析，形成测试结果集 N，根据安全功能测试套的对应关系将 N 中案例的测试结果分别对应到 G 中的 G_i，由此对 G_i 的案例结果进行量化并计算出测试等级强度集 ET_i。并将安全等级划分要素集 G、标准等级强度集 T 和测试等级强度集 ET 发送给安全等级分析报告模块（3-3）生成设备安全等级报告，设备安全等级报告包括设备安全等级的测试值；安全功能测试结果分析模块（3-2）还将测试结果 N 发送给规范一致性分析报告模块（3-4），当测试结果 N 的测试结果为 1 时表示测试成功，则符合一致性规范，当测试结果为 0 时表示测试失败，则不符合一致性规范。

安全功能测试方法可分为以下两种情况。

第一种：通过标准测试设备激发被测设备，对被测设备的安全功能（入网认证、数据加密、访问控制、密钥管理等）进行测试，步骤如图 6.13 所示。

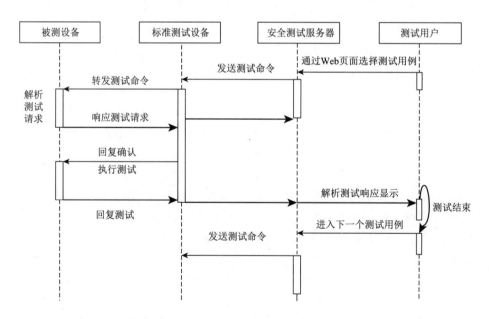

图 6.13　安全功能测试方法流程示意图

第一种安全测试具体特征如下所示。

（1）测试准备阶段：对系统设备进行配置，启动系统并形成传感网，协调器为路由器和节点分配短地址后，进入待测试状态。标准测试设备根据被测设备的类型配置成不同的角色，若被测设备为终端设备，则标准测试设备配置为路由器；若被测设备为路由器，则标准测试设备配置为协调器。

测试用户通过测试客户端选择安全测试用例集，安全测试服务器接收并处理测试用例集信息。

（2）测试启动和进行阶段：安全测试服务器向标准测试设备发送测试命令，测试命令格式如表 6.4 所示。

表 6.4　测试命令格式

报文头	命令长度	短地址	标识符
2 byte	1 byte	2 byte	1 byte

标准测试设备接到测试命令后，根据命令中的短地址向分配该短地址被测设备发送测试请求命令；被测设备构造解析测试函数，解析测试请求命令，同时构造测试响应请求函数，向标准测试设备发送测试响应请求，响应命令格式如表 6.5 所示。

表 6.5　响应命令格式

报文头	命令长度	短地址	标识符	结果标志位
2 byte	1 byte	2 byte	1 byte	1 byte

响应请求中包括设备短地址，目的是实现标准测试设备与被测设备之间的面向对象交互；标准测试设备接收到测试响应请求后，下发安全测试命令，并回复被测设备确认测试命令；被测设备收到确认命令后，分析测试命令的标识符，执行标识符对应的安全功能测试用例。被测设备具有所要测试的安全功能，则给测试设备回复一个正响应命令；被测设备不具有所要测试的安全功能，就会给测试设备回复一个负响应命令。

执行测试的判定条件：密钥管理、入网认证、访问控制及数据加密。

测试设备转发接收到的测试响应命令给安全测试服务器，安全测试服务器解析测试响应命令，结果标志位为 01 则测试客户端显示测试成功，00 则显示测试失败。

第二种：通过全信道安全分析仪和攻击节点对网络提供的安全功能是否具有抗攻击性进行测试。安全功能在系统实现的过程中对系统的性能影响进行测试，通过全信道安全分析仪测试传感网的抗攻击性，利用系统的抗攻击性分析安全功能对系统性能的影响。在安全功能部分测试的同时进行对系统的性能影响测试。全信道安全分析仪采集未受攻击的网络数据包并发送至上位机，上位机分析丢包率（V_{packet}）、能耗（J_{energy}）、传输时延（T_{delay}）和网络带宽占用率（B_{band}）性能参数；另外，全信道安全分析仪采集遭受不同类型攻击后的网络数据包，分析丢包率（V'_{packet}）、能耗（J'_{energy}）、传输时延（T'_{delay}）和网络带宽占用率（B'_{band}）性能参数；上位机通过分析对比两次采集的数据包来确定系统是否具有抗攻击性，具体如下所示。

（1）测试准备阶段：对攻击节点和被测设备进行配置，并启动形成传感网，进入待测试状态。

（2）测试启动和进行阶段：未启动攻击节点，用全信道安全分析仪抓取网络的数据包，根据数据包中的信标帧、数据帧、命令帧和确认帧获得系统的性能参数 [丢包率（V_{packet}）、能耗（J_{energy}）、传输时延（T_{delay}）和网络带宽占用率（B_{band}）]。

启动攻击节点，用全信道安全分析仪抓取网络的数据包，获得网络受攻击后的上述性能参数：丢包率（V'_{packet}）、能耗（J'_{energy}）、传输时延（T'_{delay}）、网络带宽占用率（B'_{band}）。然后分别计算网络受攻击前后性能参数的差值。表 6.6 为测试结果和分析阶段。

表 6.6　测试结果和分析阶段

参数	状态	泛洪攻击	重放攻击	DoS 攻击
V	上升		√	
J	上升	√		√
T	上升	√	√	
B	上升	√	√	√

√：表示攻击的存在性。例如：如果 V 上升，则表示出现的攻击类型为重放攻击。最优攻击阈值可为 5%。

根据公式 $S=$ 参数差值/未启动攻击的初值计算参数百分比 S：

$$S_V=\frac{V}{V_{packet}}，\quad S_J=\frac{J}{J_{energy}}，\quad S_T=\frac{T}{T_{delay}}，\quad S_B=\frac{B}{B_{band}}$$

若 S_V、S_J、S_T、S_B 中有两个或两个以上的性能参数百分比大于等于阈值，则标识网络的抗攻击能力弱，反之则代表网络具有较强的抗攻击性。

本案例安全一致性测试的方法如下所示。

（1）测试准备阶段：被测机构选择被测设备符合的安全标准，测试机构根据标准配置标准测试设备，并在测试客户端编辑测试命令集和判定依据，包括测试步骤命令和测试步判决条件，启动设备进入待测试状态。测试步是对被测设备安全功能实现的每一个步骤进行测试，验证安全功能实现过程是否与所选择标准安全实现过程一致。每一个测试步都通过测试步骤命令和测试步响应实现，测试步骤之间相互依赖，后一个测试步的执行取决于前一个测试步的结果。

（2）测试启动和进行阶段。

情况 1：被测设备为终端节点时，启动标准测试设备 1、2 和被测设备组成一个简单的传感网。标准测试设备 1 配置为协调器，标准测试设备 2 配置为路由器。如图 6.14 所示，被测设备作为路由器的节点。用户通过测试客户端下发已编辑好的测试命令集，安全测试服务器接收处理命令后，直接转发给路由器。路由器与节点实现面向对象交互后，开始执行测试步命令。

情况 2：如图 6.15 所示，被测设备为路由器时，标准测试设备 2 配置为终端设备，作为路由器的节点。测试用户采取与情况 1 相同的测试步骤对设备进行测试，但测试步不同。

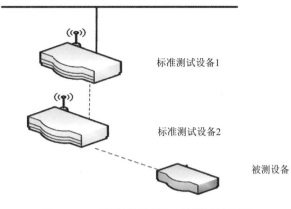

图 6.14　一致性测试情况 1 的测试结构图

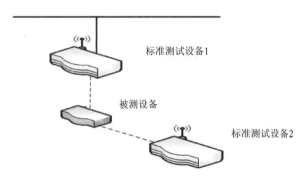

图 6.15　一致性测试情况 2 的测试结构图

不同的标准对应的测试用例不同。当标准相同，被测设备不同时，测试用例也可能不同，测试客户端会根据测试用户的选择提供不同的测试用例。当测试用例确定时，测试步和测试命令集也会相应确定。

测试步命令格式如表 6.7 所示，与安全功能测试命令格式类似，标识符由客户端提供。

表 6.7　测试步命令格式

报文头	命令长度	短地址	标识符	辅助字符串
2 byte	1 byte	2 byte	1 byte	n byte

判决条件：根据不同标准的要求，对被测设备的安全实现步骤及安全实现的功能逐一测试。若符合标准要求，则返回测试通过响应。否则，返回测试失败响应。

（3）测试结果和分析阶段：若第一个测试步判决结果为成功，则继续进行下一个测试步，直到所选的用例测试结束；若测试步出现一个判决失败，立即结束该测试用例，并将测试结果发送给安全测试服务器。服务器对测试结果进行分析，自动生成一份测试报告发送给测试客户端，供用户参考。

测试服务器接收测试用户的测试请求，将用户需要测试内容生成可执行测试集进行存储，并加载执行测试相关应用程序，对可执行测试集信息经适当处理后向所连接的测试设备发送测试控制命令。与此同时，测试服务器已经加载数据采集进程，对测试信号进行采集或由网络测试设备对远程测试对象进行测试并返回测试数据，测试服务器对这些数据进行若干处理并进行分析，将测试执行结果存储在测试服务器，添加一定的附加信息生成测试报告。

安全测试用例管理主要分用例选取、用例编译、用例存储。用例选取是根据传感网安全测试标准由本测试平台提供参考的测试用例；用例编译为用户提供用例编译窗口，即用户根据自己需要编写相关测试用例的信息；用例存储是安全服务器将用例选取和用例编译后的用例信息存储以便测试启动后调取测试执行信息。

安全服务器存储测试用例的结构为层次结构，分为四个层次：测试集、测试组、测试用例和测试步。

6.4.2　电力物联网安全测试平台

1. 背景

电力物联网是一种将信息数据收集、信息数据分析及信息传输等功能综合起来的智能化网络信息平台[14]。它能够实时地感知和采集各类目标数据信息，实现人与实体之间的信息传递与交互，在多个领域方面有相当广阔的应用前景[15]。物联网是以电力物联网技术为基础来实现的，电力物联网以其广泛的应用前景，是目前在国际上最为瞩目的研究领域。它可以融合多种学科、具有知识高度集中的特点，可以直观地获取用户需要的数据信息，被称为是 21 世纪最具影响力的技术之一。

电力物联网是由众多传感器节点组成的，这些节点的网络拓扑结构是可以变化的，它们自发地或者利用多跳方式构成无线网络，电力物联网的目标是相互协调地感应、收集、分析和传输传感器节点负责监控区域的数据信息，将检测信息上传给服务器并提供给观测者使用。和传统网络有所不同的是，电力物联网有自己独有的特征，它的节点较多、网络拓扑可变、节点资源较少等。

我国也加强了对电力物联网的关注，国家信息技术领域也对电力物联网技术做了长期的计划，这一点也足以证明我国对于电力物联网技术的重视。因此，电力物联网技术的研究对于社会的发展与推进很有意义。

由于电力物联网部署环境不确定、网络的拓扑结构也可随着节点的离开与加入不断变化。此外，节点本身在通信、存储力、数据运算、物理安全等方面的局限性，导致电力物联网的分析报文能力、资源分配能力等相对薄弱，有限的通信能力使得安全问题成为一个巨大的挑战。正是这种"供"与"求"之间的矛盾使电力物联网安全研究成为焦点。如何处理电力物联网的安全隐患，最重要的是保证通信节点双方的合法性及通信路径的安全，这就涉及认证和保密的问题。目前经过众多研究者的不懈努力，出现了多种算法和协议来保证电力物联网的安全，在密码算法的方面一般使用的是对称密码算法，但是为了更安全地保护密码安全，也可以使用低开销的非对称密码算法，再者，针对电力物联网独有的特点，研究者提出了专门的安全协议。

电力物联网安全协议的实现过程离不开协议测试，协议测试是为了对协议的实现进行检验，借此发现实现过程中的不足。当前安全需求越来越复杂，安全协议也变得尤为重要，如何进行安全性的检测，确保安全的实现符合预期目标成为众多研究者争相研究的对象。由于电力物联网的局限性，需要一套专门针对电力物联网的测试验证平台，对电力物联网的安全性进行相关的测试和验证，为电力物联网的安全协议测试标准做铺垫。

由于网络攻击技术的不断发展，一些原有针对网络攻击的安全防御措施已经无能为力，预先识别网络平台的安全状况就显得非常重要。电力物联网的安全性能将直接影响整个网络总体上的信息安全、能量高效、容侵容错和高可用性等。为了电力物联网的安全，亟须参照信息安全相关标准开展相关检测和测试工作，需通过对电力物联网的安全状况进行测试和评估，及时发现存在的脆弱性及可能造成的危害，然后根据测试评估结果，制定合适的安全策略和安全措施，从而降低平台的安全风险，保证平台能够正常工作。

2. 技术方案

1）总体结构设计

电力物联网安全测试平台是基于 Web 的安全测试平台，用户可以直接通过浏览器对电力物联网的安全性进行监控和测试，实现用户 Web 界面友好。

平台主要由两部分构成：前端测试网络和后端测试服务平台，前端测试网络包括安全测试设备和被测设备；后端测试服务平台包括测试客户端、注册监管机构和安全测试服务器等，安全测试平台拓扑结构如图 6.16 所示。

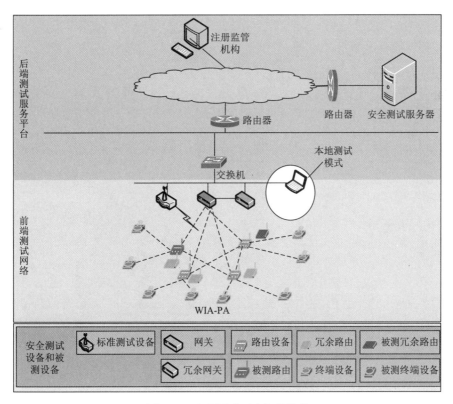

图 6.16　安全测试平台拓扑结构

　　平台包括前端测试网络和后端测试服务平台两部分，前端测试网络包括安全测试设备和被测设备；后端测试服务平台包括测试客户端、注册监管机构和安全测试服务器等。其中的部分设备说明如下所示。

　　（1）安全测试设备包括标准测试设备、网关、路由器、终端设备等角色，标准测试设备对被测设备进行激励，转发安全测试、服务器测试命令和上传响应报文至安全测试服务器。标准测试设备，通过转发测试命令给被测设备，被测设备自动执行安全测试操作，并将测试结果通过标准测试设备转发给安全测试服务器，安全测试服务器将测试结果进行分析并存储。

　　（2）被测设备由被测方提供，包括被测冗余路由、被测路由、被测终端设备、冗余网关等。

　　（3）测试客户端作为人机交互的接口，为平台提供安全测试入口，确认平台测试的测试例集合和一致性测试参考的标准规范。在平台安全测试完成后，从测试服务器查询测试结果，并生成测试报告，提供打印和保存服务。

　　（4）安全测试服务器具备自动分析数据的功能，能自动生成安全测试的测试集，并导入相应的测试例信息。安全测试服务器存储安全测试案例的测试信息和标准的测试规范集，并为测试客户端提供查询和新增测试案例接口，增加平台的可扩展性。

　　针对安全测试平台所提供的两种应用形态，安全测试平台运行过程中数据信息交互示意图如图6.17所示。

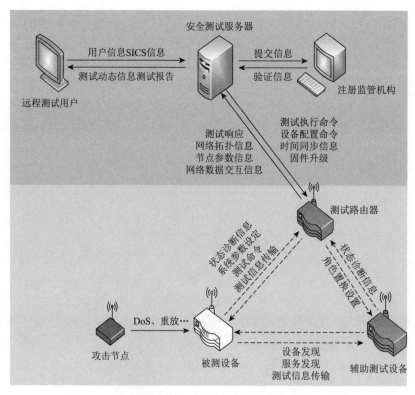

图6.17　安全测试平台运行过程中数据信息交互示意图

测试用户登录访问安全测试服务器，提交 SICS 信息；测试服务器根据 SICS 信息生成安全可执行测试集，并调用相关的功能模块向测试路由器发送测试命令，测试路由器结合辅助测试设备对被测设备执行测试；测试过程中某些信息（如用户信息、注册厂商信息等）需提交到注册监管机构来获取验证信息；安全测试服务器根据测试路由器响应。

2）测试服务器设计

安全测试服务器采用三层功能结构设计，即功能应用层、功能支撑服务组件层和通信服务接口层，功能应用层为用户提供测试应用功能；功能支撑服务组件层为各种测试服务提供支撑功能；通信服务接口层为测试服务器提供各种功能所需的通信接口。测试服务器功能体系结构图如图 6.18 所示。

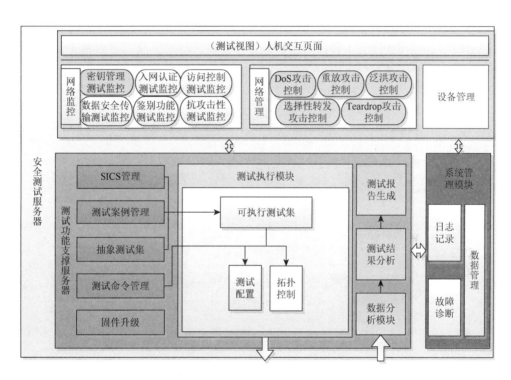

图 6.18　测试服务器功能体系结构图

安全测试服务器接收现场用户的测试请求，将用户需要测试内容生成可执行测试集发送到安全测试服务器，并加载执行测试相关应用程序到安全测试服务器，将可执行测试集信息经适当处理后向所连接的测试设备发送测试控制命令，与此同时，测试计算机已经加载数据采集进程，对测试信号进行采集或由网络测试设备对远程测试对象进行测试并返回测试数据，测试计算机对这些数据进行若干处理并进行协议分析后返回测试执行结果到测试服务器，测试服务器对返回的测试执行结果结合可执行测试集信息作测试结果分析后生成测试报告。测试平台中指令分析、设备管理、参数配置、数据采集、处理与发送是通过不同测试服务器联合执行的，测试服务器面向远程网络测试设备和测试对象的网络测试服务中心。

3）测试方案设计

电力物联网安全测试平台主要由安全测试服务器和测试设备两部分构成，测试服务器采用 Windows Server 2003/2008 + IIS + C#/ASP.NET + 数据库的架构，测试设备主要有测试路由器和被测设备两种类型。测试平台遵循《传感器网络　信息安全通用技术规范》（GB/T 30269.601—2016）的安全功能准则和《传感器网络　安全测评规范》（GB/T 30269.805—2019）的测试方法，每个安全功能的测试过程与结果都具有真实性和可靠性。

电力物联网安全测试平台设计包括以下 2 个部分，其功能结构图如图 6.19 所示。

（1）安全功能测试：入网认证测试、密钥管理测试、访问控制测试、数据融合测试、数据完整性测试、数据新鲜性测试和路由安全测试等针对 WIA-PA 运用的安全功能的测试。

（2）综合安全评估：对上述两方面的测试结果进行分析，然后对网络的安全性进行客观真实的评价，最终得到当前网络的安全等级。

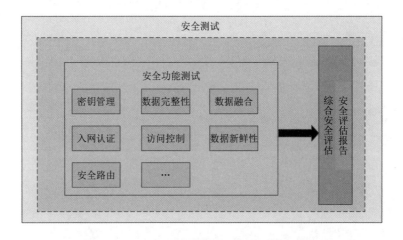

图 6.19　电力物联网安全测试平台功能结构图

如图 6.19 所示，无线传感器网络安全测试功能设计主要包括：安全功能测试和综合安全评估。安全功能测试是对网络中的密钥管理、入网认证、访问控制、数据完整性测试、数据新鲜性测试和路由安全测试等安全功能进行测试，然后把安全功能测试结果输入给安全评估模块，最终得到一个安全评估报告。

①测试依据。安全测试项及测试参考标准表如表 6.8 所示。

表 6.8　安全测试项及测试参考标准表

安全测试		安全测试对象	测试参考
安全功能测试	入网认证	安全入网认证	《中国移动无线局域网（WLAN）AP、AC 设备测试规范》

续表

安全测试		安全测试对象	测试参考
安全功能测试	密钥管理	密钥分发服务测试	《移动用户终端无线局域网技术指标和测试方法》（YDC_079—2009）
		密钥建立服务测试	
		密钥更新服务测试	
	数据完整性	完整性校验服务测试	《电力物联网信息安全通用技术规范》
	数据新鲜性	序列号机制测试	
		时间戳机制测试	
	访问控制	强制访问控制测试	
		自主访问控制测试	
	路由安全	路由鉴别测试	
		网络层路由交换安全报文测试	
	数据融合	数据融合服务测试	
综合安全评估			《电力物联网信息安全通用技术规范》

平台在确定声明等级和设备类型之后，会自动生成必测案例集，测试用户不可进行选择；另外，在视图的下方提供了可选案例项的选择，用户可根据需求进行选择。所以测试案例确定之后，测试项目中就可自动生成视图右侧的安全测试执行集（测试协议类型、声明的安全等级、被测设备类型和测试执行集）。

②抽象测试集。安全功能测试是用来验证被测实现是否能够正确执行其预期的安全功能，从而确定被测实现安全功能的正确性和完整性。传感器网络的安全功能测试主要是测试其基本安全功能是否符合预期的要求。根据《传感器网络 信息安全通用技术规范》（GB/T 30269.601—2016）的安全等级描述，安全功能测试的抽象测试集包含可选测试集和必选测试集，可选测试集是由平台根据先决条件自动确定的测试集，必选测试集是由测试方根据系统的需求进行选择的功能测试集，如图 6.20 所示。

4）安全测试平台总体结构设计

电力物联网安全测试平台由测试应用服务层、支撑服务层和通信接口层构成，如图 6.21 所示。

（1）电力物联网安全测试平台是进行相关硬件集成、软件（安全测试例）集成、测试过程管理、测试结果分析的测试平台，主要功能设计说明如下所示。

①测试应用服务层。测试应用服务层由测试执行应用服务、测试视图和管理信息库组成，为用户提供测试平台应用接口。测试执行应用服务为安全测试服务提供专用的接口，测试视图为用户执行测试提供良好的人机交互界面，针对测试功能提供 SICS 编辑、测试监控、网络管理、测试报告、用户管理等通用功能模块。管理信息库为安全测试平台管理资源及元素提供数据库服务。

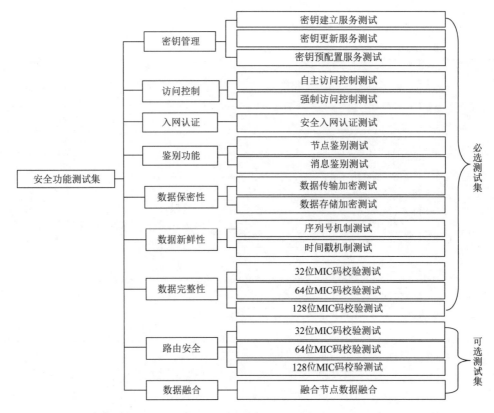

图 6.20　安全功能测试集

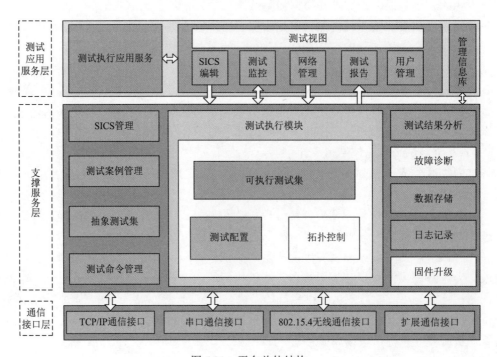

图 6.21　平台总体结构

　　②支撑服务层。支撑服务层为测试应用服务层提供功能支持服务。支撑服务层部分模块设计功能如下所示。

　　a. 测试执行模块：包括可执行测试集、测试配置、拓扑控制等。该模块用于对测试例的管理和执行。该模块通过安全测试服务器设计相应控制模块，通过测试路由器设计对应接口功能，实现对测试例的管理和执行。

　　b. SICS 管理：此功能模块在安全测试服务器上实现，在测试服务器为用户提供 SICS 内容编写和修改的接口。并完成 SICS/IXIT 信息的一致性检查，确定 IUT 的声明是否与标准规定一致，一方面要检查 SICS/IXIT 信息的合法性，另一方面还要检查 SICS/IXIT 信息的有效性。

　　c. 测试案例管理：该模块在测试服务器上实现，为测试用户提供测试案例编辑接口。

　　d. 抽象测试集：在安全测试服务器上提供安全，测试所需测试例的完整集合。

　　e. 测试结果分析：测试服务器根据执行的测试案例和由协议分析模块得到的测试执行结果，分析被测设备或被测系统是否符合安全标准和安全等级的规定。

　　f. 日志记录：对测试过程中各类信息、平台配置信息、测试故障原因信息等进行记录以便测试执行人员更好地了解测试运行信息，也更有利于平台管理人员对平台的维护。

　　g. 故障诊断：对测试平台运行和测试执行过程中出现故障进行自我诊断并记录相关信息。

　　h. 数据存储：在测试平台运行过程中，存储需要用到的数据信息及运行过程中所产生的数据信息。

　　i. 固件升级：测试服务器提供在线程序资源的下载，实现测试设备在线升级。

　　③通信接口层。通信接口层包括 TCP/IP 通信接口、串口通信接口、802.15.4 无线通信接口和扩展通信接口，为平台功能实现提供多种通信接口。

　　图 6.22 为平台测试执行流程示意图。

　　（2）测试执行流程。依据安全测试平台总体功能设计方案，测试执行流程如下：用户编辑 SICS 或测试案例，测试服务器 SICS 管理模块根据 SICS 信息在抽象测试集中选取相关案例生成可执行测试集，根据可执行测试集的测试案例的测试步信息，调用测试命令管理模块中相关命令，实现测试过程中测试配置、拓扑控制等功能。将接收来的数据进行分析，依据用户提出的 SICS 信息进行测试结果分析并生成测试报告。

　　测试平台根据用户导入测试案例的相关信息，调用相应的测试案例处理函数装载测试命令，并调用发送线程的发送函数发送测试命令；同时启动事件等待函数，如果在规定的时间内收到应该接收到的测试响应报文，则状态变为有信号状态。收到报文后，调用相应的报文分析函数对所接收到的报文进行分析，并得出测试结果。测试执行流程图如图 6.23 所示。

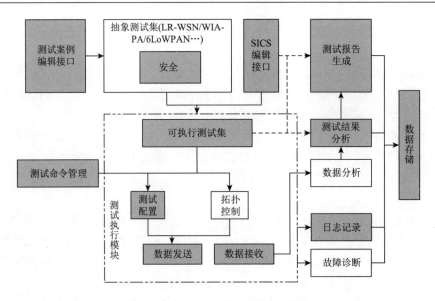

图 6.22　平台测试执行流程示意图

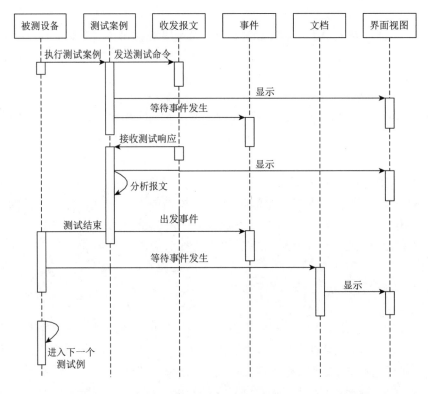

图 6.23　测试执行流程图

5）安全测试平台功能模块设计

对应于安全测试平台拓扑结构，后端测试服务平台主要是安全测试服务器的设计，前端测试网络设计包括测试路由器、辅助测试设备和被测设备中上测试代理。安全测试平台功能模块设计如图 6.24 所示。

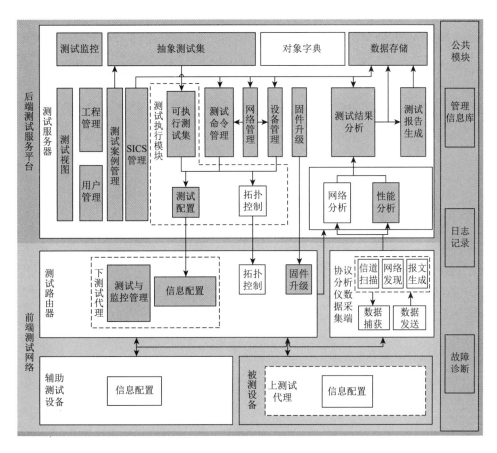

图 6.24　安全测试平台功能模块设计

参 考 文 献

[1] 杨晨, 马瑞成, 王雨石, 等. 深度学习与工业互联网安全: 应用与挑战[J]. 中国工程科学, 2021, 23 (2): 95-103.

[2] 李林枫, 黄晶晶, 李琳. 工业控制系统安全分析及渗透测试经验分享[J]. 自动化博览, 2021, 38 (1): 48-53.

[3] 孙友添. 2019 年中国互联网网络安全报告出炉[J]. 计算机与网络, 2020, 46 (20): 16-19.

[4] 万明, 张炎炎, 李嘉玮, 等. 工业互联网安全浅析: 边缘端点的主动防护[J]. 自动化博览, 2021, 38 (1): 62-66.

[5] 陶耀东, 李宁, 曾广圣. 工业控制系统安全[J]. 计算机工程与应用, 2016, 52 (13): 8-18.

[6] 袁静, 任卫红. 《网络安全等级保护测评过程指南》修订要点解析[C]. 2019 互联网安全与治理论坛论文集, 北京, 2019: 195-198.

[7] 周伟平, 杨维永, 王雪华, 等. 面向工业控制系统的渗透测试工具研究[J]. 计算机工程, 2019, 45 (8): 92-101.

[8] 何炎祥, 孙发军, 李清安, 等. 无线传感器网络中公钥机制研究综述[J]. 计算机学报, 2020 (3): 381-408.

[9] 段军雨, 侯俊丞. 面向物联网的无线传感器网络综述研究[J]. 物联网技术, 2019, 98 (4): 67-68, 72.

[10] 杨自强, 吕伟. 面向物联网的无线传感器网络设计研究[J]. 数字通信世界, 2018 (3): 57-58.

[11] 段莹, 李文锋. 工业物联网推动智能制造——解读《工业无线传感器网络抗毁性关键技术研究》[J]. 中国机械工程,

2019，30（18）：2263-2267.

[12]　Vempaty A，Ozdemir，Agrawal K，et al. Localization in wireless sensor networks Byzantines and mitigation techniques[J]. IEEE Journal and Magazines，2013，61（6）：1495-1508.

[13]　ISO/IEC. Information Technology-Open Systems Interconnection-Conformance testing methodology and framework：ISO/IEC 96461[S/OL]. [2021-12-26]. https://www.iso.org/standard/17473.html

[14]　朱振. 配电物联网在新产业形态中的应用探讨[J]. 数字通信世界，2019（11）：272.

[15]　吴姗姗，宁昕，郭仙，等. 配电物联网在新产业形态中的应用探讨[J]. 高电压技术，2019，45（6）：1723-1728.